西北政法大学公安学院系列教材

禁毒学教程

JINDUXUE JIAOCHENG

主　编◎李　莉

撰稿人◎（按撰写章节顺序）

　　　　刘　艳　王　霄　李金一　段喆斐

　　　　李　莉　赵　娜　智敏杰

中国政法大学出版社

2025·北京

总　序

　　党的二十大以来，确立了坚持走中国特色社会主义法治道路，建设中国特色社会主义法治体系、建设社会主义法治国家，围绕保障和促进社会公平正义，坚持依法治国、依法执政、依法行政共同推进，坚持法治国家、法治政府、法治社会一体建设，全面推进科学立法、严格执法、公正司法、全民守法，全面推进国家各方面工作法治化。随着中国特色社会主义进入新时代，我国社会的主要矛盾已经转化为人民日益增长的美好生活需要和不平衡不充分的发展之间的矛盾，社会主要矛盾发生历史性的新变化，目前我国正在推进全面深化改革，多领域改革交叉联动，改革带来红利的同时，必然打破已有的利益平衡，造成一定范围内的冲突，对国家的社会治安造成不稳定因素，刑事犯罪案件相应增加，新的犯罪手段和形式层出不穷。由于新的社会治安环境产生变化，相应的社会治理也有新的变化。公安工作也要适应新形势新变化。中共中央办公厅、国务院办公厅印发了《关于加强新时代法学教育和法学理论研究的意见》明确指出要建设好相应的法学教材体系。

　　这些背景促使公安学及相关学科要有一个大的改变，完善能够适应新时代需要的教材体系。西北政法大学公安学院（公共安全法学院）顺应时代要求，根据当前公安学和法学教育的特点，理论与实务相结合，组织校内外学者和实务部门专家，组织编写一套系列教材。这套系列教材坚持传统理论和知识，同时结合新的犯罪形势，在教材内容、体系和结构编排上体现新的特点，以习近平法治思想为指导，科学把握习近平法治思想的理论内涵，增加目前实务部门新的理念、新的技术、措施和方法，使教材能够具有较强的适应性和实践性。希望通过系列教材的出版，推动公安学教育的发展。

西北政法大学公安学院（公共安全法学院）

教材编写委员会

2023 年 11 月 22 日

编写说明

　　毒品问题是危害人类健康、破坏社会安定、阻碍全球可持续发展的重大挑战。当前，国际毒情形势日益复杂，毒品种类迭代更新速度加快，毒品犯罪手段愈发隐蔽，禁毒工作面临前所未有的严峻考验。党的十八大以来，习近平总书记高度重视禁毒工作，多次发表重要讲话、作出重要指示，将全民禁毒提升至新高度，为打赢新时代禁毒人民战争指明了行动方向、提供了根本遵循。随着我国禁毒人民战争进入深化阶段，禁毒工作的专业化、法治化、科技化需求不断提升。然而，禁毒学作为一门新兴交叉学科，其教材建设仍存在理论体系分散、实践指导性不足等问题。本教材立足于我国禁毒工作实际需求，融合法学、社会学、犯罪学、心理学、公共管理等多学科视角，系统梳理禁毒学核心理论与实践经验，力求填补学科教育资源的空白。本教材的出版不仅能为高校禁毒学及相关专业提供教学参考，也可为禁毒一线工作者、政策制定者提供理论指导与实践指南，助力构建"科学禁毒、全民禁毒"的新格局。

　　本教材以"立德树人、服务实战"为宗旨，致力于培养具有以下核心素养的禁毒专业人才：扎实的理论功底，掌握禁毒学基本概念、发展脉络及核心理论，理解毒品问题的社会根源与演变规律；全面的实践能力，熟悉毒品预防教育、戒毒康复、缉毒执法、国际合作等关键环节的操作流程与方法；跨学科的思维视野，能够综合运用法学、社会学、数据分析等工具，应对毒品犯罪网络化、智能化等新型挑战；坚定的职业使命感，树立"天下无毒"的理想情怀，强化禁毒工作的社会责任感和法治精神。

　　本书共分为六编二十章，由李莉任主编，参加编写者分工如下：

　　第一编（第一章——第五章）　刘　艳　西北政法大学公安学院

第二编（第六章——第八章）　王　霄　西北政法大学公安学院

第三编（第九章——第十章）　李金一　贵州中医药大学人文与管理学院

第三编（第十一章——第十二章）　段喆斐　西北政法大学公安学院

第四编（第十三章——第十四章）　李　莉　西北政法大学公安学院

第五编（第十五章——第十六章）　赵　娜　西北政法大学公安学院

第六编（第十七章——第二十章）　智敏杰　西北政法大学公安学院

　　本《禁毒学教程》教材编写突出三大特色。立足本土，放眼国际：既深度剖析中国禁毒模式与"金三角"地区、"金新月"地区等区域毒情，又借鉴国际禁毒合作经验；案例导学，注重实操：通过典型案例分析、实训任务设计，强化问题解决能力；追踪前沿，创新视角：增设"新精神活性物质""推进我国毒品治理体系和治理能力现代化"等专题，回应新业态下的毒情挑战。

　　本教材的成稿凝聚了编写团队多年的教学研究成果，亦得到禁毒实务部门、学术同行的大力支持。书中部分观点或许仍需在实践中检验，部分前沿议题亦需持续探索，我们期待广大师生、读者提出宝贵意见，共同推动禁毒学学科的创新发展。

《禁毒学教程》编写组

2025 年 9 月

目 录

CONTENTS

第一编

毒品、新精神活性物质、易制毒化学品基础知识

第二编

毒品问题与我国的禁毒工作

第三编

禁毒法律适用

第四编

毒品犯罪案件侦查

第五编

吸毒与戒毒

第六编

典型案例

第一编

毒品、新精神活性物质、易制毒
化学品基础知识

第一章

毒品概述

第一节　毒品的概念及其分类

一、毒品的概念

(一) 毒品定义

《中华人民共和国刑法》(简称《刑法》) 第 357 条规定:"本法所称的毒品,是指鸦片、海洛因、甲基苯丙胺 (冰毒)、吗啡、大麻、可卡因以及国家规定管制的其他能够使人形成瘾癖的麻醉药品和精神药品。"

毒品的范围具有历史性与时代性。随着毒品滥用范围的不断扩大和药物合成的快速发展,毒品的种类和范围会进一步扩大,因此毒品的管制属于动态管制的状态。为了掌握毒品的范围、种类,国际上通过各国采取开列和定期公布毒品清单的方法,确认毒品的范围。联合国《国际药物管制公约》(简称《国际公约》) 规定,所列的麻醉药品、精神药品及制毒物质清单,需依照缔约国和国际麻醉品管制局的提议,经联合国麻醉药品委员会决定,随时修订。目前大约有 200 多种麻醉品和精神药物被置于《国际公约》规定的控制之下,受到国际管制。我国根据《国际公约》及本国实际毒品使用的情况,将 509 种麻醉药品和精神药品纳入管制的范围。

(二) 毒品与药品及毒物

言及毒品必然涉及药品和毒物,因为它们之间有着密切联系。

药品是指用于预防、诊断或治疗人的疾病,有目的地调节人的生理机能并规定有适应症、用法和用量的物质。在用药过程中,由于药理效应选择性低,涉及多个效应器官，当某一效应为治疗目的时，其他效应就称为副作用。如阿托品用于解除胃痉挛的过程中会引起口干、心悸、便秘等副作用。副作用是在常用剂量下发生的，是与治疗作用同时出现的不适反应，一般比较轻微，但难以避免。凡不符合用药目的并给病人带来不适或痛苦的反应都称为药物的不良反应。多数不良反应是可以预知的，少数较严重的不良反应难以恢复。如庆大霉素引起的神经性耳聋，肼屈嗪造成的红斑狼疮等。若超过常用剂量或用药时间过长，引起机体的生理生化机能和结构发生病理变化的反应称为毒性反应。

因服用剂量过大而立即发生的药物反应称急性毒性反应；因长期服用而逐渐发生的药物毒性反应称慢性毒性反应。毒性反应在性质和程度上都与副作用不同，主要是对中枢神经、消化、血液、循环系统以及肝、肾功能造成功能性或器质性损害，甚至危及生命。毒性反应使人中毒甚至死亡，这时药物就会转变为毒物。

毒物是指在一定条件下，经过生物体吸收后引起生物体功能性或器质性损害的化学物质。毒物的概念是相对的，它和药品之间没有绝对的界线，甚至食物超大剂量服用或处理不当也可引起中毒。

毒品通常是指能使人成瘾的物质，既包括在医疗中应用的药物，又包括无医疗用途的化合物。成瘾主要涉及机体对药物的反应，连续用药会使机体对该药物产生耐受性，需要加大药物的剂量。有些药物长期使用会产生欣快感，中断会感到主观不适，精神上产生想再服用的愿望，形成了心理依赖性。另一些药物停用后会产生严重的生理功能紊乱，形成了生理依赖性。心理依赖性和生理依赖性统称为依赖性。毒品包括被管制的具有依赖性的药物，这时毒品与药物之间也没有绝对的界限。以治病为目的，合法使用就是药物，超剂量非法滥用形成依赖性就成为毒品。如绝大多数麻醉药品和精神药品在医疗上不可或缺，尤其是麻醉药品几乎都是镇痛药，目前还没有找到一种没有依赖性的镇痛药。这些药品只有在违反药品管理法规的情况下才称其为毒品。人们对药物转化成毒品有一个认识过程。最初研制鸦片、海洛因时均是以治病为目的，于是当作药物出售。可卡因曾一度作为滋补强身剂及饮料中的成分，苯丙胺类药品是减肥药中的成分，这些药物在长期使用中证实了它们的依赖性后，对其控制使用，成为受管制的毒品。

毒品与毒物都具有明显毒性反应，对人体产生功能性或器质性损害，二者显著区别是毒品具有明显的依赖性及滥用性；而毒物一般无依赖性，且很少被滥用。

二、毒品的分类

毒品可以根据不同的标准进行分类。

（一）按毒品来源分类

1. 天然毒品。天然毒品是指自然界植物体中含有的具有明显生理活性的化学物质，可将植物的某一部分直接吸食、饮用或通过简单的提取净化得到含量较高的毒品。鸦片、吗啡、大麻、可卡因等均属于天然毒品。同一植物科属的植物由于采用的部位不同，所含的毒品成分、含量亦不同。此外，植物的产地、天然或栽培、采收时间、新鲜或干燥，以及提取方法都会影响毒品的含量与效能。

2. 合成毒品。合成毒品是指利用两种或两种以上的化学物质，通过一系列化学反应，制造出来的毒品。例如，安非他明类、杜冷丁、麦角酸二乙酰胺（LSD）、苯环己哌啶（PCP）等。合成毒品与其制备方法、所用的化学原料与试剂密切相关，影响毒品纯度及效能。

（二）按禁毒国际公约分类

这是目前国际上统一的分类方法，也基本属于药理学的分类原则。其分类的依据是毒品在生物体脑内具有相同的"受体"作用机制，因而对人体产生的主观和生理作用类似，戒断后产生相同类型的戒断症状，并具有交叉依赖性和交叉耐药性。按这一分类方法，可将毒品分为：

1. 麻醉药品。它是指连续使用后产生身体依赖性，能形成瘾癖的药品。包括鸦片类、可卡因类、大麻类及合成麻醉品类，如杜冷丁、美沙酮等。

2. 精神药品。它是指直接作用于中枢神经细胞，使之兴奋或抑制，连续使用能产生依赖性的药品。又分为镇静剂、兴奋剂和致幻剂。镇静剂是对中枢神经系统有抑制镇静作用的药品，可减轻人的心理活动能力。常见的镇静剂有巴比妥类安眠药、苯并二氮䓬类安眠药、安眠酮等。兴奋剂又称中枢神经系统兴奋剂，它可以使人情绪亢奋。常见的兴奋剂有安非他明类等合成毒品及非安非他明类的哌醋甲酯、苯甲吗啉、咖啡因和安钠咖等。致幻剂是使人产生幻觉或错觉的毒品。常见的致幻剂有麦司卡林、致幻蘑菇菌等天然毒品和麦角酸二乙酰胺、二甲基色胺等合成毒品。

另外，有的按照毒品的作用程度，将毒性作用较小的大麻类、安非他明类毒品称"软性毒品"，将毒性剧烈的海洛因、可卡因等称"硬性毒品"。

第二节　毒品的特征

毒品一般具有三个基本特征，即成瘾性、危害性和违法性。

一、毒品的成瘾性

依据毒品的定义，毒品具有成瘾性，由于毒品的成瘾性导致其滥用的发生。而毒品的成瘾性有时也被称为依赖性，个体对毒品的依赖性与毒品的耐受性有紧密关系，也是导致毒品危害的重要原因。

(一) 毒品的耐受性

耐受性是机体对毒品反应的一种适应性状态的结果。当长期反复使用某种毒品时，机体对该毒品的反应敏感性降低，药效也随之减弱，为了达到与原来相同的反应和药效，就要逐步增加剂量，这种现象就是毒品的耐受性。例如，多数成年人肌肉注射吗啡 10 mg，就可以缓解疼痛并产生催眠作用，而反复用药的人则需注射 100 mg（10 倍）甚至 5000 mg（500 倍）于临床剂量才能达到相同的药效，如此大的剂量必致正常人于死地。不同种类的毒品产生耐受性的快慢不同，鸦片类毒品产生耐受性快，镇静催眠类毒品产生耐受性较慢，致幻剂则多不产生耐受性。

某些毒品还产生交叉耐受性，即机体对某种毒品产生耐受性后，对另一种毒品的敏感性降低。如对鸦片类毒品产生耐受的个体，对其他鸦片类毒品的耐受性会提高。

耐受性产生的快慢与用药模式有关，停止用药后，其耐受性很快消失。医疗上有控制地间断用药，可在一定时间内保持治疗剂量的药物效能。毒品的耐受性也是可逆的，停止使用毒品后耐受性逐渐消失，机体对毒品的反应又恢复到原来的水平。所以一些鸦片类毒品成瘾者戒毒后又复吸者，即使服用低于平时所用的剂量，也会发生过量中毒。

(二) 毒品的依赖性

毒品的依赖性是一种综合症，是由于长期反复服用毒品，毒品与机体相互作用引起的心理和生理状态。"药物依赖"一词是世界卫生组织成瘾药物专家委员会将"药瘾"和"习惯性"更名而成。世界卫生组织成瘾药物专家委员会对药物依赖的定义是：药物依赖性是指药物与机体相互作用所造成的一种精神状态，有时也包括身体状态，表现为一种强迫性的或定期使用该药的行为和其他反应，目的是体验它的精神效应，有时也是为了避免由于断药所引起的不舒适感，可以发生或不发生耐受性。同一个人可以对一种以上药物产生依赖性。依赖性分为心理依赖性和生理依赖性。

心理依赖性又称精神依赖性，曾称习惯性。它是毒品成瘾的病理心理学特征，是指多次用药，导致精神或心理上对药物的一种主观渴求或继续使用该药的强烈愿望，以获得心理上的满足和避免精神上的不适。人们通常所说的"心瘾"即是心理依赖的具体表现。毒品的心理依赖十分顽固，对用毒者留下的心理烙印极难消除，是吸毒者在摆脱生理依赖后重新吸食的重要原因。

生理依赖性又称身体依赖性，曾称成瘾性，是毒品成瘾的病理生理学特征。生理依赖性指的是由于长期、反复使用毒品，建立了机体内毒品存在下的平衡，使机体处于适应状态，中断打破了这种平衡便不能维持正常生理功能，产生一系列强烈的躯体方面的损害，造成的一种人体生理、生化过程异常或紊乱的状态，主要表现在随着时间的延长而需要不断增加用药量才能达到原有的药效（耐药性），一旦停药，身体便会出现一系列症状即戒断综合症。戒断症状通常出现在下一次给药之前的短时间里。此时成瘾者主要表现为内心烦虑、渴望得到药品。这些身体症状的反应程度在距上一次给药之后的 36 小时～72 小时内达到高峰，之后逐渐消退。而距上次给药的 8 小时～12 小时里出现的症状主要是流泪、流鼻涕、打哈欠、出汗等。此后，成瘾者进入不安稳的睡眠之中。随着戒断综合症的加剧，成瘾者会出现坐立不安、急躁、食欲消失、失眠、起鸡皮疙瘩和严重的打喷嚏等症状。这些症状在 42 小时～78 小时内达到高峰。这期间成瘾者身体虚弱，受恶心、呕吐的折磨，常出现胃痉挛和腹泻、心率加快、血压升高、身体忽冷忽热，大量出汗等典型症状。全身骨骼和背部肌肉疼痛难忍，肌肉痉挛，好似处于极度运动中，这就是通常说的"瘾发作"。戒断症状会使人感到极端痛苦，甚至有生命危险。若无治疗，这些症状最后会减弱，其中大多数在 7 天～10 天后消失。戒断症状具有稽延性，中断毒品后稽延性戒断症状比较顽固，不易消除。如鸦片类毒品的稽延性戒断症状为失眠、焦虑和疼痛。

心理依赖性是毒品的重要特征，有些药物对某些病人具有生理依赖性，如糖尿病病人依赖胰岛素，高血压病人依赖降压药，但这些药物不产生心理依赖性，只是生理依赖性。因而这些药物不具备毒品特征。

毒品具有交叉依赖性，某种毒品能够减弱或抑制另一种毒品不产生戒断症状，并能维持其生理依赖的功能，称为交叉依赖性。毒品的交叉依赖性是对某些依赖者进行脱毒治疗的理论依据。如用与海洛因毒理性能相近的美沙酮取代海洛因依赖，用中枢神经镇静剂取代抗焦虑剂依赖等。

毒品的耐受性与依赖性直接导致了毒品的滥用，即吸毒现象的泛滥。

二、毒品的危害性

由于毒品的依赖性而导致的毒品滥用及由此引起的毒品违法犯罪所产生的危害是多方面的，不仅损害吸毒者的身心健康，而且危及社会治安，破坏国家经济，影响政局稳定，极大地阻碍了人类社会的发展和进步。

（一）毒品严重危害人类的健康

毒品，包括各种兴奋剂、抑制剂、致幻剂都会损害人的健康，毒害人体重要的组织、器官，干扰、破坏正常的新陈代谢过程，导致体力、智力明显下降，免疫力降低，精神颓废。而且毒品会诱发肝炎、艾滋病、性病等严重传染性疾病的蔓延。从长远看，会影响整个民族素质的提高，直接威胁人类的生存和发展。滥用药物的危害性一览表参见表1-1。

表1-1　滥用药物的危害性一览表

药物名称	来源	耐药性	成瘾性	依赖性	戒断性
大麻类	天然	+	缓慢	主要心理依赖	易戒断
吗啡、鸦片	天然	++	较快	生理、心理依赖	不易戒断
海洛因	半天然	+++	很快	生理、心理依赖	难戒断
可卡因	天然	++	较快	主要心理依赖	可戒断
安非他明	合成	+	一般	主要心理依赖	可戒断
LSD	天然或合成	+	一般	主要心理依赖	易戒断
麦斯卡林	天然或合成	+	一般	心理依赖	易戒断
PCP	合成	+	一般	心理依赖	易戒断
安眠镇静药	合成	+	缓慢	心理、生理依赖	不易戒断

（二）毒品阻碍社会的进步和发展

毒品破坏家庭幸福，吸毒导致众多家庭出现危机甚至破裂，影响国家和社会的安定。吸毒者在耗尽个人和家庭钱财后会铤而走险，走上违法犯罪的道路，进行贩毒、卖淫、诈骗、盗窃、抢劫、凶杀等犯罪活动，严重破坏社会治安秩序；毒品无情吞噬巨额社会财富，破坏生产力发展，降低劳动生产率；毒品的巨额利润使世界上毒品犯罪活动日益猖獗，毒品犯罪集团或是直接参与政治活动，或用重金支持反政府组织，制造恐怖活动，产生一系列政治问题。

三、毒品的违法性

毒品对人类社会产生的巨大危害，迫使各国政府及国际社会对其进行严格的管制。违法性是毒品的法律属性，即按照国家关于麻醉药品、精神药品的管理规定，滥用麻醉药品、精神药品，非法种植、制造、加工、运输、贩卖、走私上述药品属违法犯罪行为，将受到法律的制裁。酒精、烟草等物品也具有依赖性、滥用性及危害性，但由于种种原因，多数国家未将它们列入毒品管制范围，即不具有违法性。所以，目前饮酒、吸烟不属于吸毒范围。

在毒品的这三个属性中，依赖性是最主要的。毒品的依赖性，决定了其他特性。即由于依赖性，导致滥用性，造成一定的危害性，因此具有违法性。依赖性是毒品的物质特征，危害性是毒品的本质特征，违法性是毒品的法律特征。三者密切相关，缺一不可。

第三节　毒品的滥用

一、毒品滥用的概念

吸毒是药物滥用的俗称。药物滥用是指非医疗用途的麻醉药品和精神药品以强迫性、持续性并不断加大剂量为特征的自行药物摄取行为，是一种慢性中毒的成瘾过程（状态）。其行为表现为：在没有医生指导下自我无节制用药，且超过医疗范围和剂量；使用药物的种类、用药的方式和地点不合理；使用者对药物不能自拔，并有强迫性用药行为；使用药物后往往导致精神和身体方面的危害，以及对社会产生危害。

二、毒品滥用的方式

毒品的种类多种多样，毒品的滥用方式也多种多样。毒品的滥用方式主要有三类：一是吸入毒品的蒸气、烟气，包括装烟、烫吸（追龙）等；二是口服或吸入毒品的粒状物或粉状物；三是溶解稀释后注射，包括肌肉注射、静脉注射和皮下注射。具体来说，有以下几种：

（一）吸入

1. 烟吸。百余年前吸食鸦片是借助烟枪点燃烟土口吸。现在多将海洛因掺入烟丝，通过吸烟将毒品吸入体内。大麻的吸毒方式多是抽大麻烟吸入。

2. 鼻吸。将毒品晶体放在纸板、小刀上，捏住一只鼻孔，用另一只鼻孔将毒品吸入鼻腔，或者将毒品置于带链子和喷嘴的瓶中，挂在脖子上，通过喷嘴随时吸服。可卡因或挥发性有机溶剂吸毒多采用这种方式。

3. 烫吸，又称走板、追龙。它是把毒品晶体置于纸片或锡箔上，下面用打火机加热，毒品升华为烟雾，吸毒者用力吸吮缕缕毒烟，或是用另一张锡箔卷成纸筒追吸毒烟。海洛因与可卡因常以这种方式吸食。

（二）外敷

将毒品直接贴敷在齿龈上、舌头下部或眼睑旁边。男性敷在阴茎上，女性敷在阴道里，通过皮肤黏膜吸收。

（三）口服

将毒品晶体及其片剂、针剂、酊剂等，直接口服或含服。多见于麻醉药品与精神药品制剂的服用，如口服可待因片剂、二氢埃托啡片剂、含鸦片的糖浆剂等。

（四）注射

毒品有皮下注射、肌肉注射和静脉注射几种方式，静脉注射用得最多。海洛因、可卡因、冰毒等毒品均可采用静脉注射。一般先是从臂膀内侧的静脉（二头肌中部至前臂中部）开始注射，随着静脉萎缩顺着手臂往下至手背部静脉部位。为了不易被察觉，也有在颈部、双脚、大腿及腹股沟处静脉注射。女性在乳房下侧和舌头下部注射，男性在阴茎背部进行静脉注射。

毒品进入机体的途径有消化道吸收、呼吸道吸收、皮肤与黏膜吸收、血液直接吸收等。毒品进入机体的途径不同，吸收和作用快慢不同。吸入和注射比口服、皮肤与黏膜吸收作用快，静脉注射因直接进入血液，作用最快。毒品的滥用方式是判断一定区域吸毒问题状况和发展态势的重要指标之一。在一些吸毒的重灾区，尤其是海洛因盛行的区域，主要是以注射方式为主，而在一些吸毒问题处于新发期和扩散期的地区，烫吸和烟吸的方式比较流行。吸毒的方式还与毒品的种类及毒理作用有关。大麻主要是通过烟吸的方式使用，杜冷丁主要是通过注射方式使用，摇头丸适于吞服，可卡因多被鼻吸、烫吸。海洛因具有多种滥用方式，药物滥用者最初吸毒时多采用简单易行的烟吸或烫吸的方式，随着药物依赖性的产生和加重，吸毒者的药物耐受性增大，需要增加毒品的摄入量和次数。毒品滥用者为追求更快、更强的吸毒体验，并减少毒资的消耗，往往逐步由吸入向注射发展。

第二章

常见毒品概述

第一节　鸦片类毒品

一、鸦片类毒品概述

鸦片类毒品是指由天然鸦片原生植物——罂粟中提取的生物碱和人工合成的可使机体产生类似吗啡效应的药物。医疗上常用鸦片生物碱及其衍生物来减轻疼痛，治疗腹泻和镇咳。

（一）鸦片原植物毒品

鸦片，又称阿片、大烟，来源于具有催眠、麻醉功效的罂粟属植物。罂粟有两种，一种为观赏罂粟，株高为 80 cm~90 cm，全株为绿色，茎的下部生长着繁密的叶子，其边缘缺口很深，裂开且生长着粗毛。该种罂粟吗啡含量极低，如黑色罂粟、白色罂粟、石竹花罂粟等。另一种为鸦片罂粟，株高 100 cm~150 cm，它是鸦片类毒品的主要来源，因而是该节介绍的主要内容。鸦片罂粟属两年生草本植物，有柔和的绿白色，茎和叶都是无毛的，叶呈椭圆形，边缘呈锯齿状，罂粟花妖艳，绚丽，花色有红、紫、白等色。花瓣脱落后，果实随即胀大，在果实尚未成熟时，用小刀在其表面上切小口，然后再将渗出的牛奶状液体用刀刮下，在空气中干燥后即成鸦片膏。现代化的收割方法则是对成熟干燥后的罂粟植物进行工业化的处理，以提取其中的生物碱，提取物有液、固、粉状形式。

罂粟是适应力很强的植物，在世界上许多国家都能生长。由于鸦片集医用性和危害性于一体，因此除印度等 14 个国家被世界卫生组织指定为可合法种植一定数量的罂粟外（合法数量为 115 580 公顷），各国都限制其种植。现在世界上最大的非法鸦片产地为亚洲的"金三角"地区和"金新月"地区及美洲的墨西哥。犯罪集团以鸦片为原料，经提炼加工后，合成纯度更高、毒性更强的毒品海洛因。目前全球毒品市场上 60%～70%的海洛因来自上述三个鸦片产地。

（二）鸦片的主要成分、结构与药效

鸦片中含有上百种生物碱，目前可至少提取出 25 种生物碱。可将它们分为两大类，每一类都具有不同的药效。第一类称之为菲类生物碱，代表成分有吗啡和可待因，临床用作镇痛药和咳嗽抑制药。第二类称之为异喹啉类生物碱，代表成分有罂粟碱（肠内弛缓药）和那可汀（咳嗽抑制剂），它们对中枢神经系统无明显影响。我国民间流传的大烟可用于治疗牙痛等疼痛症状及腹泻、气管炎等症状，就是缘于大烟中含有的五种成分：吗啡、可待因、蒂巴因、那可汀及罂粟碱。

1. 吗啡。吗啡是鸦片中的主要成分，含量约为 4%～21%，平均 10%。它是 19 世纪初德国化学家从鸦片中分离出来的生物碱，为无色结晶粉末，是极为有效的镇静剂，20 世纪初曾在世界各国军队中广泛使用，致使成千上万的士兵染上毒瘾。

吗啡的分子式为 $C_{17}H_{19}NO_3$，相对分子质量为 285.3，化学结构式为：

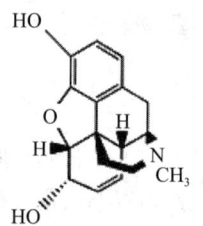

纯吗啡为无色结晶或白色结晶性粉末，含一分子结晶水，熔点（m.p）为 254℃～256℃，旋光度［α］－130.90°（甲醇），加热至 110℃～120℃失水成无水吗啡，熔点 230℃（分解），味苦。在加热条件下溶于氯仿、氯仿-醇混合液中，并溶于稀酸及强碱中，用氨水或碳酸氢钠溶液中和可使其析出。

吗啡与盐酸、硫酸、醋酸及水杨酸等可生成盐。含 3 分子结晶水的盐酸吗啡为医疗中常用的麻醉药品，为白色结晶粉末，随时间延长色泽变暗。盐酸吗啡有极强的镇痛作用，可治疗多种疼痛，多用于创伤、手术、烧伤等引起的剧痛，也用于心肌梗塞引起的心绞痛，也可作为镇痛、镇咳和止泻剂。对晚期癌症疼痛患者来说，硫酸吗啡控释片是首选药物。

市场上的吗啡成品有白色结晶物、片剂和注射用针剂等，其主要合法使用范围限于医院。吗啡可皮下注射、肌肉注射和静脉注射。后一种方法常被成瘾者采用，其耐药性和依赖性在用药者身上表现明显（即上瘾很快）。

2. 可待因。可待因在粗制鸦片中含量约为 0.7%~2.5%，1832 年第一次从吗啡中作为杂质分离出来。虽然可待因属于天然产物，但大多数成品却是由吗啡 3 位甲基化转化而来，为甲基吗啡。分子式为 $C_{18}H_{21}NO_3$，相对分子质量为 299.4，化学结构式为：

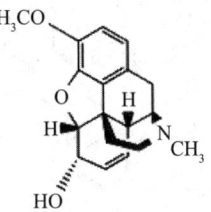

含一分子结晶水的可待因为无色透明斜方形晶体，无臭，味苦，熔点为 155℃，微溶于水，易溶于乙醇、乙醚、氯仿、二硫化碳。可待因可与磷酸、硫酸生成盐，磷酸可待因在临床上广为应用，其为白色细微针状结晶性粉末，熔点为 235℃，有风化性。易溶于水，水溶液显酸性。

磷酸可待因为镇痛、镇咳药，用于剧烈干咳及中等疼痛。与吗啡相比，可待因的镇痛和呼吸抑制等作用较小。用于减轻轻微疼痛的可待因一般为片剂，还可与其他药物如阿司匹林或扑热息痛等制成药剂使用，止咳糖浆中含磷酸可待因。可待因也有少部分注射用成品。它是迄今为止医疗上使用最广泛的天然麻醉剂。

3. 蒂巴因。它属于另一种罂粟属，即苞状罂粟属中的主要生物碱，在鸦片中含量较少，约 0.2%~1%。它是一种异喹啉生物碱，1835 年 P.-J. 佩尔蒂埃首先从罂粟中分离出来，分子式为 $C_{19}H_{21}NO_3$，相对分子质量为 311.4，化学结构式为：

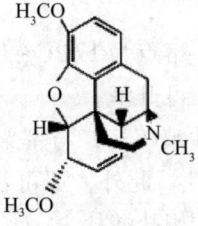

蒂巴因为无色片状结晶，熔点为 193℃，易溶于乙醇、苯及氯仿。在碱性水溶液中可转溶于醚及氯仿中。

蒂巴因的化学性质与可待因和吗啡类似，但其功效主要是刺激而不是抑制。在美国它不用于治疗，而是将其转化为医学上较重要的化合物，如可待因、二氢可待因酮、14-羟基二氢可待因酮、羟二氢氧吗啡酮、纳丁啡、纳洛酮等。

4. 罂粟碱。它是罂粟中一种主要的生物碱，含量一般为 $0.5\% \sim 1.3\%$，一种异喹啉型生物碱，无麻醉作用，不作为药用。分子式为 $C_{20}H_{21}NO_4$，相对分子质量为 339.4，化学结构式如下：

罂粟碱为无色棱柱状或针状晶体，熔点为 $147℃ \sim 148℃$，显弱碱性反应。不溶于水，微溶于冷乙醇和乙醚，易溶于热醇、酮及氯仿。盐酸罂粟碱为白色结晶性粉末，熔点为 $224℃ \sim 225℃$，易溶于水、氯仿，微溶于乙醇，难溶于乙醚。

罂粟碱为血管扩张药，具有松弛平滑肌的作用，能抑制心肌兴奋，用于治疗动脉痉挛和血栓症。曾被列为麻醉品，但实践证明，其不具有成瘾性，故不再属于毒品。

5. 那可汀。它是鸦片中含量占第二位的生物碱，一般含量为 $2\% \sim 8\%$，它没有止痛和麻醉作用，有时作为杂质出现在粗制吗啡中。其分子式为 $C_{22}H_{23}NO_7$，相对分子质量为 413.4，化学结构式为：

那可汀为白色结晶性粉末，熔点为 $174℃ \sim 176℃$。易溶于沸水、醇及氯仿，能溶于苯，微溶于乙醇、乙醚，可升华。

作为药物，那可汀属外周性镇咳药，与罂粟碱相似，能解除支气管平滑肌痉挛，服后无欣快感，无成瘾性。此外，那可汀有一定的呼吸中枢兴奋作用，镇咳作用与可待因相当，临床常用盐酸盐。

鸦片中主要成分的理化性质如表 2-1 中所示。

表 2-1　鸦片中主要成分的理化性质表

		熔点/℃	溶解度				
			水	沸水	乙醇	乙醚	氯仿
吗啡	游离体	254	难溶	微溶	微溶	难溶	难溶
	盐酸盐	200（分解）	可溶	—	可溶	难溶	不溶
	硫酸盐	250（分解）	可溶	—	微溶	不溶	不溶
可待因	游离体	154~158	微溶	可溶	全溶	可溶	全溶
	盐酸盐	280（分解）	可溶	可溶	可溶	—	微溶
	硫酸盐	287	可溶		微溶	不溶	不溶
那可汀	游离体	176（升华）	不溶		微溶	微溶	可溶
	盐酸盐	220（分解）	全溶		全溶	不溶	全溶
罂粟碱	游离体	146（升华）	不溶		微溶	微溶	微溶
	盐酸盐	220~225	部分溶解		微溶	微溶	全溶
蒂巴因	游离体	193	难溶		全溶		可溶
	盐酸盐	—	部分溶解		微溶	—	可溶

（三）鸦片毒品的种类

1. 生鸦片。将未成熟的罂粟果割开，渗出乳白色浆汁，此汁置于空气中会氧化变成棕褐色沥青状物即为生鸦片。该鸦片具有很浓的特殊气味，新鲜时具有弹性，可被压模成各种形状，长时间放置后会慢慢变硬而形成其包装物的形状，而且会失去黏性。有时掺有香蕉肉或树脂，通常是用植物叶子裹上后包于塑料袋中。一般生鸦片为一公斤团状或饼状物。

2. 精制鸦片。将生鸦片用水浸泡混合后加热，经过滤除去罂粟叶等杂质。将滤液蒸发至沥青状，在空气中凝固成深褐色块状，即为熟鸦片。由于经过加工，便于吸毒者抽吸。

3. 鸦片渣。经吸食后未燃烧尽的精制鸦片，呈珠状或粉末状。由于不完全燃烧，鸦片渣中仍残留有相当大量的吗啡，因而具有鸦片的特性。毒贩常将鸦片渣与生鸦片一起加工制成精制鸦片。

4. 药用鸦片。鸦片液、鸦片酊、鸦片粉为合法生产的药用鸦片的三种制剂类型，鸦片制剂常用做止痛、止泻药物，该类药物流入非法渠道则转变为毒品。

尽管上述鸦片精制程度不同，但在成分上差异不大。

（四）吗啡毒品的种类

鸦片中的重要成分为吗啡，按生产过程可分为以下 3 种：

1. 粗制吗啡。一般含盐酸吗啡 70%～90%，有粉末状及压成块状，块状重 1200 g～1500 g，颜色为白色、米色及褐色。可作为海洛因原料，东南亚地区习惯称 1 号海洛因。

2. 吗啡碱。直接从鸦片中提取出来的一种生物碱，有鸦片的特殊气味，形状似细咖啡粒，其中吗啡含量一般为 60%～70%。毒品市场称"黄皮"。

3. 吗啡片。为合法生产的盐酸吗啡、硫酸吗啡，压成小片，呈米色或浅黄色，作为药用。如控制不严，会被非法交易。

从鸦片中提取粗吗啡时，由于毒品生产工艺落后，常将鸦片中那可汀、罂粟碱、可待因混杂其中。粗吗啡中存在的可待因，在吗啡乙酰化制造海洛因过程中可生成乙酰可待因。

（五）吗啡的毒性与中毒症状

鸦片中毒主要是由于吗啡的作用。吗啡对中枢神经系统的作用极不规则，它兼有兴奋和抑制两种作用。而吗啡的毒性主要表现在对中枢神经系统的抑制作用上。吗啡急性中毒表现为颜面潮红、疲倦、眩晕、恶心、呕吐，动作不协调，状如醉酒，意识朦胧，昏迷，反射消失；体温、血压下降，两侧瞳孔针尖样缩小、脉弱不规律、呼吸浅慢，或出现潮式呼吸，多在中毒后 6 小时～8 小时发生肺水肿和呼吸麻痹而死亡。进入病危期时，由于窒息的原因，瞳孔常有散大现象；常有尿潴留和便秘。

长期使用吗啡容易成瘾，使吗啡在体内形成病态平衡状态，一旦戒断，此种平衡突然不能维持（系体内脑啡肽未能及时释放补充所致），出现呕吐、腹泻、烦躁不安、失眠、恐惧、流泪、出汗、瞳孔散大、心力衰竭等戒断症状，甚至虚脱死亡。

吗啡口服成人致死量为 0.2 g～0.25 g，皮下注射口服的一半量即可死亡，成瘾者除外。小儿及肝病患者对吗啡敏感，儿童 0.001 g 可发生死亡。吗啡致死血浓度为 0.05 mg/mL。鸦片对成人的致死量为 2 g～5 g。可待因对成人致死量为 0.3 g。

（六）吗啡的代谢与排泄

进入人体的吗啡，大部分结合为葡萄糖醛酸共轭体（葡萄糖醛酸化合物）从尿中排出。排泄出的葡萄糖醛酸化合物有两种：一种是吗啡-3-葡萄糖苷酸化合物，这种代谢物没有镇痛作用；另一种是排泄量较少的吗啡-6-葡萄糖酸化合物，它比吗啡有更强的镇痛作用。除这些共轭体外，还有少量未变化的吗啡和去甲吗啡。人体吸入吗啡后，吗啡在人体以游离和结合两种形式存在，结合态占多数。

二、海洛因毒品

海洛因是由鸦片或吗啡合成的衍生物，1887 年由英国化学家赖特首先用吗啡合成出来。1898 年德国的拜耳公司用盐酸吗啡经酰化作用获得了这种奇特的物质并开始生产，定名为"海洛因"，其镇痛和镇咳作用比吗啡要强得多。但当时认为海洛因是不上瘾的，因此被推出用作新型镇痛剂加以大肆宣扬，并用来治疗鸦片及吗啡的成瘾性，疗效甚佳。20 年后，医学界权威人士才发现，恰恰相反的是，海洛因比吗啡更易上瘾，但此时吸食者已经发现了海洛因的神奇作用，并已形成了身体依赖。

1. 海洛因的结构。海洛因的化学名称是二乙酰吗啡，是吗啡的半合成衍生物，分子式为 $C_{21}H_{23}NO_5$，相对分子质量为 369.4，化学结构式为：

海洛因又俗称白面，白粉，纯品为白色结晶，外观像洗衣粉、碱面等。熔点为 171℃～173℃，溶于水、乙醇、乙醚和氯仿。盐酸海洛因为白色结晶粉末，熔点为 229℃～233℃，溶于水、乙醇和氯仿，不溶于乙醚。

2. 海洛因毒品的种类。由于海洛因是由鸦片提炼后与乙酸酐或乙酰氯混合加热制备而成，因此样品中其含量差异很大，从 0.1%～90% 不等。样品中除含海洛因外常含有单乙酰吗啡、单乙酰可待因等副产物。社会上流通的海洛因毒品中，一般均加有其他成分，如咖啡因、非那西汀、巴比妥、士的年、喹啉、东莨菪碱、去痛片等，因此海洛因毒品除了有白色粉末外，还有灰色粉末、棕色粉末（或细颗粒）、棕色膏状、黑色膏状等。我国境内，毒犯制造贩卖的海洛因毒品，颜色、性状和外观多种多样，且不一定颜色为白色者含量就高，也不一定颜色深者含量都低，外观似鸦片者可能含有海洛因成分。在毒品交易中，来自"金三角"地区的海洛因又按其成分区别及不同杂质分为 1 至 4 号海洛因。其中 1 号海洛因，即粗制吗啡，含盐酸吗啡 70%～90%。2 号海洛因，为海洛因碱，成分为二乙酰吗啡碱，呈浅灰褐色，压成砖块状，又叫次海洛因，仅限于毒品交易。毒品商将这种海洛因与盐酸作用制成海洛因盐酸盐，然后再掺入其他成分出售给吸毒者。3 号海洛因，在东南亚流行，供吸食用，常称"香港石""棕色糖""白龙珠"等。一般呈颗粒状，也有粉末状的。颜色从浅棕色到深灰色，其中二乙酰吗啡盐酸盐的含量一般为 25%~45%，其他主要成分为咖啡因，含量 30%~60%，有的掺杂巴比妥、士的宁、喹啉、非那西汀、阿司匹林等药物。4 号海洛因，白色或米色细粉末，二乙酰吗啡盐酸盐的浓度达 90% 以上，由于在生产过程中进行提纯，通常只含少量杂质。

海洛因是由吗啡经乙酰化而成，常常由于毒品生产工艺落后，化学反应不完全，除主要生成二乙酰吗啡外，还生成单乙酰吗啡。另外，在制造二乙酰吗啡盐酸盐的过程中，不按计算量添加盐酸（通常是添加过量）常常引起二乙酰吗啡水解转变成 O^6-单乙酰吗啡和吗啡。因此查获海洛因中具有高含量的吗啡表明可能是落后的生成工艺所制造。

3. 世界海洛因产地及特征。

（1）西南亚海洛因。西南亚的海洛因有两种类型，一种是从灰色到棕色，常以粉末形式出现，但偶尔能发现在粉末中有小的凝块，有硬块，也有软块。具有代表性的是一种精细的浅棕色粉末并带有特殊的鸦片衍生物气味，一般海洛因纯度为 60%，所有生物碱和衍生物都以游离体形式存在于海洛因中。其中代表性成分有：乙酰可待因，5%；O^6-单乙酰吗啡，3%；那可汀，10%；罂粟碱 4%。另一种是白色、淡黄色干燥的粉末，气味比第一种小，纯度在 80%~90% 范围，海洛因以盐酸盐的形式存在。这类样品与"药品级别"的海洛因是难以区别的，其他生物碱含量是：乙酰可待因，3%；O^6-单乙酰吗啡，2%。

（2）东南亚海洛因。主要为缅甸、老挝和泰国三国交界处的"金三角"地区毒源地，该毒源地现已有海洛因加工厂 50 余个，直接将鸦片转变为海洛因走私、贩卖。生成的海洛因有两种类型：一种是"吸食海洛因"即"中国 3 号"，为一种硬的颗粒状物质。颗粒直径通常在 1 mm~5 mm，不像西南亚的海洛因是硬得难以被压碎的块状物。仅有少量的粉末存在，其中，通常大多数是灰色的，但也常常见到暗褐色的。灰白色或暗褐色物质含 20% 海洛因，40% 咖啡因。这种海洛因通过迅速水解可生成 5% 的 O^6-单乙酰吗啡。生物碱以盐酸盐形式存在，也有的以游离形式存在，即盐酸没有按化学计算量添加。红色或粉红色物质与灰白色或暗褐色物质成分相似，但用巴比妥代替了咖啡因。另一种是"注射海洛因"即"中国 4 号"，是气味很小的精细白色粉末，没有掺杂物。实际整个物质都是由海洛因组成的。O^6-单乙酰吗啡通常低于 3%，乙酰可待因含量明显比西南亚的高纯度海洛因产品高些，所有生物碱都是以盐酸盐形式存在。

（3）墨西哥海洛因。墨西哥产地的海洛因主要为褐色。

4. 海洛因毒品的毒性与中毒症状。海洛因为短效麻醉镇痛药，主要作用于中枢神经系统，先兴奋后抑制。海洛因和单乙酰吗啡酯溶性好，能很快通过血脑屏障，作用于大脑。长期吸食毒品会抑制人体的两种自然分泌物内啡肽和脑啡肽系统，突然停止使用会引起大脑自然分泌物失常。

海洛因的服用方式有鼻吸、吞食、皮下注射、静脉注射，可单独使用，也可与其他药物混合使用。其中尤以静脉注射效果最佳，其效力犹如"闪电"，即刻使全身产生一种异常欣快感，沉浸在半麻醉状态。一旦产生身体和心理上的依赖后，紧接着便是对药物的极度渴望和忍受戒断症状。

海洛因毒瘾发作时，吸食者全身流汗，浑身筛糠，头晕，耳鸣，打哈欠，流鼻涕、淌眼泪、肠胃不适、恶心、呕吐、四肢剧痛及痉挛，用量大时，昏迷嗜睡、周身痒痛、呼吸缓慢、瞳孔极微小、畏光、血压过低、心跳缓慢不规律、血液缺氧，并伴随肺水肿，最后呼吸抑制导致死亡。

海洛因滥用者一般身体上有静脉注射痕迹，有静脉硬块且不消失；瞳孔缩小、畏光；说话含糊不清；身上发痒，身体消瘦。其中，瞳孔针尖样缩小是海洛因滥用者的重要体征。

海洛因的作用是吗啡的 2~3 倍，其治疗量为 5 mg~10 mg，口服或注射。24 小时安全用量是 15 mg。而成瘾者在 24 小时的耐受量可为 70 mg~900 mg。海洛因人体最小致死量为 200 mg，成瘾者的致死量可能达到一般致死量的 10 倍。

三、鸦片类合成毒品

（一）美沙酮

美沙酮又叫美散酮，非那酮，阿米酮，在镇痛、呕吐、呼吸抑制、耐受与成瘾等方面与吗啡相似。其左旋异构体的效力比右旋异构体强。临床试用证实它能解除手术后疼痛，月经痛及肾绞痛，但其呼吸抑制作用使它禁用于临盆镇痛。与吗啡相比，其镇痛作用要小得多。口服止咳很有效。美沙酮的优点是镇痛作用强，持续时间长，口服效果好，适应于慢性疼痛。该药从 20 世纪 60 年代起广泛用于麻醉剂成瘾者的治疗，目前主要作为海洛因的替代品，用作海洛因吸毒者的戒毒药。

1. 结构与理化性质。美沙酮的化学名称为 6-二甲胺基-4，4-二苯基-3-庚酮，分子式为 $C_{21}H_{27}NO$，相对分子质量为 309.4，化学结构式为：

$$\underset{O}{H_3C-H_2C-\overset{\displaystyle \bigcirc}{\underset{\displaystyle \bigcirc}{C}}-C}-CH_2-\overset{\displaystyle CH_3}{\underset{CH_3}{CH-N}}\overset{CH_3}{<}_{CH_3}$$

美沙酮自由体可从甲醇中结晶得到，熔点为 79℃～81℃。酸美沙酮为白色结晶性粉末，无臭，味苦，熔点为 233℃～236℃。溶于水、乙醇，易溶于氯仿，几乎不溶于乙醚。

2. 毒性与中毒症状。美沙酮对人和犬有明显的耐受性，久用成瘾，其戒断症状比吗啡轻，持续时间亦较短。用量过大可引起中毒，主要表现为恶心、头痛、口干等。它能满足成瘾者追求毒品的渴望，但并不产生欣快症。美沙酮的药效与以吗啡为主制成的药物药效不同，其作用时间较长，可长达 24 小时，因而在戒断海洛因成瘾时，一天只需给药一次。但随着使用时间的延长，其耐受性与依赖性也会增加。其戒断综合症虽然增加较慢，程度不甚严重，但经历时间较长。

美沙酮的成人最小致死量为 60 mg～120 mg，成瘾者每日静脉注射可达 1 g～2 g。不管口服还是注射均易吸收，体内代谢量大而快。

美沙酮属鸦片受体激动剂，20 世纪 60 年代开始作为海洛因的替代治疗药物应用。虽然美沙酮也有成瘾性，但与鸦片类毒品比较，一是作用时间长，每日一次即可维持不产生戒断症状；二是美沙酮可口服，避免了静脉注射滥用造成的多种危害。目前，我国戒毒所常采用渐次撤除毒品的方式来断瘾，开始时用美沙酮代替毒品，以后逐步地减少美沙酮的剂量并最终完全戒除该药。

国外在戒毒工作中采用美沙酮维持疗法，即对海洛因等毒品吸食者戒毒脱瘾后采取定期服用美沙酮的方法，戒断对海洛因等烈性毒品的觅求。也就是说，使低毒麻醉药品在限定的范围内合法化，该方法最初由美国学者提出。他们认为，药物依赖是复发性疾病，鸦片类依赖者体内阿片肽缺乏，因而断药后会有诸多心理、生理症状，难免复吸。而美沙酮进入体内后可产生鸦片类阻断现象，使依赖者不再滥用海洛因类毒品，从而减少社会犯罪；口服可减少感染（尤其是艾滋病）等并发症，改善就业能力，使滥用者生活方式趋于正常，减轻社会负担。他们认为戒毒治疗成功与否，应以能否恢复与保持心理及社会功能为准，而不应过分强调是否继续使用麻醉品。这一方法已在美国、加拿大及中国香港特区广泛使用，但欧洲一些国家对此持保留态度。目前我国对此疗法争议较大，尚未开展此种疗法。

（二）杜冷丁

杜冷丁，即盐酸哌替啶，是一种人工合成的抗痉挛的止痛药，也是阿片受体激动剂。它是于 1939 年在研究阿托品解痉药过程中发现的新型镇痛药，作用与吗啡相似，镇痛作用是吗啡的 1/10～1/8，持续时间较短，为 2 小时～4 小时，仅有轻微的镇咳作用。优点是痉挛作用较轻，因此在一般情况下代替吗啡用于各种剧痛的镇痛。

1. 结构与理化性质。分子式为 $C_{15}H_{21}NO_2$，相对分子质量为 247.3，化学结构式为：

$$\text{H}_3\text{CH}_2\text{CC—C} \quad \text{(结构式)} \quad \text{N—CH}_3$$

杜冷丁纯品为油状液体，缓慢形成结晶，熔点为 30℃，沸点为 155℃。盐酸哌替啶为白色结晶性粉末，味微苦，无臭，在空气中稳定，熔点为 187℃～189℃。极易溶于水，溶于氯仿、丙酮、乙酸乙酯，略溶于乙醇，不溶于乙醚，苯水溶液可短时沸腾灭菌（不分解）。

2. 毒性与中毒症状。杜冷丁为人工合成的吗啡代用品，药理作用与吗啡相似，具有镇痛、镇静等作用，虽然杜冷丁的镇痛效果仅为吗啡的 1/10～1/8，但其成瘾性也相对较小，依赖性发展较慢，戒断症状持续时间短。所以临床上代替吗啡用于各种剧痛，如创伤、烧伤、术后、心肌梗塞、晚期癌症、内脏病及分娩疼痛等。对呼吸中枢有一定作用，但对人的咳嗽中枢无明显影响。它可增强巴比妥类药物的催眠作用。和吗啡不同，杜冷丁不使结肠收缩，也不产生便秘。主要副作用为头昏、头痛、口干、恶心、呕吐与欣快感，走动患者比卧床病人更易出现这些症状。过量时，瞳孔散大，惊厥，心动过速，幻觉，血压下降，呼吸抑制，昏迷。不宜皮下注射，对局部有刺激作用。有时与氯丙嗪、异丙嗪等合用于"人工冬眠"（无腹胀和尿潴留作用）。但不宜多次与氯丙嗪合用，否则可导致呼吸抑制，出现休克。长期使用杜冷丁同样会产生严重的依赖性，因此杜冷丁被列入麻醉药品管理。

杜冷丁口服或注射均易吸收。其治疗血浓度为 0.1 μg/mL～0.5 μg/mL，中毒血浓度为 1 μg/mL～2 μg/mL，致死血浓度大于 3 μg/mL。

（三）二氢埃托啡

二氢埃托啡（简称 DHE）是利用蒂巴因人工合成的埃托啡类强效镇痛药。1967 年由英国的本特利等人合成，药效比吗啡强约 1000 倍。20 世纪 70 年代我国成功合成 DHE，80 年代初在临床试用，1991 年国内正式使用，列入麻醉药品管制。当时报道其镇痛作用强，依赖性弱，但不久就出现了大量 DHE 滥用依赖乃至中毒死亡的临床案例，与之有关的刑事案件、中毒死亡案例也时有发生，目前因依赖性强，临床上已基本不使用。

1. 结构与理化性质。埃托啡即羟甲吗啡，DHE 是埃托菲的二氢化衍生物，为东罂粟碱类化合物。DHE 分子式为 $C_{25}H_{35}NO_4$，相对分子质量为 413.5，结构式为：

2. 毒性与中毒症状。DHE 为麻醉性高效镇痛药，其效力是吗啡的 1000～10 000 倍，广泛用于晚期癌症、创伤手术后疼痛的止痛治疗。使用剂量小，一次 20 μg～40 μg。镇痛作用短暂，仅 2 小时左右。小剂量间断用药不易产生耐受性，大剂量持续用药易出现耐受性和依赖性。不但用于镇痛，还曾用于鸦片类毒品依赖者的戒毒治疗。如 DHE 与美沙酮联合用药对海洛因依赖者进行戒毒，起效快，控制症状彻底，过程平稳，效果满意。此外，DHE 还可以对温血动物产生麻醉、木僵作用，用于捕捉和驯化动物。

用恒河猴给药方法评价 DHE 的精神依赖性潜力比盐酸吗啡、海洛因大得多。连续静脉滴注会产生身体依赖性，造成视力下降，咽痛，记忆障碍严重。超大剂量含服后，引起牙龈糜烂、坏死、牙釉质破坏、牙齿松动脱落及剧烈牙痛等。

DHE 具有典型的鸦片类毒品戒断反应，只是出现最大强度的时间较海洛因晚，自卑感强于海洛因依赖者。注射部位有脓肿、感染等。戒断症状有咳嗽、腹泻、腹痛、鸡皮疙瘩、冷热交替、出汗、流泪、流涕、脉搏加快、打哈欠，全身骨关节和肌肉疼痛等，易出现攻击行为，有时面部肌肉抽搐，并有睡眠障碍。在其他毒品依赖的基础上滥用更易成瘾。滥用者普遍认为 DHE 的戒断症状明显轻于鸦片和海洛因，维持时间短、易戒除，但戒除后的咳嗽重、咽喉痛症状明显。

DHE 依赖或 DHE 与其他鸦片类毒品混合依赖，均可用美沙酮替代治疗。

对中毒者可进行人工呼吸、加压给氧，同时静脉注射吗啡受体拮抗剂盐酸纳洛酮或氢溴酸烯丙吗啡进行解救。

DHE 可肌肉注射、含服。依赖者一般日用量 40 片（20 μg），最高日用量 100~160 片。

（四）丁丙诺啡

丁丙诺啡又叫布诺啡、叔丁啡，为阿片受体激动-拮抗剂。盐酸丁丙诺啡是 20 世纪 80 年代在欧美广泛应用的新型强效镇痛药。我国于 1990 年经卫生部批准用于临床。其镇痛作用强度为吗啡的 25~50 倍，为哌替啶的 500 倍。肌肉注射 0.4 mL 丁丙诺啡的镇痛作用相当于 10 mL 的吗啡，其作用时间较长。呼吸抑制出现较慢，但持续时间较长。丁丙诺啡长期使用可产生耐药性，但较吗啡的可能性要低。国内各戒毒所和毒品吸食者，常用其对海洛因、盐酸二氢埃托啡等鸦片类毒品依赖者进行治疗，戒毒效果较好，属红处方用药。

1. 结构与理化性质。丁丙诺啡分子式为 $C_{29}H_{41}NO_4$，相对分子质量为 467.7，其化学结构式如下：

丁丙诺啡纯品为白色结晶性粉末，熔点为 209℃，盐酸盐熔点为 245℃。医疗应用为盐酸丁丙诺啡，它不仅是良好的镇痛药，由于其依赖性较弱，还是很有前途的鸦片类毒品脱毒与维持治疗药物。

2. 毒性与中毒症状。盐酸丁丙诺啡为混合型鸦片受体激动-拮抗剂。它能明显缓解吗啡戒断症状，其镇静作用和对呼吸抑制作用较美沙酮弱。其受体解离速度较慢，故作用时间显著长于吗啡。其肌肉注射吸收快，口服在肠和肝中进行代谢，生物利用低，舌下含服是方便有效的途径，但会产生中度、发展缓慢的戒断症状。

丁丙诺啡的不良反应与吗啡相似，最常见的有嗜睡、恶心、呕吐、出汗和晕眩、呼吸抑制，欣快、缩瞳、口干。有依赖者用盐酸丁丙诺啡自行戒毒死亡的案例，死者口唇青紫，双前臂及掌背部有多个静脉注射针疤，周围皮肤青紫出血，静脉变粗变硬，双肺高位淤血水肿。镜检出脑水肿，大脑皮质、海马及丘脑等多处神经元广泛变性、点状坏死。双肺呈小叶性肺炎改变，肝、肾细胞广泛变性和灶状坏死等。原因是死者在长期吸毒合并小叶肺炎的基础上，因戒毒使用盐酸丁丙诺啡产生一系列戒断症状，加重了肺心功能损害，最终导致呼吸循环功能急性衰竭而死亡。

（五）曲马多

曲马多又叫反胶苯环醇，为一种新型的中枢性镇痛药，具有较强的镇痛作用。其镇咳作用约为可待因的 1/2，此外尚有罂粟碱样的解痉作用。本品为阿片受体激动剂，但与其他强镇痛药比较，曲马多无明显的呼吸抑制作用，也不影响血压，动物实验仅产生较弱的身体依赖性。据报道，该药用于治疗晚期癌症 213 例，给药三周未产生有临床意义的耐受性和依赖性，因此被认为是一种有效而安全的药物。盐酸曲马多为非处方用药，在各药店可买到，因此它是海洛因瘾君子最常使用的替代药物。

1. 结构与理化性质。曲马多的化学名为：（±）-E-2-［（二甲氨基）甲基］-1-（3-甲氧基苯基）环己醇，分子式为 $C_{16}H_{25}NO_2$，相对分子质量为 263.4，结构式为：

曲马多为白色结晶性粉末，无臭，味苦，熔点为 180℃～182℃，易溶于水。1% 的水溶液 pH 值为 5.4。

2. 毒性与中毒症状。曲马多不良反应与吗啡相似，其口服和注射给药效果相同，起效快，持续 3 小时~7 小时。

（六）芬太尼

芬太尼为镇痛药，适用于各种原因引起的疼痛，还可与麻醉药合用，作为麻醉辅助用药。其治疗量为吗啡的 1/100，镇痛作用较吗啡强 100 倍，可用于各种剧痛。一次肌肉注射 0.1 mL，15 分钟生效，维持 1 小时~2 小时。与氟哌啶合用有安定镇痛作用，依赖性小。芬太尼透皮贴剂是一种治疗慢性疼痛的新型制剂，该制剂的血液浓度可维持较长的时间，足以提供 72 小时的持续镇痛效果。

1. 芬太尼结构与性质。芬太尼的化学名为 N-苯乙基-4-N-丙酰基苯胺基哌啶，常用其枸橼（柠檬）酸盐，分子式为 $C_{22}H_{28}N_2O$，分子量为 336.5，结构式为：

纯品为白色结晶粉末，无臭，易溶于水，略溶于乙醇。

2. 毒性与中毒症状。不良反应有眩晕、恶心、呕吐及胆道括约肌痉挛。大剂量时产生明显肌肉僵直。静脉注射过速易抑制呼吸，支气管哮喘、颅脑肿瘤及小儿等禁用。常用枸橼酸芬太尼注射液进行皮下或肌肉注射，常用量一次0.05 mL~0.1 mL。

据报道，从吗啡转用芬太尼后，可产生戒断症状，出现躁动、皮肤由极度发冷转变为疼痛，血压升高、心率加快、头痛、腹痛、出汗、发冷和战栗等。

羟甲芬太尼是新合成的强效镇痛剂，为高选择性的鸦片 μ-受体激动剂。其镇痛作用强度是吗啡的 6000 倍，比芬太尼大 100 倍。镇痛时间适中，比较安全，生理和心理依赖性均较吗啡弱。

四、鸦片受体拮抗剂

纳洛酮、纳曲酮、纳美芬均为鸦片受体拮抗剂，是对常见的鸦片类毒品能表现催促戒断作用的药物，给可疑吸毒者肌肉注射鸦片受体拮抗剂，能在鸦片受体部位阻断鸦片类毒品发挥作用，造成人为的骤然中断毒品，从而诱发各种戒断症状。而对健康人肌肉或静脉注射作用很小。为了降低鸦片类毒品的复吸率，目前国际上采用两种药理作用相反的治疗措施，一种是用鸦片受体激动剂来维持治疗，另一种则是用鸦片受体拮抗剂预防复吸，在使用拮抗剂期间，吸毒也不会产生欣快感，所以难以再次产生心理依赖性。

鸦片受体拮抗剂不仅对鸦片类毒品具有脱瘾活性，还可对鸦片类毒品中毒进行抢救。所以是鸦片类毒品依赖者的诊断和治疗用药。

（一）结构与理化性质

纳洛酮，与吗啡的结构极相似，主要区别为叔氮上以烯丙基取代甲基，6位羟基变为酮基：分子式为 $C_{19}H_{21}NO_4$，分子量为 327.4，结构式为：

纳曲酮，在叔氮上以环丁基取代，化学名为17-（环丙甲基）-4，5-环氧-3，14-二羟基吗啡烷-6-酮，分子式为 $C_{20}H_{23}NO_4$，分子量为341.4。临床常用其盐酸盐，盐酸纳曲酮属吗啡酮的同类化合物，由蒂巴因合成，结构式为：

纳美芬，化学名为（5A）-17-（环丙基甲基）-4，5-环氧-6-亚甲基吗啡喃-3，14-二醇。分子式为 $C_{21}H_{25}NO_3$，分子量为339.4，结构式为：

（二）药理作用

鸦片受体分为4种亚型，即 μ、δ、κ、σ 亚型。根据鸦片类药物对不同亚型受体亲合力的大小和内在活性的强弱，分为激动药和拮抗药。能激活受体活性的配体称为激动药，能阻断受体活性的配体称为拮抗药，既能激活一种亚型受体活性，又能阻断另一种亚型受体活性的配体称为激动-拮抗剂，又称部分激动药。纳洛酮、纳曲酮和纳美芬均为强拮抗药。

纳洛酮本身并无明显的药理作用和毒性，健康人肌肉、静脉注射12 mg不产生任何症状，注射24 mg只产生轻微困倦，但对吗啡依赖者注射0.4 mg~0.8 mg，就可迅速拮抗吗啡的作用，1分钟~2分钟就可消除呼吸抑制。纳洛酮同样对海洛因的高度呼吸抑制有显著的对抗作用，使昏迷者迅速复苏，故纳洛酮是抢救治疗的首选药物。

利用纳洛酮的催瘾作用，可对鸦片类毒品依赖者进行诊断。每次0.4 mg~0.8 mg，给药后10分钟~20分钟出现戒断症状：心慌、烦躁、焦虑、打哈欠、流泪、起鸡皮疙瘩，体毛竖直等。严重者会冲动伤人毁物、大喊大叫、呼吸急促、心律加快等。纳洛酮催瘾试验灵敏度高、特异性强，是诊断鸦片类毒品依赖的有效方法，具有安全、迅速、有效等特点。

纳曲酮与纳洛酮相比，具有强效、长效、可口服的特点。对海洛因等鸦片类毒品产生的生理依赖性有预防作用，可抑制脱毒后的心理依赖性，减轻或解除渴求及觅药行为。对不能抵制鸦片类毒品的诱惑者，可用纳曲酮维持治疗。纳曲酮是一种较为安全的药物，主要不良反应为食欲减退、腹痛、疲倦、便秘等。正常的健康人每次服用 75 mg，少数人有恶心、呕吐、胃肠不适、乏力、思睡等症状。

纳美芬与鸦片受体作用时间长，使毒品难以与鸦片受体发生有效结合而排出体外，所以纳美芬能对鸦片类毒品依赖进行治疗。经临床应用证明，纳美芬具有作用强度大、持续时间长、生物利用度高、副作用小等优点。其应用领域越来越广阔，已受到国内外的普遍重视。

鸦片受体部分激动剂烯丙吗啡曾用于诊断鸦片类毒品依赖者，但由于其对正常人也产生烦躁不安等不良反应，因而被淘汰。

第二节　大麻类毒品

一、大麻类毒品概述

大麻也称麻烟，在我国通常称为大麻或大麻烟，世界各国对其均有不同的俗名。国际上公定的名称是采用其植物学上的属名，称之为"大麻"或"印度大麻"，这是因为印度的大麻产品质量比较优良。

大麻可生长在任何地方，是一种生命力极强的植物，在以前种植过的地方，总能发现残留的大麻，而且野生大麻也很普遍。亚洲的印度、伊朗、巴基斯坦等地到处都有野生的大麻植物。由于印度气候干燥、高温、气压低（地处喜马拉雅山南侧），因此特别适合于大麻的生长，而且其大麻植物分泌的麻醉性树脂较其他地方（雨量充足，温度不高）产出的量更高，因而印度大麻闻名于世。

大麻在植物学上属于桑科，为雄雌异株之一年生草本植物，通常在五六月间播种，成熟期高度范围在 0.3 m~1.5 m 之间，平均高度为 0.6 m~0.8 m；叶子通常有 7 片，顶部呈暗绿色、多毛、边缘为锯齿形、茎为沟状。雄株大麻和雌株大麻外表相似，只是成熟期时各自的花不同。雄株的花突起，呈黄绿色，可以散发花粉；雌株较细而高，其花生长在植物顶端的许多小叶子和花梗之间。在成熟时，雄花将花粉播至雌花上，即停止生长而枯萎，而雌株的生长时间较长。

大麻自幼苗起就含有麻醉性的树脂，若用手或手指去揉搓植物的各部（如叶子），就可嗅到一种类似薄荷的气味。据说埃及人穿上皮茄克，在齐肩深的大麻树丛中来回行走，黏性树脂就会粘在茄克上，然后再把它刮下来食用，但这种方法的可信性尚未得到证实。树脂的主要生长期在开花与结果之间，尤以花尖、苞叶含量最丰。如前所述，大麻可生长在不同的气候中，虽然其种类没有差别，但深受温度、气压、日光、雨量的影响。在热带而干燥的地方，草高仅0.5 m，基于植物的保护作用能分泌较多的树脂（如印度大麻）；反之，水分充足，温度不高的地区，草高可达1.3 m，分泌的树脂就很少，但可以得到良好的纤维，用于织布或制绳。

大麻在我国比较普遍，它是我国最常见的纺织工业原料，其秆茎上纤维可用于织布或制绳，果实可榨油，用于制造油漆。尽管我国的大麻质量不如印度，但新疆大麻也是赫赫有名的，因为大麻曾是新疆的主要农作物，因此目前国内的大麻吸毒贩毒案主要来源于新疆。

二、大麻类毒品的成分、结构与药效

在大麻植物中可提炼和鉴别出四百多种化合物，但大麻中主要有效成分和法庭上有意义的化学组分只有四氢大麻酚（THC）、大麻酚（CBN）和大麻二酚（CBD）等十余种化合物。

四氢大麻酚分子式为 $C_{21}H_{30}O_2$，分子量为314.5，化学结构式为：

大麻酚分子式为 $C_{21}H_{26}O_2$，分子量为310.4，化学结构式为：

大麻二酚分子式为 $C_{21}H_{30}O_2$，分子量为314.5，化学结构式为：

大麻除吸食以外，一直被当作医用药。直至 20 世纪美国仍用其来治疗失眠、头痛、疟疾、淋病、气喘、酒精中毒、精神病等疾病。大麻有安定情绪、缓和疼痛等作用，但它亦有副作用。对其药效，目前尚没有合适的方法可用以确认，而且目前在治疗中尚无非它莫属的治疗病症，反而滥用的害处更大。1952 年，世界卫生组织曾发表麻烟在医疗上的应用已成为过去，且没有合理性，劝告各国禁止使用。现在多数国家，仅仅限于科学上的研究之用，医疗上一般禁止使用。

三、大麻类毒品的理化性质

四氢大麻酚为多种异构体的混合物，为油状液体，其中 2 种晶体的熔点分别为 146℃、125℃，其衍生物大多溶于氯仿、乙醇、乙醚、苯、正己烷和石油醚等有机溶剂，不溶于水。大麻二酚熔点为 66℃～67℃，沸点为 187℃～190℃，不溶于水，易溶于乙醇、苯、石油醚和氯仿。大麻酚熔点为 75℃～76℃，溶于多数有机溶剂。

在非法大麻制品中，不同地区的产品其有效成分均不同，有的组分含量很低或根本没有，有的组分含量却异常地高出比例。大麻的价格和"药用价值"取决于非法大麻制品中四氢大麻酚的含量。一般来说，大麻植物中四氢大麻酚的含量为 0.5%～5%，大麻树脂中为 2%～10%，大麻油中为 10%～60%。

四、大麻类毒品的毒性与中毒症状

大麻是一种对中枢神经系统能产生强烈刺激的物质，对中枢神经系统既有兴奋又有压抑作用，是世界各国使用比较广泛的毒品。其中四氢大麻酚的作用最强，大麻二酚次之，大麻酚几乎无麻醉作用，而且毒性很大。吸入大麻后会对外界刺激更加敏感，精神激动，自觉欣快，常产生幻想和幻觉，严重时观念分辨不清，判断力和注意力受损，感觉机能降低，动作机械，有一种魂不附体的飘飘感。吸食大麻一般不会出现生理依赖性，亦无明显的戒断症状。当停止使用时，会出现心理依赖性和养成的习惯性问题。长期服用大麻会产生精神堕落，使精神病态越来越重，严重丧失工作能力，直至精神病发作。

大麻急性中毒的症状为眼结膜充血、恶心、呕吐、口渴、鼻孔黏膜干涸、呼吸缓慢、血压变化、触觉、听觉、嗅觉、味觉亢进。精神上症状为陶醉感和兴奋状态，有时因感情变得不稳定而常常采取暴力的行动。更进一步发生妄想、幻觉，有的陷入恐怖状态。大麻慢性中毒的特征是呼吸器官功能障碍，头痛，睡眠障碍，集中力、记忆力降低，工作能力减退，陷入错乱状态等。

大麻滥用者表现为精神障碍行动改变，恐慌、自发性怪诞、荒谬行为；红眼或眼结膜炎；瞳孔散大；吸毒者身上散发出强烈的大麻味道，有些吸毒者为了掩盖大麻味，常用香水和清洁剂。

五、大麻制品种类及产地特点

大麻制品一般有三种类型：大麻植物、大麻树脂和大麻油。必须强调，实际上没有两种大麻制品具有类似的物理性状，天然产品易变化，同一批产品由于受生产过程和贩运过程中途转换的影响而有很大差异。

（一）大麻植物产品

将大麻的叶、花、茎晒干磨碎呈绿色粉末，也有将枝条拧成小辫状；将大麻粉末压成块状。世界各地的大麻植物及特点：

1. 温带生长的大麻。欧洲、北美、南半球南部种植的大麻，在大麻成长时为亮绿色；收获后，有的样品从绿色消失变成黄色，极少数变成棕色。不像印度次大陆的大麻植物，通常果实和花粉中树脂成分少。它们并不黏稠，不能在手上压成片状，如西部非洲的大麻。欧洲大麻果实和花中含量比北美洲高很多。许多野生的大麻常常是非法种植的，由于种子的变化，大麻形态不同，且既无大麻二酚又无四氢次大麻酚（THV）。

2. 热带生长的大麻。主要包括以下几个地区：①北非大麻。北非大麻是一种优质的大麻，呈亮绿色或黄色，但很少被贩运出本地区。该地区生产的大麻树脂，四氢次大麻酚和大麻二酚相对于四氢大麻酚含量都很低。②西非和加勒比海大麻。大麻生长时为绿色，收获和干燥时变成棕色，有的样品保持绿色。一般来说，加勒比海大麻比西非的大麻绿色持久，极少数在干燥时不是棕色。这两种大麻不论颜色及理化性状都很相似，西非的大麻在加工过程中果实和花被破坏，在压成块状的大麻植物材料中能看到暗褐色的种子。以前，加勒比海大麻的许多茎和柄药效成分很低或根本没有药效成分。近年来的趋势是力图生产无种子大麻，但经检验，没有完全不含种子的样品，在北美洲发现的无种子大麻与其比较，所含的非药效成分大大减少。该大麻中无大麻二酚和四氢次大麻酚，四氢大麻酚的比例低。③中非大麻。多数与西非生产的相似，但少数与南非生产的相似。褐色大麻的形态与西非大麻相似，绿色样品与南非的大麻形态相似。④南非大麻。当晾干准备贩运时，这种物质通常像温带生长的大麻，比西非大麻更绿些，叶子中所含大麻比例更高。该大麻中不含大麻二酚，四氢次大麻酚和四氢大麻酚含量大致相等。⑤南美洲大麻。类似加勒比海大麻，样品中含有很大比例的纤维，不含药效成分。无种子大麻类的产品只含有果实和花粉。与加勒比海大麻类似，偶尔含有一点大麻二酚。⑥印度次大陆的大麻。有三种类型：一是褐色的果实和花粉，其中含树脂高，在手心上有发黏感，其中大麻二酚、四氢大麻酚和四氢次大麻酚的含量大致相等；二是类似西非的一种深绿色或褐色的物质；三是没有果实和花粉，有很大的绿色叶子，化学成分类似第一种，但大麻酚类含量低。⑦东南亚大麻。一般把长成的大麻果实和花粉放在竹筒内做成棒状，每一根（8 cm 长）棒重约 2 g，20 捆包成一包，即"Buddha-sticks"。该大麻通常只含有四氢大麻酚，没有大麻二酚和无关紧要的四氢次大麻酚。

（二）大麻树脂产品

英文名称 hashish，是大麻植物的树脂分泌物，呈毛绒状，经晒干而得，有绿色、浅棕色、黑色。也有的将树脂与蜡混合制成板状物。世界各地的大麻树脂产品及特点如下：

1. 北非的大麻树脂。黄褐色，用玻璃纤维纸包裹成长方片形，上面用硬币盖有印记符号。近年来，从印度次大陆过来的一种产品表面上是黑色，类似大麻树脂，内部比黄褐色还深些，用玻璃纤维纸包裹成香皂方块状，没有印记，但也有些样品用硬币盖印。一般说来，该产品中，大麻二酚比四氢大麻酚含量低些，但各处查获的大麻酸脂含量各有不同。

2. 东部地中海的大麻树脂。红褐色粉末状，以前贩运的产品是用白布包着，偶尔用墨盖印，现在的布包有时用很漂亮的颜色盖上印记，有的则没有盖印。每片的重量为 0.5 g，偶尔也有 1 kg 重的树脂，不用布包，上面盖印。该产品中，大麻二酚的含量比任何大麻树脂产品高，四氢次大麻酚很低，多数大麻二酚酸的含量也比任何大麻树脂产品高。

3. 东北部地中海的大麻树脂。深绿色粉末状，用玻璃纤维纸包成极小的薄片。其中大麻二酚比四氢大麻酚、四氢次大麻酚更少，但酸含量很高。

4. 印度次大陆的大麻树脂。制成的产品有很大的差别，多数表面为长方形、块形，里面为暗绿色。起源于西北部次大陆。该产品优于其他类型，通常表面有类似浮雕状花纹。贩运前用暗色的玻璃纤维纸包装，少数片为方形；片的厚度从 5 mm 到 20 mm。新制成的产品有柔和的气味，随着时间的延长，气味会消失且变得易碎。典型的片重为 0.25 kg~0.5 kg 或 1 kg，有时也有更重的。印度次大陆北部的产品常常发霉且易碎，从印度次大陆来的其他大麻树脂产品有黏稠状的，成捆的，小球状的，大球状的（小球直径 1 cm，大球直径 8 cm），以及不规则的块状树脂，所有这些产品表面都是暗褐色或黑色，里面为暗绿色或暗棕色。产品的化学特性随物理状态不同有很大差异，一般来说，此地的大麻脂比地中海的产品要低些，片状产品中大麻二酚含量比地中海的树脂高得多，其他一些类型含量很低或不含大麻二酚，四氢次大麻酚含量低，但四氢大麻酚含量比其他类型高些，因而非法贩运时价格很高。

（三）大麻油

又称大麻浓缩物、液体大麻。是将大麻植物、大麻树脂用甲醇、乙醇、丙酮、石油醚等有机溶剂反复提取其中的有效成分，将其植物残渣除去，挥去溶剂而得的暗色黏稠的油状物。具有特殊气味，用有机溶剂稀释时，变成绿色或棕色溶液。颜色不是主要特征，因为植物的成熟及制备大麻油的溶剂对其颜色均有影响。从大麻植物制备的大麻油和从大麻树脂制备的大麻油稀释时产生棕色溶液。大麻油不能用水稀释，会产生乳化现象。有些大麻油贩运前不浓缩，其溶液可能为绿色或棕色，通常有味。

由大麻植物或大麻树脂制成的大麻油在化学特性上是相似的，但在形态有很大的差别。大麻油的主要产区是印度次大陆及地中海生产树脂的一些国家。

上述三种大麻制品中，四氢大麻酚的含量分别为：大麻植物 0.5%～5%；大麻树脂 2%～10%；大麻油 10%～60%。

第三节　可卡因类毒品

一、天然古柯生物碱

可卡因是从古柯属的小灌木树的叶中提取出来的一种生物碱。这种植物广泛生长在南美洲的安第斯山的西坡，尤其是在玻利维亚、秘鲁和哥伦比亚这些国家（"银三角"地区）。古柯植物一般株高 2.4 m，叶呈卵形，边缘光滑，味似茶叶，花小，呈淡黄白色，花序生于一短柄上，浆果为红色。在理想条件下，一株古柯树的采摘期至少可保持 30 年～40 年。古柯植物有野生和种植两种。野生古柯叶中含可卡因较高，约含 1%，种植的古柯树叶中含量较低。可卡因的含量还与采集时间有关，一般老叶较高，嫩叶相对较低。

长期以来，南美洲的印第安人就已形成咀嚼古柯树叶的习俗，或将古柯树叶当作茶来饮用。目的在于克服从事重体力劳动、进行长途急行军和登山时食欲不振的影响，增强抵抗饥饿、疲劳和困倦的能力。由于人们当时还不了解古柯叶中有效成分可卡因的药理和毒性，因此 19 世纪它的使用风靡一时。将其叶子浸于葡萄酒中，曾是 19 世纪欧洲大众广为喜欢的饮料。在 1904 年美国联邦权威人士禁止使用它以前，它还是低度酒和可口可乐的成分。

1859 年，可卡因首次由奥地利维也纳的化学家阿贝尔·尼那马纳（Albert niemann）从古柯叶中分离出来。随后，同校的威廉姆·洛森（William lossen）在此基础上确定了可卡因的分子式。从那时起，人们开始就可卡因对人的神经中枢的兴奋作用进行研究，不久它的局部麻醉作用被发现，并临床应用于外科手术和眼科手术。1880 年，奥地利的著名心理学家、精神病医生西格蒙·弗洛伊德（Sigmund freud）经过广泛的实验后，公开发表文章认为它在抗疲劳、增强工作能力、消除沮丧情绪方面是相当有效的。文章在当时引起了轰动。他认为，可卡因的使用可以抑制精神萎靡、酗酒和吸食吗啡等不良社会现象的蔓延，但后来当他了解到这种药能使人上瘾时，便成为反对使用可卡因的积极倡导者。

（一）结构与理化性质

古柯叶中的生物碱主要有：可卡因、肉桂酰可卡因、苯甲酰爱冈宁、爱冈宁甲基酯及爱冈宁等。可卡因化学名称为苯甲基芽子碱，是一种中枢神经系统兴奋剂，化学式为 $C_{17}H_{21}NO_4$，分子量为 303.4，其化学结构式为：

可卡因是单斜片状结晶，熔点为 98℃，沸点为 187℃ ~ 188℃，水溶液呈碱性，味微苦，水溶液保存过久或经煮沸很容易水解，生成爱冈宁。易溶于氯仿、乙醚、乙醇，难溶于水；盐酸可卡因为白色结晶或结晶性粉末，熔点为 197℃，极易溶于水，可溶于乙醇、氯仿，几乎不溶于乙醚。有关爱冈宁类生物碱的性质见表 2-2。

表 2-2 爱冈宁类生物碱的性质表

		熔点/℃	溶解度/（1 g/mL）			
			水	乙醇	乙醚	氯仿
可卡因	自由态	98	1300	7	4	0.5
	盐酸盐	157	0.5	4.5	不溶	18
肉桂酰可卡因	自由态	121	不溶	可溶	可溶	可溶
	盐酸盐	—	可溶	可溶	可溶	微溶

		熔点/℃	溶解度/（1 g/mL）			
			水	乙醇	乙醚	氯仿
苯甲酰爱冈宁	自由态	分解 195（酐）	可溶	可溶	—	—
	盐酸盐	200	可溶	可溶	—	—
甲基爱冈宁	自由态	油状	—	—	—	—
	盐酸盐	215	—	—	—	—
爱冈宁	自由态	198（205）	5	67	—	—
	盐酸盐	241（240~275）	可溶	微溶	—	—

（二）毒性与中毒症状

可卡因是一种古老的局部麻醉药。麻醉作用强，穿透力也强，主要用于表面麻醉，适应于眼、耳、鼻、喉、直肠和阴道手术等。因毒性强，不宜注射。

可卡因滥用的原因不在于它的麻醉作用，而是对中枢神经系统的兴奋作用。可卡因是最古老的用作大脑兴奋剂的药物之一，是神经元肾上腺素摄取机制的强抑制剂。能够打乱人体机能和肾上腺素分泌对人体的调节作用。但它在许多方面与三环类抗抑郁药不同，而且它本身并不是有效的抗抑郁药，它使中枢神经和交感神经系统产生强烈的兴奋源，其作用和苯丙胺很相似。可卡因可使心率加快，血管收缩，动脉压力增大。一定剂量的可卡因能产生短期的精神欣快或精神旺盛现象，使人感到精力一时充沛，感觉意识增强，同时伴随着降低饥饿、对疼痛和疲劳不敏感。若大剂量使用，可产生令人难以想象的荒诞行为和可怕的举止，有时甚至可达到只有施以暴力才可释放其能量的地步。其表现为过分兴奋激动，全身颤抖、痉挛、肌肉扭曲变形，严重时可出现癫狂的幻觉。医学界普遍认为，可卡因不产生生理性成瘾，人和动物突然停止使用不会出现戒断症状，但是心理性成瘾却是个严重问题。可卡因中毒症状表现为头晕、发抖、骚动、敌对情绪、头痛、皮肤发热、胸痛并心悸、过量出汗、呕吐、腹部痉挛等症状。若缺乏必要的治疗措施，则会导致高热、惊厥、心血管萎缩，甚至死亡。人体活动量过大则加剧兴奋剂危害，部分致死原因是药物对心血管和体温系统造成影响。有些运动员在运动中突然死亡的原因是服用了中剂量的兴奋剂。

可卡因的吸食方式有：咀嚼古柯叶；鼻吸；借助吸烟方式吸入其烟雾；静脉注射或肌肉注射其水溶液。可卡因有"百毒之王"之称，其致死量为 1.2 g，但使用 20 mg 剂量也曾发生死亡，成瘾者一日可耐受 5 g。

（三）可卡因类毒品的种类

1. 古柯叶和古柯茶。主要用做咀嚼和冲茶喝。在晾干的古柯叶中，可卡因生物碱的含量在 0.5%~1%，成熟比较好的叶子中含量高达 1.8%。

古柯叶的外观形体与月桂树叶类似，为长椭圆形，呈深绿色。古柯叶与其他树叶的特征区别是在叶子的背面有两条与中间主叶脉相平行的纵向叶脉线，被认为是识别古柯叶的主要特征。

2. 古柯膏，又称粗制可卡因。它是由古柯叶和石灰混合研碎后，经有机溶剂提取等一系列方法分离出的物质，其中游离的古柯碱占 8% 以上。外观为浅白色、乳白色或米色粉末，有特殊气味，很少精制。颗粒较粗且常结成块状，但较易压碎。

3. 可卡因制剂。可卡因制剂是将古柯膏进一步精制而得，有盐酸可卡因和可卡因游离碱两种形式。外观形态均为白色或浅白色粉末，有特殊气味，纯度在 90% 以上。

在经济发展中国家，可卡因走私掺假物相对较少，国际上买卖的样品通常为 80%~90% 的盐酸可卡因；而在经济发达国家，往往经过掺假和转换，掺假物多为当地容易获得而且不受控制的药物，如利多卡因、普鲁卡因、苯佐卡因或一些碳氢化合物如甘露糖醇、乳糖或葡萄糖等，其可卡因的含量在 30% 左右。

4. 可卡因游离碱，也称"快克"（Crack）。它是将盐酸可卡因溶于水中，然后调成弱碱性后生成沉淀物，此沉淀物即为可卡因游离碱或称游离可卡因。这种药物吸食后，效力来得极为猛烈，有一种闪电兴奋效应。

（四）可卡因类毒品的体内代谢

可卡因可由消化道及局部注射吸收，进入体内后，大部分在肝内代谢水解，主要的代谢产物是两个酯基水解形成苯甲酰爱冈宁和爱冈宁甲基酯，两者会进一步水解形成爱冈宁。水解产物经尿液排出。最初 5 小时~6 小时排出量稍多。

$$可卡因 \xrightarrow{\text{水解}} \begin{matrix} 苯甲酰爱冈宁 \\ 爱冈宁甲基酯 \end{matrix} \xrightarrow{\text{水解}} 爱冈宁$$

毒品原体与代谢产物的比例与生物检材的种类有关。据报道对 25 名静脉注射可卡因的志愿者进行测试，3 天后收集血样，10 个月后收集毛发，不同的样品测试结果表明，原体可卡因在毛发中为主要成分，而血中的主要成分为苯甲酰爱冈宁。

二、化学合成的可卡因类麻醉剂

最早的局麻药可卡因不仅毒性大，水溶液也不稳定，在研究其构效关系的过程中发现，对其结构进行适当改造，可得到多种有用的局部麻醉剂。这些麻醉剂，俗称麻药，是手术时用于全身或局部虽有麻醉作用而不会成瘾、无依赖性的药品。麻醉剂与麻醉药品不同，后者具有依赖性，使用、管理不当，就会为吸毒、贩毒者所利用，危害人民健康，危害社会治安。可卡因既是麻醉药品，又是麻醉剂，因其毒性大，能产生依赖性，现仅用于局部麻醉。

（一）普鲁卡因

普鲁卡因，又名奴夫卡因，化学名为对 4-氨基苯甲酸-2-二乙氨基乙酯，分子式为 $C_{13}H_{20}O_2N_2$，相对分子质量为 236.31，结构式为：

$$H_2N{-}{-}COOCH_2CH_2N(N_2H_5)_2$$

普鲁卡因是一种白色细微针状结晶或结晶性粉末，无臭，味微苦而麻，熔点为 153℃～157℃。易溶于水，溶于醇，微溶于氯仿，几乎不溶于醚。2%溶液 pH 值为 5.0～6.5。对光敏感，应避光保存。

普鲁卡因为局部麻醉药，用于浸润局麻，神经传导阻滞。制剂为盐酸普鲁卡因注射液和注射用普鲁卡因。

超量使用易造成中毒。急性表现为头晕眼花、干呕、神志不清、面色苍白、血压下降、脉搏缓慢而弱、昏迷、休克等。轻度中毒表现为瞳孔放大、心跳加快、胃肠蠕动减慢、眩晕、眼花气闷、惊恐、面色苍白、口干、心悸等。重度中毒时，初呈兴奋状态，有精神错乱、幻想、多语、欣快、狂笑等症，并有恶心呕吐、腹痛、头痛、共济失调等，以后呈现深度知觉丧失、血压下降、幻想困难，最后呈现麻痹状态。常因窒息、呼吸及循环衰竭而死亡。

（二）利多卡因

利多卡因，又名塞罗卡因，化学名称为 2-二乙基氨基-N-（2，6-二甲基苯基）乙酰胺，分子式为 $C_{14}H_{22}N_2O$，相对分子质量 234.34，结构式为：

$$\begin{array}{c} CH_3 \\ {-}NHCOCH_2N(C_2H_5)_2 \\ CH_3 \end{array}$$

该品盐酸盐为无色结晶性粉末，无臭、有苦麻味，熔点 76℃～79℃。极易溶于水和乙醇，可溶于氯仿，不溶于乙醚。

游离的利多卡因为白色结晶性粉末，有特臭。在空气中稳定，熔点 65℃～69℃。几乎不溶于水，易溶于乙醇、氯仿和乙醚。因化学结构中的位阻效应，因此不易水解，对酸、碱均较稳定。

该品局麻作用较普鲁卡因强，维持麻醉时间也比其长 1 倍。毒性也相应增大。主要用于强阻滞麻醉及硬膜外麻醉。该品尚具有抗心律失常作用。

静脉注射时有麻醉样感觉，头晕、眼发黑。用量过大，可引起中枢神经系统中毒症状，如嗜睡、衰弱、视力和听觉障碍，精神欣快、躁动不安，感觉异常（发冷、麻木）、恶心、呕吐、多汗及呼吸困难等。进一步可导致极度忧虑、精神错乱、定向力和神志障碍，甚至出现癫痫样抽搐。严重中毒时，可发生血压下降、心动过缓，房室传导阻滞等。

此外，还有辛可卡因（又名地布卡因、沙夫卡因、纽白卡因）、布比卡因（又名丁吡卡因、马卡因）、盐酸丁卡因（又名地卡因、潘托卡因）、丙胺卡因、苯佐卡因（又名阿萘司台辛）、卡波卡因、氯普鲁卡因（又名钠塞卡因）、美索卡因等合成可卡因类局麻药。

第四节　人工合成类毒品

一、人工合成类毒品概述

所谓人工合成类毒品，是指相对于鸦片、海洛因等传统毒品而言，是由国际禁毒公约和我国法律法规所规定管制的、直接作用于人的中枢神经系统，使人兴奋或抑制，连续使用能使人产生依赖性的精神药品（毒品）。近年来，我国人工合成毒品滥用的品种不断增多，目前被普遍滥用的主要有冰毒、摇头丸、氯胺酮（即俗称的 K 粉）、咖啡因、安纳咖、氟硝西泮、麦角酰二乙胺、甲喹酮、三唑仑、γ-羟基丁酸、丁丙诺啡、麦司卡林、苯环利定、止咳水、迷幻蘑菇等。

二、人工合成类毒品的种类

根据合成毒品的毒理学性质，可以将其分为四类：第一类以中枢兴奋作用为主，代表物质是包括冰毒（甲基苯丙胺）在内的苯丙胺类兴奋剂；第二类是致幻剂，代表物质有麦角酰二乙胺、麦司卡林和分离性麻醉剂（苯环己哌啶和氯胺酮）；第三类兼具兴奋和致幻作用，代表物质是摇头丸；第四类是一些以中枢抑制作用为主的物质，包括三唑仑、氟硝安定和 γ-羟基丁酸。

三、人工合成类毒品的危害

吸食人工合成类毒品会严重损害人体组织器官功能，形成难以逆转的病变。

大量的临床资料表明，冰毒、摇头丸等人工合成类毒品会对大脑神经细胞产生直接的损害作用，导致神经细胞的病变和坏死，出现急慢性精神障碍。吸毒者可能会出现被害妄想、追踪妄想、嫉妒妄想以及幻听等病理性精神症状，在这些病理性精神症状的作用下吸毒者极易实施暴力行为。研究表明，82%的苯丙胺滥用者即使停止滥用 8 年至 12 年，仍然有一些精神病症状乃至精神分裂，一遇到刺激便会发作。吸食苯丙胺类型毒品还会产生其他损害，如可以导致吸毒者全身骨骼肌痉挛、肌溶解，出现恶性高热、死亡或对肾功能造成严重损害等。

吸食人工合成类毒品极易引发暴力和聚众淫乱。吸食人工合成类毒品后人的自我约束力下降，成瘾者可能因筹集毒资而铤而走险、违法犯罪。特别是青少年吸食冰毒后，情绪亢奋、控制不住，很容易出现暴力倾向。吸食冰毒后，可能会引发性犯罪。正是因为这种特性，人在吸食人工合成类毒品后极易发生暴力和聚众淫乱等危害公共安全的行为。

吸食人工合成类毒品心理依赖性强。很多人误以为吸食人工合成毒品不会成瘾，其实只是成瘾的表现和吸食海洛因不一样，即生理上的表现不会那么激烈，但心理上造成的依赖性却远远高于生理依赖性。吸食人工合成毒品的人，最初都觉得自己有足够的控制力和判断力，可以达到自己幻想中的快感，但随着时间推移和吸食次数的增加，制造这种快感需要更多的剂量，就只能一步一步地往下沉，直到深陷毒魔之中不能自拔。

其实，人工合成类毒品一般是在特定环境和气氛中被吸食，具有很强的迷惑性，让人防不胜防，青少年有意或无意接触人工合成类毒品的概率更大。而且人工合成毒品购买、携带、吸食方便，成瘾在潜移默化中，其危害比传统毒品更大。尽管摇头丸的主要成分是冰毒，但毒贩在暴利的驱使下，常在摇头丸中加入其他成分，如氯胺酮，导致兴奋和致幻的作用更强，也更容易成瘾。

此外，吸食人工合成类毒品耗费大量钱财，导致家庭破裂，破坏社会安定，影响经济发展，毒化社会风气，对整个社会的良性运行构成威胁。

四、几种常见的人工合成类毒品

(一) 冰毒

冰毒，即甲基苯丙胺外观为纯白结晶体，晶莹剔透，故被吸毒、贩毒者称为"冰"（Ice）。由于对人体的中枢神经系统具有极强的刺激作用，且毒性剧烈，因此被称之为"冰毒"。冰毒的精神依赖性极强，已成为目前国际上危害最大的毒品之一。冰毒的分子式为 $C_{10}H_{15}N$，相对分子量为 149.2，化学结构式为：

$$\text{CH}_2-\text{CH}-\text{NH}-\text{CH}_3$$

此外，冰毒又被称为"麻古"。"麻古"是泰语的音译，实际是缅甸产的"冰毒片"，其主要成分是"甲基苯丙胺"和"咖啡因"。外观与摇头丸相似，通常为红色、黑色、绿色的片剂，属苯丙胺类兴奋剂，具有很强的成瘾性。

（二）海洛因

海洛因的化学名称是二乙酰吗啡，是吗啡的半合成衍生物，分子式为 $C_{21}H_{23}NO_5$，相对分子质量为369.4，化学结构式为：

海洛因滥用方式包括口服、鼻吸、静脉注射。

海洛因的毒性与中毒症状：不良反应有眩晕、恶心、呕吐及胆道括约肌痉挛。大剂量注射会产生明显肌肉僵直。静脉注射过速易抑制呼吸。吸食后会产生强烈的生理兴奋，能大量消耗人的体力和降低免疫功能，严重损害心脏、大脑组织甚至导致死亡。吸食成瘾者还会造成精神障碍，表现出妄想、好斗等。

（三）摇头丸

摇头丸是人工合成毒品的一种，一般以3，4-亚甲二氧甲基苯丙胺、3，4-亚甲二氧基苯丙胺（MDA）、苯丙胺（AM）及甲基苯丙胺（MAM）等为主要有效成分。吸食者食用摇头丸后，大脑皮层受到药物控制，会出现长时间难以控制的随音乐剧烈摆动头部的现象，故称为摇头丸。外观多呈片剂状，形状多样，五颜六色。

吸食方式：鼻吸、口服。

吸食危害：摇头丸具有兴奋和致幻双重作用，在药物的作用下，用药者的时间概念和认知出现混乱，表现出超乎寻常的活跃，整夜狂舞，不知疲劳。同时在幻觉作用下使人行为失控，常常引发集体淫乱、自残与攻击行为等，并可诱发精神分裂症及急性心脑疾病。

最初在我国被称之为摇头丸的，是指以3，4-亚甲二氧基甲基苯丙胺、3，4-亚甲二氧基苯丙胺等苯丙胺类兴奋剂为主要成分的丸剂，目前常被滥用的摇头丸成分更为混杂，除 3，4-亚甲二氧基甲基苯丙胺、3，4-亚甲二氧基苯丙胺等成分外，还常含有冰毒、氯胺酮、麻黄碱、咖啡因、解热镇痛药等毒品和药物，从而增强摇头丸的致幻、兴奋以及对人体的毒性作用。

3，4-亚甲二氧基甲基苯丙胺的分子式 $C_{11}H_{15}NO_2$，相对分子质量 193.2，化学结构式为：

（四）氯胺酮

氯胺酮，是苯环己哌啶的衍生物，俗称"K 粉"、K 仔、K 他命、克他命。氯胺酮属于静脉全身麻醉药，临床上用作手术麻醉剂或麻醉诱导剂，具有一定的精神依赖性潜力。分子式为 $C_{13}H_{16}ClNO$，相对分子质量为 237.7，化学结构式为：

性状：静脉全麻药，有时也可用作兽用麻醉药。一般人只要足量接触二三次即可上瘾，是一种很危险的精神药品。氯胺酮外观上是白色结晶性粉末，无臭，易溶于水，可随意勾兑饮料、红酒等。

氯胺酮通常可以采取鼻吸、口服、静脉注射、肌肉注射等多种方式。吸食者一般是鼻吸或溶于饮料后饮用，毒瘾深的滥用者将氯胺酮溶为液态后直接进行肌肉或静脉注射。

吸食反应：刚服药后是身体瘫软，一旦接触到节奏狂放的音乐，便会随条件反射般强烈扭动、手舞足蹈。"狂劲"一般会持续数小时甚至更长，直到药性渐散身体虚脱为止。

吸食危害：氯胺酮具有很强的依赖性，服用后会产生意识与感觉的分离状态，导致神经中毒反应、幻觉和精神分裂等症状，表现为头昏、精神错乱、过度兴奋，幻觉、幻视、幻听、运动功能障碍、抑郁以及出现怪异和危险行为。对记忆和思维能力同时造成严重损害。

（五）咖啡因

咖啡因，是一种黄嘌呤生物碱化合物，咖啡因属于甲基黄嘌呤的生物碱，是由化学合成或从茶叶、咖啡果中提炼出来的一种生物碱，中枢神经兴奋剂。纯的咖啡因是白色的，强烈苦味的粉状物。适度地使用有祛疲劳、兴奋神经的作用。它的化学名是1，3，7-三甲基黄嘌呤或3，7-二氢-1，3，7 三甲基-1H-嘌呤-2，6-二酮，分子式为 $C_8H_{10}N_4O_2$，相对分子质量为 194.2，化学结构式为：

滥用方式：吸食、注射。

吸食危害：大剂量长期使用会对人体造成损害，引起惊厥，导致心律失常，并可加重或诱发消化性肠道溃疡，甚至导致吸食者下一代智能低下、肢体畸形。同时具有成瘾性，一旦停用会出现精神萎靡，浑身困乏疲软等各种戒断症状。咖啡因被列入国家管制的精神药品范围。

此外，人工合成类毒品还包括安纳咖、氟硝西泮、麦角酸二乙酰胺、甲喹酮、三唑仑、Y-羟基丁酸、丁丙诺啡、麦司卡林、苯环利定、止咳水、迷幻蘑菇、地西泮、有机溶剂和鼻吸剂等。

第三章

新精神活性物质概述

第一节　新精神活性物质的概念及分类

一、新精神活性物质的概念

（一）新精神活性物质的不同名称

新精神活性物质（NPS）是一系列与国际管制毒品如冰毒、大麻、可卡因、摇头丸、卡西酮等具有类似作用效果，被广泛滥用的物质。新精神活性物质是近年来在国际禁毒工作中广泛使用的名词，大部分科技文献中将其定义为"New Psychoactive Substances"，也有少部分科技文献中将其定义为"Novel Psychoactive Substances"。新精神活性物质这一术语源于早期毒品市场的一些概念或叫法，如"策划药"（Designer Drugs）、"合法兴奋剂"（Legal Highs）、"毒品类似物"（Drug Analogue）、"天然兴奋剂"（Herbalhighs）、"化学研究物质"（Research Chemicals）、"实验室试剂"（Laboratory Reagents）、"植物营养剂"（Plant Food）、"食品添加剂"（Food Supplements）、"狡猾药"、"舞会派对药"等。

（二）国际上对新精神活性物质的定义

联合国毒品和犯罪问题办公室（United Nations Office on Drugs and Crime，简称 UNODC）将新精神活性物质定义为："不受《1961 年麻醉品单一公约》或《1971 年精神药物公约》管制，以纯净物或制剂形式滥用，可能对公众健康构成威胁的物质。"

2013 年联合国毒品和犯罪问题办公室年度报告参照联合国于 2012 年 3 月

16 日通过的 55/1 号决议，正式对新精神活性物质进行了定义：指新出现的具有药物滥用潜力的物质，但尚未列入联合国国际公约管制。这些"物质"包括单体化合物（Pure Form）或制剂形式（Preparation），这里"新出现"并非指这些物质一定是最新研制发现的化合物，其中有些是多年前合成的，可能只是近年来发现其在人群中发生流行性滥用，并引起重视。如 2007 年，以色列首先报道了 4-甲基甲卡西酮被滥用，然后在包括澳大利亚、斯堪的纳维亚、爱尔兰和英国等国家和地区被滥用，实际上 4-甲基甲卡西酮于 1929 年合成得到；2008 年，英国和芬兰报道 3,4-亚甲基二氧吡咯戊酮被滥用，实际上该化合物于 1969 年首次合成。上述新精神活性物质定义突出了新精神活性物质的如下特征：一是与管制毒品具有类似结构或活性；二是存在被滥用可能性；三是尚未列入管制的物质。该定义较为准确和完整地表述了新精神活性物质的定义。

欧洲毒品和毒品成瘾监测中心（European Monitoring Centre for Drugs and Drug Addiction，简称 EMCDDA）将新精神活性物质定义为：未列入《1961 年麻醉品单一公约》或《1971 年精神药物公约》管制，与列管毒品具有相同的健康威胁性，纯净或制剂形式的新麻醉药品或精神药品。该定义与 UNODC 关于新精神活性物质的定义内涵相同，并将新精神活性物质具体地限定于麻醉药品和精神药品。

国际麻醉品管制局（International Narcotics Control Board，INCB）结合新精神活性物质的化学属性，认为新精神活性物质属于不受国际管制但其作用效果类似于国际管制毒品的滥用物质，这类物质不仅包括新出现的滥用药物，还包括过去已经存在但最近才被滥用的物质。

（三）我国对新精神活性物质的定义

当前我国对新精神活性物质的认识在不断加深。《2015 年中国毒品形势报告》报道："国内制造走私新精神活性物质问题突出。新精神活性物质又称"策划药"或实验室毒品，是不法分子为逃避打击而对列管毒品进行化学结构修饰所得到的毒品类似物，具有与管制毒品相似或更强的兴奋、致幻、麻醉等效果。"

当前我国将新精神活性物质等同于"策划药"，2018 年浙江省出台《浙江省人民政府办公厅关于加强新精神活性物质治理工作的意见》明确提出了新精神活性物质的定义："新精神活性物质，又称"策划药"或实验室毒品，是不法分子为逃避打击而对管制毒品进行化学结构修饰，或全新设计和筛选而获得的毒品类似物，具有与管制毒品相似或更强的危害性。"这一定义使得人们对新精神活性物质的认识更深入。

需要明确的是，"新精神活性物质"是禁毒工作过程中逐步认识和发展的专业术语，它体现了我们对这类物质认识的不断深入和禁毒工作的不断进步。随着对新精神活性物质研究不断深入和立法进行列管，很多新精神活性物质相继成为法律规定的毒品。"新精神活性物质"一词常常出现在科学研究、新闻报道中，但目前在我国并非法律定义。

二、新精神活性物质的分类

（一）新精神活性物质的分类方法

目前监测发现的新精神活性物质一千多种，未来新精神活性物质的种类还会不断增加，对数千种新精神活性物质进行分类有助于更好地学习、研究和管制。

新精神活性物质特征多样，化学结构式多样，当前新精神活性物质有多种分类方法：根据新精神活性物质来源可分为天然新精神活性物质和合成新精神活性物质，天然新精神活性物质包括恰特草、卡痛叶、鼠尾草等，合成新精神活性物质包括4-甲基甲卡西酮、卡芬太尼等；根据新精神活性物质化学结构可分为苯乙胺类、合成卡西酮类、氨基满类、苯环己哌啶类、苯乙胺类、哌嗪类、色胺类、其他类；根据新精神活性物质药理作用不同可分为大麻素受体激动剂、兴奋剂、镇静催眠剂、解离剂、经典致幻剂和尚未指定类等。

新精神活性物质两种常见的分类方法是按照物质化学结构和药理作用进行分类。按照物质化学结构可以分为合成大麻素类、合成卡西酮类、苯乙胺类、哌嗪类、苯环己哌啶类、色胺类等九类，按照药理作用可以分为兴奋剂、致幻剂、麻醉剂和解离剂，这些分类方法有助于认识和管制新精神活性物质。

（二）UNODC 和 EMCDDA 对新精神活性物质的分类

UNODC 将新精神活性物质分为九大类：苯乙胺类、合成卡西酮类、氨基满类、苯环己哌啶类、苯乙胺类、哌嗪类、色胺类、植物来源类、其他类，在UNODC 的分类中不包含合成阿片类物质。EMCDDA 将新精神活性物质分为八类：苯乙胺类、合成卡西酮类、合成大麻素类、阿片类、苯二氮卓类、芳基环己胺类、植物来源类、其他类（包括氨基满类、哌嗪类、色胺类、芳烷基胺类等）。UNODC 的分类方法与 EMCDDA 的分类方法基本相同，都偏重于根据新精神活性物质的化学结构进行分类。

截至 2018 年 12 月底，我国已经列管近 170 种新精神活性物质，少部分被列入了《精神药品品种目录（2013 年版）》，大部分被列入了《非药用类麻醉药品和精神药品管制品种增补目录》。我国政府部门正式文件中并未对新精神活性物质进行系统的分类，相关学者对新精神活性物质进行了简单分类，有些按照化学结构式进行分类，有些按照药理活性进行分类，大部分分类方法与 UN-ODC 或 EMCDDA 相同，但这些分类方法并不全面，不能包含所有发现的新精神活性物质。

第二节　新精神活性物质的来源及特征

一、新精神活性物质的来源

目前全球发现的上千种新精神活性物质主要来源于两种途径，一种是化学合成的新精神活性物质，一种是天然新精神活性物质。

人类已经有数千年精神活性物质使用的历史，常常通过使用精神活性物质达到治疗疾病和放松心情、愉悦自我、调节情绪、增强创造力、提高表现和满足好奇心等目的。最初人们使用的精神活性物质大多来自植物，如罂粟、大麻、古柯、恰特草等。随着化学特别是有机化学、药物化学的发展，科学家们能够从这些植物中分离出活性物质，还能对活性成分化学结构进行修饰，进一步提高其活性或开发一系列具有类似活性的新物质。收割罂粟能获得鸦片，从鸦片中可以提取到吗啡，对吗啡进行结构修饰得到了海洛因，19 世纪 90 年代海洛因替代吗啡进行销售；从麻黄草中可以分离得到麻黄素，对麻黄素分子结构进行修饰得到了冰毒，冰毒于 20 世纪 50 年代被广泛用于减肥和治疗抑郁；从恰特草中可以分离得到卡西酮，对卡西酮的分子结构修饰可以得到 4-甲基甲卡西酮、4-甲基乙卡西酮、3，4-亚甲基二氧吡咯戊酮等化合物，这些化合物在 2000 年后被广泛滥用。总之，随着化学和药学的发展，创造了大量的新精神活性物质。这些研究工作最初的目的大部分是开发有效的药物，很多都进入了药物研发的不同阶段，少部分甚至进行了临床试验，而且相关专利和文献中也有详细的记录。

二、新精神活性物质的特征

（一）长期存在性

新精神活性物质并非新的现象，新精神活性物质问题长期存在，只是近年来因被广泛滥用而引发了关注。以恰特草为例，恰特草含有卡西酮等活性成分，对人体中枢神经具有刺激作用，长期嚼食有成瘾性，具有社会危害性，从 13 世纪开始当地人已经咀嚼恰特草，后来嚼恰特草的习惯传到其他国家并持续到今天。世界卫生组织将恰特草归为 Ⅱ 类软性毒品。我国于 2013 年 11 月 11 日将恰特草列入了《精神药品品种目录（2013 年版）》第一类精神药品进行管制。2007 年，欧洲新精神活性物质预警系统报道 4-甲基甲卡西酮存在滥用，该化合物首先在以色列被滥用，然后在澳大利亚、斯堪的纳维亚、爱尔兰和英国等国家和地区被滥用，实际上 4-甲基甲卡西酮早在 1929 年就已经被合成。苯环己哌啶于 20 世纪 50 年代作为静脉麻醉药物进行研发，后来因为致幻和引起精神失常等副作用被放弃，近年来苯环己哌啶类新精神活性物质被发现广泛滥用，严重危害人体健康。很多新精神活性物质并非近期合成和研发的产品，大部分新精神活性物质已具有很长的使用历史，或者在较早之前便作为药物进行研发，后来因为毒副作用大等原因被放弃使用，近期被不法人员制造、贩卖和滥用。出现的部分新精神活性物质将较长时间地存在于毒品市场，少部分极有可能成为未来滥用的主要毒品。

（二）种类多样性

目前全球已累计发现 9 大类 1000 多种新精神活性物质，我国列管了 170 种新精神活性物质。这些物质的种类多样，通常我们将其分为九类物质：合成大麻素类（Synthetic Cannabinoids）、合成卡西酮类（Synthetic Cathinones）、苯乙胺类（Phenethylamines）、色胺类（Typtamine）、氨基茚满类（Aminoindane）、哌嗪类（Piperazines）、苯环己哌啶类（Phencyclidine）、植物类（Plant-based Substances）及其他类（Miscellaneous Substances）。上述九大类新精神活性物质的数量还在不断增加，新精神活性物质种类多样性给我们认识新精神活性物质带来了困难。

（三）化学结构不断变化

新精神活性物质的种类和数量在不断变化，在过去的十几年中新精神活性物质每年都在增加。截至 2017 年 12 月底，EMCDDA 监测发现了 678 种新精神活性物质，其中 2005 年新增了 13 种新精神活性物质；2010 年增加了 41 种新精神活性物质；2013 年增加了 73 种新精神活性物质；2014 年达到了监测以来的峰值，增加了 101 种新精神活性物质；2017 年增加了 51 种新精神活性物质。新精神活性物质不断变化主要有两种方式：一是曾经作为药物研发失败的物质被发现滥用，如氯胺酮、苯环己哌啶等；二是对已管制毒品化学结构进行修饰，如甲卡西酮是最受欢迎的卡西酮类策划药，在其苯环或侧链上进行结构修饰可以得到一系列取代甲卡西酮的类似物，大多具有同甲卡西酮相似的生物活性，并且有多种合成卡西酮类物质被广泛滥用。在新药开发中，根据药物化学原理，对现有药物进行结构修饰往往易于成功研发新的类似活性药物，以减少药物研发的成本，缩短研发的周期，提高成功的概率。该方法现已用于新精神活性物质的研发中，致使新精神活性物质的数量不断变化，增长十分迅猛。

（四）与管制毒品类似性

9大类新精神活性物质的化学结构和作用效果与管制毒品具有高度相似性。如合成卡西酮类化合物通常具有苯丙胺类化合物的结构，卡西酮、甲卡西酮和3，4-亚甲二氧基甲卡西酮的结构式分别与苯丙胺、冰毒和3，4-亚甲二氧基甲基苯丙胺的结构式相似，同时合成卡西酮类化合物具有与苯丙胺类毒品相似的中枢神经兴奋作用。合成大麻素大多与大麻主要成分四氢大麻酚具有同样的结构和大麻受体激动作用，部分物质比四氢大麻酚的作用效果更强。1988年在以色列首次合成四氢大麻酚结构类似物"HU-210"，由于"HU-210"与四氢大麻酚的化学结构类似，故其被认为是"经典大麻"并在美国和其他国家进行贩卖，其潜在的活性为四氢大麻酚的100倍。

（五）具有滥用潜力和成瘾性

新精神活性物质具有很强的滥用潜力，且被发现滥用的新精神活性物质数量在逐年上升，部分新精神活性物质甚至已经形成了自己的消费市场。

新精神活性物质具有成瘾性，其成瘾性的主要表现特征是滥用时的中枢神经兴奋作用和戒断后的中枢神经抑制作用。通过对部分新精神活性物质进行研究发现，新精神活性物质普遍具有成瘾性，既有生理依赖性也有精神依赖性。在生理依赖上，停止用药会产生戒断反应，表现出强迫性用药行为。在精神依赖方面，表现为对新精神活性物质产生的兴奋、致幻等精神效应产生依赖，反复寻求药物带来的精神效果，类似于海洛因、冰毒等产生的影响；有时也表现为该类物质能够使滥用者性兴奋、心情愉悦、精力充沛，善于交往等，在心理上依赖于该类物质的精神调节作用，倾向于继续使用。

不同种类的新精神活性物质成瘾性各异，一部分新精神活性物质具有极强的成瘾性，如卡芬太尼、甲卡西酮成瘾性强于吗啡、可卡因等一般毒品；另一部分新精神活性物质则表现出较弱的成瘾性，如恰特草等。

（六）出现初期不受法律管制

新精神活性物质出现和滥用的主要目的是逃避现有法律的管制和处罚，虽然新精神活性物质在化学结构上与已管制毒品非常类似，从化学名称和物质的本质上来讲，二者属于不同的物质，因此新精神活性物质在出现初期均为法律管制毒品目录之外的物质，制造、销售、使用等均不受法律处罚。虽然部分国家和地区对毒品的管制方法并非列举制或者并非单一的列举制，有些国家如美国虽然对毒品的母核结构进行管制，但在解释对母核结构哪些化学修饰合法，哪些修饰不合法时难以穷尽或难以定义清楚，也使得新精神活性物质往往处于法律管制范围之外。虽然新精神活性物质在出现和滥用初期不受国际禁毒公约管制，在大部分国家也不受管制，但是随着对其研究和认识的不断深入，各国会相继进行列管。因此，新精神活性物质的法律管制虽然具有滞后性，但是游离于法律管制之外只是短期的。

（七）严重的危害性

虽然新精神活性物质常常被宣传成"天然兴奋剂""合法兴奋剂""植物营养剂""食品添加剂"等，但事实上新精神活性物质具有严重的危害和滥用风险，许多新精神活性物质的危害比传统毒品更大。

一部分新精神活性物质早前作为药物进行研发，因为严重的毒副作用而放弃继续研发上市，这部分新精神活性物质现在被滥用显然对人体具有严重的危害作用；另一部分新精神活性物质是对管制毒品进行化学结构修饰而得，这部分新精神活性物质严重缺乏药理活性、毒理活性等研究数据，滥用这些新精神活性物质面临极高的风险，部分新精神活性物质还容易导致死亡，如我国已管制的卡芬太尼的作用效果为吗啡的 1 万倍，成人的致死量约为 2 毫克。近年来在美国与阿片类毒品滥用相关的死亡人数中，一半以上涉及芬太尼类新精神活性物质的滥用。

新精神活性物质大多具有兴奋和致幻作用，滥用这些新精神活性物质容易导致不可控的兴奋和冲动。卡西酮类、苯乙胺类以及色胺类物质均具有致幻作用，大量吸食后可引起偏执、焦虑、恐慌、被害妄想等反应，进而自伤自残或暴力攻击他人。一些新精神活性物质的滥用还会导致性兴奋，容易出现性乱行为，使得传染性疾病的传播增加。

第三节　新精神活性物质的管制

新精神活性物质化学结构多样，作用活性不同，新的种类发展迅速，对现有立法和新的立法都提出了挑战。为保护公众健康，国际社会和许多国家针对新精神活性物质进行了立法修订或新的立法，以解决新精神活性物质种类不断增多、滥用不断蔓延、企图规避法律等现实问题。

在国际层面上，UNODC 加强了新精神活性物质的监控和风险评估，根据《1961 年麻醉品单一公约》《1971 年精神药物公约》和 1988 年《联合国禁止非法贩运麻醉药品和精神药物公约》三大公约不断列管新精神活性物质。截至2017年3月，麻醉品委员会已将27种新精神活性物质列入了国际管制目录，公约缔约国必须将这些新精神活性物质纳入国家禁毒法律框架进行管制。

从目前精神活性物质管制立法来看，既有国际管制公约，大部分国家又都有自己的立法，并对已有立法不断地进行修订和完善。截至2017年12月，全球已有60多个国家通过立法对新精神活性物质进行管制，许多国家已经修订了现有立法，还有一些国家进行了新的立法。很多国家修订了立法，将部分新精神活性物质列入管制目录中，禁止非法制造、贩运、持有、销售和使用，对于管制的物质列入清单中，其方式与国际公约管制毒品的方式相同。还有一些国家在其现有医药立法、消费者保护法、海关法案和类似规定框架内管制新精神活性物质。为了应对新精神活性物质问题，不同国家采用了不同类型的立法，主要包括个别物质清单（列举制）、通用管制、类似物立法等。

一、各国对新精神活性物质的管制概述

目前绝大部分新精神活性物质尚不受国际禁毒公约管制，在各国的法律地位和管制方法因国家而异。到目前为止，有很多国家采取立法和管制措施进行应对。一些国家采用列举制，即对出现的滥用新精神活性物质依照一定的标准进行评估，将某些物质列入法律管制目录清单，适用早前毒品立法，实施与毒品相同或相似的管制措施，其代表是我国《非药用类麻醉药品和精神药品列管办法》和欧盟理事会第"2005/387/JHA号决议"（已废除）。将单个物质列入毒品管制目录清单通常需要基于科学实验数据进行风险评估和立法程序，这至少需要数个月的时间，为了解决新精神活性物质快速出现的问题，许多国家通过临时或快速程序，或采用其他方式加快普通立法程序。从全球现有立法和管制措施来看，多数国家和地区采用列举制，与此同时很多国家探索出特别立法、类似物管制、临时禁令、快速程序等措施。

特别立法模式是在毒品管制立法之外，通过专门立法解决新精神活性物质问题，其代表是英国的《精神活性物质法案2016》（The Psychoactive Substances Act 2016），该法案将管制范围扩大到了任何可能对人造成危害的新精神活性物质，旨在全面禁止新精神活性物质。类似物立法是指通过立法设置衡量一种新物质与已列管毒品相似性的评价标准，当某一物质符合若干条标准时，通过司法裁判的方式认定其为新的毒品，同时适用该国毒品管制立法，其代表是美国《联邦类似物法案》，该项立法规定对与管制毒品具有相似化学结构和活性的物质将进行管制。类似物立法的难点在于制定立法，能够将所有可能的类似物和衍生物进行管制，同时又排除那些危害风险小或者没有危害甚至有益的物质。在新西兰，先前也尝试通过立法修订管制物质的范围，将管制毒品所有异构体、酯、醚和盐类物质包括在管制范围内，还对一些毒品进行了专门的立法，但这些方法很快就变得错综复杂，难以解释，这些方法既不可能囊括所有未来可能出现的毒品，也不可避免地落后于出现的新毒品，这样的法律条款在新西兰已经失效。临时禁令，是在有限的时间内，通常为一年内，迅速对新精神活性物质实施临时限制的加速程序。在完成立法程序，或对风险进行严格评估的同时最终决定管制某种物质，如果此后认定不需要管制该物质，便解除对该物质管制的临时禁令。

快速程序，是一种将新精神活性物质置于国家管制之下的加速程序，与临时禁令程序不同，快速程序采取的管制措施是永久性的，即它们在一段时间后不会被解除。

还有一些国家则采取提供更大灵活性和快速性的补充监管框架，但范围有限，主要侧重于管制新精神活性物质的销售。上述新精神活性物质管制措施各有特点，与各国毒情、禁毒工作经验和立法密切相关，对我国新精神活性物质立法和管制具有参考和借鉴意义。

二、各国对新精神活性物质的立法及管制措施

（一）英国《精神活性物质法案 2016》

为了解决快速增长的新精神活性物质对公共卫生造成的威胁，英国政府采取了较为激进的做法，出台了强硬的《精神活性物质法案 2016》，以全面禁止新精神活性物质。

英国《精神活性物质法案 2016》于 2016 年 1 月 26 日获得皇家同意，于2016 年 5 月 26 日生效，适用于整个英国。法案分为介绍（11 条）、精神活性物质定义（5 条）、犯罪和刑罚（13 条）、处置权力（3 条）、搜查和扣押权（5 条）、保留和处置物品（4 条）、二级立法修正案（2 条）、司法鉴定（2 条）、回顾/监测（2 条）共九部分，共计 47 条法律条款。该法案旨在解决新精神活性物质问题，全面禁止精神活性物质。

该法案介绍部分介绍了立法的背景、法律生效的时间和范围、缩写词汇等内容；精神活性物质定义部分详细地定义了精神活性物质，精神活性物质的特征，不属于精神活性物质的情形和增加精神活性物质清单的方法，规定任何用于人类消费能够产生精神作用的物质为精神活性物质，但不包括合法的物质如食品、酒精、烟草、尼古丁、咖啡因和医药产品，以及《1971 年精神药物公

约》管制的物质。犯罪和刑罚部分规定了属于犯罪的行为和刑罚，涉及精神活性物质生产、供应、持有、进口或出口都属于犯罪行为，并对生产、供应、持有、进口和出口进行了明确的认定，量刑从 12 个月到 2 年不等，最高刑罚为 7年，同时规定了无限额罚款；精神活性物质医疗保健活动和批准的科学研究属于合法行为。处置权力部分规定了执法机构在特定情况下的处置方法和程序。搜查和扣押权部分规定了公安机关、国家犯罪局和海关等部门执行搜查、扣押的情形。保留和扣押部分规定了保留精神物质的情形，如作为科学实验或进行法医检查等，还规定了执行扣押的情形和程序。司法鉴定部分规定依照文件对精神活性物质进行认定，为执法机构和专家论证提供指导。回顾/监测部分规定了对法案执行情况进行回顾和监测的要求和方法，以及拟评价法案的执行情况和执行效果。

　　该法案早前受到了各种批评，一是认为由于"精神活性物质"的定义过于宽泛和"精神作用"在法律上缺乏明确性，在实践中存在执行难的问题，事实上由于存在上述问题，该项立法的引入被推迟，因为难以界定"精神活性物质"，并且需要根据医学证据才能进行确定，人们担心警方无法强制执行该项法案；二是美国马里兰大学公共政策学院 Peter Reuter 教授等认为该法案没有提供建立心理活动的方法，后面英国药物滥用咨询委员会回应说目前没有办法通过生化测试来定义心理活动；三是很多科学家认为全面禁令会阻止研究人员开发对抗重大疾病的有益化合物。

　　为了解决该法案中"精神作用"在法律上缺乏明确性的问题，随后政府制定了《精神活性物质法案 2016 司法鉴定》文件，为鉴定某种物质是否具有精神活性提供了程序和方法。《精神活性物质法案 2016 司法鉴定》主要通过体外实验和研究科学文献对物质的精神活性进行认定，并制定了体外测试技术规范。体外实验是在试管、玻璃板等动物和人体之外进行测试实验，它的原理是受体位于细胞膜上或细胞膜内，当药物与受体结合时，可以激活受体产生与药物相关的生理效应。目前主要对两个方面进行测试：一是受体结合实验，以确定药物是否与受体结合；二是功能测试，以确定药物与受体结合后的兴奋效应。两方面的测试都可以在实验室中通过固定具有特定受体的细胞，将它们暴露于药物中测量效应。目前已经选择用于测试的受体是：CB_1，以大麻和合成大麻素类药物为目标；$GAGA_A$，以苯二氮卓类药物为靶向；$5HT2_A$，以致幻剂类药物为靶向，这些药物可能来自不同类型；NMDA，以解离/致幻药物如氯胺酮为目标；μ 阿片受体，以阿片类药物为目标；单胺转运蛋白，以兴奋性药物为目标，例如，3，4-亚甲基二氧甲基苯丙胺、可卡因。体外测试结果形成报告后，专家结合体外测试报告认定是否能够产生精神活性。该文件规定的方法和程序能对"精神活性物质"进行科学的认定并且具有快速、科学、可靠的特点，将有助于该法案的施行。

另外，该法案也具有多方面的潜在优势，一是该法案对"精神活性物质"的定义虽然较为宽泛，可能包括很多无害的物质，但能很好地将结构多样、数量众多、快速发展的新精神活性物质包含其中；二是该法案规定生产、供应、持有、进口、出口新精神活性物质均属于犯罪行为，对涉及新精神活性物质的全部环节都进行管制，有利于从根本上管制新精神活性物质；三是该法案保障了新精神活性物质的医疗、科研等合法用途，有利于新精神活性物质合法利用和研究，造福人类；四是该法案可能会减少特定时期引入的不同新精神活性物质的数量；五是该法案消除了对每种新出现的新精神活性物质进行研究和分类的必要，降低了管理新精神活性物质的成本；六是极大地提高新精神活性物质管制效率。

现在评估该项立法的影响以及是否会减少新精神活性物质造成的死亡为时尚早。有些人认为该项立法仅仅会使得新精神活性物质活动转向地下，英国内政部表示该立法使很多新精神活性物质零售商不再从事这些交易，英国警方已经证实自法案实施以来，他们已经成功地从许多商店中消除了新精神活性物质。英国政府同时也承认法案的实施确实导致了一些新精神活性物质使用者转而通过高价向互联网和有组织犯罪分子获取新精神活性物质，有些人甚至可能转而使用《1971 年精神药物公约》管制的毒品。

（二）美国立法和管制措施

在美国，《管制物质法案》（Controlled Substance Act）规定某些物质的制造、进口、持有、使用和分销受到管制，根据药用价值、危害性、潜在的滥用性和依赖性将所有的物质归为 5 类，法案中最初包含的物质目录得到了补充，但该项法案同时还提供了物质列管、删除、重新安排或从一个目录转入另一个目录的机制。《管制物质法案》也可以临时管制新物质，以免对公共安全造成危害。2011 年，多种合成大麻素类化合物如 JWH-018、JWH-073、JWH-200、CP-47，497、CP-47，497、C_8 同系物和一些合成卡西酮类化合物如 4-甲基甲卡西酮、亚甲基二氧甲卡西酮、3，4-亚甲基二氧吡咯戊酮被临时管制。

除了《管制物质法案》外，美国还制定了毒品类似物管制法案，即《联邦类似物法案》（Federal Analogue Act），用于管制尚未列入《管制物质法案》目录但具有同样危害的物质。1986 年颁布的《联邦类似物法案》允许任何与《管制物质法案》附表Ⅰ或附表Ⅱ中列出的管制物质"基本相似"的化学品被视为同样列在这些表中。该项法案定义的类似物为化学结构与《管制物质法案》附表Ⅰ或Ⅱ中受控物质的化学结构基本相似，对中枢神经系统具有兴奋、抑制或致幻作用，作用效果类似于或大于附表Ⅰ或Ⅱ中受控物质，但是不包括管制的物质，任何经批准申请新药的物质。管制物类似物需要依据一些标准进行判断，需要对每种新物质都进行单独评估，然后法院决定是否将该物质列入管制，管制的类似物必须是化学结构和作用效果都相似的物质。该项法案当时是为了管制芬太尼衍生物、α-普洛定衍生物、3，4-亚甲二氧基甲基苯丙胺、苯乙胺类物质和其他与毒品有类似结构和效果的物质。

此后科罗拉多州地区法院有一起案件，要判断 α-乙基色胺（AET）是否是美国管制物质类似物，据称与 α-乙基色胺基本相似的受控药物是二甲基色胺（DMT）和二乙基色胺（DET）。最后法院裁定 α-乙基色胺与二甲基色胺或二乙基色胺不相似，理由有三点，一是 α-乙基色胺是伯胺，而二甲基色胺和二乙基色胺是叔胺；二是 α-乙基色胺不能从二甲基色胺或二乙基色胺合成；三是 α-乙基色胺的致幻或兴奋作用与二甲基色胺或二乙基色胺不相似。此外法院还裁定《联邦类似物法案》中给出的管制物类似物的定义是模糊的。尽管有这项裁决，但是《联邦类似物法案》并未进行修订，而是专门将 α-乙基色胺列入管制。

20 世纪 80 年代，《联邦类似物法案》成为加拿大、新西兰和澳大利亚等国家类似物管制的模型，人们认为它可以有效地解决合成毒品蔓延的问题。虽然《联邦类似物法案》弥补了《管制物质法案》的一些漏洞，但是对每种非法物质发布禁令耗费的时间漫长且成本高昂，该项法案在实施中遇到了一些理论和实践上的问题，例如有人认为类似物的法定定义不够明确，一些结构不同但是具有相同作用效果的物质超出了类似物管制的范围等。由于这些问题的存在，很多人将《联邦类似物法案》视为不完善的法律，并提出了多种解决新精神活性物质的其他立法方法。

2014 年 2 月，根据《管制物质法案》临时管制条款，美国缉毒局发布了一项最终命令，将 4 种合成大麻素（PB-22、5F-PB-22、AB-FUBINACA 和 ADB-PINACA）列入附表一进行临时管制。2014 年 3 月，美国缉毒局根据《管制物质法案》临时管制条款发布了另一项最终命令，将 10 种合成卡西酮类物质，包括 4-甲基乙卡西酮、α-吡咯烷基苯戊酮、3，4-亚甲基二氧苯基甲胺丁酮和 1-

苯基–2–甲氨基–1–戊酮列入附表一进行临时管制。在 2015 年 7 月，美国缉毒局将乙酰芬太尼列入同一附表进行临时管制。

美国的毒品管制程序在新精神活性物质的防控问题上体现出先进性。根据《管制物质法案》，美国的毒品管制分为"事前明文列管"与"事后类推列管"两种模式。"事前明文列管"就是在《管制物质法案》当中明确以列表形式列举一系列物质，其"列管/非列管标准"由该法第 811（c）条明确规定。"事后类推列管"是指，若某种物质与已列管的毒品存在某种程度的"相似性"，则可以根据该法第 802 条所设定的标准，通过司法裁量将其认定为"类似物"（Controlled Substance Analogues）并按照同样的方法管制。很显然，这种管制模式为新精神活性物质的临时列管与法律适用提供了一种解决思路，值得我国参考和借鉴。

三、我国对新精神活性物质的立法及管制措施

（一）我国立法和管制现状

我国对新精神活性物质问题高度重视，较早之前就已经开始关注新精神活性物质问题，并逐步进行了相关立法。当前与新精神活性物质相关的立法有《中华人民共和国禁毒法》（简称《禁毒法》）、《麻醉药品和精神药品管理条例》和《非药用麻醉药品和精神药品列管办法》等法律法规，近年来启动了《中华人民共和国禁毒法》《易制毒化学品管理条例》及毒品犯罪案件立案追诉标准修订工作，积极推动禁毒法律法规体系不断完善。

我国于 2007 年 12 月 19 日公布的《禁毒法》成为我国打击毒品违法犯罪的重要法律，《禁毒法》第 21 条第 1 款规定：国家对麻醉药品和精神药品实行管制，对麻醉药品和精神药品的实验研究、生产、经营、使用、储存、运输实行许可和查验制度。该条款规定了对麻醉药品和精神药品的管制，成为打击麻醉药品和精神药品违法犯罪的重要依据。

我国于 2005 年 11 月 1 日开始施行《麻醉药品和精神药品管理条例》，以期加强对麻醉药品和精神药品的管理，保证其合法、安全、合理使用，防止流入非法渠道。《麻醉药品和精神药品管理条例》规定的麻醉药品和精神药品具有医疗价值和合法用途，在非法应用时属于我国《刑法》和《中华人民共和国禁毒法》规定的毒品。《麻醉药品和精神药品管理条例》第 82 条第 1 款规定：违反本条例的规定，致使麻醉药品和精神药品流入非法渠道造成危害，构成犯罪的，依法追究刑事责任；尚不构成犯罪的，由县级以上公安机关处 5 万元以上 10 万元以下的罚款；有违法所得的，没收违法所得；情节严重的，处违法所得

2倍以上5倍以下的罚款；由原发证部门吊销其药品生产、经营和使用许可证明文件。

我国于2015年公布实施了《非药用类麻醉药品和精神药品列管办法》，以期加强对具有成瘾性和滥用性的非药用类麻醉药品和精神药品的管制。《非药用类麻醉药品和精神药品列管办法》第2条规定：本办法所称的非药用类麻醉药品和精神药品，是指未作为药品生产和使用，具有成瘾性或者成瘾潜力且易被滥用的物质。非药用类麻醉药品和精神药品就是新精神活性物质，由于我国法律中无"新精神活性物质"的提法，为了保持与《麻醉药品和精神药品管理条例》相一致，才使用了"非药用类麻醉药品和精神药品"一词。根据《非药用类麻醉药品和精神药品列管办法》第4条的规定：对列管的非药用类麻醉药品和精神药品，禁止任何单位和个人生产、买卖、运输、使用、储存和进出口。因科研、实验需要使用非药用类麻醉药品和精神药品，在药品、医疗器械生产、检测中需要使用非药用类麻醉药品和精神药品标准品、对照品，以及药品生产过程中非药用类麻醉药品和精神药品中间体的管理，按照有关规定执行。各级公安机关和有关部门依法加强对非药用类麻醉药品和精神药品违法犯罪行为的打击处理。

随着2015年公布实施了《非药用类麻醉药品和精神药品列管办法》，我国对精神药品按照药用类和非药用类进行分类，都实行严格的管制措施。我国对药用类精神药品实行列管，按照成瘾潜力和危害大小等将药用精神药品分为两类，分别列入第一类精神药品和第二类精神药品，并由国务院药品监督管理部门会同国务院公安部门、国务院卫生主管部门制定、调整并公布，上市销售但尚未列入目录的药品和其他物质或者第二类精神药品发生滥用，已经造成或者可能造成严重社会危害的，国务院药品监督管理部门会同国务院公安部门、国务院卫生主管部门应当及时将该药品和该物质列入目录或者将该第二类精神药品调整为第一类精神药品。我国对药用类精神药品实行分类和动态管制。我国对非药用类麻醉药品和精神药品也实行分类管制，动态调整，调整方法与麻醉药品和精神药品相似，非药用类麻醉药品和精神药品管制品种目录的调整由国务院公安部门会同国务院食品药品监督管理部门和国务院卫生计生行政部门负责。而且非药用类麻醉药品和精神药品发现医药用途，调整列入药品目录的，不再列入非药用类麻醉药品和精神药品管制品种目录。

自2010年以来，我国及时将4-甲基甲卡西酮、苄基哌嗪等13种新精神活性物质列入《麻醉药品和精神药品目录（2013年版）》进行管制。2015年10

月 1 日起施行的《非药用类麻醉药品和精神药品列管办法》一次性列管了乙卡西酮、奥芬太尼等 116 种新精神活性物质；2017 年 1 月 25 日，根据《非药用类麻醉药品和精神药品列管办法》将丙烯酰芬太尼、卡芬太尼等 4 种新精神活性物质列入《非药用类麻醉药品和精神药品管制品种增补目录》；2017 年 6 月 19 日，根据《非药用类麻醉药品和精神药品列管办法》将 U47700 等 4 种新精神活性物质列入《非药用类麻醉药品和精神药品管制品种增补目录》；2018 年 8 月 16 日，根据《非药用类麻醉药品和精神药品列管办法》将 4-氯乙卡西酮等 32 种新精神活性物质列入《非药用类麻醉药品和精神药品管制品种增补目录》。截至 2018 年 12 月底，我国共计列管新精神活性物质 170 种，近年来我国加快了列管新精神活性物质的速度，列管数量不断增加，但是我国列管的新精神活性物质数量与全球已经发现的新精神活性物质数量相比还有较大差距。

（二）我国新精神活性物质管制存在的困难

1. 新精神活性物质发现难。我国尚未建立有效的新精神活性物质预警系统，缺乏全面收集、整理、分析和评估新精神活性物质的机制，因此难以发现新出现的新精神活性物质，更达不到及时发现新精神活性物质的要求。我国新精神活性物质信息的获取往往是由国外通报我国或严重滥用后自行发现，达不到预警的目的和及时、尽早发现的目的。

2. 新精神活性物质检测难。我国并未建立及时发现和检测新精神活性物质的机制，发现新精神活性物质后还存在检测难的问题。一是难以获取新精神活性物质的标准品，而缺乏标准品将难以对新精神活性物质进行定性和定量分析，也就无法做进一步的药理、毒理、合成方法等测定和研究工作；二是大部分新精神活性物质没有分析方法，需要有科研能力的单位建立分析方法，这一工作需要时间和经费投入；三是新精神活性物质分析往往需要高效液相色谱仪、质谱仪、核磁等大型精密仪器，需要掌握专门分析能力的高端人才，目前大多依赖国家毒品实验室等少部分单位进行分析，无法向基层单位推广分析工作，相关政府部门尚未与地方高校、科研院所建立分析测试工作机制，阻碍了对新精神活性物质的分析工作。

3. 新精神活性物质的列管过程慢。根据我国现行禁毒相关法律法规，将新精神活性物质列入管制目录需要进行可行性专家论证，但新精神活性物质大多未曾作为药品使用，缺乏论证所需要的科学证据和信息，食品药品监督管理局往往无法组织专家进行有效的论证；同时根据我国新精神活性物质列管习惯，将某种新精神活性物质列入管制往往需要该物质已经被联合国禁毒公约管制和造成了国内滥用危害。这些原因导致我国对新精神活性物质列管过程慢，对国际禁毒公约列管有很强的依赖性。

4. 调查取证难。我国新精神活性物质大多销售至国外，嫌疑人自己本身并不十分清楚新精神活性物质的最终流向和用途，加上经营时间较长，国家司法协作难度大，调查取证任务重，难度大，很难查清。此外也很难查清嫌疑人员生产、销售的数量。

（三）我国新精神活性物质立法的不足

截至 2018 年 12 月底，《非药用麻醉药品和精神药品列管办法》已经施行了三年多，已将 156 种新精神活性物质列入管制，虽然该项立法借鉴了国内外经验，具备很多优点和创新，但该项立法仍存在不足。

第一，列管新精神活性物质数量少。虽然自 2010 年以来，我国将 13 种新精神活性物质列入《精神药品品种目录（2013 年版）》，2015 年《非药用麻醉药品和精神药品列管办法》施行以来，又将 156 种新精神活性物质列入管制，但与全球监测发现的一千多种新精神活性物质相比，差距还很远，由于对未列管新精神活性物质缺乏相关重要信息，不法人员还有很大从事不法活动的空间。

第二，列管效率低。虽然《非药用麻醉药品和精神药品列管办法》引入了快速程序的元素，以加快风险评估和列管，但根本上还是要对每一种物质进行风险评估，一一列管，需要耗费较长时间，列管效率低。应当积极探索一种物质同时列管的方法，研究缩短风险评估、列管时间的方法。

第三，相关标准和内容不明确。《非药用麻醉药品和精神药品列管办法》第 6 条规定："国家禁毒办认为需要对特定非药用类麻醉药品和精神药品进行列管的，应当交由非药用类麻醉药品和精神药品专家委员会（以下简称专家委员会）进行风险评估和列管论证。"第 7 条规定："专家委员会由国务院公安部门、食品药品监督管理部门、卫生计生行政部门、工业和信息化管理部门、海关等部门的专业人员以及医学、药学、法学、司法鉴定、化工等领域的专家学者组成。专家委员会应当对拟列管的非药用类麻醉药品和精神药品进行下列风险评估和列管论证，并提出是否予以列管的建议：（一）成瘾性或者成瘾潜力；（二）对人身心健康的危害性；（三）非法制造、贩运或者走私活动情况；（四）滥用或者扩散情况；（五）造成国内、国际危害或者其他社会危害情况。专家委员会启动对拟列管的非药用类麻醉药品和精神药品的风险评估和列管论证工作后，应当在 3 个月内完成。"第 8 条规定："对专家委员会评估后提出列管建议的，国家禁毒办应当建议国务院公安部门会同食品药品监督管理部门和卫生计生行政部门予以列管。"第 9 条规定："国务院公安部门会同食品药品监督管理部门和卫生计生行政部门应当在接到国家禁毒办列管建议后 6 个月内，完成对非药用类麻醉药品和精神药品的列管工作。对于情况紧急、不及时列管不利于遏制危害发展蔓延的，风险评估和列管工作应当加快进程。"

第四，新精神活性物质监测难。《非药用麻醉药品和精神药品列管办法》第 5 条规定："各地禁毒委员会办公室（以下简称禁毒办）应当组织公安机关和有关部门加强对非药用类麻醉药品和精神药品的监测，并将监测情况及时上报国家禁毒办。国家禁毒办经汇总、分析后，应当及时发布预警信息。对国家禁毒办发布预警的未列管非药用类麻醉药品和精神药品，各地禁毒办应当进行重点监测。"在实际禁毒工作中公安机关对海洛因等传统毒品和冰毒等合成毒品较为熟悉，但是对于新精神活性物质认识高度不够，重视程度不足，知识储备非常有限，不能有效、及时发现新精神活性物质，难以达到有效监测，及时发现并上报国家禁毒办的目标和要求。国家禁毒办发布的新精神活性物质预警信息禁毒办也难以有效监测，因为大部分滥用者或非法贩运者并不清楚自己所接触的物质成分，另外当前尚缺乏快速、准确检测新精神活性物质的方法，以往检测毒品常用的是胶体金免疫法，针对的都是常见的毒品，而新精神活性物质种类多，市场缺乏相应的胶体金免疫法检测试纸或试剂盒等。因此在发现和鉴定新精神活性物质方面还存在很大困难，难以进行有效的监测。

第五，新精神活性物质违法犯罪执法困难。一方面，随着国内对新精神活性物质违法犯罪活动打击力度加大，不法人员开始采用更为隐蔽的方式生产、运输和交易，避开执法部门的监管；另一方面，由于新精神活性物质往往销往国外，执法部门难以查清新精神活性物质的流向和最终用途，由于国际司法协作难度大，成本高，调查取证任务重，很难证实销往国外新精神活性物质的非法用途。如武汉市华中科技大学副教授张正波走私毒品案，张正波同时还是武汉凯门化学有限公司法人，2005 年至 2015 年生产了约 60 种新精神活性物质，其中 8 种为《精神药品品种目录（2013 年版）》列管物质，2014 年 11 月 25 日该公司发往国外的两个邮包被武汉海关查扣，2017 年 4 月 13 日武汉市中级人民法院判决张正波等人犯走私、贩卖、运输、制造毒品罪，2018 年 4 月 25 日湖北省高级人民法院作出"事实不清，证据不足，撤销原判，发回重审"的裁定，2018 年 11 月 27 日该案在武汉市中级人民法院重新开庭审理，其辩护律师提出辩护意见：对非法生产、销售国家管制的精神药品行为以制造、贩卖毒品定罪，必须同时符合以下条件：①被告人明知所制造、贩卖的是精神药品，并且制造、贩卖的目的是将其作为毒品的替代品，而不是作为医疗用途的药品。②精神药品的去向明确，即流向了毒品市场或者吸食毒品的群体。③获取了远远超出正常经营药品所能获得的巨额利润；还提出有明确线索证明涉案的两个邮包是寄往国外化工基地用于合法目的。由于调查取证任务重，难度大，加大了新精神活性物质执法难度。

第六，未直接使用"新精神活性物质"定义。新精神活性物质并不同于我国《刑法》定义的毒品，也不完全同于我国列管的麻醉药品和精神药品，援用此前的定义虽然有助于直接引用相关法律，打击违法犯罪活动，但在司法实践中容易出现认定难的问题，如新精神活性物质难以直接被认定为毒品。再者，"新精神活性物质"已成为国际社会通用的定义，它的内涵和范围不断明确，很多法律直接引用了"新精神活性物质"，我国立法直接使用"新精神活性物质"定义有利于与国际接轨和执法合作。

尽管我国禁毒工作取得了明显成效，积累了丰富的禁毒工作经验，针对新精神活性物质进行了专门立法，但是在新精神活性物质监测、执法和管制等各领域仍有许多需要完善的地方。因此，面对新精神活性物质这一突出的新问题，我国在未来的立法修订中应针对不足，积极借鉴通用管制、类似物立法、快速程序和新西兰《精神活性物质法案 2013》中的有益元素。2019 年 5 月 1 日起我国对芬太尼类物质实施整类列管，并将芬太尼类物质定义为芬太尼相应部位相关取代的物质。至此，我国毒品管制立法和方法发生了重大变化。

第四章

易制毒化学品概述

第一节　易制毒化学品的概念及分类

一、易制毒化学品的概念

（一）易制毒化学品的概念

易制毒化学品，又称制毒物品，是指用于非法生产或者合成毒品的化学物品。易制毒化学品本身不属于毒品，但它与毒品有密切的关系。易制毒化学品用途十分广泛，既是一般工农业生产和科研常用的化学原料，又在毒品制造过程中起着不可或缺的重要作用。无论是提炼天然毒品还是化学合成毒品都离不开易制毒化学品，其因此被制毒分子用于加工、制造毒品，扩大毒品的再生产，牟取暴利，成为毒品犯罪的重要祸源，具有潜在的危害性。世界各国对易制毒化学品的管理越来越重视，"没有易制毒化学品，就没有毒品"的口号已成为全球的共识，加强对易制毒化学品的管控已成为全世界共同的行动。

目前，国际社会和我国对易制毒化学品尚没有一个明确的定义。1988 年《联合国禁止非法贩运麻醉药品和精神药物公约》中也没有专门的定义，但对易制毒化学品的表述却准确地反映了易制毒化学品的内涵，即经常用于非法制造麻醉药品和精神药物的物质（Substances Frequently Used in The Illicit Manufacture of Narcotic Drugs and Psychotropic Substances）。国际社会也大多采用这一说法，现在逐步简称为前体化学品（Precursor Chemicals）。

20 世纪 80 年代末，我国在禁毒业务中为寻找与国际上相对应的词汇，将制造毒品的前体和化学品定名为"易制毒化学品"。"易制毒化学品"字面含义是"容易用于制造毒品的化学品"，是我国对可用于制造海洛因、可卡因、甲基苯丙胺等麻醉药品和精神药物的物质的统称，包括用以生产和制造各种毒品及国家规定管制的麻醉药品和精神药物的原料前体、试剂、溶剂及稀释剂、添加剂等，此后在各种禁毒政策、法规中广泛使用。1997年，原对外贸易与经济合作部（含原对外经济贸易部）制定的《易制毒化学品进出口管理暂行规定》（已失效）首次在法律、法规中将制造毒品的前体和化学品定名为"易制毒化学品"，此后出台的行政法规《易制毒化学品管理条例》也使用了该词。但在最高人民法院关于罪名的司法解释中将《刑法》第350条规定的两项犯罪定名为"非法生产、买卖、运输制毒物品罪""走私制毒物品罪"，即将《刑法》中提到的"用于制造毒品的原料、配剂"解释为"制毒物品"；也有一些地方法规如《云南省易制毒特殊化学物品管理条例》（已失效）中称为"易制毒特殊化学物品"。2005年8月26日国务院公布并于2005年11月1日起施行的《易制毒化学品管理条例》统一了易制毒化学品的名称，但未给出易制毒化学品的定义，而是在第2条第2款规定："易制毒化学品分为三类。第一类是可以用于制毒的主要原料，第二类、第三类是可以用于制毒的化学配剂。易制毒化学品的具体分类和品种，由本条例附表示示。"

根据易制毒化学品的理化性质和它在制毒中的作用，可将易制毒化学品定义为：国家规定管制的可用于生产或者合成麻醉药品和精神药物的化学原料及配剂。

（二）易制毒化学品的特征

易制毒化学品作为生产或者制造麻醉药品和精神药物的化学原料或者配剂，具有以下特征：

1. 有用性。易制毒化学品首先是化工产品，是工农业生产、医药、科研和教学的常用原料或日常生活中具有合法用途的化工用品，是有用和有益于社会的物品，有着合法的用途，这是该类物品与冰毒、海洛因等的最大区别。例如，胡椒醛可作为香水的香料、樱桃与香草型味料的调味剂，也可用于有机物的合成；异黄樟脑可制作胡椒醛，改良香水，用做肥皂香料补剂，还可当作杀虫剂使用；N-乙酰邻氨基苯酸和邻氨基苯甲酸可合成多种精细化学品。

2. 可制毒性。易制毒化学品的另一个重要特征就是这些化学品的理化性质具备生产或制造毒品的特性，存在潜在的、间接的危险和危害，一旦流入非法渠道用于生产或制造毒品，即可成为毒品的化学原料或者配剂。在制毒过程中，易制毒化学品可作为前体原料或者配剂发挥作用，没有这些化学品也就不可能生产或制造出毒品，这也是易制毒化学品不同于普通化工产品的根本之处。例如，麻黄碱类的化学品是制造甲基苯丙胺的主要原料；异黄樟脑是制造摇头丸所需的主要易制毒化学品；盐酸羟亚胺是非法合成氯胺酮的化学原料；N-乙酰邻氨基苯酸是制造安眠酮和新安眠酮的主要化学原料。

3. 医药性。有些易制毒化学品具有医药用途，常用于药品领域。例如，麦角胺可用于控制产后子宫出血，促进子宫复原，也可用做血管舒张药，尤其是用于治疗周期性偏头痛；麻黄素主要用于扩张支气管，生产止咳平喘药，伪麻黄碱在药物配制中，可合成减轻鼻黏膜充血剂与支气管扩张剂，主要用于生产治疗上呼吸道感染的药物。

4. 管制性。易制毒化学品兼具有益和有害的两面性决定了其具有管制性。易制毒化学品的管制性具有两层含义：一是易制毒化学品的应当被管制性；二是易制毒化学品应当是业已管制的，即已制定法律明文规定管制。其中，易制毒化学品的可制毒性决定了其应当被管制的性质，也就是说，易制毒化学品因其本身特性决定了其既不能像普通商品一样完全自由生产、贸易、流通，也不能等同于纯粹毒品完全禁止，而是在国家管制措施下有条件地生产、经营和使用，进行相应的管理和约束。同时，易制毒化学品的管制性也表现为该类化学品是国家明文规定管制的物品，但立法没有明确予以管制的品种，即使该物质具备用于制造毒品的危害，被制毒分子使用于毒品加工制造过程中，如甲胺、氯化亚砜、氯化钯、硫酸钡等，也只能称作替代化学品，而非法律意义上的易制毒化学品。

二、易制毒化学品的分类

易制毒化学品是指生产或制造毒品时必须使用的化学品。毒品是受到管制的药品，用于非法生产或制造毒品的物质同样属于被管制的物质。目前，被管制的易制毒化学品有几十种，而其种类也各异。用于非法生产或合成毒品过程中的易制毒化学品，根据不同的分类标准可分为不同的种类。

（一）依照在制毒中的用途分类

依据其在非法生产或合成毒品过程中作用的不同，可将易制毒化学品分为前体化学品（母体）、试剂、溶剂、催化剂、掺杂物、稀释剂、添加剂等。

1. 前体化学品。前体化学品也叫原料或母体，指在制毒过程中改变原有属性，全部或部分转变成了被管制的麻醉药品和精神药物的化学物质，如麻黄碱为一种合成冰毒毒品的原料，反应后转变为冰毒。这部分物质还包括用于制备制毒原料的化学物质，如采用苯丙酮为原料合成苯丙胺时，可通过苯乙酸先制备苯丙酮，再进行苯丙胺毒品的合成，因此这类物质也属于易制毒化学品。

2. 试剂。在制毒过程中起化学反应或参与反应，但不会成为最终产品组成部分的化学物质。包括与母体反应转变为毒品的反应试剂，提炼、精制、合成过程中的酸、碱试剂，氧化还原试剂等。如乙酸酐为合成海洛因的反应试剂，将吗啡转变为乙酰吗啡；高锰酸钾在提取可卡因过程中作为氧化剂，破坏其中的一些杂质，使其不被提取出来，但并没有成为可卡因的组成部分。

3. 溶剂。一般指有机溶剂，为液体状，用于溶解固体物质，在制毒过程中不参与化学反应，化学成分不发生化学变化，不会成为毒品的成分。但挥发不彻底可残存在毒品中，如三氯甲烷、乙醚、甲苯等。

4. 催化剂。指在制毒过程中能加快化学反应速度、提高反应转化率，而本身的化学组成成分和数量在反应前后都不会发生变化的物质，如氯化钯等。

5. 掺杂物。指毒品合成后在其中加入的、具有同等药物活性的物质，以提高毒品的协同作用，如制可卡因时加入的利多卡因、普鲁卡因；制冰毒时加入的咖啡因。

6. 稀释剂。指在毒品的混合过程中，从外界加入毒品中的、无药物活性，只起到加大体积、增加重量作用的物质，以降低毒品的成本，如在冰毒、摇头丸中加入葡萄糖、淀粉、乳糖、非那西汀等。

7. 添加剂。指为改变毒品的某些性能而加入到毒品中的物质，如增效剂、抗震剂、色素、赋形剂、香精香料等。

（二）依照化学物质的属性分类

化学上将自然界中的物质分为单质和化合物两类，易制毒化学品属于化合物，而化合物又分为两大类，即无机化合物和有机化合物。

1. 无机化合物。无机化合物通常指不含碳元素的化合物，在被管制的易制毒化学品中主要有高锰酸钾、硫酸、盐酸等。

2. 有机化合物。有机化合物通常指含碳元素的化合物，或碳氢化合物及其衍生物，在被管制的易制毒化学品中主要有1-苯基-2-丙酮、胡椒醛、黄樟素、N-乙酰邻氨基苯酸、麦角胺、麻黄素、醋酸酐、哌啶、甲苯、丙酮等。

（三）依照管制的要求分类

对易制毒化学品的管制要求不同，其种类也就各异。我国将易制毒化学品分为第一类易制毒化学品、第二类易制毒化学品和第三类易制毒化学品共三类。

第二节 易制毒化学品的管制

一、易制毒化学品的国际管制

目前世界各国吸食和贩卖的毒品，大部分是通过各种方法提炼和制造出来的，所以易制毒化学品的管制引起世界各国的普遍关注。1988 年签订的《联合国禁止非法贩运麻醉药品和精神药物公约》中规定，将 22 种化学药品列为被管制的易制毒化学品，目前世界上已有 149 个该公约缔结国和非缔结国已采取不同的措施对易制毒化学品进行严格管制。

（一）列入特别管制的易制毒化学品

根据《联合国禁止非法贩运麻醉药品和精神药物公约》的规定，将 22 种易制毒化学品列表进行管制，被管制的化学品也包括它们的盐类。

国际管制的易制毒化学品清单——表一有：麻黄素（Ephedrine）、伪麻黄素（Pseudoephedrine）、胡椒醛（Piper Onal）、黄樟脑（Safrole）、异黄樟脑（Isosafrole）、麦角新碱（Ergometrine）、麦角胺（Ergotamine）、麦角酸（Lysergic Acid）、1-苯基-2-丙酮（1-Phenyl-2-Propanone）、N-乙酰邻氨基苯酸（N-acetylanthranilic Acid）、3，4-亚甲基二氧苯基-2-丙酮（3，4-Methylenedioxyphenyl-2-Propanone）。

国际管制的易制毒化学品清单——表二有：醋酸酐（Aci Anhydride）、丙酮（Acetone）、邻氨基苯甲酸（Anthranf Acid）、乙醚（Ethyl Ether）、盐酸（Hydrochloric Acid）、甲基乙基酮（Methyl Ethyl Ketone）、苯乙酸（Phenylacetic Acid）、哌啶（Piperidine）、高锰酸钾（Potassium Permanganate）、硫酸（Sulphuric Acid）、甲苯（Toluene）。

表一中的 11 种化学品全部为制造毒品的原料。表二中的哌啶是直接合成苯环己哌啶（PCP）的原料，苯乙酸是制造 P-2-P 的原料；邻氨基苯甲酸是制造 N-乙酰基邻氨基苯甲酸的原料；醋酸酐是合成海洛因的试剂；高锰酸钾、硫酸、盐酸是制毒试剂；甲基乙基酮、乙醚、甲苯、丙酮为有机溶剂。

（二）列入特别监视的易制毒化学品

近年来，国际毒品贩运集团日益企图避开侦查，把列入 1988 年公约管制的易制毒化学品改用未列入公约管制的化学品作为制毒替代品，用来制造大量的麻醉药品和精神药品。为此，国际麻醉品管制局于 1998 年 2 月 24 日公布了将列入特别管制的 22 种化学品以外的 74 种易制毒化学品列在附件中，作为国际特别监视的化学品。这些化学品是根据近年来，各国政府（1988 年公约的缔约国及非缔约国）向联合国报告的，用于非法制造麻醉药品和精神药品的有关化学试剂数目和种类而由专家组编制的。这 74 种列入特别监制的化学品是：丁醛、氢氧化钙、苯基氨基丙醇、n-［正］己烷、醋酸、氧化钙、磷酸、氢碘酸、三氯甲烷、氯氧化磷、氢溴酸、乙酰氯、双丙酮醇、碳酸钾、碳酸氢钠、烯丙基苯、过氧化氢、氢氧化钾、碳酸钠、氯化铝、羟胺、吡啶、氯化钠、氨（包括水溶液）、碘、阮内腺、氢氧化钠、乙酸铵、靛红酸酐、乙酸钠、次氯酸钠、氯化铵、异丙醇、二乙胺、硫酸钠、甲酸铵、锂、2，5-二甲氧基苯甲醇、三氯化硫、苯甲醇、氢化铝锂、2，5-二甲氧基苯甲酸、酒石酸、苯、氯化汞、2，5-二甲氧基甲苯、四氢呋喃、苯甲酸、甲醇、麦角生物碱、亚硫酰（二）氯、苄基氯、甲胺、乙酸乙酯、邻-甲苯胺、苄基氰、二氯甲烷、乙胺、3，4，5-三甲氧基苯甲醇、［正］丁醇、N-甲基甲酰胺、亚乙基双乙酸盐、3，4，5-三甲氧基苯甲酸、醋酸丁酯、甲基异丁基酮、甲酰胺、3，4，5-三甲氧基苯甲酰氯、丁胺、硝基乙烷、甲酸、碳酸钙、降假麻黄素、［正］庚烯。

二、我国对易制毒化学品的管制

作为 1988 年公约的缔约国之一的中国，对易制毒化学品的管制非常重视。针对近年来我国易制毒化学品流入非法渠道，走私出境或制造海洛因和安非他明毒品非常严重的情况，我国政府颁布了一系列法律、法规，加强对易制毒化学品的管理。

（一）制定了易制毒化学品管理的法律法规

1988 年原卫生部、原对外经济贸易部、公安部、海关总署就联合发出通知，对醋酸酐、乙醚、三氯甲烷三类可制造海洛因等毒品的特殊化学品实行出口管制。1996 年，原对外贸易与经济合作部（含原对外经济贸易部）发布规章，对 1988 年《联合国禁止非法贩运麻醉药品和精神药物公约》所列举的 22 种易制毒化学品实行进口许可证制度。1997 年，原对外贸易与经济合作部（含原对外经济贸易部）制定《易制毒化学品进出口管理暂行规定》（已失效）。1999 年，原对外贸易与经济合作部（含原对外经济贸易部）正式公布施行《易制毒化学品进出口管理规定》（已失效）。1997 年修订的新《刑法》中，也专门规定了走私制毒物品罪和非法买卖制毒物品罪。

一些重点省区对易制毒化学品的生产、运输、经营等进行全面管制。如1995 年 4 月，四川省人民政府公布了《四川省可供制毒特殊化学物品管理办法》；1997年1月，云南省人民代表大会（含常务委员会）公布施行《云南省易制毒特殊化学物品管理条例》。

2000年11月21日，原国家经济贸易委员会、公安部、原国家工商行政管理总局公布施行了《关于加强易制毒化学品生产经营管理的通知》（简称《通知》），规范了易制毒化学品的生产、经营、销售、仓储、运输等业务程序，对违反规定的行为进行查处，构成犯罪的依法追究刑事责任。《通知》中对下列20种易制毒化学品实行了特殊管理，一类的有，3，4-亚甲基二氧苯基-2-丙酮、1-苯基-2-丙酮、苯乙酸、胡椒醛、黄樟脑、异黄樟脑、醋酸酐；二类的有：三氯甲烷、甲苯、乙醚、丙酮、甲基乙基酮、邻氨基苯甲酸、N-乙酰邻氨基苯酸、麻黄素、麦角酸、麦角胺、麦角新碱、哌啶、高锰酸钾。

（二）制定了麻黄素管理的法律法规

我国是世界上对麻黄素管制最为严密的国家。1992~1998年，原国家药品监督管理局对麻黄素实行国内定点生产、定点经营、凭证购用、凭证运输、一证一次有效等严格的管理制度。

1998年3月公布施行了《国务院关于进一步加强麻黄素管理的通知》，明确了政府各有关部门在麻黄素生产、销售、进出口等方面的管理职责。1998年12月公布施行《对外贸易经济合作部、公安部、海关总署、国家药品监督管理局关于加强麻黄素类产品出口管理有关问题的通知》（已失效），对麻黄素及其盐类、衍生物和单方制剂等12个品种全部实行出口管制。2000年，公安部公布施行了《麻黄素运输许可证管理规定》（已失效），进一步堵塞了麻黄素管理中可能出现的漏洞。

第三节　易制毒化学品的识别与检验

一、易制毒化学品的理化知识

易制毒化学品的识别和认定是刑事科学技术工作的重要组成部分，是公安机关有效地揭露、打击和证实制毒、贩卖易制毒化学品等犯罪行为的重要技术手段。易制毒化学品的识别和检验的鉴定结果在法律上具有证据作用是检察院起诉、法院判决的重要证据，对侦破易制毒化学品犯罪案件，具有举足轻重的作用。而识别易制毒化学品需要了解、掌握易制毒化学品理化性能、合法使用与非法使用的情况、危险性及其处理方式等基本知识。

（一）与易制毒化学品有关的术语

与易制毒化学品有关的化学术语很多，主要有别名、分子式、分子量、比重、沸点、熔点、危险性、非法使用、合法使用、惰性气体、化学中间体、pH值、闪点、不溶、微溶、溶解、ppm、氮化剂、氧化剂、发烟、通风良好、爆炸极限、反应容器等，下面分别进行介绍。

别名：包括一般商业注册用名和作为识别方式的外国名称。

分子式：显示该化学药品的基本构成。

分子量：代表构成该化合物原子的总重量。

比重：单位体积物质的重量，它是同体积比较重量大小的标志。

沸点：液体在开口容器内加热至沸腾产生大量蒸发气体时的温度。

熔点：固体加热转变为液体时的温度。

危险性：接触或搬运化学品时应采取的注意事项。

非法使用：指私下制作的管制品，多数情况下，该药品在生产过程中的具体目的是明确的。

合法使用：指化学药品用于最通常的产品与制作过程，并关系到制成化学品的数量。

惰性气体：难引起化学反应或活性极低的气体。如氦、氖、氩气体。

化学中间体：化学反应中产生的不太稳定的中间产物。

pH 值：表现为稀溶液中酸、碱性的值。比值为 1~14，酸度依次降低。pH值等于 7 表示溶液为中性，小于 7 表示偏酸性，大于 7 表示偏碱性。

闪点：指在物体表面或所用容器内提供充足的蒸汽与空气混合而形成能点燃的混合物的最低温度。

不溶：在 100 mL 溶剂中溶质溶解量少于 10 g。

微溶：在 100 mL 溶剂中溶质溶解量为 10 g~24 g。

溶解：在 100 mL 溶剂中溶质溶解量大于 25 g。

ppm：指百万分之一的浓度比例。

氮化剂、氧化剂：指能与其他物质反应生成氮化物、氧化物的物质。

发烟：指物质在空气中自然形成烟雾状。

通风良好：指物质存在空间中空气能与外界自然空气自由流通。

爆炸极限：指一种可燃气体或蒸气与空气的混合物所发生的爆炸的浓度（或压力）范围。

反应容器：是指混合前化学品反应的容器。有玻璃、金属或其他材料的容器。毒品生产反应容器通常为圆底、顶部有三通、可加热的容器。

(二) 易制毒化学品理化知识及使用常识

到目前为止《联合国禁止非法贩运 麻醉药品和精神药物公约》规定管制的易制毒化学品已有 23 种。2005 年，国务院公布施行的《易制毒化学品管理条例》将管制的易制毒化学品分为 3 类共 23 种。以 1-苯基-2-丙酮（1-Phenyl-2-Propanone）为例介绍。

1-苯基-2-丙酮。

别名：苄基丙酮、苯基-2-丙酮、苄基甲基酮、甲基苄基酮、苯基甲酮。

英文名：1－Phenyl－2－Propanone、Phenyl－2－Propanone、Phenylacetone、Benzyl Methyl Ketone（BMK）、Methyl Benzyl Ketone。

分子式：$C_9H_{10}O$。

分子量：134.18。

比重：1.02。

沸点：214℃。

熔点：－16℃～－15℃。

特征：透明，无色或淡黄色轻微黏稠的液体。

商品编码：2914310000。

CAS 号：103-79-7。

非法使用：生产苯丙胺和冰毒的母体原料。

合法使用：可用于生产药用苯丙胺、甲基苯丙胺和甲基胺，也可用于有机物的合成及产生苄游离基或用做对应选择性氢。

生产过程：源于苯乙酸和乙酸，通过 α-苯基丙酮乙腈取自苯乙腈，通过一个硝基丙烷的中间物质合成苯甲醛和硝基乙烷。

进出口情况：国内产量很小，极少出口，几乎没有进口。

危险性：刺激眼睛与皮肤。

应急措施：如发生误吸蒸气的情况，则应使患者脱离污染区，安置休息并保暖；眼睛受刺激用水冲洗，严重者就医诊治；皮肤接触先用水冲洗，再用肥皂彻底洗涤；误服立即漱口，并送医院救治。

泄漏处理：用沙土吸收，倒至空旷地方掩埋，对被污染的地面用肥皂或洗涤剂涮洗，经稀释的污水排放入废水系统。

运输与储存：1-苯基-2-丙酮应存放在密封容器中，置于阴凉干燥处。用 55 加仑桶（208.2 L），净装 460 磅（209.1 kg）。

二、易制毒化学品的现场快速识别

在一些特殊的场所和易制毒化学品违法犯罪案件的侦查中，常常需要初步判断案件现场的可疑物质是否为易制毒化学品，以便公安机关决定是否应该采取进一步的措施。易制毒化学品的现场快速识别是解决这一问题简便快捷的方法。

现场快速识别是利用一些物质与某些检验试剂反应后产生的特殊现象，如气味、颜色等来初步判断可疑物质是否为该类易制毒化学品。

（一）现场快速识别的目的与作用

为了方便禁毒执法人员随时随地快速识别可疑物品是否为易制毒化学品，有关专家研制了快速、简便的识别易制毒化学品的方法，并设计生产出小型、携带方便的识别装置，以提供上述人员在现场快速识别易制毒化学品，其目的是快速、及时、方便、机动地开展工作，有利于禁毒执法人员抓住战机，有效地打击易制毒化学品违法犯罪。

现场识别或颜色试验并不是准确定性的检验方法，但它非常有用。它可以为执法人员提供信息，以帮助他们对嫌疑人进行拘捕，或根据这些信息去争取到搜查证或逮捕证，以利于及时、快速地预先了解证据，从而促使犯罪分子自首。

现场快速识别只能起到初检、筛选的作用，仅供禁毒执法人员对可疑物品作出快速识别其是否可能为易制毒化学品，起到抓住时机拘留嫌疑犯、保护证据的作用。不过，由于快速识别中所用的方法并不是专一的，有些试剂与其他物质反应时也可能得到相似的颜色；有时还受到目测人的经验及化学显色反应的干扰，因而现场快速识别结果不能起定罪的证据作用。如需确认可疑物的种类、含量、成分等，必须通过专门的实验室进行易制毒化学品的定性、定量分析，作出全面、科学的鉴定，以获得起诉、定罪作用的证据。

（二）现场快速识别的内容

易制毒化学品的现场快速识别除利用现场识别设备进行识别外，最简单的识别方法就是观察易制毒化学品的物理特征，也叫物理检验。物理检验包括外观检验，如对毒品的颜色、气味、物理状态及外观等外在特性进行观察、比较，如是片剂或胶囊，还需对其有关尺寸进行测量。

物理特征可反映易制毒化学品的产地、生产厂家、生产过程等反映的外在特征，尤其可反映毒品成品的加工过程特点，如图案、尺寸等。还可以通过毒品的包装和材料，毒品上的特征标记进行鉴别。例如，通过大麻树脂表面上的或打印在样品包装上的标记对查获的大麻树脂进行鉴别和比较。同样，通过检查片剂表面的瑕疵或标记可以将不同案件中查获的片剂毒品与同一个加工过程（有些情况下，来自同一个压片设备）归并。但是，物理检验完全依赖于毒品是否存在这样的物理特征，如果不存在这样的物理特征，如多数粉末样品，毒品的特征只能通过化学分析来建立。而对易制毒化学品，还可通过包装、标签、可疑物品的状态、气味等进行初步的识别。

（三）现场快速识别结果判定的规则

现场快速识别和颜色试验并不是对毒品、易制毒化学品决定性的识别方法，作为法庭上出示的证据必须经实验室进行进一步验证。因此，有下列规则可以帮助司法人员对毒品、易制毒化学品的识别结果作出解释：

因为所给出的用于测定特定的控制物质的颜色反应并不是专一的，这些试剂与别的物质作用时也往往得到相似的颜色。因而，如果只是进行颜色试验，其阳性结果表示有可能存在能进行该反应的某种成分，所有阳性结果或结果模糊的样品必须送实验室作进一步分析。

如果某一试验的结果为阴性，则应对同一份样品作重复试验；如果试验的结果仍为阴性，则可认为该样品中不含某一物质。但当有别的理由怀疑该样品含有毒品、易制毒化学品时，可将该样品全部送到实验室做进一步分析，并向实验室提供现场检验情况、检验结果和怀疑的原因。

现场快速识别试验结果的颜色应与标准品的颜色相比较才能下结论，否则会因颜色的个体差异而导致错误的结论。所有现场快速识别结果仅可作为可疑物的推断性鉴定试验，而不能在案件中作为肯定的证据。

（四）易制毒化学品现场识别方法

现场快速识别易制毒化学品的方法一般为外观检验和使用快速、便捷的化学显色反应，对易制毒化学品的外观物理特征和化学反应特征在极快时间内作出识别，以判断是否存在某类易制毒化学品或排除某类易制毒化学品的存在。某类易制毒化学品的颜色、形态、特殊的气味、或特殊的溶解性能及其特殊的化学反应颜色都能直观、快速地提示其存在的可疑性。下面介绍常见易制毒化学品的现场快速识别方法。

1. 易制毒化学品的一般识别。易制毒化学品的一般识别主要是查看易制毒化学品的标签、外观，初步识别易制毒化学品的品种。

第一，观察包装物。包装化学品的容器形状各异，大小不同，所用材料也不同，有大桶、玻璃瓶、塑料桶及麻袋等。

第二，查看标签。对可疑化学品首先看有无标签，无标签或标签模糊的要认真调查其来源及可能为何物质；如有标签，要确定标签与内装物是否符合，是否为易制毒化学品；如确为易制毒化学品，应调查其有关文件、运输路线（起始地和目的地）。

第三，可疑行为查验。走私和贩卖易制毒化学品的犯罪分子经常隐藏易制毒化学品的运输方式或目的地，并用多种方法将其伪装成合法物品。当遇到运送化学品时要注意以下可疑迹象：①乱贴标签，新标签盖住旧标签；或没有标签；非正常方法保存化学品，如用水桶等容器。②携带化学品的人不能提供供应者或收货人的有关信息。③商业文件如交货单、发票或收据中发现错误或可疑点，如数量不对、化学品名称不符或无化学品名称、现金购买、供应者或收货人及地点可疑等。

2. 对生产设备进行勘查。由于各地条件不同，所以设备和仪器也会有很大差别。另外海洛因的制造只需库房、简单容器，如盆状容器或大桶，简单实验室即可；安非他明制造条件稍复杂一些，常见的设备有反应罐、气瓶、蒸馏装置、冷凝装置、加热电炉、压片设备、抽气泵、玻璃容器（三角瓶、蒸馏瓶等）、烘干机等。

三、常见易制毒化学品的性质与检验

（一）醋酸酐（Acitic Acid Anhydride）

醋酸酐又叫无水醋酸，分子式为（CH_3CO）$_2O$，相对分子质量102.09。为无色透明液体，有较强的刺激性醋酸味，是一种催泪毒气。能溶于氯仿、乙醚、乙醇等有机溶剂，溶于水后为醋酸，水中溶解度为13%，比重1.09，沸点140.8℃。该试剂广泛用于有机合成，是由吗啡或鸦片制备海洛因的主要反应试剂。醋酸酐具有腐蚀性，易燃，应置于密封干燥处保存，与氧化剂和强碱隔离。

化学鉴别（异羟酸试验）：取少量醋酸酐置于点滴板上，分别滴加10%盐酸羟胺甲醇溶液和0.5%氯化铁甲醇溶液，出现红色到蓝紫色可能含有醋酸酐。

（二）麻黄素（Ephedrine）、伪麻黄素（Pseudoephedrine）

麻黄素又叫麻黄碱、2-甲氨基-1-苯丙醇，是从麻黄草植物中提取或合成的生物碱。常用的盐酸麻黄素为白色结晶性粉末，味苦，遇光变暗。熔点217℃~220℃。溶于水、乙醇、不溶于乙醚、氯仿，1/2水合麻黄素为六角菱形结晶，无水麻黄素为油质，几乎无色，极易吸湿变潮。硫酸麻黄素为白色结晶，遇光也变暗，熔点258℃。

伪麻黄素又叫异麻黄碱、假麻黄碱、降麻黄碱、伪麻黄碱，是麻黄素的

立体异构体。为白色菱片状结晶。熔点 118℃，无味、溶于乙醇、乙醚等。盐酸伪麻黄碱为白色结晶粉末。麻黄素及伪麻黄素在医疗上可作支气管扩张药。

化学鉴别（硫酸铜试验）：取少量可疑物于试管中或白色滴板孔中，加 2 滴 1%醋酸，再加 2 滴 1%硫酸铜水溶液和 2 滴 2 mol/L NaOH 溶液，混匀。如有麻黄素或伪麻黄素，出现紫色。

（三）黄樟素（Safrole）、异黄樟素（Isosafrole）

黄樟素又叫黄樟脑、黄樟油素。异黄樟素是黄樟素的同分异构体，又叫 1，2-亚甲二氧基-4-丙烯基苯。分子式为 $C_{10}H_{10}Q_2$，相对分子质量 162.18。黄樟素和异黄樟素是合成 3，4-亚甲二氧基苯丙胺、3，4-亚甲二氧基甲基苯丙胺的原料。它们均为无色或微黄色的液体或结晶，具有茴香味或樟木味。溶于醇、醚、苯、氯仿等有机溶剂，不溶于水和甘油。黄樟素比重 1.10，沸点 232℃～234℃；异黄樟素比重 1.12；沸点 253℃。主要用于生成香料、食品调味剂。黄樟素和异黄樟素对人体及皮肤有毒害，应避光、阴凉处保存。

化学鉴别：黄樟素或异黄樟素均与马改式试剂反应产生深紫色，与没食子酸试剂反应产生红色或红棕色。

（四）胡椒醛（Piperonal）

胡椒醛又叫 3，4-（亚甲二氧基）苯甲醛、天芹菜精，可用于合成 3，4-亚甲二氧基苯丙胺或 MDP-2-P。分子式为 $C_6H_6O_3$，相对分子质量 150.13。为无色有光泽的针状结晶，有葵花香味或胡椒香味。遇光和空气变为红棕色。溶于醇、苯等，微溶于水。熔点 37℃，沸点 263℃。主要用于有机合成及香料业。应保存在避光阴凉处。

化学鉴别：胡椒醛与马改氏试剂反应产生柠檬黄色；与浓硫酸反应也产生同样的颜色。

（五）苯基丙酮（1-Phenyl-2-Propanone）

苯基丙酮又叫 1-苯基-2-丙酮、苄基甲基酮、P-2-P，分子式为 $C_9H_{10}O$，相对分子质量 134.18。是合成安非他明、甲基安非他明的原料。苯基丙酮是无色或黄色黏稠液体，有特殊气味。溶于醇、苯、酮等溶剂，不溶于水。比重 1.01，沸点 216℃，应存放于阴凉干燥处。

化学鉴别的方法：①取少量可疑液体于试管或反应板孔中，加 2 滴 2.5%硫氰酸钴水溶液，若出现蓝色环的粉红色（试剂本色），可能含有 P-2-P。②取少量可疑物于试管中，加 2 滴马改氏试剂（甲醛-浓硫酸），如为橙黄色，可能含有 P-2-P。③取少量可疑样品，加 2 滴 1%硝基苯甲醇液，混匀后再加 2 滴 15%的氢氧化钠水溶液，出现紫红色可能含有苯基丙酮。

（六）苯乙酸（Phenylacetic Acid）

苯乙酸又叫苯醋酸，分子式为 $C_8H_8O_2$，相对分子质量为 136.16，可用于制成苯基丙酮。为白色粉末，有难闻的刺激性气味，溶于醇、醚和热水中。比重 1.091，熔点 77℃，沸点 265.5℃。用于香料及制造工业，作为饮料、甜食的调味剂，也作为植物生长刺激素。有轻度刺激性，应在阴凉干燥处保存。

化学鉴别：苯乙酸与马改氏试剂反应产生黄色到橄榄绿色。

（七）3，4-亚甲基二氧苯基-2-丙酮（3，4-Methylene Dioxyphenyl-2-Propanone）

又叫 3，4-亚甲二氧苯基甲基酮、胡椒基甲基酮、MDP-2-P，分子式为 $C_{10}H_6O_3$，相对分子质量 178.19。是合成 3，4-亚甲二氧基苯丙胺、3，4-亚甲二氧基甲基苯丙胺的原料。为无色或淡黄色液体，比重 1.20，沸点 120℃ ~ 122℃。用于有机合成。对皮肤及眼睛有刺激性。

化学鉴别：MDP-2-P 与马改氏试剂反应产生棕黄色；与没食子酸试剂反应产生棕色。

（八）麦角酸（Lysergic acid）

又叫 9，10-二脱氢-6-甲基-麦角灵-8-羧酸，分子式为 $C_{16}H_{16}N_2O_2$，相对分子质量 268.1。是合成麦角酸二乙酰胺的原料。纯品为白色结晶性粉末，微溶于水和中性有机溶剂，溶于稀酸和稀碱。熔点 240℃，溶融后同时分解。用于有机合成。

化学鉴别：取少量可疑物于试管或反应板孔中，加 2 滴 1%对二甲氨基苯甲醛甲醇-磷酸液，若有紫色出现，可能含有麦角酸。

（九）麦角胺（Ergotamine）、麦角新碱（Ergometrine）

麦角胺分子式为 $C_{33}H_{35}N_5O_5$，相对分子质量 581.65，麦角新碱分子式为 $C_{19}H_{23}N_3O_2$，相对分子质量 325.39。它们都用于制造麦角酸，然后再进一步合成麦角酸二乙酰胺。均为白色晶体，遇光变黑分解。麦角胺是一种吸湿性结晶，熔点 212℃ ~214℃，易溶于氯仿，略溶于乙醇，几乎不溶于水。麦角新碱熔点 162℃，微溶于水，易溶于醇、乙酸乙酯、丙酮，略溶于氯仿。水中溶解度较麦角中其他生物碱更高。马来酸麦角新碱为白色或浅黄色，熔点 167℃；酒石酸麦角新碱为白色发亮粗糙的针状结晶。

化学鉴别同麦角酸。

（十）　哌啶（Piperidine）

又叫一氮六环、六氢吡啶，分子式为 $C_5H_{11}N$，相对分子质量85.15。是合成致幻剂苯环己哌啶（PCP）的原料。是无色易燃液体，有滑腻感和辛辣刺激臭味。呈强碱性。与水、醚、醇混溶。比重0.86，沸点106℃。用于制药、有机合成及检定金属离子。应贮存于阴凉干燥处。

化学鉴别：取少量液体于试管或反应板孔中，加2滴1%亚硒酸硫酸溶液，如有哌啶存在，出现深蓝色。

（十一）　高锰酸钾（Potassium Permanganate）

又叫过锰酸钾、灰锰钾、色矿石，分子式为 $KMnO_4$，相对分子质量158.03。在提炼可卡因毒品中作为氧化剂，破坏可卡叶中含有的肉桂酰可卡因等杂质，使其不被提取出来。纯品为黑紫色或古铜色细长的棱形结晶颗粒，带蓝色金属光泽。无臭、味甜而涩。在空气中稳定，溶于水后呈紫红色，易溶于热水，特别易溶于碱液，也溶于丙酮、甲醇。是强的氧化剂。加热至240℃时分解，有氧气逸出。遇乙醇或其他有机溶剂分解，遇盐酸游离出氯，能被亚铁盐、碘化物及草酸盐等还原物质分解。遇酸时更易氧化。与某些有机物或易氧化物接触，易发生爆炸并着火。比重2.7。广泛用于氧化剂、消毒剂、有机合成、净水，也用于口服有机毒物后洗胃。外用于皮肤、黏膜及腔道的消毒。应密闭保存，严禁与易燃有机物接触。

化学鉴别方法：①取少量可疑物于试管中，加水溶解，若为高锰酸钾，溶液显紫红色，加稀硫酸使溶液呈酸性，加过氧化氢溶液，这时紫红色消褪变为无色，再加0.1%四苯硼钠溶液与醋酸，则出现白色沉淀。②取少量高锰酸钾于试管中，加入2 mol/L NaOH 水溶液后，再加入无水甲醇，溶液变为粉红色。

（十二）　硫酸（Sulfuric Acid）、盐酸（Hydrochloric Acid）

硫酸分子式为 H_2SO_4，相对分子质量98.08，盐酸分子式 HCI，相对分子质量36.46。硫酸和盐酸可使合成毒品或提纯的天然毒品转变为更稳定的盐类毒品，也可用于制毒中，调节溶液的酸碱度，保证毒品的合成条件或萃取条件。它们不成为毒品的有效成分。硫酸和盐酸均为无色透明液体，具有强的腐蚀性，硫酸为一级腐蚀，盐酸为二级腐蚀。它们均与水混溶并发热，混溶时，应注意将酸缓缓倒入水中，而不能将水倒入酸中，防止将酸溅出伤人。

浓盐酸在空气中冒烟，有刺激性酸味。市售浓盐酸浓度在38%左右，比重1.18。广泛用于化学分析及制造工业中。

浓硫酸为无色油状液体，比重1.84，沸点290℃。广泛用于化工工业中制造肥皂、炸药以及汽车蓄电池等。应存于阴凉干燥处。

化学鉴别方法：①pH 值试验。酸液的 pH 值在酸性范围内（小于7）。取可疑酸液用水稀释后，取 1~2 滴于广泛 pH 试纸上，若为红色，则为酸液。②取 1 mL 左右可疑酸液，加入数滴 5%氯化钡溶液，如出现白色沉淀，可能为硫酸。③取 1 mL 左右可疑酸液，加入数滴 5%硝酸银溶液，如出现白色沉淀，可能为盐酸。

（十三）丙酮（Acetone）、甲苯（Toluene）、乙醚（Ethyl Ether）

丙酮分子式为 C_3H_6O，相对分子质量 58.08，甲苯分子式为 C_7H_8，相对分子质量 92.13，乙醚分子式为 $C_4H_{10}O$，相对分子质量 74.12。它们均为无色透明、易挥发、易燃（一级）并有气味的有机溶剂。在制毒过程中主要用于溶解各种毒品，进行提纯净化。丙酮有特殊辛辣气味，与水混溶，并与多种有机溶剂混溶。比重 0.79，沸点 56.5℃。乙醚与甲苯微溶于水，与多种有机溶剂混溶。能溶解油脂、树脂、橡胶等。乙醚有特殊刺激性带甜味的气味，比重 0.71，沸点 34.6℃。医疗上可作为外科麻醉剂。甲苯气味与苯相似，具有芳香味，比重 0.862，沸点 110.7℃，可作为树脂、树胶和乙酸纤维素等的浸出剂。

化学鉴别方法：①甲苯可使高锰酸钾褪色，与马改氏试剂反应产生桔红色。②丙酮加亚硫酸氢钠出现白色沉淀，在碱性条件下与 1%亚硝酰铁氰化钠溶液产生桔红色沉淀。③乙醚与碘化氢和硝酸汞反应出现红色，由于乙醚极易挥发和燃烧，因此乙醚的化学检验必须在实验室进行。任何怀疑是乙醚的物质，必须谨慎处理，并送交实验室分析。

四、易制毒化学品识别与检验过程中的注意事项

大部分易制毒化学品都具有一定的危险性。有的有毒性，如氰化物等；有的有腐蚀性，如强酸、强碱等；有的易燃、易爆，如乙醚、丙酮等。因此，在处理时要慎重。

1. 不要随意开启瓶盖，不要使容器泄漏或使其破坏，不要用鼻子直接闻或用口尝。

2. 运输时要轻拿轻放，防止撞击和振动。

3. 远离热源、火源和防止光线直接照射。

4. 处理化学品时严禁吸烟。

5. 注意容器上标签的标志：剧毒（骷髅）、有毒害（X）、腐蚀、易燃、易爆等。

第五章

毒品滥用与毒品检验

第一节　毒品滥用

一、毒品的滥用方式

毒品的滥用方式主要有三类：一是吸入毒品的气化物，包括烟吸、鼻吸（追龙）等；二是将毒品外敷；三是口服或吸入毒品的粒状物或粉状物；四是溶解稀释后注射，包括肌肉注射、静脉注射和皮下注射。

1. 吸入。通常有烟吸、鼻吸和烫吸。烟吸是借助烟枪点燃鸦片口吸，有将冰毒掺入烟丝，通过水溶液过滤，以吸烟的方式将毒品吸入体内，通常叫溜冰；有将大麻叶做成烟丝或海洛因掺入烟丝，通过吸烟的方式将毒品吸入体内。鼻吸是将毒品晶体放在纸板上，捏住一只鼻孔，用另一只鼻孔将毒品吸入鼻腔，或用麦管吸入鼻孔。烫吸或称走板、追龙，是把毒品晶体置于铝箔上，下面用打火机加热，毒品升华为烟雾，吸毒者用力吸吮缕缕毒烟，或是用另一张铝箔卷成纸筒追吸毒烟。

2. 外敷。将毒品直接贴敷在牙龈上、舌头下部或眼睑旁边等部位，通过皮肤黏膜吸收。

3. 口服。将毒品晶体及其片剂、针剂、酊剂等，直接口服或含服。多见于麻醉药品与精神药品制剂的服用，如口服可待因片剂、三氢埃托啡片剂、含可待因的糖浆制剂等。

4. 注射。有皮下注射、肌肉注射和静脉注射几种方式，以静脉注射用得最多。海洛因、可卡因、冰毒等毒品均可采用静脉注射。

毒品进入机体的途径不同，吸收和作用持续的时间也不同。一般吸收得快，毒品作用持续的时间就比较短，但欣快感比较猛烈；吸收得缓慢，毒品作用持续的时间长一些，欣快感也比较温和。吸入和注射比口服、皮肤与黏膜吸收快，静脉注射因直接进入血液作用最快。

二、毒品的体内过程

生物检材中毒品的检验是判断是否吸毒或吸毒的历史或吸毒过量死亡的重要依据。毒品可通过不同的途径进入机体，经吸收、分布、代谢后排出体外。吸收的速度随进入体内的途径不同而异。

（一）毒品吸收

所谓毒品吸收是指毒品穿过生物膜或膜屏障进入血液循环的过程。毒品只有被机体吸收才能发挥作用。注意：吸收和口服进入胃内是不同的。例如，贩毒人员将海洛因等用塑料袋或避孕套包装吞进胃内进行贩运，到达目的地后，将其排出体外，一般比较安全，因为海洛因没有被吸收进入血液。但有时由于胃肠蠕动等原因导致包装物破损，海洛因被吸收进入血液循环，由于海洛因量比较大往往导致中毒死亡。

吸收的途径通常有以下四种：①消化道吸收，即毒品以口服的方式经胃和小肠进入血液循环的方式。②呼吸道吸入，即毒品通过气态、雾态及烟态经呼吸道、肺泡吸收进入血液循环的方式。由于肺泡壁总面积大，血流丰富，毒品易被吸收进入血液循环，故吸收比消化道快。③皮肤、黏膜吸收，即毒品主要通过穿透皮肤表层结构的角质层进入真皮而吸收并进入血液循环的方式。黏膜吸收的程度远比皮肤吸收的速度快，作用强。④血液直接吸收，即毒品经静脉、肌肉或皮下注射等进入血液循环的方式。以静脉注射吸收最快，其次是肌肉或皮下注射。

（二）毒品体内分布

毒品被机体吸收后进入血液循环，再通过血流分散到全身各组织。因此，血液和各组织都可以成为毒品检验的检材。毒品在机体各部位的分布不是均匀的，这与毒品是否易于穿透生物膜有关，也与其和某些器官的亲和力大小以及组织的血流量大小有关。了解毒品的分布，对采取检材很有帮助。

（三）毒品体内代谢

毒品进入生物体后，在体内各种酶的作用下发生化学变化并生成新的物质，即代谢产物，这一过程称为代谢过程。代谢主要通过肝脏进行，主要方式有氧化、还原、水解和结合。

1. 氧化。凡使反应物（毒品）分子中的氧原子数增加，氢原子数减少的反应称为氧化反应。氧化是毒品代谢中最普遍的一种方式，如图 5-1 展示了四氢大麻酚氧化为四氢大麻酸的变化过程。

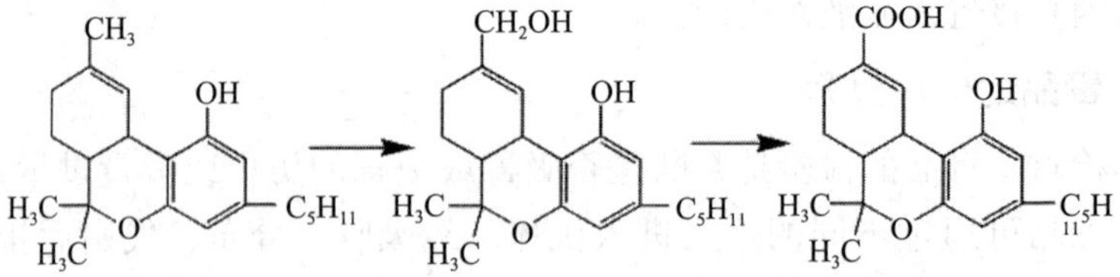

图 5-1　四氢大麻酚氧化为四氢大麻酸的变化过程

2. 还原。使反应物（毒品）分子中的氢原子数增加或氧原子数减少的反应即为还原反应。还原反应在毒品的代谢中也是十分重要的，特别是带有硝基和羰基的化合物一般发生还原反应。如图 5-2 展示了硝西泮还原为 7-氨基硝西泮的变化过程。

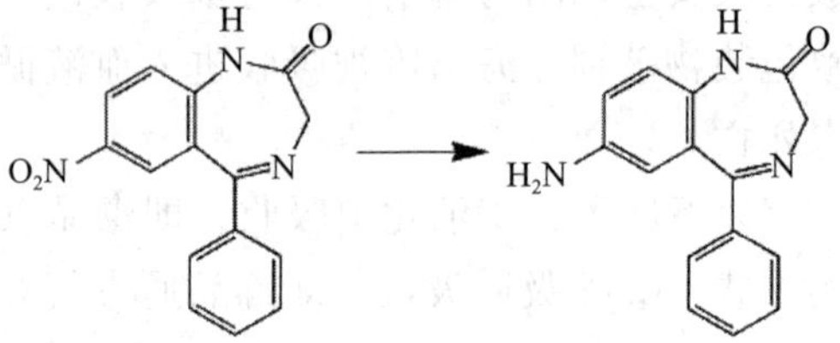

图 5-2　硝西泮还原为 7-氨基硝西泮的变化过程

这些化合物经还原反应生成的羟基、氨基等极性基团，较易进行结合，或进一步代谢转化，使其易于排出体外。

3. 水解。水解反应又叫取代反应，是水中氢原子加到有机化合物的一部分，而羟基加到另一部分，而得到两种或两种以上新的化合物的反应过程。水解反应是中和或酯化反应的逆反应。通常含有酯（RCOOR'）或酰胺键（$RCONH_2$）的毒品在体内水解酶的作用下，一般生成羧酸（RCOOH）、醇（ROH）、酚（C_6H_5OH）及胺（RNH_2、R_2NH、R_3N）。如图 5-3 展示了可卡因水解为苯甲酰爱冈宁的变化过程。

图 5-3　可卡因水解为苯甲酰爱冈宁的变化过程

4. 结合。有些毒品或代谢物分子结构中具有羟基—OH、羧基—COOH 等极性基团，这些极性基团可与体内的正常成分——葡萄糖醛酸、甘氨酸、硫酸等结合，生成水溶性大、极性大、易于排出体外的结合物。例如，图 5-4 展示了四氢大麻酸的羧基与葡萄糖醛酸结合生成相应的葡萄糖醛酸苷（酯）的变化过程。

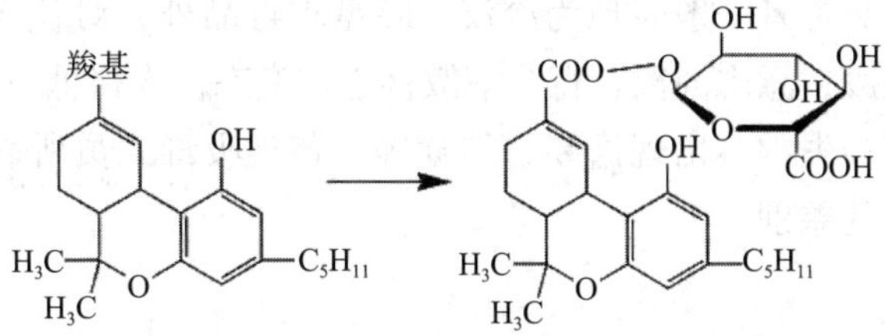

图 5-4　四氢大麻酸的羧基与葡萄糖醛酸结合生成相应的葡萄糖醛酸苷（酯）的变化过程

生物检材中的毒品与代谢物共存。有些毒品进入体内后，少量或部分转化为代谢物，以分析原体为主；有些毒品进入体内后，大部分转化为代谢物，以分解代谢物为主。如海洛因进入体内后在极短的时间内全部转化成 O^6-单乙酰吗啡，进而转化为吗啡，所以在检测生物检材中是否含有海洛因成分时，主要检验吗啡和 O^6-单乙酰吗啡。

了解毒品在体内的代谢规律，即毒品或其代谢物的量随时间的变化规律，有助于推断毒品进入体内的时间（原体和代谢物的量）。通过毒品代谢物的检出，又可作为某种毒品进入机体的证据。

（四）毒品的排出

毒品被机体吸收和代谢的同时，也在不断地排出体外。排出的主要器官为肾脏，所以尿液是毒品检验的主要检材，不但要检验原体同时也要检验其代谢物。排出机体的途径有多种，还可经肝、胆和呼吸道排出。毒品排出的速度一般用半衰期表示，半衰期是毒品在血浆中浓度降至一半时所需的时间。半衰期越长，毒品的消除速度越慢。

三、毒品的滥用后果

吸毒人员因受毒品的侵害，生理和心理都产生一些与不吸毒的健康人不同的表象，形成吸毒人员的特征。

生理特征：吸毒人员一般表现为贫血，脸色苍白，嘴唇、眼眶青黑；营养不良，身体明显消瘦，弱不禁风；瞳孔缩小，怕见阳光，喜欢躲在阴暗处，眼光呆滞发直；身上容易发痒；注意力、记忆力和思维能力减退，说话含糊不清；

注射吸毒的人，上肢或下肢皮肤表面通常留有注射针眼痕迹，或在某一部位反复注射形成的针刺硬块。由于吸毒者吸毒时间长短不一，吸食毒品的种类不同，个人体质的差异等，吸毒者所表现的生理特征也不尽相同。如海洛因滥用者一般身体上有静脉注射痕迹，有静脉硬块，不消失；瞳孔缩小、畏光；说话含糊不清；身上发痒，身体消瘦。其中瞳孔呈针尖样缩小是海洛因滥用者的重要体征。

心理特征：吸毒者一般表现为冷漠，除觅求毒品外，对什么都漠不关心和无所谓；精神颓废，意志涣散，行为懒散；心理变态，人格低下，丧失自尊心，缺乏自治力；精神失常，出现谵妄、幻觉等。各类吸毒人员所表现的心理特征也存在不同程度的差别。

第二节　毒品检验

一、毒品检验概述

毒品进入人体后，在体内各种酶的作用下，在生理环境影响下，发生各种生化变化，这一过程称为代谢过程，所得产物称代谢物。因此生物检材中毒品与代谢物共存，有的毒品进入人体后，会在极短的时间内全部转变为代谢物（如海洛因）。有些与体内葡萄糖醛酸结合形成结合体等。代谢物的种类可反映吸毒的种类，其含量可反映吸毒的时间和剂量等。因此需要了解各类毒品的基本代谢规律。毒品的检验还包括对生物检材中的毒品及其代谢物进行检验，以确定是否吸毒及吸毒的种类、时间、剂量等。

毒品检验是指运用化学、物理、生物和现代仪器分析的原理和技术，对毒品违法犯罪案件中的可疑物质进行鉴别与测定的过程，是揭露犯罪、证实犯罪、打击犯罪的重要环节。

（一）毒品检验的内容

毒品检验的内容包括外观检验、物理检验和化学检验等。外观检验即对毒品的颜色、气味、物理状态及性状等外在特性进行观察、比较，得出初步的判断；物理检验是对毒品的物理性能如溶解度、熔点、沸点等进行测试，如是片剂或胶囊，还需对其有关尺寸进行测量，其数据除可用于样品间的比较外，还可得出与加工过程有关的信息；化学检验是利用化学或仪器分析的方法，对缴获毒品的化学成分，如毒品成分、添加成分、掺假成分、杂质、溶剂、金属等成分进行定性或定量检测，既可用于样品间的比较，还可反映毒品在合成过程中所用原料、合成路线、贩运路线等方面的信息。

　　毒品检验分为现场快速检验和实验室检验两种方法。现场快速检验是利用简便、快速的检验方法（如化学颜色反应法、酶免疫法）对现场查获的可疑毒品、易制毒化学品或涉嫌吸毒人员的体液进行检验，从而筛选毒品可疑物或吸毒嫌疑人的方法。通过现场快速检验，可以迅速识别一些现场的可疑物品是否为毒品及易制毒化学品，确定嫌疑人是否吸毒等，有利于公安机关抓住战机，有效地打击毒品犯罪。

　　实验室检验是运用分析化学的原理和方法对贩毒、吸毒、制毒等案件中的毒品及其代谢物进行定性和定量分析的一门学科。检验结论具有法律效力。通过对涉案的可疑毒品进行检验，确定检材中是否含有毒品、含有何种毒品、含量是多少，从而进行定罪量刑。通过对吸毒嫌疑人血、尿等检材进行定性分析，判断其是否吸食某种毒品；通过对吸毒嫌疑人血、尿等检材进行定量分析，判断其是否吸食某种毒品过量中毒或导致死亡。通过对涉案可疑毒品中未反应的原料、反应中间体、残留反应试剂、残留溶剂、掺假剂、稀释剂等成分进行定性或定量分析，用以推断毒品的生产方式、合成路线、产地等。

　　（二）毒品检验的特点

　　毒品及滥用药物在质量、外观及有效成分含量等各方面都有很大的差异。有的物质在刚生产出来或第一次转手时几乎是纯的（含量接近100%），而在贩卖给吸毒者时含量却很低；有的毒品外观尺寸很小（如麦角酸二乙酰胺）；有的毒品其颜色可能接近自然物质的颜色（如鸦片、大麻），也可能因制造过程而出现各种各样的颜色（如摇头丸）。

　　毒品检材成分复杂，一般除含有毒品外，还含有种类繁多的掺假剂、稀释剂。掺假剂也是药物活性物质，即具有抑制、兴奋等作用，但比较便宜，如咖啡因、扑热息痛、利多卡因等，是在完成最终产品的转换过程之后加入的物质；稀释剂是在药学上无活性的物质，加到最终产品中增加体积和重量，常用的有乳糖、葡萄糖、甘露糖醇、硫酸镁、淀粉等。此外毒品在加工制造过程中，还会残存所使用的溶剂、试剂、中间体和副产物以及原料中含有的杂质等，这些成分的存在，使毒品检材成分复杂，会干扰毒品的检验，同时又为毒品的来源、制造、加工、贩卖、流通等过程提供了非常有用的信息。

　　被检验毒品的形式多种多样，可能是植物、粉末、片剂、胶囊、浸膏等，也可能是液体。可能是缴获的毒品，也可能是制毒、吸毒工具，或是毒品的容器、包装物。可能是各种生物检材，也可能是溶有毒品的纸张、衣物及其他物质（如橡胶、饮料和其他液体）等，需仔细处理，才能作出准确、科学的结论。

（三）检材的采取与保存

1. 检材的种类与特点。毒品的检材根据性质不同，可以分为两种。

第一种，涉案可疑毒品。涉案可疑毒品是指在毒品案件中查获的疑似毒品。这些检材形式多种多样，诸如粉末、片剂、胶囊、黏稠的膏状物、液体等形式。有的是制毒工具、吸毒工具，或盛装毒品的容器、包装物等；有的是沾有毒品的衣物、纸张、橡胶、塑料等物质；有的是混有毒品的汽油、饮料等液体物质；还有毒品原植物等。

涉案可疑毒品来源多为非法制造，缺乏质量控制。由于生产原料不纯、反应不完全、最终产品净化不好等原因，导致毒品中经常含有副产物、残存的溶剂、试剂、杂质等。此外，一般非法制造的毒品含量往往较高，在流通过程中，贩卖者为获得利润或改变服用效果，在毒品中添加各种成分，如掺假剂和稀释剂。掺假剂一般是有药物活性的物质，有抑制或兴奋的作用，价钱便宜、易得到，如咖啡因、扑热息痛、利多卡因等。稀释剂是没有药物活性的物质，只为增加体积和重量，如淀粉、葡萄糖、乳糖等。这些成分的存在，使毒品成分复杂化，会干扰毒品的检验，但同时也为确定毒品的来源、加工、贩卖、流通等过程提供了非常有用的信息。

第二种，生物检材。生物检材主要指吸毒嫌疑人的体液或脏器等检材，也叫体内检材，主要包括血液、尿液、肝脏、肺脏、肾脏、脑、骨骼、毛发等。吸毒案件一般采取涉案人的尿液或血液，有时也可采取毛发检材。吸毒致死案件除采取涉案人的尿液、血液外，还可采取肝脏、肾脏、胆汁、注射针眼和对照处皮肤等检材。

（1）尿液。体内毒品主要通过尿液排泄，尿液中的毒品以原形、代谢物的形式存在。尿液中毒品含量高，采集容易，是认定吸毒的较好检材。尿液检材的适宜采取时间一般在服药后 2 小时~7 天内。应注意的是，在排尿过程中，不仅包括肾小球的过滤，还包括肾小管的重新吸收，因此尿中毒品浓度的高低不能反映血中毒品浓度的高低。采尿时要注意尿液的真实性，即做到：应在办案人员在场的情况下尽早收集尿液，采集 10 mL 以上。严格地讲，应分装 A、B 两瓶。A 瓶用于本实验室检验。B 瓶封存，以备被检者提出异议或检察院、法院要求复检及移交上级实验室复检。在检验报告中要注明检材保留时间。

（2）血液。毒品在体内达到稳定状态后，血液中毒品浓度反映了毒品的作用强度，血液是定量分析的最佳检材。与尿液相比，血液中毒品浓度较低，但成分比较稳定，药物摄取后即可检测无须等其代谢。血液分为全血、血浆、血清。血浆是全血加入肝素或草酸等抗凝剂经离心后取得的，其量约为全血的一半。血清是由血液中纤维蛋白原等影响下引起血块凝结而析出的液体，血块凝结时往往造成毒品的吸附损失。毒品检验一般使用全血，采取时可加适量的抗凝血剂，血液采集 5 mL 以上。

（3）毛发。对于长期滥用毒品的人，毒品可在毛发中累积。根据毛发的生长周期（平均每月 1 cm），可推断关于个人滥用毒品情况的长期信息，其检测时间的长短仅受毛发的类型和长度的限制，一般的检测时限可以从一个月到几年。毛发检材可避免尿液分析中可能出现的各种逃避行为，如暂时停止吸毒或稀释尿液等行为，并且具有采样容易、检材易保存、检测期限宽等优点。但毛发中毒品含量较低，用常规的检测方法检测比较困难。近年来，毛发毒品检验已成为法庭科学和临床毒物分析研究的热点。

（4）组织。中毒致死尸体解剖后应采取的检材主要有肝、肾、肺、脑、胆汁等。其中肝、肾是毒品的主要代谢器官，许多毒品进入体内后都储存在这些脏器中，其浓度常常较血液大，同时组织药物浓度也反映了药物作用强度，因而组织检材是比较理想的检材。

2. 检材的采取。

（1）毒品的收缴、称量、取样和封存。

第一，收缴。除特殊情况外，对收缴的毒品应当场称量、取样和封存。在现场收缴毒品时，由毒品持有人（被搜查人）、两名以上侦查人员和见证人当场签名。对收缴的毒品和藏毒现场应当拍照固定，有条件的可全程录音录像后存档。

第二，称量。对查获的毒品，应在查获现场，毒品持有人（被搜查人）在场（无主毒品除外），并有见证人的情况下当场称量。称量时毒品持有人（被搜查人）必须进行指认，指认过程应当拍照固定，有条件的可全程录音录像后存档。

第三，取样和封存。称量完成后，侦查人员应在毒品持有人（被搜查人）在场（无主毒品除外），并有见证人的情况下，提取毒品样本检材，缴获的毒品和提取的检材应分别使用物证袋当场封存。包装密封处须由毒品持有人（被搜查人）、称量人（样本提取人）、见证人使用记号笔签名，并分别签署封存时间。

有特殊情况，无法进行现场称量、取样的，应当先行现场封存。到达执法办案场所后，应当立即按照上述规定进行称量和取样。

多包装毒品在保存时应当区分查获地点、包装、性状等，不可混合保存。

（2）检材的采取方法。检材采取的主要目的是得到正确而有意义的化学分析结果。检材提取不得当，会直接影响案件的办理。对于因吸毒致死的案件，由于尸体火化而不能重新得到检材；对于疑似吸毒或中毒的案件，因检材采取不当，重新取样时检材已超出检测时效不能检出毒品；对于涉案的大量可疑毒品，由于实验室检验所需样品量极少，如何使其具有代表性就显得尤为重要。以下主要介绍一般取样方法和个案中的取样方法。

一般取样方法：

I. 粉末状样品的取样。粉末状样品的取样主要分为单包装取样和多包装取单包装取样。

单包装取样。首先应将这些样品从包装物中取出，称量其净重并做好记录。将样品压平，然后在样品上画"十"字，将样品分为四部分，取任意两个对角部分的样品作为采集样，其余部分则放回原包装物中（或按四分法取样：将样品按照测定要求磨细，过一定孔径的筛子，然后混合，平铺成圆形，分成四等份，取相对的两份混合，然后再平分，直到达到自己的要求）。继续按上述方法对所采集样本进行处理，直到所采集样本质量满足送检要求为止。

多包装取样。遇到多个包装物品的采样，首先逐包筛选，确定各包物品是否为同一物质，如果属于同一物质，可以将各包装物样品合在一起并混合均匀后采样，或者逐包采样检验。如果少于 10 个包装时，逐包分析采样；10~100 个包装时，可随机选取 10 个包装物检验；多于 100 个包装时，随机选取包装总数的开平方根数的包装检验。如果不属于同一物质，则先将其分类，按上述原则分别采样。

II. 胶状或大块样品的取样。可将样品打碎，用研钵粉碎成粉末，按前面所述的粉末状样品的取样方法进行取样。如果样品不易粉碎，则至少从三个不同的部位随机取大小不同的块状物，收集 1 g 检材供分析。

III. 药片和胶囊的取样。随机选取 5 个以上外观相似的药片或胶囊，测平均重量、碾碎、混匀，同单包装粉末状样品取样。

IV. 液体样品的取样。液体样品的取样应该根据包装的情况进行，通常分为单包装取样和多包装取样两种方式。单包装取样，需要混匀后进行样品分析。多包装取样，需要按上述多包装样品的取样方法，混匀后进行取样。

各案中的取样方法：

I. 制毒案件中检材的采取。制毒案件中检材通常采取制毒现场可疑的成品、半成品、原料、试剂、设备内物质、粉末、液体等。

固体样品的采取。用牛角勺或不锈钢勺提取可疑物品大于 10 g，装入洁净的无毒塑料袋或塑料瓶中。若提取物为挥发性或腐蚀性物品则应装入磨口玻璃瓶中。

液体样品的采取。采取可疑物大于 10 mL，装入洁净的磨口玻璃瓶中，棕色瓶为佳。最好采用专用塑料瓶，以防破碎。盛装液体的瓶子中要留有 1/3 ~ 1/4 的空间，不要装满。

注意事项：勘查制毒现场会出现大量的物证检材和证据，为防止编号和描述混乱，建议首先由痕迹、法化学专业人员协商，对物证进行统一编号和描述，同时应标明取样来源等信息，标号要与现场记录一致，所有物品要分别包装。不要直接嗅闻样品，嗅闻时应离样品一定距离并用手轻轻扇动。应戴手套，最好戴防毒面具，穿防护服装。

II. 易制毒化学品案件中检材的采取。该类案件通常涉及固体样品和液体样品，其采取方式和注意事项同上。

III. 吸毒案件中检材的采取。该类案件通常采取可疑毒品、可疑毒品包装物、可疑吸毒工具等。

对于毒品依赖者，可采取血、尿、头发、指甲等检材。一般尿液含量较高，易检出，血液含量数据较准确，所以可以将尿、血液作为常规检材。采取血液时一般取全血，加抗凝剂。尿液一般取 10 mL 以上，血液取 5 mL 以上。

对口服中毒死亡者，取胃内容物、尿（全部）、血（50 mL ~ 300 mL）、肝、肾（100 g ~ 200 g）等检材。

对于注射致死者，除上述检材外，还要取注射部位肌肉和距离较近、较远的非注射部位肌肉作空白对照。注射致死检材采取时，一定要仔细查找针眼。

采取检材的数量，要满足三级送检的要求，即地市、省以及中央三级检验的要求，然后再留出储存备用复检。如果案件复杂，则要加大取材的数量，以保证检验的顺利进行。特别应该提出，如果案情重大，尸体千万不要轻易火化，以保证尸体的复验。

（3）检材的包装与保存。检材的包装及注意事项：

I. 内脏等半固体检材采用无毒塑料广口瓶盛装。固体检材用无毒塑料袋盛装。液体检材以无毒塑料小瓶盛装。血、尿检材需要低温冷冻保存，不可使用玻璃制品，因为玻璃制品低温易碎裂，使检材丢失。对无需冷藏的检材，如现场提取的粉末、药片、液体等，可用玻璃制品或洁净的塑料袋包装。

II. 不许加任何防腐剂。因为防腐剂主要是福尔马林和乙醇，它们都是常用的有机溶剂，化学性质活泼，可能和毒品发生化学反应，生成其他物质或干扰检验。

III. 器皿要清洁无毒。所用包装器皿必须是一次性的，而且器皿的密封条件要好，要清洁无毒，可用水洗，不能用消毒水清洗。

IV. 各种检材要分装。

V. 检材包装要严格遵守法定程序，即在有人监督的情况下包装检材。

VI. 包装后，要封存，加盖公章。贴标签，注明检材名称、重量、案件名称、采取时间、提取检材人等。

检材的保存及注意事项：

I. 对于血、尿等生物检材，不能及时检验的，要进行冷冻保存。

II. 涉案的可疑样品一般数量较大，不可能都送往实验室检验，往往取其中部分检材检验，大部分留在办案机关。这时样品的保存必须在设有双层门窗、双锁的室内放置的双锁保险柜中封存，由两人以上专人保管。检验后剩余的检材应退回原机关保存。

（4）送检规则。涉案可疑物质、吸毒嫌疑人血液尿液或尸体解剖采集的样品，应及时送往专门的检验部门检验。送检是毒品检验不可缺少的一个环节，是委托鉴定的过程。

根据《办理毒品犯罪案件毒品提取、扣押、称量、取样和送检程序若干问题的规定》以及《公安部刑事技术鉴定规则》，送检时要携带公检法机关开具的"委托公函"（单位介绍信），填写"委托鉴定登记表"。表中要填写案情介绍、检验要求、检材和比对样品清单等。送检时，要注意的问题是：

I. 送检人必须是公安、司法机关的执法人员，要熟悉案情，了解现场勘查和毒品检材采取情况。最好是办案人亲自送检，详细介绍案情。

II. 送检的样品要绝对安全、无损。保证个体的真实完整性，绝不可因相互污染或加防腐剂而失去检验价值，造成人为的破坏检材。

III. 提出的检验要求要具体、明确。

IV. 检材数量要充足，满足三级机关检验要求。

V. 如果是复核鉴定，应说明要求复核的原因和目的，同时附送原鉴定单位的鉴定书或检验报告。

样品的接收是鉴定的开始，应注意以下几点：

I. 样品的接收人员必须是由公安、司法部门授权或聘任的具有专门知识和技能的技术人员，也就是必须具有鉴定权的技术人员。

II. 样品的接收必须严格审查核对，签收并妥善保存。

III. 样品的接收人员，必须详细了解情况，以确定检验方向。

（四）毒品的检测时限

毒品的检测时限通常是指缉毒查获的可疑毒品和生物检材中的毒品能被检出的最长时间限制。一般缉毒查获的可疑毒品比较稳定，基本都以盐的形式存在，受时间限制较小。比如，显碱性的毒品比较多，常见的冰毒、苯丙胺、摇头丸、氯胺酮、海洛因、杜冷丁、可待因、可卡因、苯并二氮杂䓬类等一般都以盐酸盐或硫酸盐、磷酸盐的形式存在，比较稳定，不受检测时限的限制。显酸性的毒品比较少，常见的有巴比妥类、大麻酚类等，缉毒查获的大麻酚类毒品形式主要有大麻油、大麻树脂、大麻叶等，其中的主要成分四氢大麻酚不稳定、易分解，但检测时限都比较长，大麻油相对不够稳定，需要密封保存；巴比妥类药物一般以钠盐的形式存在，很稳定，不受检测时限的限制。吗啡显两性，通常以盐酸吗啡的形式存在，很稳定，不受检测时限的限制。但缉毒查获的毒品，偶见未成盐的中间体，易挥发、分解，须及时检验。

受检测时限影响较大的主要是生物检材，常见的是血液和尿液，它们能提供近期滥用毒品的情况。据报道，四氢大麻酚在血液中只能存在 4 小时~5 小时，代谢产物四氢大麻酸在血和尿中能存在 12 天。对于其他常见毒品，血液、尿液检材的适宜采取时间一般在服药后 3 天内，最长不得超过 7 天，超过 7 天毒品代谢排出体外，很难检出。

血液、尿液需放到冰箱冷冻保存，一般存放时间不超过 1 年。目前有采用毛发作为检材的，毛发能提供滥用毒品的历史，易保存，受检测时间的限制较小。

二、毒品的现场快速检验

（一）现场快速检验的目的与作用

为了提供刑事警察、海关、边防缉毒人员随时检验毒品走私携带可疑物品是否为毒品，有关专家研制了快速、简便的检验毒品的方法及小型、携带轻便的检验装置，以提供上述人员在现场快速识别毒品。

现场快速检验的目的，是快速、方便地识别一些现场的可疑物品是否为毒品及易制毒化学品，确定可疑人是否吸毒等，有利于禁毒人员抓住时机，有效地打击毒品犯罪。

现场快速检验能起到初检、筛选的作用，供缉毒警察、海关、边防等缉毒人员对可疑物品作出快速识别，是否可能为毒品，并拘留毒品嫌疑犯的作用。

应强调现场试验或颜色试验并不是准确定性的检验方法，但它是非常有用的。它可以为司法人员提供信息，或根据这些信息去争取搜查证或逮捕证。它也可以预先获取证据，并促使犯罪分子自首。

但是，由于快速检验中所用的方法并不是专一的，因有些试剂与其他物质反应时也可能得到相似的颜色，因此现场快速检验结果不能作为定罪的证据。作为法庭上出示的证据必须经法庭实验室进一步验证。如确证可疑物是何种毒品，含量多少，含有哪些成分等，必须通过有关实验室进行毒品的定性、定量分析，作出全面、科学的鉴定，才能获得起诉、定罪的证据。

（二）现场快速检验的方法与装备

现场快速检验毒品的方法，一般为外观检验和使用快速、简便的化学显色反应，根据毒品的外观物理特征和化学反应特征，在极短的时间内作出判断。判断是否存在某类毒品或排除某类毒品。如某类毒品的颜色、形态、特殊的气味、特殊的溶解性能及特殊的化学反应等，都能直观、快速地提示毒品存在的可疑性。

为了满足现场快速检验的需要，有关专家研制了简便、快速的毒品检验方法，并设计制造成小型、携带轻便的现场检验装置，以供现场快速识别毒品。这些检验装备有检验箱、检验包、检验盒、毒检管等。近年来，毒品快速检验试纸、毒品现场勘验箱、易制毒化学品快速检验箱及易制毒化学品快速检测仪的广泛使用，大大提高了打击毒品违法犯罪的效率。最为典型的是毒品快速检验试纸，有单一的检测试纸、二合一检测卡、三合一检测卡、五合一检测卡、九合一检测卡、十合一检测卡等，可以检测吗啡、安非他明、冰毒、氯胺酮、摇头丸、可卡因、大麻、巴比妥、美沙酮等常见的毒品。

（三）现场检验结果判定的规则

1. 如果仅进行颜色试验，其阳性结果表示有可能存在能进行该反应的某种成分。

2. 所有阳性结果或结果模糊的样品，必须送实验室作进一步的分析。

3. 如果某一试验的结果为阴性，则应对同一份样品做重复试验，如结果仍为阴性，则可认为该样品中不含某一成分，但当有其他理由怀疑该样品含有毒品时，可将该样品全部送到实验室作进一步分析，并向实验室提供现场检验情况、检验结果和被怀疑的原因。

4. 试验结果的颜色应与标准品的颜色相比较才能作出结论，否则会因颜色观察的个体差异而导致错误的结论。

5. 当有强烈的信息怀疑某些可疑样品时，无论现场检验的结果如何，均应将样品送实验室进行检验。

（四）毒品现场检验的注意事项

1. 如果样品数量较少，不能同时满足现场检验和实验室检验的需要时，应将样品送实验室检验。

2. 毒品有液体、粉末或固体等各种形式。对粉末样品，仅需很少的几粒就可进行试验，但如果模糊不清而需要重复试验时，则应增大样品量；对药片、固体样品或树脂状的样品（如裂片），则需先取出一小块粉碎后再进行试验；对胶囊，小心打开后，取出一部分进行试验；对植物样品，取出一部分磨碎后进行试验；对香烟样品，打开一支，取出部分植物样品，磨碎后进行检验；如果植物样品的试验结果为阴性，但又怀疑它被其他药物或毒品处理过时，将样品送实验室进行分析。

3. 对进行初步检验的禁毒人员来说，安全是非常重要的。杜绝用手指沾食或人体直接接触可疑物品进行判断，因为可疑物或许是剧毒物质，可在人未能及时作出反应时致人于死地或威胁人的生命。最好戴上胶皮手套进行操作，实验之后应尽快清洗双手；现场初检时对毒品可疑物（固体、液体），包括制毒试剂的气味进行判别时，切不可直接用鼻子去嗅，只能用手轻扇采用浅呼吸嗅别；在现场初检毒品可疑物及制毒试剂，开封、拆包装及储液桶、缸时，要注意有缓冲时间和空间，防止挥发性毒气或麻醉气体、易燃气体对人员造成伤害。要注意防腐蚀、防灼烧、防刺激、防爆燃。

4. 对现场快速检验设备要定期检查，注意涉及到的化学试剂的有效期。

5. 对毒品地下加工场所采取行动时，要有合格的化学检验人员协助和亲临现场，及时发现迹象征兆，如场所内的废气、废液排放设备，水电、煤气表的异常等。在现场，所有情况下参加行动的人员都必须遵守以下程序与规则：①当关闭地下加工场所时，应控制地下加工场所的所有人员。②现场内及其附近严禁吸烟。③照相机不得使用闪光灯，如果需要照明，应使用频闪光源。④如果现场有浓烟，应切断所有电器设备的电源，但用于搅拌材料装置或构成化学工艺的部分除外。⑤应特别注意使用锂、铝氢化物的任何现场，因为这种物质遇水后极易爆炸。⑥离开现场区域时必须清洗双手和面部，然后清洗全身。⑦应避免个人物品的交叉污染，不要让个人物品接触被污染的材料或将个人物品带入被污染的环境。⑧现场内或被污染区严禁饮食。⑨非经合格医生同意，应避免使用药物。

三、毒品的实验室检验

对于初检呈阳性结果的可疑毒品，必须通过实验室做确证检验，才能作为起诉、定罪的证据。

（一）毒品实验室检验的作用

1. 确证送检的可疑物是否为毒品或含有毒品，是否为易制毒化学品，从而为确定是否贩毒、种植有毒植物、制毒提供证据和线索。

2. 进一步确定毒品的种类、毒品的含量、杂质（包括掺假剂、稀释剂、溶剂、中间产物等），从而可为确定毒品来源、制造方法、贩毒途径提供证据和线索。

3. 通过吸毒工具、尿样、血样及其他生物体液和组织检材的检验，确定嫌疑人是否吸毒及吸食毒品的种类，或是否因毒品中毒死亡。为吸毒和戒毒提供证据。

4. 通过毒品旋光异构体的检验，可为具有旋光性毒品（如安非他明类）生产时所使用的合成原料、路线提供依据。

（二）毒品可疑物的一般提取、包装与送检

实验室检验毒品要求送检的样品必须符合要求，送检样品要未受到污染、要均匀和具有代表性，送检样品量要充足。

1. 固体样品取样。对块状样品可从表面及中间部位取样，并使其均匀或粉碎混匀后取样，粉末样品可置于干净的塑料袋中混匀取样。

2. 液体样品取样。对于液体样品也需先用目视或放大镜检查分类后，少量的（以携带方便为准）全部送检，大量的则小心混合均匀后，以携带方便的量取样送检。

3. 送检的样品量。植物性毒品如大麻、鸦片、古柯叶一般至少需送 1 g~5 g；精制毒品如吗啡、海洛因、安非他明等一般需送 0.2 g~1 g。液体样品至少送检 10 mL，若为盛装原药的药瓶或针管，可将原物送检。

4. 送检包装。将取好的检材装入干净的玻璃瓶或塑料袋中，封口，包外注明送检单位、案件名称及送检日期。运送的方法取决于运送可疑毒品的种类、运送距离和案情的紧急程度。在任何情况下，送检都要有包括下述内容的收条：有关证据的说明；案件名称；嫌疑人姓名；毒品可疑物被送交检验的日期；收检者的单位与收件人的签名。

（三）毒品的实验室检验方法

毒品检验实验室除了采用与现场快速检验相同的化学方法外，主要采用了灵敏度高、准确性好的仪器分析方法。

1. 化学筛选法。其原理与现场快速检验方法相同。在实验室中用该法对送检的毒品可疑物进行分类，缩小范围后再进行进一步确证检验。毒品的化学筛选法一般分为5组：①马改氏试剂可与鸦片类、安非他明类毒品产生特殊颜色反应。②快蓝B盐试剂可与大麻类毒品反应。③硫氰酸钴试剂可与可卡因、安眠酮反应。④硝酸钴、异丙胺试剂可与巴比妥药物反应。⑤亚硝基铁氰化钠、碳酸钠试剂可与甲基安非他明、3，4-亚甲二氧基甲基苯丙胺等仲胺类化合物反应。

2. 薄层色谱分析法（TLC）。这是一种常规检验毒品的方法，设备简单，操作容易，准确性好，灵敏度高，适合在简易实验室中对毒品进行定性、半定量分析。

3. 气相色谱分析法（GC）。这是毒品检验中最常用的分析方法。与薄层色谱相比具有更高的灵敏度、更好的分离效果和更快的分析速度。不但适合于毒品的定性分析，还适宜毒品的定量分析，是毒品分析中不可缺少的分析方法。

4. 气相色谱-质谱联用分析法（GC/MS）。这是目前毒品分析中效果最好的方法。它除了具备气相色谱分析的特点外，带有的药物、毒品标准谱库，使得它对未知毒品的检验十分快速，不仅可给出毒品的确证信息，而且还可对复杂毒品样品中的未知成分及生物检材中的代谢物进行初步的认定。

5. 高效液相色谱法（HPLC）。这是一种有效的毒品分析方法。尤其适用于热稳定性差、挥发性低和大分子的样品，是气相色谱方法的补充方法。

6. 红外光谱分析法（IR）。适用于高纯度毒品的鉴别，也可用于毒品间的比对检验。具有快速、准确、不破坏样品的特点。

四、常见毒品的现场快速检验方法

（一）鸦片类毒品的快速检验

1. 生物碱显色试验。鸦片类生物碱能与钒硫酸、钼硫酸、浓硫酸、浓硝酸等显色剂作用生成具有特殊颜色的物质。

将少许样品置于滴板上，分别加各种生物碱显色剂数滴，常见的鸦片类毒品呈现不同的颜色。常见的鸦片生物碱类毒品的显色反应见表5-1。

表5-1　常见的鸦片生物碱类毒品的显色反应表

生物碱	显色剂					
	钒硫酸	钼硫酸	甲醛-硫酸	硝酸-硫酸	浓硫酸	浓硝酸
吗啡	蓝紫色	蓝色	红→紫	棕色→暗棕	无色　加热后紫红色	黄色
可待因	绿蓝→蓝色	污绿→蓝色	无色	—	黄红色	

续表

生物碱	显色剂					
	钒硫酸	钼硫酸	甲醛-硫酸	硝酸-硫酸	浓硫酸	浓硝酸
那可汀	朱红色→洋红	紫色→红色	褐紫色	红色	黄绿色	
罂粟碱	绿色	紫色→绿色	深红→棕色	橙色		黄橙色
蒂巴因	黄绿色	红橙色	红橙色	红橙色	黄橙色	黄色
乙基吗啡	绿色	绿色→蓝色	紫色→蓝色			黄色
海洛因	紫色	紫色→绿色	红→紫红色	浅蓝色	深蓝色	淡黄色
美沙酮		浅绿色→蓝色	粉红色			

2. 普鲁士蓝反应。吗啡具有还原性，与铁氰化钾作用可被氧化成伪吗啡，同时生成亚铁氰化钾，再与三氯化铁作用生成具有普鲁士蓝颜色的络合物。

取样品提取液少许，先加入新配制的1%铁氰化钾溶液（不含亚铁氰化钾）数滴，再加入1%三氯化铁少许，吗啡立即呈现蓝色。

凡具有还原性的物质如阿扑吗啡（无水吗啡）及腐败蛋白等均可产生普鲁士蓝颜色反应，故应作空白对照试验。

3. 碘酸反应。吗啡可将碘酸还原为游离碘。取吗啡提取少许置于小试管中，加入10%硫酸液1 mL使其呈酸性，再加入1%碘酸液两滴，氯仿5~6滴，振摇，氯仿层呈现紫堇色，表示有吗啡存在。

4. 马改氏试验。包括预提取的改良法。由于样品中通常含有植物色素而呈深黑色，进行下列改良后使得方法既简单又有效。

将少量样品置于小试管中，加10滴左右的水，用玻棒搅拌样品使其溶解，在试管上塞上少许玻璃棉，滤出清液，在滴板上加一滴滤出的样品溶液，再加1~3滴马改氏试剂（硫酸-甲醛试剂），如样品中含吗啡时呈紫红到紫的颜色。

5. 紫鸦片碱试验。取1 mL的可疑样品于滴板中，加2滴水并用玻璃棒研磨样品，使水溶液呈棕色，取出1滴至滴板另一孔，加1滴2N的盐酸水溶液并稍加热，呈紫红色为阳性结果，此紫红色为鸦片碱的存在所引起。

6. 硒硫酸（Mecke）试验。取少量可疑样品于反应孔中，加数滴亚硒酸-硫酸试剂，吗啡存在时出现蓝绿色，蒂巴因为橙黄色，可待因呈鲜蓝色，海洛因呈绿色。

（二）大麻类毒品的检验

1. 快兰B盐试验。主要有两种方法：①在滤纸上进行试验。即把两张滤纸折叠成方形，张开成漏斗状，放入少量粉碎的大麻植物或大麻树脂，或滴一滴大麻油在滤纸的上面，加2滴石油醚，使溶液渗透到下面的滤纸上，分开两张滤纸，弃去上层滤纸，使下面的滤纸晾干，加少量固体快兰B盐试剂（2.5%快兰B盐的无水硫酸钠固体混和物）在下层滤纸上，然后加2滴10%碳酸氢钠水溶液，如果在滤纸中心出现粉红色则表示有大麻存在，大麻的主要化合物呈现不同的颜色，四氢大麻酚红色；大麻酚紫色；大麻二酚桔红色。②在试管内进行试验。即将少量可疑检材放入试管中，加少量固体快兰B盐试剂和1 mL氯仿，振摇1分钟，加1 mL 1M NaOH振摇2分钟，静置2分钟。如在下层氯仿层出现颜色表示阳性结果，与上层的颜色无关。

2. 快速Duquenois试验。将少量可疑样品放入试管中，加2 mL香夹兰素溶液（取0.4 g香夹兰素溶于20 mL 95%乙醇然后加0.5 mL乙醛），振摇1分钟，加2 mL浓HCl振摇混合后静置10分钟，如出现颜色加2 mL氯仿。若底层氯仿层出现紫色说明有大麻成分。

（三）可卡因类毒品的检验

1. 颜色反应（SCOTT试验）。方法步骤是：①取少量样品置于试管中，加入5滴硫氰酸钴溶液（取1 g硫氰酸钴溶于50 mL 10%醋酸中，然后加50 mL甘油稀释）并振荡混匀，如有可卡因存在，应立即出现蓝色。如无蓝色出现，可适当增加样品用量，如仍无蓝色出现，可否定可卡因的存在。②加入1~2滴浓盐酸摇匀，这时蓝色消褪，溶液呈淡粉红色，如果蓝色不能全部褪去，可再加一滴，但不能多加。③加入数滴氯仿并振摇如有可卡因存在，则氯仿层呈深蓝色。

在步骤①中，苯环已哌啶、地布卡因、布大卡因及噻吡二胶会出现与可卡因相同的颜色，但在步骤③中，仅有可卡因出现蓝色。该试验可检测低至1%的可卡因。

2. 气味试验。将干燥的试样用5%氢氧化钾或氢氧化钠甲醇溶液完全润湿，待醇液挥发后，将其气味与标准可卡因气味进行比较。

用该方法试验了一百种可能干扰的药物，发现仅米替卡因（也是一种苯甲酰酯）得到阳性结果，某些胺类如安非他明类将得到"较弱的鱼腥味"。该方法的灵敏度大于颜色反应，但所有样品必须不含水分。试验气味最好与标准可卡因所得气味比较再下结论。

3. 微晶试验（氯化铂试验）。与上述颜色、气味试验一样，微晶试验不能作为确证试验。

将大约 2 mg 试样置于显微镜载物玻璃片上，加 1 滴 1M 盐酸使之溶解，再加 1 滴 5%氯化铂溶液，所生成的微晶可在 100 倍的显微镜下观察到，其微晶须与标准可卡因生成的微晶相比较。适当减少可卡因的量或盐酸可形成较好的微晶。

（四）苯丙胺类毒品的检验

1. 马改氏试验。将少量样品（1~2 mg 或 1~2 滴液体样品）置于滴板孔中，逐滴加入马改氏试剂（不要超过 3 滴），安非他明与甲基安非他明等毒品可产生桔黄色的颜色，最低检出量大约是 1 pg。

2. 西门（Simon's）试验。将少量样品置于滴板孔中，加入 1 滴西门试剂（10%乙醛和 1%亚硝酰铁氢化钠水溶液等比例混和溶液），然后加入 2 滴 2%碳酸钠水溶液。该实验可用来区别伯胺和仲胺，仲胺类物质产生蓝色反应。但需注意，有些添加的杂质也可产生假阳性。

（五）致幻剂类毒品的检验

1. 麦角酸二乙酰胺的检验。欧里氏（Ehrlich）试验：将少量样品或 2 滴甲醇提取液置于滴板孔中，加 2 滴欧里氏试剂（取 1 g 对二甲氨基苯甲醛溶于 100 mL 甲醇中，然后加 10 mL 浓磷酸混合），由蓝色到紫色，说明有麦角酸二乙酰胺存在，该法的检测限约为 1 μg。

马改氏试验呈灰色，灵敏度 1.0 pg；钼酸铵反应呈灰绿色、灰蓝色，灵敏度 1.0 pg；钒酸铵反应呈灰色，灵敏度 1.0 μg。

2. 麦司卡林的检验。通过马改氏试验，将少量可疑样品（粉末、药片、胶囊）置于滴板上，加 2 滴马改氏试剂，出现桔色到桔红色表示有麦司卡林存在，该法的检出灵敏度约为 10 μg。

钼酸铵反应呈绿色-蓝色（灵敏度 0.25 μg）。

（六）抑制剂类毒品的检验

1. 巴比妥类安眠药的检验。方法步骤是：①分解试验。取少许药物于试管中，加入 20%氢氧化钠溶液，煮沸，则有氨气产生，将湿润的石蕊试纸置于试管口，则变蓝。②钴盐-碱反应（Marshall 氏法）。将样品在酸性溶液中用有机溶剂（乙醚或氯仿）提取，将其残渣置于滤纸上，加 10%硝酸钴溶液，干后，把滤纸放浓氨水瓶口上熏片刻（或加 5%异丙胺无水乙醇溶液），如含比妥类药物，则显紫堇色。③硫酸铜-吡啶反应。取少量样品或酸性提取液，挥去溶剂，置于反应板上，也可在滤纸上进行加 2 滴吡啶氯仿液（1∶9）使其溶解，再加 10%硫酸铜-吡啶液 3 滴，如有巴比妥类药物存在，即呈紫红色，硫喷妥呈绿色。显色剂硫酸铜-吡啶试液勿过量，否则试剂本身颜色会干扰反应结果。④银盐反应。巴比妥类药物分子结构中的酰亚胺基团，在适当的碱性溶液中可与硝酸银溶液反应，产生可溶性的一银盐，继续加硝酸银溶液，则生成白色难溶性的二银盐沉淀。⑤汞盐沉淀。巴比妥类药物与硝酸汞或氧化汞试液作用生成白色汞盐沉淀，该沉淀可溶于氨试液中。

2. 安定类药物的检验。通过偶氮色素反应，利眠宁及硝基安定去甲羟基安定在酸性溶液中水解（5%乙酸中沸水浴加热 10 分钟）生成含有芳香伯胺的物质，经重氮化后，与乙酸萘基乙二胺或碱性 β 萘酚作用，分别生成紫红色或橙红色偶氮色素，灵敏度 4~10 pg。

3. 导眠能的检验。取提取物少许，加 5%盐酸羟胺溶液数滴，滴加 10%氢氧化钠溶液至溶液 pH 值为 10 左右，放置 30 分钟，再用 5%或 10%盐酸溶液调节 pH 值为 3~4，最后滴加 1%三氯化铁溶液 1 滴，如有导眠能，呈暗紫红色，灵敏度 0.5 mg。

凡是具有酰胺结构的化合物和酯类、酸酐均产生同样的反应。异羟酸铁络合物必须在弱酸性（pH 值为 3~4）中才能形成，应注意调节酸度。

4. 安眠酮的检验。方法步骤是：①重铬酸钾-浓硫酸反应。将安眠酮或提取物用乙醇溶解，取 0.5 mL 于小蒸发皿中，加 2%氢氧化钾醇液数滴，置沸水浴上加热至干，冷却后，沿皿壁加重铬酸钾硫酸试剂，如有安眠酮，显洋红色。吩噻嗪类、士的宁、钩吻有干扰作用，滴滴涕有同样作用。②偶氮色素反应。安眠酮及其代谢物羟甲基安眠酮在碱性溶液中加热，生成含有芳香伯胺的物质，因此可进行偶氮反应，生成紫色的偶氮化合物，灵敏度 5 pg。取少许安眠酮或提取物与试管中，加 10%氢氧化钠 2 mL，在水浴上加热 10 分钟，冷却后，加 1∶1 盐酸调至酸性，冷后加 0.25%亚硝酸钠溶液 0.5 mL，摇匀后放置 3 分钟。再加 2.5%氨基磷酸胺溶液 0.5 mL，放置 10 分钟，最后加 1%N-1-萘基乙二胺盐酸盐溶液 0.5 mL，显紫色。

5. 眠尔通的检验。对二甲氨基苯甲醛反应，眠尔通和对二甲氨基苯甲醛缩合形成黄色络合物，灵敏度 5 pg。取少许药物或其提取液，加入 2%对二甲氨基苯甲醛浓硫酸（或 2%香英兰素浓硫酸），加热后，如有眠尔通，溶液由黄色变为紫红色。

第二编

毒品问题与我国的禁毒工作

第六章

国际毒品问题概述

第一节　国际毒品非法贩卖和使用概况

国际毒品非法贩卖和使用是一个严重的全球性问题，涉及多个国家和地区，对社会、经济、健康和安全造成了深远影响。涉及的毒品主要有鸦片类，如海洛因、鸦片，主要产自阿富汗、缅甸等"金三角"地区和"金新月"地区；可卡因主要产自南美洲的哥伦比亚、秘鲁和玻利维亚；大麻在全球广泛种植，主要产地包括北美、南美、非洲和亚洲；合成毒品如冰毒、摇头丸，主要在东亚、东南亚和欧洲的非法实验室生产；以及近年来兴起的新型精神活性物质，种类繁多，常通过互联网销售。主要贩运路线不同，例如，海洛因主要从阿富汗经伊朗、土耳其进入欧洲，或通过巴基斯坦、印度流向东亚和北美；可卡因主要从南美经中美洲、加勒比地区运往北美和欧洲，或通过非洲转运；东亚和东南亚是合成毒品的主要生产和转运地，并流向全球；北美和欧洲是大麻的主要消费市场，部分来自非洲和亚洲。

一、欧洲国家

欧洲毒品市场发展迅速，已成为全球范围内各类毒品泛滥的重灾区之一。总的来说，欧洲国家毒品问题呈现以下发展趋势：

第一，毒品的产量不断提高。根据《2021年世界毒品报告》，欧洲的毒品供应链正在变得多样化，用于贩运的陆路和水路路线的频率增加。此外，使用非接触式方法向最终消费者运送毒品方式激增。这些供应渠道推动了欧洲毒品价格的下降和质量的提高，从而使欧洲的可卡因毒品市场得以进一步扩张，欧洲也成为重要的大麻和合成药物的生产和供给区域。

第二，毒品的纯度不断提升。当前在欧洲流通的毒品的数量和药效均有大幅增长的趋势。其中，以大麻的滥用占据首位，可卡因则处于第二位。《2021年世界毒品报告》指出，当前在欧洲销售的大麻树脂效果比以前更加强劲，四氢大麻酚的平均含量在 20%～28% 之间，几乎是草本大麻的两倍。欧洲现有的大麻产品包括非法市场上的四氢大麻酚含量高的产品、新形式的大麻等。除此之外，可卡因的纯度也在不断提升。

第三，新精神活性物质不断涌现。在欧洲，新精神活性物质的生产、贩卖和滥用形势日益严峻。麦角酸二乙酰胺、二甲基色胺、致幻蘑菇、氯胺酮和 γ-羟丁酸（GHB，包括其前身 γ-丁内酯）在欧洲都有销售，对现有的预防和减少危害对策提出了挑战。第四，毒品消费新形势。欧洲非法毒品市场消费方式的变化主要与全球化和新技术有关，包括毒品生产和贩运方法的创新、建立新的贩运路线和网上市场的增长。毒品消费也给欧洲各国带来了深刻的社会问题。以英国为例，从上个世纪开始，毒品问题在英国势不可挡地恶化起来，到 2000年，英国已经成为欧洲地区毒品问题最严重的国家之一。2005 年，英国有 1644例与毒品有关的死亡案例，因毒致死率位居欧洲第二。2018 年，英国有 2670 人直接死于毒品滥用，比 2017 年增加了 16%。2019 年英国因毒致死人数上升至历史最高水平，直接跃升至欧洲国家的首位，是欧洲平均水平的三倍之多。2020 年，毒品在英国导致 5900 人死亡，是该国有史以来的最高纪录。

二、美国及加拿大

美国是全世界毒品问题最严重的国家之一。美国疾病控制和预防中心 2023年 6 月发布的数据显示，2022 年 1 月～2023 年 1 月，超过 10.9 万美国人死于药物服用过量。其中，芬太尼等合成阿片类药物滥用最为严重。美国人口仅占世界 5% 却消费了全球 80% 的阿片类药物。毒品问题同样困扰着加拿大。加拿大联邦公共卫生局公布的数据显示，2021 年该国共发生 7560 例阿片类药物中毒死亡事件。阿片类药物危机已经成为加拿大主要的公共卫生和安全问题。

三、日本及韩国

日本每年都会发布关于国民涉毒问题的报告——《日本国民健康营养调查》。根据相关的数据分析，日本的毒品形势仍然严峻，尤其是在冰毒和大麻滥用方面，日本政府一直致力于打击毒品滥用问题。目前主要存在三方面趋势：一是传统毒品依然常见。日本毒品报告显示，15 岁～64 岁的日本国民中大麻使用率为 1.4%。二是合成毒品量大、渠道广。日本的合成毒品以冰毒为主，其次是摇头丸。日本冰毒主要从国外走私入境，主要来源国排在前三的分别是泰国、马来西亚和美国。2019 年日本查获创纪录的 2316.5 千克冰毒，主要贩运形式是空中乘客携带、商业货物夹带、国际邮件。三是新精神活性物质种类多。从 2016 年以来，日本查处的使用新精神活性物质人数迅速减少，但是相对于世界各国，日本的新精神活性物质种类较多。

韩国相对于日本毒品控制成效显著，2015 年前的韩国被国际社会誉为"毒品清净国"。然而，伴随网络贩卖毒品和驻韩美军毒品问题，韩国毒品犯罪人数大量增加，韩国也进入了毒品发展高峰期。2021 年，韩国缴获毒品增加到 1272.5 公斤，增幅高达 18.4 倍；同期，毒品犯罪人数也增加了 6.9 倍。按照韩国最高检察院反贪污暴力司发布的《2020 年毒品犯罪白皮书》，2020 年韩国缉毒人数为 18 050 人，与 2019 年的 16 044 人相比，增加了 12.5%，10 年内增长了近一倍。吸毒人群也从艺人、运动员等知名人士向学生、青少年、上班族等一般群体蔓延。在 2022 年抓捕的 1.2 万名毒犯中，10 岁~30 岁的人占了 60%，由于暗网等非面对面的互联网交易的增加，毒品的传播在 10 岁~20 岁左右的年轻人中加速发展。韩国法务部 2022 年提交的《毒品犯罪现状》显示，40 岁以下毒犯从 2017 年的 5907 人增加到 2021 年的 9623 人，增幅达到 160% 左右。

四、东南亚国家

东南亚地区是毒品的重灾区，吸毒人数和致死人数居高不下。东南亚包括泰国、缅甸、老挝、马来西亚、新加坡等 11 个国家，受殖民地时期的影响，毒品泛滥的问题依然严峻。目前，东南亚地区面临严峻的跨境毒品犯罪形势，合成毒品犯罪规模呈现扩展态势，禁毒工作面临新的挑战。2000 年，泰国的吸毒人数就已经达到了 60 万左右，虽然泰国也曾采取过一系列整治措施，但是由于其特殊的地理位置，一直收效甚微。缅甸是全球仅次于阿富汗的第二大海洛因生产国，近年来更是出现了以新精神活性物质为主要成分的第三代毒品。当地居民深受其害，其中缅甸成年人中需要进行戒毒治疗的有 30 万人左右，但仅有部分能获得救治。

东南亚国家的毒品发展呈现以下趋势：

第一，合成毒品呈现规模化趋势。东南亚地区的冰毒和氯胺酮等合成毒品的生产量激增，这些合成毒品由缅甸北部进入泰国，然后通过走私进入马来西亚、新加坡等国家。

第二，毒品运输渠道发生变化。由于中泰两国加强边境管制，迫使缅甸的毒贩通过老挝运输毒品，改变了以往的毒品运输渠道。此外，毒品贩运渠道多样化，增加了海上的运输路线。例如，贩毒集团先将大量冰毒运至缅甸中部，再进行海运。目前，在菲律宾和印度尼西亚，海上走私已经成为冰毒贩运的主要方式。

第三，贩毒集团加强合作，形成跨国毒品集团。贩毒集团利用互联网平台，进行毒品跨境交易和运输，使得贩毒集团的活动更加方便和隐蔽。

第二节　世界主要毒源地毒情概述

世界主要毒源地集中在几个特定区域，这些地区的毒品生产和贩运对全球毒品问题有重大影响。这些特定区域涵盖：①"金三角"地区，地理位置包括缅甸、老挝和泰国交界处，其主要流通的毒品种类为鸦片、海洛因、冰毒。在历史上以鸦片生产闻名，近年转向合成毒品，尤其是冰毒。其中缅甸是主要生产国，毒品通过东南亚和东亚贩运至全球，地区内武装冲突和政治不稳定加剧了毒品生产和贩运。②"金新月"地区，其地理位置位于阿富汗、伊朗和巴基斯坦交界处，涉及的主要毒品有鸦片和海洛因。其中阿富汗是全球最大鸦片生产国，占全球供应的大部分。毒品经伊朗、巴基斯坦运往欧洲、亚洲和中东。阿富汗的政局动荡和贫困助长了毒品经济。③南美洲安第斯地区，在地理位置上包括哥伦比亚、秘鲁和玻利维亚；涉及的主要毒品有可卡因和大麻。其中哥伦比亚是全球主要可卡因生产国，秘鲁和玻利维亚也是重要生产国。毒品经中美洲、加勒比地区运往北美和欧洲。贩毒集团与暴力犯罪、腐败密切相关，对社会稳定构成威胁。④西非地区，在地理位置上包括尼日利亚、几内亚、塞内加尔等国。涉及的主要毒品有可卡因、海洛因、大麻。西非目前已成为南美可卡因运往欧洲的中转站。地区内贫困、腐败和治理薄弱为毒品贩运提供了便利。毒品贩运也加剧了地区内的犯罪和暴力问题。⑤墨西哥和中美洲，其地理位置包括墨西哥、危地马拉、洪都拉斯等国。流通的主要毒品有可卡因、海洛因、大麻、冰毒。其中墨西哥是主要毒品生产和转运国，贩毒集团势力强大。毒品经墨西哥运往美国，部分流向欧洲。毒品暴力严重，贩毒集团与政府冲突频繁。⑥东南亚地区，其地理位置包括菲律宾、印度尼西亚、马来西亚等国。涉及的主要毒品有冰毒、大麻、海洛因。其中东南亚是冰毒的主要生产和消费地，菲律宾和缅甸是重要生产国。毒品通过地区内网络贩运，部分流向东亚和澳大利亚，政府采取严厉禁毒措施，但毒品问题依然严峻。⑦东欧和中亚地区，其地理位置包括哈萨克斯坦、乌兹别克斯坦、塔吉克斯坦等国。流通的主要毒品为海洛因、鸦片。该地区是阿富汗毒品运往俄罗斯和欧洲的重要通道。地区内毒品滥用问题严重，尤其是注射毒品。毒品贩运与有组织犯罪、腐败等密切相关。以下是代表性毒源地。

一、"金三角"地区

"金三角"地区是对我国影响最大的毒品产地，也是当今世界第二大毒品生产基地。该地区政府的毒品禁种政策和毒品原植物的替代种植产业发展迅速，是毒品禁种评估的典型案例之一。"金三角"地区大部分是海拔在千米以上的崇山峻岭，气候炎热，雨量充沛，土壤肥沃，非常适宜罂粟的生长，再加上这里丛林密布，道路崎岖，交通闭塞，为种植罂粟提供了政治、经济以及地理、气候等方面得天独厚的条件。同时，该地区生产加工冰毒片剂等新型毒品大量增多，因此"金三角"地区毒品向我国走私渗透进一步加剧。"金三角"地区有许多海洛因加工厂，大多设在深山密林中，有大批技术人员操纵先进的机器设备日夜不间断地工作。由于"金三角"地区的鸦片质量上乘，多被加工成精制海洛因，因此"东南亚海洛因"当前已成为高质量海洛因的专用名词，销往世界各地。

缅甸是"金三角"地区罂粟种植面积最大、产量最多的国家。这里居住的主要是缅甸的少数民族，世代依靠种植罂粟维持生计。为了与政府对抗、保护自己的鸦片种植业，当地居民把自己武装起来。20世纪70年代后期以后，由于缅、泰两国军队加紧了对制毒、贩毒集团的进攻，摧毁了一批罂粟种植场，同时联合国控制滥用毒品基金会又拨出专款，在"金三角"地区推行谷物取代和咖啡取代罂粟种植政策。在一段时间内"金三角"地区罂粟产量大幅度下降，使西北亚地区的"金新月"地区取代"金三角"地区而成为世界最大的鸦片生产基地。20世纪90年代初，云南一些企业开始在老挝、缅甸罂粟产区种植经济作物，拉开了"金三角"地区毒品替代种植的序幕。中国支持企业帮助"金三角"地区发展罂粟替代产业，扩大粮食、茶叶、甘蔗等作物的种植面积，改善当地经济结构，提高民众生活水平。每年"金三角"地区贩运的海洛因数量占世界总量的60%~70%，而该地区海洛因的年生产能力能满足全球海洛因消费两年的需要。

二、"金新月"地区

"金新月"地区位于阿富汗、巴基斯坦和伊朗三国的交界地带，因地域形状近似新月，又因盛产利润极高的毒品鸦片，故被称为"金新月"地区。该地区气候干燥，人口稀少，交通不便，主要居住着以尚武和剽悍著称的帕坦族和俾路支族。长期以来，他们保持着传统的民族风格与个性，比较自由地来往于三国边界地带。阿富汗、巴基斯坦和伊朗三国政府均未对其进行有效的行政管理，为了生存当地居民大量种植罂粟，使该地区发展为世界范围内主要的鸦片产地。由于这里独特的地理优势，生产的毒品很容易被运输到欧洲。因此，该地区的毒品在欧洲的占有率一度达到90%以上。该地区毒品的出境主要有三个路径：一是从南方的巴基斯坦和印度等国流向日本和美国，二是经波斯湾地区流向欧洲，三是经中亚乌兹别克斯坦等国家流向东欧和俄罗斯。该地区毒品的另一显著优势是，出产的海洛因纯度很高，几乎都可以达到80%以上。据统计，美国目前国内消费的海洛因约60%来自"金新月"地区，欧洲毒品交易市场的海洛因则约80%来自"金新月"地区。

阿富汗种植罂粟的历史比较悠久，是"金新月"地区毒源地的核心。阿富汗是一个层峦叠嶂的国家，6500万公顷土地中，耕地面积只占260万公顷。1979年苏军的入侵使阿富汗农业遭到了灾难性的破坏，1/3的农田荒芜，2/3的村庄遭到轰炸。也就是在这一时期，鸦片种植开始传播，基本上处于秘密和小面积种植的状态。苏军撤离之后，阿富汗于20世纪90年代陷入了更加混乱的内战时期，其农业受到更大的破坏，鸦片种植随即转入公开的大面积种植、大规模生产与加工的时期。当时执政的塔利班更是大量种植罂粟，加工生产鸦片，所得非法收入主要用于打击北方联盟并训练恐怖分子。塔利班向所有种植鸦片的农民收缴宗教税，被称为"十税"，即除了毛拉和其他宗教领袖以及塔利班领导人之外，所有人都要缴纳利润的10%。另外，塔利班还向将鸦片加工成海洛因的工厂收税。据称，在鸦片的收获季节，每个加工厂每天缴纳的税金高达3万法郎。不仅如此，买卖者每达成一笔交易，塔利班都要从中收取一定比例的税金。据估计，塔利班可以从鸦片种植者、加工者那里获得2/3的纯利润。由于巨额利润的驱使，塔利班打着宗教的旗号，积极鼓励种植鸦片。塔利班最高领导人奥马尔曾经强调说，为了打击反塔力量的需要，可以进行毒品交易。一些塔利班的领导人经常到鸦片种植区视察，并向农民解释说，"白色香粉"并不影响伊斯兰国家的纯洁性，鼓励人们大量种植。尤为令人震惊的是，许多被关闭的学校转而成为从事毒品种植与加工技术的传播场所，一些学校开设专门课程教年轻人学习如何种植鸦片。大批的阿富汗农民从学校得到培训，学到了相关技术。阿富汗每年的非法鸦片产量都占到全球的70%以上。全球约有900万人吸食阿富汗的鸦片类毒品（鸦片、吗啡、海洛因），占此类毒品吸食人员的2/3。联合国禁毒署估算，近年来，全球约有50万人卷入了阿富汗的鸦片类麻醉品贩运。

巴基斯坦国内罂粟的种植曾比较严重。由于政府近年来采取了一系列有效的禁毒政策，联合国禁毒署和美国在巴基斯坦实施了罂粟替代种植项目，并援助巴基斯坦修建公路、发电和水利。现在少量的鸦片种植主要集中在西北边境地区。这些地区由当地部族管理，享有高度自治权，政府极少干涉其内部事务。巴基斯坦境内大麻种植一度也很普遍。国际刑警组织在年度评估报告中说，巴基斯坦和阿富汗的大麻年总产量在1000吨左右。巴基斯坦是"金新月"地区鸦片和海洛因的重要过境国。其国内贩毒分子通过陆、海、空三路将产于阿富汗的吗啡和海洛因通过巴基斯坦运往国际毒品市场。吗啡一般运往土耳其用于海洛因加工，而海洛因则主要销往欧洲和美国。陆路方面，鸦片和吗啡从巴基斯坦的俾路支省进入伊朗，一部分用于伊朗本国吸毒人员的消费；另一部分从伊朗西北部的库尔德人居住区运往土耳其的地下毒品加工厂，加工成海洛因后运往欧洲。水路方面，贩毒分子用越野汽车和骡马将吗啡和大麻运往 Makran 海岸，然后用轮船运往中东和土耳其。毒贩有时还用骆驼贩毒，因为骆驼可以穿越自然环境非常恶劣的地区，从而避开执法人员的缉查。航空方面，毒品通过卡拉奇机场运往欧洲、北美洲、非洲和其他地区。通过航空贩运的毒品通常是在货物中夹藏 1 kg~2 kg，有些毒贩还利用人体或行李藏毒。在巴基斯坦的外国贩毒团伙中，西非贩毒分子活动最为频繁。西非毒贩一般在巴基斯坦西北边境省购买产于阿富汗的毒品。其惯用的贩毒手法是将这些毒品密封，以人体藏毒的方式带往世界各地。值得注意的是，随着塔利班的垮台和美国反恐战争的开始，阿富汗境内的罂粟种植与毒品加工又迅速恢复到原塔利班当局颁布罂粟禁种令以前的水平。巴基斯坦仍将继续成为阿富汗毒品的重要过境国。

三、"银三角"地区

"银三角"地区，是指拉丁美洲毒品产量集中的哥伦比亚、秘鲁和玻利维亚所在的安第斯山和亚马逊地区。这一地带总面积在20万平方公里以上，由于盛产可卡因、大麻等毒品而闻名，从20世纪70年代起，人们称之为"银三角"。

哥伦比亚是世界最大的大麻产地，年产量约为7500吨~9000吨。同时哥伦比亚又是一个古柯叶生产基地。这里生产的大麻和从古柯叶中提炼的可卡因，主要是走私贩运到美国。据美国缉毒组织估计，哥伦比亚每年向美国销售的大麻上千吨，可卡因达50余吨。哥伦比亚的大麻和可卡因生产量仅次于咖啡，成为本国第二位的主要出口"农作物"，哥伦比亚的毒品外汇收入一度超过了本国的国内生产总值。秘鲁是世界最大的可卡因产地，古柯种植面积达 8 万公顷以上，每年产古柯 6 万吨左右。利用古柯叶提炼可卡因是秘鲁出口最大的农产品，每年可赚取大量外汇。玻利维亚年产古柯叶 5 万吨左右，居世界第二位，据玻利维亚官方统计，在全国 600 万人口中，从事古柯叶种植和加工的农民约有 50 万，从事古柯叶贩运和贸易的不少于 10 万，每年外销古柯叶的收入一般在 10 亿美元左右。

一直以来，哥伦比亚、秘鲁和玻利维亚政府坚持扫毒，努力打击毒品犯罪活动，重点是摧毁古柯作物，铲除毒品来源。哥伦比亚政府曾采取措施阻止古柯进入自然保护区和农业产区，并从资金、技术和市场开发方面增加对自愿拔除古柯农户的支持。秘鲁政府全力推行替代经济作物，玻利维亚政府也积极鼓励农民自愿铲除古柯种植，对毒品主要产区的古柯种植实行限制生产。三国政府还曾向贩毒集团发起大规模的军事行动，秘鲁总统曾下令给缉毒部队配备战斗机，用于轰炸贩毒集团的飞机跑道和毒品加工厂。哥伦比亚军警频繁开展大规模扫毒行动，对贩毒集团发起武装围剿，并加强与美国和邻国合作，联合打击海路和空中的贩毒活动。但是，哥伦比亚、秘鲁和玻利维亚三国毒品生产和贩毒活动由来已久，随着古柯种植技术和可卡因生产技术的提高、贩毒集团跨国化程度的加强以及贩毒中转站国家日益增多，需要进一步地评估，这些国家的扫毒任务依然任重道远。

第七章

我国毒品问题概述

　　我国境内毒品滥用问题依然严峻，尽管政府采取了多项措施，但毒品滥用呈现出新的特点和趋势。尽管禁毒力度加大，毒品滥用人数仍处于较高水平。传统毒品（如海洛因）滥用有所下降，但合成毒品（如冰毒、摇头丸）和新型精神活性物质滥用显著上升。东部沿海地区和西南边境地区问题尤为严重。合成毒品滥用问题突出，其中冰毒、摇头丸等合成毒品成为主流，滥用者多为年轻人。合成毒品制作简单、成本低，易通过地下工厂生产。新型精神活性物质泛滥，种类繁多，常伪装成合法商品通过互联网销售。监管难度大，滥用者多为追求新奇感的年轻人。滥用人群年轻化，青少年和年轻人成为毒品滥用的主要群体，尤其是娱乐场所和社交圈中的年轻人，部分年轻人因好奇、追求刺激或社交压力开始滥用毒品。滥用方式多样化，除传统吸食、注射外，滥用者还通过口服、鼻吸等方式使用毒品，合成毒品和新型精神活性物质常与其他物质混合使用，增加了健康风险。毒品滥用者常涉及盗窃、抢劫等犯罪行为以获取毒资，毒品滥用还会引发家庭破裂、社会关系恶化等问题。

　　我国在治理毒品滥用方面尽管已取得显著成效，但滥用毒品的种类和结构发生了新变化，合成毒品滥用形势仍然严峻。我国现有吸毒人员 180.1 万人，其中滥用合成毒品 103.1 万人（占现有吸毒人员总数的 57.2%）；冰毒是我国滥用人数最多的毒品，其次是阿片类毒品（73.4 万人，占现有吸毒人员总数 40.8%）。据《2021 年世界毒品报告》数据显示：2019 年估计吸毒人员有 2.69 亿，其中使用苯丙胺类毒品的约 2700 万人，相当于全球 15 岁~64 岁人口的 0.5%。针对合成毒品冰毒的相关研究仍然是目前毒品滥用问题研究的重点。我国自 1988 年起开始毒品滥用监测工作，建立了大量的毒品滥用监测站，毒品滥用监测工作取得显著成效。如污水分析技术在我国运用较晚，但在实际应用中已体现出该方法的优越性。污水分析技术目前在国内外毒品监测方面运用广泛，可快速、准确地反映毒品滥用的地理空间分布和使用时间分布情况，可作为检验毒品防控相关政策的有效工具。未来的研究可在简化水样前处理、研发便携式监测设备等方面展开。

第一节　我国毒品问题现状

近年来我国广泛开展禁毒宣传教育和推进吸毒人员"平安关爱"行动，国内毒品滥用规模日趋缩小。我国现有吸毒人数和新发现吸毒人数逐年下降，毒品滥用治理成效持续显现。在现有吸毒人数中，滥用冰毒等合成毒品和滥用海洛因等阿片类毒品人员占吸毒人员吸食毒品类型中的大多数。据我国各地开展城市污水中毒品成分监测结果显示，海洛因、冰毒、氯胺酮等三类滥用人数较多的主流毒品消费量普遍大幅下降。

2024 年 6 月，最高人民检察院召开"高质效办理毒品犯罪案件 推进毒品问题综合治理"新闻发布会。会议指出："当前，我国禁毒形势整体向好，禁毒工作成效显著。但受国内外各种因素影响，传统与新型毒品、线上与线下毒品互相交织，禁毒形势依然严峻复杂。"

一、"网络+寄递"是毒品犯罪的重要形式

近年来，毒品犯罪分子为了逃避侦查打击，利用"网络+寄递"的方式贩卖毒品，通过洗钱加快递的方式实现人货分离、人钱分离、钱货分离，突破了传统的贩毒方式。

根据相关资料，结合实地调查，"网络+寄递"贩毒模式主要表现为：贩毒分子通过开放式互联网络发布毒品销售信息，选择在互联网社交平台上进行交易联络，在互联网上使用加密电子货币实现支付，使用假身份通过全球物流寄递渠道运输毒品。这种新型毒品犯罪模式使毒品交易过程更加隐蔽，利用物流渠道的广泛性和便捷性，使毒品跨境流通，迅速传播到各地，导致案件线索的发现、情报的获取、追踪毒品流向、查获毒品实物、发现和抓获犯罪嫌疑人、证据固定、起获毒资毒赃和截断非法利益链条、根除毒资、反洗钱等各方面工作的难度加大，进而导致毒品犯罪案件办理难度也加大，极大威胁国家安全，挑战我国持续向好的禁毒形势。

二、新型毒品犯罪案件占比呈上升趋势

最高人民法院有关负责人表示，当前我国毒品犯罪案件数量呈现持续下降趋

势，但新型毒品犯罪呈上升态势，犯罪网络化、智能化特点突出。涉案毒品呈现传统、合成、新型毒品"三代并存"格局，且新的替代滥用物质不断出现。

三、涉麻精药品犯罪问题日渐突出

受毒品供应和流通数量"双降"的影响，国内主流毒品价格居高且普遍掺假，毒品买不到、吸不起、纯度低成为普遍现象，部分吸毒人员减量降频，或寻求麻精药品和非列管物质进行替代，或交叉滥用非惯用毒品以满足毒瘾。部分医疗从业人员在管理、使用麻醉药品、精神药品的过程中违法犯罪，导致麻醉药品、精神药品管理失控，甚至流入制贩毒渠道，社会危害严重。

近年来，利用麻精药品实施的违法犯罪案件时有发生。2024 年，最高人民法院、最高人民检察院相继发布"王某等走私、贩卖毒品、强奸、强制猥亵案"。2018 年至 2021 年，被告人王某明知咪达唑仑等物质系国家管制的精神药品，仍利用境外网络聊天工具多次购买入境，并从某骨科医院麻醉医师张某某处购买麻醉药品，后王某向他人贩卖并伙同他人使用购买的麻醉药品迷晕多名女性后实施强奸、强制猥亵等犯罪。将三唑仑秘密溶入被害人饮用的饮料中骗被害人服下，或通过向被害人体内注射咪达唑仑、使用带有七氟烷的纸巾捂住口鼻的方式致被害人持续处于昏迷状态。2023 年 9 月，鹤壁市中级人民法院以犯走私、贩卖毒品罪、强奸罪、强制猥亵罪，依法判处王某无期徒刑，剥夺政治权利终身。此类案件中，麻精药品的获得相较于一般意义上的毒品更为容易，而行为人一旦掌握了药物，就可以实施相关的衍生犯罪，造成严重的后果。

四、青少年群体涉毒危害大

青少年由于好奇心强，自控和辨别能力不够，容易被不法分子引诱、教唆、欺骗而吸毒、贩毒，特别是青少年群体涉新型毒品、麻精药品等成瘾性物质问题较为突出，由此引发的青少年暴力犯罪、欺凌等事件不在少数，成为危害校园及社会安全的重要危险因素。从法律角度来看，已满 14 周岁不满 16 周岁的未成年人只有在贩卖毒品时才会被依法追究刑事责任，不满 14 周岁的未成年人不会被追究毒品犯罪的刑事责任。因此一些涉毒犯罪人员会教唆、利用未成年人帮其藏毒、运输毒品，即便未成年涉毒嫌疑人被抓，只要其没有实施贩卖毒品的行为，法律就无法对其进行定罪处罚。

第二节　我国境内毒品走私贩运和非法生产活动概况

近年来，我国毒品走私贩运和非法生产活动呈现出复杂多变的态势，尽管政府持续加大打击力度，但毒品问题依然严峻。毒品走私贩运仍以跨境走私为主，我国与多个国家接壤，边境线长，地理环境复杂，为毒品走私提供了便利。毒品主要通过云南、广西等边境地区流入，来自"金三角"地区的海洛因和冰毒是主要走私品种。毒品贩运方式多样化，毒贩利用物流、快递、人体藏毒等方式进行贩运，甚至通过互联网进行交易，增加了执法难度。在国际方面，我国毒品走私与国际贩毒组织密切相关，境外毒贩与境内犯罪分子勾结，形成跨国贩毒网络。

毒品非法生产方面的主要问题表现在地下制毒工厂增加。近年来，国内非法制造合成毒品的活动有所增加，冰毒、氯胺酮等合成毒品的地下工厂屡被查获，主要集中在广东、四川、湖北等地。毒品原料管控漏洞明显，制毒原料的非法买卖为毒品生产提供了条件，尽管政府加强了对易制毒化学品的管控，但仍有犯罪分子通过非法渠道获取原料。随着化学技术的发展，新型毒品不断出现，如"丧尸药""笑气"等，这些毒品隐蔽性强，危害大，给打击工作带来新挑战。同时吸毒人群扩大，吸毒人员呈现年轻化趋势，且从传统毒品转向合成毒品和新型毒品，娱乐场所成为毒品消费的主要场所。

一、境外毒品对境内渗透

"金三角"地区仍是境内海洛因和冰毒片剂的主要来源。在"金三角"地区的缅北地区，罂粟种植区域不断反弹。缅北毒品生产结构完成转型，输入中国的冰毒片剂不断增加并赶超海洛因。缅北毒品对云南的渗透压力不减反增，老挝及越南北部贩毒通道影响凸显。缅北地区局势日趋复杂，毒品非法生产加工规模不断扩大，而这里贩卖运输毒品的通道是没有任何查缉力量的。

"金新月"地区的海洛因对中国社会的危害持续加大。"金新月"地区位于阿富汗、巴基斯坦和伊朗三国的交界地带，因盛产海洛因而成为毒源地之一。这一地区距离中国新疆维吾尔自治区非常近，因而以非裔为代表的国际贩毒团伙不断向中国贩运来自"金新月"地区的海洛因，对国内毒品市场的冲击非常大。同时，阿富汗主要负责种植罂粟和生产加工鸦片，巴基斯坦主要承担海洛因的提炼，伊朗主要负责运输和销售海洛因。来自阿富汗的海洛因也偶有进入中国。中国目前的信息工作存在较大的问题，虽然中国不断加大与各国缉毒部门的合作与交流，但很少能够及时发现这些毒品的渗入，因而打击难度逐渐上升。

南美可卡因时有入境和过境。可卡因曾有贵族毒品之称，一盎司价格高达十几万元。中国因为消费水平等原因，曾经对于可卡因的需求量比较低，但目前有关数据表明，国内已经存在可卡因消费群体。由于地理位置及价格等原因，这种毒品主要以人体带入境内为主。此外，某邻国由于政治经济等原因，也在生产冰毒，但其本国法律不允许有吸食毒品的行为，而因为距离中国边境线较近，从这个国家输入中国的冰毒数量在不断地增加，也对中国境内的毒品市场产生了极大的影响。

二、境内制毒物品外流

吸毒人群容易形成一个固有的圈子，这就加快了毒品的散播速度。国内制造冰毒晶体、氯胺酮等活动仍然非常猖獗。以广东为例，虽然广东警方不断加大打击力度，但是并不能阻止毒品消费市场的形成。毒品市场已逐步形成了完整的产业链，使得打击变得非常困难。中国是一个化学品生产大国，每年输出的化学品数量非常多，在利益的驱使下，就增加了国内非法生产贩卖制毒物品的风险。同时，国内制毒物品走私出境也在不断增加。世界范围内，制毒物品除了中国，越南及泰国也是输出国，但仍然以我国为主。而云南是重中之重，仍是查缉工作的重点区域。

三、新精神活性物质问题突出

新精神活性物质对人体的危害较传统毒品、新型毒品而言更为严重。据统计，全世界每年有 20.74 万人因吸毒死亡，其中并不包括因吸食新精神活性物质死亡的人。10 年前因吸食新精神活性物质死亡的人数就达到了 45 万人，新精神活性物质滥用人数之广令人震惊。以往毒品的生产加工都是在西方国家进行。随着中国化学物品的发展，境内生产这种物质也形成了产业链。由此，全世界建立了 IND 项目，互相通报新精神活性物质的缴获量，并要求中国加大列管力度。但实际上因为中国经济的生产发展对其中很多原料仍有很大的需求，很难实现列管的目的。

第八章

禁毒工作概述

第一节　我国禁毒工作的方针、原则和任务

一、我国禁毒工作方针

禁毒工作是一个系统工程，需要政府统一领导，公安、司法、民政、卫生、教育、劳动与社会保障等部门必须通力合作，齐抓共管、各司其职。禁毒是全社会的共同责任，全体公民都应当积极参与到禁毒人民战争中来。我国《禁毒法》第4条规定："禁毒工作实行预防为主，综合治理，禁种、禁制、禁贩、禁吸并举的方针。禁毒工作实行政府统一领导，有关部门各负其责，社会广泛参与的工作机制。"禁毒法的这一规定，既是对我国禁毒工作实践经验的总结，也是借鉴国际上的有益做法。必须转变观念，将预防工作放在禁毒工作重中之重的位置，在继续遏制毒品的种植和走私入境，抓好堵源截流工作，并采取有效措施减少吸毒人员，防止新增吸毒人员，有效提高吸毒人员的戒断率，萎缩毒品市场基础上，坚持预防为主战略。切实重视禁毒宣传教育工作，做到形式多样、内容丰富、通俗易懂、注重实效。提高人民群众识毒、拒毒、防毒的能力，充分调动人民群众参与禁毒斗争的热情。在全社会倡导积极、健康的生活态度和生活方式，形成全民抵制毒品、参与禁毒的社会氛围，最大限度地减少毒品需求和危害，不断减少新吸毒人员滋生。

二、我国禁毒工作原则

我国禁毒工作坚持预防为主、依法打击、源头治理、全民参与、科学防治、国际合作、以人为本和长期坚持的原则，旨在全面遏制毒品问题，保障社会安

全和人民健康。这些原则为禁毒工作提供了明确的指导方向，确保禁毒斗争取得实效。具体包括：①预防为主，综合治理。禁毒工作强调从源头预防毒品问题的发生，通过宣传教育提高公众的防毒意识，特别是加强对青少年等重点人群的防毒教育。禁毒工作不仅依靠法律手段，还结合社会、经济、文化等多方面措施，形成全社会共同参与的治理格局。②依法禁毒，严厉打击。禁毒工作严格依照法律法规进行，对毒品犯罪活动采取"零容忍"态度，严厉打击毒品走私、贩运、制造和非法种植等行为。对毒品犯罪分子依法从严惩处，特别是对组织、领导毒品犯罪活动的首要分子和累犯，坚决从重打击。③源头治理，切断供应链。加强对毒品原植物种植、易制毒化学品生产流通的管控，切断毒品供应链。打击制毒活动，重点打击地下制毒工厂和非法制造合成毒品的行为，防止毒品流入市场。④全民参与，群防群治。禁毒工作不仅是政府的责任，还需要全社会的共同参与，形成群防群治的局面。鼓励公众举报毒品犯罪线索，积极参与禁毒宣传和教育活动，营造全民禁毒的氛围。⑤科学禁毒，注重实效。禁毒工作注重科学研究和数据分析，运用现代科技手段提高禁毒工作的效率和精准度。禁毒工作强调实际效果，通过定期评估和调整策略，确保各项措施落到实处。⑥国际合作，共同应对。我国积极参与国际禁毒合作，与周边国家和国际组织共同打击跨境毒品犯罪，分享情报和经验。通过联合执法行动，打击跨国毒品走私和贩运活动，切断国际毒品供应链。⑦以人为本，关爱救助。禁毒工作不仅打击毒品犯罪，还注重对吸毒人员的关爱和救助，帮助他们戒除毒瘾，重返社会。加强戒毒康复体系建设，提供心理辅导、职业培训等服务，帮助吸毒人员恢复健康和社会功能。⑧长期坚持，持续发力。禁毒工作是一项长期任务，需要持续发力，不能有丝毫松懈。根据毒品形势的变化，不断调整和完善禁毒策略，确保禁毒工作始终具有针对性和实效性。

三、我国禁毒工作任务

发展和完善我国新时期的禁毒工作，构建具有中国特色的禁毒工作体制，必须强调"四禁并举、预防为主、严格执法、综合治理"的方针，并针对中国的具体实际情况开展调查研究和理论探讨，在实际工作中有针对性地逐步予以完善。

高度重视禁毒理论研究工作。随着我国社会的发展和禁毒工作形势的不断变化，禁毒理论难于适应社会发展，难于指导禁毒工作实践，理论落后于实践的局面日益严重，迫切需要建立科学、完善的禁毒学科理论。禁毒理论研究的开展，既要以禁毒实践工作为基础，又要在探索中进行理论创新。实践基础上的理论创新是推动禁毒工作改革发展的不竭动力。在禁毒理论研究工作中，近几年，我国比较注重戒毒理论的探索，这直接推动了禁毒实践工作的突破。因此，在禁毒工作中，我们要进一步加强理论的研究力度，为禁毒工作提供强有力的理论支撑。

完善禁毒立法工作。《禁毒法》作为我国禁毒工作的基本法，体现了以人为本的宗旨和理念，综合了我国和世界各国成功的禁毒经验，但也存在立法原则过于抽象、程序规定不够完整等缺陷。因此，我国需要在总结成功经验的基础上，进一步研究制定、修改、完善配套的禁毒工作各项法律法规，以适应禁毒斗争形势发展变化和禁毒工作长期性、复杂性、艰巨性的客观要求。在贯彻实施《禁毒法》的同时，我们还需要注重并继续完善以人为本、救助为主的禁毒戒毒行政、社会立法工作的开展，为我国禁毒工作打造良好的法治环境。

突出禁毒工作的根本性任务和重点难点。吸毒既危害人的身心健康和生命安全，又严重危害社会治安并阻碍经济的发展，也是导致毒品问题的根源。因此，"禁吸戒毒"就是禁毒工作的主要矛盾，是根本解决毒品问题的突破口，是开展禁毒工作的关键，是禁毒工作的根本性任务，也是带动其他各项禁毒工作开展的重要环节。同时，戒毒康复始终是禁毒工作的重点和难点，是影响和制约禁毒工作取得突破性进展的一个瓶颈，也是当前我国和国际禁毒领域里一项重大的课题，直接关系到能否减少吸毒人数，降低复吸率，关系到整个禁毒工作的成效。为此，一方面既要积极探索禁吸戒毒工作新思路，切实萎缩毒品消费市场，降低毒品危害；另一方面还要进一步加大对回归社会的戒毒人员的帮教力度，切实提高戒毒出所人员的戒断巩固率。只有做好了禁吸戒毒工作，不断萎缩毒品消费市场，才能有效控制毒品问题，禁毒工作的其他措施才能收到更大的实效。

落实各项配套措施。一是在禁毒宣传教育工作中，既要广泛宣传，又要突出重点，更要讲究方式方法。在禁毒宣传教育中我们要贯彻"以人为本"的方针，一方面要科学地描述毒品的危害，另一方面又要让大家认识到吸毒成瘾者既是一个违法者，同时也是一个脑疾病患者和心理疾病患者，需要医学治疗、心理康复和教育挽救，从而为戒毒康复工作奠定良好的社会环境。二是在社区戒毒与社区康复工作中，要有效整合社会资源，探索社区戒毒新模式，构建社区禁毒工作新机制。三是在强制隔离戒毒工作中，既要对强制隔离戒毒进行合理的定位，又要对现行公安、司法相对脱节的体制进行合理的调整。

第二节　推进我国毒品治理体系和治理能力现代化

中国特色社会主义进入新时代以后，我国毒品治理开始由法治化步入现代化，逐步完善毒品问题治理体系，提升毒品治理能力，毒品问题治理政策也随之发生转变，由"禁毒人民战争"转变为"打赢禁毒人民战争"，由"禁毒战争五大战役"转变为"六全"毒品治理体系。

一、建设毒品治理体系，提升毒品治理能力

2020 年国务委员、国家禁毒委员会主任在全国禁毒工作电视电话会议上强调，深入开展"净边"专项行动，坚决遏制境外毒品渗透入境。加强对吸毒人员的排查摸底和收治收戒，深入推进制毒物品清理整顿。落实重点治理措施，大力整治毒品问题严重地区、涉毒黑恶势力和贫困地区涉毒问题。抓好禁毒示范创建活动，努力打造一批全国禁毒工作示范城市。要加快推进毒品治理体系建设，不断提升毒品治理能力，努力走出一条具有中国特色的毒品问题治理之路。2023 年全国禁毒工作电视电话会议 12 月 7 日在京召开。会议强调，要坚持以习近平新时代中国特色社会主义思想为指导，全面贯彻落实党的二十大精神，深入贯彻习近平总书记关于禁毒工作的重要指示精神和党中央决策部署，深刻领悟"两个确立"的决定性意义，增强"四个意识"、坚定"四个自信"、做到"两个维护"，坚持党的领导、人民至上，坚持问题导向、守正创新，坚定不移走中国特色毒品问题治理之路，深入推进禁毒人民战争，推动禁毒工作高质量发展，奋力谱写新时代中国毒品之治新篇章。2018 年公安部提出构建"六全"毒品治理体系，即全覆盖毒品预防教育体系、全环节服务管理吸毒人员体系、全链条打击毒品犯罪体系、全要素监管制毒物品体系、全方位毒情监测预警体系、全球化禁毒国际合作体系。至此，我国毒品治理体系基本成形，亦对毒品治理的各方面提出了政策要求。

在建立毒品治理体系的同时，我国还为提升毒品治理能力，对有关毒品治理方法的政策进行了修订与补充。具体而言，首先，在毒品犯罪打击方面，我国依然强调对制毒犯罪与贩毒犯罪的打击，对制毒物品与吸毒人员的管控，开展了"禁毒 2018 两打两控""禁毒 2019 两打两控"专项行动；其次，对于吸毒人员，强调要创新网络化服务管理，完善特殊医疗机构与戒毒医疗服务网络，确保病残吸毒人员应收尽收，帮助吸毒人员社会化；再次，在毒品预防教育宣传方面，激励各地要利用互联网与新媒体的优势，传播毒品预防知识；最后，

强调"智慧禁毒"、创新禁毒科技，以提升毒品治理能力，尤其是毒品检验鉴定能力、预测预警预防能力和对毒品犯罪的精准打击能力。

2017 年以后，我国毒品治理走向现代化的阶段，国家利用政策推进建立"六全"毒品治理体系，并指导相关部门加强社区戒毒与社区康复的基础设施建设、利用新媒体宣传禁毒等，以提升毒品治理能力。未来，毒品问题治理现代化是政策的发展方向，而坚持对毒品"零容忍"则是毒品治理政策的发展底线。通过对上述政策的梳理，我们可以发现无论政策如何调整，国家对毒品都采取了严厉打击的态度，这是由毒品的毁灭性危害、我国特殊的禁毒历史与禁毒文化所决定的。正如有学者所说，自虎门硝烟至今，或禁或弛，或激进或宽缓，或悲愤或淡定，我国的禁毒战略总是以林则徐"流毒于天下，则为害甚巨，法当从严"的言论为理论原点和情绪基础。所以，只有坚持"零容忍"禁毒政策，坚决反对毒品合法化，才能在现有的法治化与现代化的成果基础之上，继续提升政策的现代性，从而使政策发挥指导毒品问题治理现代化的功能。在毒品问题治理现代化的进程中，必须对政策进行破与立，而破与立并不是一蹴而就的，而是动态的调整过程，即只要毒品问题的形势发生变化，政策也要随之进行调整。通过对毒品问题治理政策的梳理和问题检视，笔者认为可以从体系化、理性化、标准化三个方面对现有政策进行改造与完善。

二、完善"六全"毒品治理政策体系

"六全"毒品治理政策体系虽然已经厘清了毒品治理体系中应当包含的要素，亦确定了"预防为先"的逻辑顺位，但是还未真正地实现政策的体系化，因此还要继续探究其他方面的逻辑关系。基于"预防为先"的逻辑，可将六个方面划分为预防、控制、打击三个层面，并从这三个层面构建倒金字塔式的政策体系结构，以实现政策的体系化。

首先，毒品预防体系、制毒物品监管体系作为倒金字塔的第一层，是推动毒品问题源头治理的关键政策。其中，毒品预防体系是针对全民的体系，旨在使未吸毒的人员自觉远离毒品、拒绝实施毒品犯罪行为；制毒物品监管体系的对象是日常生活中必不可少的易制毒物品，以防止易制毒物品的滥用为目标，从而减少毒品市场中毒品流通的数量。其次，全环节管控吸毒人员体系和全球化禁毒国际合作体系是倒金字塔的第二层，从人与物两个方面实现对毒品形势的控制。全环节管控吸毒人员体系主要是针对吸毒人员的治疗，一方面是为了帮助已经沾染上毒品的人员脱离毒品，回归社会，从而降低社会对毒品的需求；另一方面是避免吸毒人员走上运输毒品、以贩养吸的犯罪道路，成为毒品犯罪

的主体。全球化禁毒国际合作体系主要是为了限制境外毒品非法流入境内。《2019 年中国毒品形势报告》显示，来源于境外的毒品占全国缴获毒品总量的53.7%，在毒品市场上占主导地位。而良好的国际合作，有利于减少流通毒品的数量，从而形成对毒品市场的控制，降低毒品犯罪的数量。再次，在预防与控制都没有完全发挥效果的情况下，全链条打击毒品犯罪体系的惩治功能开始在毒品的制作、贩卖、运输、持有等环节发挥作用。一直以来，对于毒品的严厉打击政策在我国毒品政策体系中占据着相当重要的位置，在一定程度上缓解了毒品犯罪的形势。但是《刑法》的严厉性、剥夺性和不得已原则决定了其在毒品问题治理体系中并不能处于前置的地位，而是一种兜底的治理措施。最后，作为整个政策体系调整的依据，全方位毒情监测预警体系可在倒金字塔式政策体系之外发挥作用。具体而言，随着毒情监测预警所反映的现状变化，组成倒金字塔式的毒品治理政策体系的三个层次所占的比例也会发生转变。例如，在毒品问题较为轻缓之时，能够发挥长期效果的预防与控制政策更应该得到推行与落实；在毒品犯罪较为泛滥、预防与控制效果有限时，以短期效果为优势的处罚政策则显得更为重要。

三、将"依法严厉惩治"政策转化为"严格执法，依法打击"政策

为更好地发挥《刑法》在毒品治理现代化中的重要作用，应当理性处罚毒品犯罪，延长治理效果。在处罚毒品犯罪人员的同时，还应发挥《刑法》一般的积极预防功能，即通过指导公众的行为，培养公众对于《刑法》的认同，从而使他们自发地远离犯罪，维护社会基本秩序。当前，严厉打击的刑事政策主要是以威慑为导向，将减少毒品犯罪的愿望寄托于严厉的刑罚，而且这种严厉还有逾越《刑法》自身规定的风险，反而不利于公众对规范形成认同感。例如，在司法实践中，毒品犯罪既遂的门槛较低，有时甚至超越我国《刑法》总则关于犯罪既遂的规定，违背了罪刑法定原则。

在我国刑事政策与《刑法》贯通的背景下，我们需要对"严"的内涵进行重新阐释，从而引导毒品犯罪认定与处罚回归理性。对于毒品犯罪，刑事处罚并不是超越《刑法》定罪量内在逻辑的感性处罚，而是在严格遵守《刑法》的基础之上，展现对毒品犯罪"零容忍"态度的理性结果。一是，"严格"不是与"惩治"相配套，而是与"执法"相对接，只要触犯《刑法》，涉毒人员就一定要受到《刑法》的制裁，要极力避免选择性执法等现象，以确保刑法的稳定性。二是，将"打击"与"依法"相结合，强调毒品犯罪的处罚应当是在遵守罪刑法定原则、罪刑相适应原则和刑事诉讼程序的情况下展开的，以此明晰

刑事法在毒品治理体系之中的定位。

刑事法具有惩罚功能与预防效果，但是我国禁毒的数年经验已经证明了"打击"效果的有限性，单纯增强《刑法》的严厉程度或者集中式开展打击运动，并不能有效地提升毒品治理的效果，更何况我国毒品犯罪所配置的刑罚已经足够"残酷"。因此我们可以尝试转换毒品犯罪刑事政策中所暗含的处罚思路，更加注重刑事处罚的稳定性而非残酷性，确定依法打击的重要性，然后在依法打击政策的指导下，积极地适用刑事法所规定的从轻减轻制度，以纠正当前毒品犯罪的认定与处罚过重的倾向。

四、细化毒品治理政策效果的评估标准

在毒品问题治理现代化过程中，毒品问题治理政策的调整应当具有合理的依据，应建立全方位毒情监测预警体系，以较为全面地反映当前的毒品情势。而毒情监测预警体系需要由具体的监测指标组成，也就是对毒品问题治理效果的评估标准。可将我国毒品问题治理政策的四条主线确定为预防、治疗、控制、打击。毒品问题治理政策的效果如何，也就是看这四个方面的效果有没有实现。预防的目的是防止未接触毒品的人员沾染毒品，避免合法用途的化学原料或者药物被非法利用；治疗是为了使吸毒人员戒除毒瘾，回归正常生活；控制是针对毒品市场而言的，通过国际合作、重点场所监管等方式减少毒品在市场上的流通数量，并且阻断吸毒人员获得毒品的途径与渠道；打击的最终目的是减少毒品犯罪，促使人们形成自觉远离毒品的意识。评估标准的作用就是将这四类政策所要达到的效果具象化，然后结合实地调研、大数据统计等，验证目前的政策方针是否有效。要实现毒品问题治理现代化，不仅应完善政策，实现政策的现代化，还应将政策落实到位，唯有如此，才有可能改变当前我国毒品问题治理效果不佳的状况。

第三节　青少年毒品预防教育

《禁毒法》第18条规定："未成年人的父母或者其他监护人应当对未成年人进行毒品危害的教育，防止其吸食、注射毒品或者进行其他毒品违法犯罪活动。"未成年人处在身心发育阶段，尚不具备独立生活的能力，还要依赖父母和家庭，父母是对子女成长影响最大的第一任启蒙老师，家庭是预防未成年人吸毒和涉及其他毒品违法犯罪活动的第一道防线。也就是说，在对未成年人的毒品预防教育方面，父母和监护人的责任和义务是任何人都无法替

代的。

一、完善宏观层面的禁毒教育政策法规

1985年我国加入了联合国《经〈修正1961年麻醉品单一公约议定书〉修正的1961年麻醉品单一公约》和《1971年精神药物公约》，1989年我国加入《联合国禁止非法贩运麻醉药品和精神药物公约》。我国与毒品有关的法律法规也依据这些条约的规定不断完善。1990年公布施行《全国人民代表大会常务委员会关于禁毒的决定》（已失效），1997年修订的《刑法》第247~257条完善了毒品犯罪刑罚，2005年公布施行的《中华人民共和国治安管理处罚法》（简称《治安管理处罚法》）第71~73条完善了毒品违法行为的处罚，2008年施行《禁毒法》。国务院也先后公布《戒毒条例》《麻醉药品和精神药品管理条例》《易制毒化学品管理条例》等行政法规。但是，相关政策、法律还有待补充、调整和完善。

完善相关法律制度。面对严峻的毒情，我国加大对禁毒法治的建设，先后颁布了一系列的禁毒法律法规。截至目前，我国已经形成了一套以《禁毒法》为核心，刑事法律、行政法规和地方性法规相配套的禁毒法律体系，对惩治毒品违法犯罪，遏制毒品蔓延，发挥了积极的作用。但受世界毒潮泛滥的影响，我国当前禁毒斗争形势依然严峻，遏制毒品蔓延更是任重而道远。我国虽然已经制定并公布实施了规范禁毒工作的基本法律《禁毒法》，但还有待于尽快完善《禁毒法》的配套法规建设。逐步完善《刑法》与《治安管理处罚法》等法律规范中与毒品相关的条文规定、司法解释，要特别加强对合成毒品和新精神活性物质的立法，如"合成毒品医学成瘾标准""防范合成毒品危害办法""新精神活性物质防治条例"等，这样才能实现对合成毒品和新精神活性物质蔓延的有效控制。

加强相关政策指引。贯彻"预防为主"方针，大力加强禁毒宣传教育。从国际禁毒战略理论研究成果和实践，以及我国禁毒方针的演变，我们可以看出，在禁毒战略的预防、戒毒治疗和禁毒执法三大支柱中，预防工作应当处于首要的地位。对于全体公民的吸食前的预防，特别是青少年的预防显得更为重要。《禁毒法》第二章第11~18条专章规定了禁毒宣传教育。强调了各级政府、群众团体、企事业单位、社会组织和公民在禁毒教育上的责任，特别是教育行政部门和学校、家庭的责任。《全民禁毒教育实施意见》强调指出："广泛深入地开展禁毒教育，提高全民禁毒意识和抵制毒品能力，是禁毒工作的治本之策……（二）全民禁毒教育的对象　禁毒教育面向全体公民。

重点对象是：1. 青少年；2. 有高危行为的人群；3. 有吸毒行为的人员；4. 毒品问题严重地区的居民和流动人口；5. 公职人员。"教育的对象是全体国民，青少年是重中之重。《关于深化全民禁毒宣传教育工作的指导意见》提出："进一步深化'社区青少年远离毒品'行动，全面推动禁毒教育进社区，提高社区禁毒宣传教育服务能力……进一步深化'不让毒品进校园'活动，全面推动禁毒教育进学校，帮助学生树立远离毒品、健康成长的观念……进一步深化'不让毒品进我家'活动，全面推动禁毒教育进家庭，完善家庭自我教育、自我防范功能。"构建完善的青少年毒品预防教育工作体系，形成分工明确、协作有效、监督到位、评估科学的工作机制；青少年毒品预防教育方式更加新颖、方法更加多样，师资力量配置齐全，教育基地布局合理，宣传资料规范充实，禁毒社会氛围更加浓厚；青少年识毒、拒毒、防毒意识和能力明显增强，新滋生吸毒人数大幅减少，毒品问题综合治理取得阶段性成效。

健全相关社会制度。我国现在正处于社会转型的关键阶段，社会制度的健全和完善对社会的稳定至关重要，对于预防青少年吸毒行为同样发挥着重要的作用。教育对于国民素质的提升有着很大的意义。我国应该加快教育体制改革的步伐，大力推行素质教育；加大力度构建职业教育体系，解决升学难题，有效地减轻学生的升学负担；加大对教育的投入力度，提高教育质量，保障教育水平；建立健全对青少年保护的法律制度。我国还应该完善就业制度和社会保障制度，杜绝青少年因为就业或生计上的困难而孤立无助、自暴自弃，并错误地借助毒品来麻痹自己，进而走上违法犯罪的道路。只有通过一系列的措施加强引导、指导和帮助，才能保障青少年健康成长。

二、改进中观层面的毒品预防系统教育

社区、学校与家庭是青少年生活中不可缺少的重要环境，对毒品预防教育有着至关重要的作用。许多人之所以成为"有问题的人"是与周围环境中的社会成员对他及其行为的定义过程或标定过程密切相关的。在吸毒的问题上，在社会大众将吸毒作为一种可耻的行为时，对于吸毒者的态度也就不言而喻了。很多人之所以会吸戒往复，与社会大众，甚至是家人、亲戚、朋友对于他们的看法有关。因此，在社区、学校、家庭进行毒品预防教育的同时，应该注重改变人们的观念，一次吸毒并不代表终生吸毒，人们不应该根据个体一次的行为就从此把这个人归于哪一类人，从此给他贴上一些已经不属于他的标签。

社区毒品预防教育。现阶段，随着市场经济的不断发展，社会结构也发生了巨大变革，我国正逐渐向市民二元社会结构转变。不断高呼的"小政府、大社会"说明政府已经没有更多的能力支配到社会生活的各个角落，国家与社会、政府与公民的有机合作已经为政府职能的发挥提供了越来越多的帮助。在加强社会管理的理念下，开展青少年吸毒预防教育工作应该以社区为平台。社区作为新的社会稳定平台，能够有效地整合资源，更积极地发动各种民间组织、社会团体、志愿者参与到毒品预防教育的工作中。把社区作为青少年预防毒品教育的阵地，通过教育、宣传、帮教等措施，预防和减少青少年吸毒的越轨行为的发生，最大限度地调动一切可以运用的力量，消除导致吸毒的各方面因素。社区居住着各行各业的居民，有充足的人力资源，针对各行各业的居民，组织形式各异的宣传活动，使社区毒品预防教育深入每个居民心中。社区具有其他社会组织无法与之相比的环境资源，通过组织多种形式的社区禁毒宣传教育使社区成员了解到毒品的危害，激发社区居民的主人翁意识，推动青少年毒品预防教育工作取得长足的发展。

继续深化"社区青少年远离毒品"行动，结合预防青少年违法犯罪工作，有针对性地面向社区闲散青少年和进城务工青年开展禁毒宣传教育。依托青少年法律学校、青少年维权服务站、青少年维权服务岗、进城务工青年培训学校等阵地，组织重点青少年群体开展禁毒宣传教育及生活技能训练，为青少年健康成长创造良好的环境。要结合"无毒社区"创建活动和社会治安重点地区排查整治工作，针对毒品问题严重地区、城中村、城镇周边聚居常住人员、流动人员及下岗失业人员开展禁毒宣传教育，预防和减少涉毒违法犯罪行为的发生。组织禁毒宣传教育辅导员、社区志愿者、禁毒社会工作者和社区居民等力量，积极参与禁毒教育进社区活动，逐步壮大活跃在社区、热心禁毒教育和戒毒帮教的禁毒志愿者队伍。依托社区服务中心（站）、宣传文化站、居民会议、市民学校、阅报栏、法治宣传橱窗等社区公共服务设施和社区戒毒（康复）工作网络，发放禁毒宣传教育资料，建立禁毒宣传教育园地，开设禁毒讲座和居民论坛，结合群众性主题文化教育等活动，深入开展禁毒公益宣传。要重点关注农村留守儿童和外出务工青年毒品预防教育，要把辍学、失学的留守儿童和外出务工青年毒品预防教育作为农村禁毒工作的重点，将毒品预防教育与打击外流贩毒、社会治安综合治理、发展地方经济等结合起来，提高农村青少年和外出务工人员的禁毒意识，彻底改变因贫涉毒、因毒致乱的局面，将毒品预防教育纳入农村社区建设试点任务。

学校毒品预防教育。在青少年成长发展的过程中，学校发挥了重要功能。按照皮亚杰的观点，青少年时期是运算思维走向成熟的时期，抽象思维能力是在学校学习的过程中逐渐掌握的。学校作为青少年社会化的重要场所，通过有计划的阶段式学习，向个体灌输特定的社会价值规范，教育他们学会服从社会规范和制度，遵守那些强制性的行为规范，并按照行为规范的要求让他们扮演各种社会角色，在不同的社会场合进行各种形式的社会互动并形成良好的适应能力，达到引导其智力和道德发展的目的。青少年在学校里接触众多的朋辈群体，行为很容易受到这些朋辈群体的影响，这就需要学校加大对毒品知识的教育力度，加大毒品预防教育的力度。朋辈群体的存在对于学校开展青少年毒品预防教育也大有帮助，通过同伴教育的方式，使青少年在同龄人中获取毒品预防教育的相关知识。要进一步深化"不让毒品进校园"活动，全面推动禁毒教育进学校，帮助学生树立远离毒品、健康成长的观念。充分发挥学校的主阵地作用，深入开展中小学生毒品预防专题教育，分阶段开设禁毒课程，巩固"学生不吸毒、校园无毒品"的成果。要积极推进在高等学校、中等职业学校和中小学的毒品预防教育工作，建立若干所毒品预防教育示范中等职业学校、中学和小学。大力加强学校禁毒师资队伍建设，并将毒品预防教育实施情况纳入国家督学范畴，确保禁毒教学质量不断提高，各项禁毒教育措施落到实处。要加强对学生心理特点和毒品认知能力的研究，丰富教学内容，开发教学资源，创新教学手段，不断增强禁毒教育的吸引力、感染力。丰富多彩的形式讲解更容易被青少年吸收利用。

家庭毒品预防教育。家庭教育和家庭环境的影响是一个人社会化的开端，它为个人一生的社会化奠定了基础，家庭社会化的结果将对个人的一生产生影响。对于个体早期社会化来说，家庭环境因素对个人的观念、心理和行为习惯会产生潜移默化的深刻影响。不良的家庭氛围、不当的家庭教育都会对青少年良好行为的养成起到阻碍作用，都有可能使青少年养成不良的行为习惯，甚至走上吸毒、贩毒、偷窃和抢劫等违法道路。家庭教育对于预防青少年吸毒有着至关重要的作用。但现阶段在家庭毒品预防教育中存在着一些不足，首先表现在家长对于毒品知识的缺乏。尽管这些年越来越多的毒品预防宣传教育通过网络、电视、报纸、杂志等走进大众的生活，但是青少年们能接触到的机会却很少。而且普通大众仍停留在"谈毒色变"的阶段，认为毒品是不光彩的事情，认为任何与毒品有关的东西都是不好的，加之部分家长担心对青少年进行毒品预防教育反而会勾起青少年的好奇心，所以家长不愿对这方面的知识有过多的了解与掌握，更不会对自己的孩子进行这方面的教育。其次，我国现在仍然处于应试教育阶段，家长对于青少年成绩的关注严重地占据了家长对于青少年行为关注的空间，从而不能及时地发现青少年行为的异常，导致青少年吸毒行为的一发不可收拾。家长应该将关注点从青少年的学习成绩转移到青少年的行为方式，及时发现青少年的吸毒苗头并坚决予以制止；家长应该通过不同渠道了解相关的毒品知识，对青少年进行正确的毒品知识教育，将自己看到的毒品新闻变成故事讲给青少年听，尽可能地避免恐吓式的教育方式，而是深入地与青少年分析故事主人公的行为对错及心理反应；家长一定要把禁毒、防毒教育作为家庭教育的重要内容，增强青少年抵制毒品的意识和能力，提高警惕，防止青少年误入吸毒的歧途。社会要进一步深化"不让毒品进我家"行动，全面推动禁毒教育进家庭，完善家庭自我教育、自我防范功能。要进一步扩大"无毒家庭"覆盖面，积极引导家庭成员开展防范涉毒的自我教育、自我管理，推动父母对未成年子女进行毒品预防教育。以单亲家庭、流动人口家庭、涉毒家庭和妇女为重点，深入居民家庭开展有针对性的禁毒教育和帮教活动。利用家长学校和家庭文明指导中心等阵地，组织禁毒志愿者、家长、戒毒专家和青少年参加禁毒讨论会和培训班，提高家庭防范毒品意识，帮助家庭克服家人吸食毒品的危机和困难。

三、加强微观层面的防范措施

加强青少年心理疏导。青少年期是生理和心理不断发生巨大变化的时期，青少年心理相对敏感、多疑，以自我为中心，缺乏团结协作的能力，缺乏应对挫折和困难的勇气，这些终会产生一定程度的心理危机。所以需要对青少年的心理危机进行干预，进行及时有效的疏导，使青少年能够顺利地走出危机。在青少年吸毒的原因里，占很大比例的是青少年的好奇心、寻求刺激、寻求逃避、从众心理及无知心理。要转变青少年的心理，就需要青少年树立正确的思想认识，接受正确的心理健康教育。通过与青少年思想上的交流、对青少年学习上的帮助、对青少年生活的关心，以及对青少年心理的辅导等，使那些有越轨倾向的青少年感受到社会的温暖，增强青少年拒绝毒品的决心。可以通过充实青少年的精神生活，使青少年自觉地远离毒品。通过对青少年心理和生理特点的了解，促使青少年养成良好的心理品质，从而铸牢坚实的心理防线。可以开通心理咨询热线和心理咨询室，让青少年在存在心理问题的时候能够得到及时有效的疏导。可以开展专门针对青少年心理的讲座或者演讲，通过对心理知识的学习，培养青少年的意志及对抗挫折的能力。通过有针对性地开展心理健康教育，使青少年的人格更加健全。

加强青少年法治教育。青少年正处在生理和心理生长发育的关键阶段，也是青少年思想道德品质形成的关键时期。为培养青少年高尚的思想道德品质，对其开展法治教育已成为重中之重。加强青少年法治教育，提高青少年法律素质、法治观念、法律意识的重要性包括以下方面：有利于其保护自身的合法权益；有利于其形成健全的人格；有利于其严格要求自己。提高青少年的法律素养，使青少年树立正确的法治观念，对于增强青少年的社会责任感、端正青少年的人生目标、促进青少年树立远大崇高的理想有着非常重要的作用。增强青少年的法治意识，树立正确的法治观念，提高青少年辨别是非的能力，对于抵制社会上的各种不良行为和思想非常重要。根据不同年龄阶段青少年的特点，开展多种形式的法治宣传活动，增强青少年的法治观念。处于中小学阶段的青少年，处在思想观念形成的关键时期，又伴随着叛逆期的到来，因此对于这一年龄阶段的青少年应该采取寓教于乐的形式来宣传法律知识；处于大学阶段的青少年已经具备了明辨是非的能力，可以很好地运用所学知识来分析社会上发生的事情，对于这一阶段的青少年，应该引导他们积极地参与到实际案例的分析中，注重理论与实践的结合；对于已经踏入社会的青少年来说，在对他们进行法治教育的同时，让他们有机会学习一些基本的生活技能，教会他们如何在社会上生存，增加他们参加工作的机会，则可以减少他们涉足毒品的危险。

加强青少年行为引导。青少年行为的发展对其人格的成长具有重要的作用。青少年在成长的过程中会通过社会化逐渐了解社会准则与规范。社会化本身是一个学习与领悟的过程，通过人与人之间的交流互动，青少年可以掌握社会主流价值观念和行为规范，顺利地完成初始社会化。但同时，心智发展的滞后又可能会使青少年辨不清真假善恶，容易习得非主流社会规范，在参与社会活动的过程中，做出离轨甚至犯罪行为。在对青少年进行日常行为规范的教育与训练中，教师、家长应是"引路人"。其中很重要的是培养学生自我教育、自我训练、自我约束的能力。促进自我教育的教育才是真正的教育。我们要培养青少年在生活上、学习上、思想上、工作上都具有自己管理和塑造自己的能力，要在毫无任何形式的外在监督的情况下，对自己进行自我督促，自觉地把"规范"中的基本要求内化成自己的行为习惯。

加强青少年禁毒教育。使青少年认清毒品对个体的危害，学会拒绝毒品至关重要。青少年不要进入治安差的场所，即使进入，也要有警觉戒备意识，对诱惑提高警惕，采取坚决拒绝的态度，不轻信谎言，如不轻易和陌生人搭讪，不接收陌生人提供的香烟及饮料，出入娱乐场所，尽量少喝里面提供的饮料，不随便离开座位，不盲目攀比，不追求时尚等。不要滥用药品，如减肥药、兴奋药、镇静药等。遇到无法排解的事情时，要设法寻求正确的解决途径，不能沉溺其中自暴自弃，更不能"借毒解愁"。

加强青少年社交教育。要积极引导青少年建立正确的交友观念。青少年交友往往没有原则，没有一个辨别审视的过程。针对这种情况，教师和家长一方面要让他们懂得什么是真正的友谊，真正的友谊要靠忠诚去播种，热情去浇灌，谅解去护理，原则去维护。另外要帮助青少年学会正确地择友，只有找到真正的挚友，才能使自己取长补短，不断进步，不断完善。与正直、讲信用、有学问的人交朋友，会得益匪浅；与那种献媚奉承、心术不正、华而不实的人交朋友，会带来坏处。所以，要让青少年真正懂得在交友的过程中要交益友，不交损友。在青少年的交友过程中，还要引导青少年树立正确的交友、识友观念。

第四节　国际禁毒合作

一、国际禁毒合作概述

毒品的最大危害在于它能跨越文化与国界在人群中迅速蔓延，并引发刑事犯罪、疾病传播、理想缺失、社会恐慌等系列公共危机。有效控制毒品泛滥，需要各国的共识与合作。20 世纪 90 年代以来，面对严峻的国际禁毒形势，各国普遍开始通过国家政府层面的正式合作，来寻求综合预防、打击犯罪和地区安全等方面的协调，以形成较有效的国际禁毒防线，以减少毒品使用及因毒品引发的公共危机。各国政府除在联合国禁毒法律体制框架下履行相关义务之外，还通过相关国家之间多边合作、区域内部协议等多种途径来完成。针对严峻的国内国际禁毒形势，除尽力做好国内的毒品管制、宣传教育、戒断康复、打击犯罪之外，我国还紧紧围绕国内禁毒工作的中心任务和外交大局开展对外合作与交流，积极构建、拓展禁毒国际合作渠道和平台，不断扩大和加强同世界各国、特别是与周边国家和地区在禁毒领域的双边、多边业务交流与合作，认真实施联合国禁毒合作项目，履行缔约国的义务，在国际及本区域内担当应有责任。

《禁毒法》第五章规范了禁毒国际合作，共 6 条（第 53～58 条）。第 53 条是关于开展禁毒国际合作基本原则的规定，具体内容为："中华人民共和国根据缔结或者参加的国际条约或者按照对等原则，开展禁毒国际合作。"第 54 条是关于国务院授权国家禁毒委员会负责开展禁毒国际合作的规定，具体内容为：

"国家禁毒委员会根据国务院授权，负责组织开展禁毒国际合作，履行国际禁毒公约义务。"第 55 条是关于涉及追究毒品犯罪的司法协助的规定，具体内容为："涉及追究毒品犯罪的司法协助，由司法机关依照有关法律的规定办理。"第 56 条是关于依法开展禁毒执法合作的规定，第 1 款具体内容为："国务院有关部门应当按照各自职责，加强与有关国家或者地区执法机关以及国际组织的禁毒情报信息交流，依法开展禁毒执法合作。"第 57 条是关于对通过禁毒国际合作破获毒品犯罪案件的涉案财物分享权利的规定，具体内容为："通过禁毒国际合作破获毒品犯罪案件的，中华人民共和国政府可以与有关国家分享查获的非法所得、由非法所得获得的收益以及供毒品犯罪使用的财物或者财物变卖所得的款项。"第 58 条是关于开展替代发展对外援助的有关规定，具体内容为："国务院有关部门根据国务院授权，可以通过对外援助等渠道，支持有关国家实施毒品原植物替代种植、发展替代产业。"

随着经济全球化、社会信息化快速发展，涉毒国家和地区进一步扩大，毒品种类、毒品产量、吸毒人数持续增多，毒品已成为影响人类生存与发展的重大问题。加强国际禁毒合作，对于推动世界范围内的禁毒斗争和从根本上解决我国的毒品问题是十分必要的。我国一向积极参与和推动禁毒国际合作，在世界禁毒领域发挥了重要作用。我国开展国际禁毒合作主要有以下几种形式：一是在 UNODC 协调下开展国际禁毒合作；二是基于政府间国际组织开展合作，如"上海合作组织"禁毒合作机制，"金砖国家"禁毒合作机制，"澜沧江–湄公河综合执法安全合作中心"禁毒合作机制；三是基于中国和地区组织的禁毒合作，如中国与东南亚国家联盟的禁毒合作机制；四是多边的禁毒合作机制，如中国与泰国、缅甸、老挝、越南、柬埔寨的禁毒合作机制，澜沧江湄公河联合巡航机制；五是基于中国和其他单个国家的禁毒合作机制，如中缅、中越、中老、中菲等禁毒合作机制。此外，中国还有基于国际刑事警察组织的禁毒合作，以及基于边境地区的禁毒合作。

二、中国与单个国家间禁毒合作概况

中国参与国际禁毒合作最初主要以个案合作的形式。但随着国际毒品犯罪形势的恶化，国际合作更加频繁，主要通过与其他相关国家签署双边协议，以法律文件形式明确双边合作的领域、重点和方式。个案合作始于 20 世纪 80 年代，主要涉及泰国、缅甸等周边国家。20 世纪 90 年代末，我国开始与美国、泰国、菲律宾、澳大利亚、缅甸在禁毒执法、情报交流等方面合作。目前，已与有关国家签订政府间、部门间双边禁毒协议 30 余个，并加强与 UNODC、国际麻醉品管制局务实合作，基于上海合作组织、金砖国家组织等开展区域禁毒合作，成功举办了东亚次区域禁毒合作会议、上海合作组织成员国禁毒部门领导人会议、"万国禁烟会议"百年纪念活动等国际禁毒活动、金砖国家成员国禁毒部门领导人会议。

（一）中国与俄罗斯禁毒合作概况

俄罗斯是中国的近邻，更是中国重要的经济与政治合作伙伴，与此同时，中亚的毒品也伺机从密切的中俄经贸活动中混入中国。为加强两国共同打击毒品走私的力度，1996 年 4 月，中俄两国政府签订了《中华人民共和国政府和俄罗斯联邦政府关于禁止非法贩运和滥用麻醉药品和精神药物的合作协议》。2001 年 7 月，中俄两国签订《中俄睦邻友好合作条约》将开展禁毒合作列为其中一项重要内容。按照两国政府的战略部署和外交政策，黑龙江省禁毒部门与俄罗斯远东地区禁毒部门积极推进双边区域性的禁毒国际合作，构建禁毒国际防线，严厉打击跨国毒品犯罪活动，破获跨国毒品大要案件多起，抓获犯罪嫌疑人多人，缴获大量毒品和制毒物品。2005 年，第一届中俄禁毒合作部长级会议在俄罗斯联邦哈巴罗夫斯克市召开。双方签署了《中华人民共和国公安部和俄罗斯联邦麻醉品监管总局边境地区禁毒合作议定书》。根据该议定书的有关规定，我国的黑龙江、吉林、新疆、内蒙古等边境省区公安禁毒部门可在授权范围内与俄罗斯远东和西伯利亚联邦区的边境地区禁毒执法部门直接进行情报信息交流与协作，共同打击跨国毒品犯罪活动。双方就"金新月"地区日益严峻的毒品形势和加强两国禁毒合作等议题深入交换了意见，一致表示作为上海合作组织的成员国，双方应继续积极落实 2004 年成员国元首共同签订的《上海合作组织成员国关于合作打击非法贩运麻醉药品、精神药物及其前体的协议》，推动有关各方共同解决阿富汗毒品问题。

多年来，中俄双方以签署的政府间、部门间禁毒合作协议为基础，在中央和边境地区层面开展了不同形式的交流，并在上海合作组织等多边机制框架内进行了卓有成效的合作。双方共成功召开了九次禁毒合作部长级会议。2013 年 12 月，第九届中俄禁毒合作部长级会议在俄罗斯圣彼得堡市召开，国家禁毒委员会委派公安部禁毒局局长参加该会议，会议回顾了近年来特别是第八届中俄禁毒合作部长级会议以来两国禁毒合作情况及成效，交流了对当前国际和地区毒品形势的看法，就完善双边禁毒合作的途径及深化务实合作深入交换了意见，达成广泛共识。会后双方签署了《第九届中俄禁毒合作部长级会议纪要》和《中华人民共和国公安部与俄罗斯联邦麻醉品监管总局关于开展控制下交付行动的意向书》。双方一致认为中俄应当继续认真落实两国元首达成的有关共识，继续深化禁毒领域务实合作，加强情报信息交流和行动配合，有效打击涉毒犯罪活动，共同推动上海合作组织框架下禁毒合作的健康发展，加强在禁毒领域重大国际问题上的沟通，推动国际社会积极、有效应对毒品问题。2019年7月30日至8月3日，中俄两国禁毒部门在俄罗斯举行禁毒工作会晤，双方就深化双边禁毒合作机制、引领上海合作组织和金砖国家禁毒合作机制建设、强化国际禁毒政策协调等深入交换意见。针对日益突出的新精神活性物质问题，双方同意及时交换各自列管清单，交流本国滥用情况和实验室技术，加强互涉线索通报和个案合作；针对互联网涉毒犯罪突出问题，双方拟加强合作，尤其是应对"暗网"涉毒犯罪，要联合攻关，并加强对互联网交易平台管理；针对寄递渠道涉毒犯罪等挑战，双方及时分享涉毒邮包核查经验，加强情报交流；在有需求并具备条件的中俄边境地区，探讨成立边境禁毒联络官办公室，强化在情报交流、线索核查、联合办案、调查取证等方面合作。关于上海合作组织和金砖国家禁毒合作，双方一致认为要共同充分发挥引领作用，推动禁毒合作文件执行，要抓好上海合作组织青岛峰会通过的《2018-2023年上海合作组织成员国禁毒战略》及其落实行动计划的合作工作。双方共同努力推动上海合作组织禁毒协调机构建设，开展联合行动，务实解决阿富汗毒品问题，提升上海合作组织国际禁毒影响力。在金砖国家框架下，积极推进禁毒机制运转，共同推动巴西和南非等国积极参与，建立多边联络渠道，支持俄方明年举办金砖国家禁毒会议，同时在重大国际禁毒问题上协调立场，互相支持，确保"金砖五国"禁毒机制沿着正确轨道发展。

（二）中国与美国禁毒合作概况

作为两个处于毒源地周边的大国，中美两国在世界禁毒领域起着重要作用。中国非常重视与美国之间的禁毒合作，早在1987年中美两国政府就签署了《中美禁毒合作备忘录》。1997年10月，江泽民同志访美，为中美两国进一步发展双边禁毒合作奠定了更加坚实的基础，双方于1997年10月共同签署《中美联合声明》，决定中方和美方相互派驻缉毒联络官。近年来，中美两国的警方、海关和卫生等业务部门在禁毒合作各个领域开展了良好的合作。在缉毒情报交流、协作办案等方面，中国公安部和美国司法部缉毒署开展了富有成效的业务合作，并正就签署部门间禁毒合作意向备忘录进行磋商。禁毒合作是中美双方都极为关注的一个合作领域，两国领导人多次会晤时均谈到了这一话题，双方禁毒部门也定期和不定期召开会议推进和落实相关工作。目前双方已联合举办了3届中美禁毒合作情报交流会。在双方的共同努力下，立案侦办了"12·5"特大跨国贩毒案、"03·03"特大跨国走私毒品案件等一大批大案要案，成为国际禁毒合作成功典范。

虽然在一些议题方面还存在分歧，但中美两国开展禁毒合作的利益是相同的。目前双方的总体合作形势良好。为进一步加强禁毒合作，除及时反馈核查请求外，双方还达成如下共识：在现有法律框架下，进一步加强中美禁毒主管部门的交流，增强了解和互信，推动友好合作关系；加强在法律法规以及法理、体制方面的沟通协调，尽可能为对方调查取证、讯问犯罪嫌疑人等提供便利；加强在涉毒犯罪中的反洗钱合作；进一步加强中美在毒品检验鉴定技术领域的合作等。

2005年，双方签署了关于缉毒合作的意向备忘录，为两国开展更加广泛的禁毒合作打下了良好基础。2009年10月20日，第三届中美禁毒情报交流会在北京召开，中美两国禁毒部门就进一步深化情报交流、办案合作、继续关注"金三角"地区、"金新月"地区毒品问题等方面达成重要共识。中美两国禁毒部门在情报信息交流、案件协查、易制毒化学品管制、人员培训等领域开展了务实合作。表明了两国深化禁毒合作的意向，体现出双方禁毒合作向更为务实的方向迈进，对于促进两国及区域性的禁毒事业具有积极意义。2012年9月，国务委员、国家禁毒委员会主任在京会见了美国白宫国家禁毒政策办公室主任。双方一致认为中美两国在禁毒领域加强合作，既体现了履行政治承诺、共同应对世界毒品问题的决心，也是促进两国关系的具体实践。希望双方进一步加强在禁毒领域重大国际问题上的沟通协调，深化互利务实合作，为推动中美关系发展作出积极贡献。会后，双方签署了更新后的《中国国家禁毒委员会和美国白宫国家禁毒政策办公室关于加强合作的意向备忘录》，提出了进一步的合作方案。2018年12月1日，国家主席习近平应邀同时任美国总统特朗普在阿根廷布宜诺斯艾利斯举行会晤。双方同意采取积极行动加强执法、禁毒合作，包括对芬太尼类物质的管控。中方决定对芬太尼类物质进行整类列管，并启动有关法规的立法程序。白宫在1日晚发表的美中元首会晤声明中称：至关重要的是，中方领导人展现出极好的人道主义姿态，同意将芬太尼列为管制物质，意味着向美国出售芬太尼的人，将面临中国最严厉的刑罚。中国厉行禁毒的立场是坚决的，在全球毒品形势持续蔓延的大背景下，中国毒品治理取得了令人瞩目的成效。作为负责任的大国，将一如既往积极参与国际和多边的禁毒合作，为全球毒品治理贡献中国智慧和中国力量。

三、中国与"金三角"地区国家禁毒合作概况

目前，中国国家禁毒委员会办公室每年都分别与缅甸、老挝、泰国、越南开展双边会晤和经验交流，规划优先合作事项。中老、中缅、中泰、中越涉毒情报交流和案件合作机制日趋成熟，中老、中缅、中越边境已建成 9 个边境禁毒联络官办公室，在情报交流、追逃、人员引渡等方面的作用初见成效。"澜湄禁毒合作"是指中国、柬埔寨、老挝、缅甸、泰国、越南 6 国围绕"澜沧江-湄公河"流域开展的禁毒合作。

（一）中缅两国禁毒合作协定及实施概况

中国与缅甸接壤，两国边境线全长 2186 公里，加强双边禁毒合作，共同打击毒品犯罪，减少毒品的社会危害，是中缅两国人民的共同愿望。经过两国政府和禁毒部门的努力，双方禁毒合作取得了显著成效。2001 年，两国正式签订了《中缅禁毒合作谅解备忘录》；同年 8 月，又在北京召开了中老缅泰四国禁毒合作部长会议，并共同发表了《北京宣言》。随后，中缅双方采取了一系列有效的执法合作行动：抓获大毒枭并移交给中方；在果敢地区采取扫毒行动，抓获了毒枭并捣毁一批毒品加工厂；应中方要求抓捕毒枭，因其拒捕将其击毙。同时，通过双方的合作，罂粟替代发展项目取得了阶段性成果。在 2002 年结束的中缅双边禁毒合作工作会议上，两国代表在双边联络、情报交流、联合行动、替代发展、减少需求等方面进一步开展合作达成了共识。中方将继续向缅方在执法与替代发展领域提供人员培训和技术援助。

2006 年 5 月中国和缅甸在仰光签署了《中国政府和缅甸政府关于禁止非法贩运和滥用麻醉药品和精神药物的合作协议》。双方还签署了《中国国家禁毒委和缅甸中央肃毒委关于在缅北地区联合进行卫星遥感监测罂粟种植的意向备忘录》，建立完善了中缅中央、省邦、州县三级禁毒合作机制等。

2007 年，双方依据该协议，又签署了《中缅替代种植的行动方案》。国务院专门出台了资金、信贷、免税、人员和货物出入境便利等一系列支持政策，鼓励企业在中缅两国政府商定的区域开展罂粟替代种植，并将替代种植内容明确写入《禁毒法》。经过中缅双方的合作努力，替代项目渐成规模，罂粟禁种成效明显。

截至 2013 年底，我国在缅老北部的替代企业共有 100 多家，共投资 10 多亿元，累计替代种植面积 300 多万亩，涉及水稻、玉米、香蕉、橡胶、甘蔗等40 多个品种，替代种植成效初显，缅北罂粟种植面积由 20 世纪 90 年代最高峰的 248 万亩降至 60 多万亩，开展替代种植区域内的掸邦第一、二、四特区连续

多年禁种。2006 年、2008 年，中国还两次向缅北禁种罂粟的烟农捐赠了 2 万吨大米。2011 年 7 月，第九届中缅禁毒合作双边会议在华举办，国家禁毒委员会代表中国与缅方达成重要共识和下一步合作意向，2011 年 11 月，中缅替代发展合作部长级会议在缅甸掸邦木姐县召开。中国国家禁毒委员会副主任与缅甸内政部副部长分别率团出席。会议回顾了自 20 世纪 90 年代，特别是 2007 年中缅两国政府签署替代种植行动方案以来两国替代发展合作情况及成效，交流对当前缅北地区罂粟种植的看法，探讨替代发展合作中面临的困难和问题，就进一步推进中缅替代发展合作深入交换意见，达成共识，签署了《中缅替代发展合作部长级会议纪要》。

此外，双方还就落实中老缅泰湄公河流域执法安全合作会议进行了研究，两国间的禁毒合作向着更为务实的方向迈进。2013 年 5 月，双方再次召开中缅禁毒合作双边会议，并于 7 月由商务部、公安部、财政部及云南省商务厅替代办、禁毒办完成了《中缅罂粟替代种植规划纲要（2014-2020）》，启动中老罂粟替代种植工作规划（一期）编制工作。6 至 7 月，国家禁毒办会同商务部、中国农业科学院等有关部门人员赴缅甸北掸邦 7 个地区实地考察，为缅北替代种植示范项目建设打下基础。2013 年 10 月，第十一届中缅禁毒合作双边会议在陕西举行。国家禁毒委员会、公安部禁毒局领导率领由国家禁毒办、云南省禁毒办、陕西省禁毒办有关部门负责人以及云南省保山、德宏、临沧、西双版纳、普洱等边境地州禁毒部门负责人组成的代表团参加了会议。会议期间，中缅双方交流了当前面临的毒品形势，就禁毒情报交流与执法合作、易制毒化学品管制、人员培训、边境禁毒合作等议题进行了探讨，议定将继续巩固和加强中缅两国在禁毒领域的全面合作，共同推进解决"金三角"地区毒品问题，联手打击跨国毒品犯罪活动，切实维护两国边境地区的社会稳定。

近年来，中缅两国禁毒领域合作保持良好发展态势，逐步发展形成了完善的双边禁毒合作机制。中央、省（邦）、边境地州三级保持畅通密切联系和频繁交流，实现了重要情况信息及时、有效交流，通过无缝办案合作成功侦破数起重特大跨国贩毒案件。同时，双方积极推进罂粟替代种植和替代发展方面的合作，联合开展的卫星遥感监测罂粟种植和实地踏查铲除行动成果丰硕，成为本地区禁毒合作的一大亮点。此外，中方还向缅方提供了禁毒执法官员培训、曼德勒警务指挥中心建设等援助。2015 年 12 月，第十三届中缅禁毒合作双边会在云南省昆明市举行。会议期间，中缅双方禁毒部门交流分析了当前面临的区域毒品形势和互涉毒品情况，就边境执法合作、易制毒化学品管制、替代发展、人员培训等议题进行了探讨，就开展边境联合扫毒、制定两国省邦级别合作规范、协调解决缅甸籍特殊涉毒人群接收问题、加强边境联络官办公室建设、毒品样品交换、设备援助等合作达成广泛共识。双方议定将继续巩固和加强既有机制，切实改善两国和本地区毒品形势，共同推动两国禁毒合作关系不断向前发展。在情报交流、联合办案、人员培训、边境协作、罂粟种植遥感监测、实地踏查等方面开展了卓有成效的务实合作，建立了腾冲－密支那、南伞－果敢、瑞丽－木姐3个边境联络官办公室，共同开展了"平安航道"、昆曼公路考察等一系列联合行动，破获了一大批涉两国的毒品案件，并且在联合国麻醉品委员会、东盟等多边机制下相互支持、紧密配合，为努力解决本地区乃至全球毒品问题作出了贡献。

2017年11月，第十五届中缅禁毒合作双边会议在云南省昆明市召开。中国国家禁毒委员会、公安部禁毒局领导，缅甸中央肃毒委员会联席秘书兼禁毒局局长分别率团出席会议。中缅禁毒年度双边会议机制已建立15年，通过这一平台，双方持续推动各领域禁毒合作，机制日益完善，联系日益紧密，成效日益显著，已成为本地区乃至国际禁毒领域禁毒合作的成功典范。中缅禁毒合作仍面临缅北地区制贩毒活动高发、缅籍特殊人群贩毒问题突出、边境地区合作效率有待提升等问题，需要中缅双方禁毒部门心往一处想，为推动解决地区毒品问题、构建人类命运共同体贡献更多才智、更大力量。缅方对中方给予的设备援助和执法培训表示衷心感谢。缅方将一如既往高度重视中缅禁毒合作，把中国置于缅甸禁毒国际合作优先位置，希望双方进一步加大禁毒合作力度，遏制本地区制贩毒活动。

2021年1月，在第十七届中缅禁毒合作会议上，双方一致表示，两国在禁毒领域互为最重要的合作伙伴。自2001年建立年度会晤机制以来，两国禁毒部门互相信任、互相支持、互相配合，联手破获了一系列跨国毒品犯罪案件，抓获了一大批毒品犯罪分子，为维护两国和地区安全稳定做出了积极贡献，也结下了深厚的情谊。会议强调，当前"金三角"地区罂粟种植面积有所下降，海洛因生产虽然稳定，但大规模、工业化生产冰毒、氯胺酮等合成毒品日益严重，给两国和周边国家带来巨大威胁，两国禁毒部门有责任、有义务联手应对"金三角"地区毒品问题。会议认为，双方需进一步加强合作支持，开展双向贸易核查并及时反馈，交流化学品走私团伙情报，交换化学品流失线索，充分利用科学技术手段，阻止化学品用于制造毒品。会议强调，双方要充分发挥禁毒边境联络官的沟通协调作用，加大对联络办的授权，进一步提高效率；开展常态化定期会晤会面，保持合作连续性。双方以此次会议为契机，进一步增进互信、完善机制、高效合作，将中缅禁毒合作打造出国际禁毒合作典范。

（二）中老两国禁毒合作协定及实施概况

中老边境全长 505 多公里，自磨憨口岸 1993 年确立为国家级口岸后，中老双方经济文化交流合作日益密切，人员出入日益增多，双边不法分子也伺机而动，勾结跨国境犯罪率有所上升，"金三角"地区的大量毒品有可能从这里突破中国国门，流入中国境内，通往亚欧大陆。为加强双边禁毒合作，两国从 20 世纪 90 年代末开始尝试开展禁毒方面的合作，加大对跨国毒品犯罪的打击力度。2000 年 11 月，中国国家禁毒委、联合国禁毒署和老挝禁毒委，在中国云南勐腊县确立了名为"D91 项目"的勐腊与老挝南塔项目联络机制，项目实施期为 6 年。由此，勐腊县公安局与丰沙里省正式建立跨境禁毒联盟，在互通毒品情报、跨境打击毒品犯罪、联合破案联合扫毒等方面开展有效的合作。两国警方通过合作先后摧毁老挝境内多处毒品加工点，打击贩毒团伙并抓捕毒贩，缴获大量毒品、毒资。

2001 年 1 月签订了《中华人民共和国政府和老挝人民民主共和国政府关于加强禁毒合作的谅解备忘录》，第 1 条规定："双方应遵照各自国内的法律、法规，在以下诸方面开展合作：1. 预防和打击非法贩运麻醉药品和精神药物及非法转移、使用化学品前体的违法犯罪；2. 控制种植毒品原植物和替代发展措施；3. 管理麻醉药品、精神药物、化学品前体和基本化学品的措施；4. 减少毒品需求措施，包括戒毒治疗和康复；5. 开展禁毒和缉毒执法领域的技术和业务合作，包括情报交流、协助调查、收缴毒品和毒资、协助缉捕和遣返毒品罪犯、设立边境禁毒联络机制、人员培训等；6. 交流双方有关麻醉药品、精神药物和化学品前体及基本化学品管理的法律、法规的信息；"2006 年 11 月中国与老挝正式签署了《中华人民共和国政府和老挝人民民主共和国政府关于禁止非法贩运和滥用麻醉药品和精神药物的合作协议》，为两国进一步开展禁毒合作提供了更加明确、更加稳定的政策保障。2011 年 9 月，第九届中老禁毒合作双边会议在中国长沙召开，双方交流了近年来两国各自毒情和禁毒工作的情况，并就加强两国间禁毒执法合作、替代发展、禁毒援助、边境禁毒合作等事务开展了沟通与协商，深化了中老两国禁毒合作。2013 年 3 月，中老双方再次召开禁毒合作双边会议，并于 7 月签署中老《中华人民共和国国家禁毒委员会与老挝人民民主共和国国家禁毒委员会关于推进罂粟替代种植工作的谅解备忘录》，进一步明确两国协作减少罂粟种植的方案。

2017年12月第十四届中老禁毒合作双边会议在江苏扬州举行。会议期间，双方交流分析了当前面临的区域毒品形势和互涉毒品情况，就"平安航道"联合扫毒行动、缉毒执法和情报交流、边境执法合作、替代发展、人员培训等议题进行了深入探讨，达成广泛共识，议定将继续巩固和加强既有机制，切实改善两国和本地区毒品形势，共同推动两国禁毒合作关系不断向前发展。

近年来，中老两国禁毒合作保持良好发展态势，在情报交流、联合办案、人员培训、边境协作、罂粟种植遥感监测、实地踏查等方面开展了卓有成效的务实合作，开展了联合扫毒行动，建立了磨憨-磨丁、江城-约乌等边境联络官办公室，并联手破获了一批影响力较大的大要案件，移交了张佳才等毒枭，有力打击了中老边境地区跨国毒品犯罪活动。

2021年12月，第十七届中老禁毒合作会议通过视频方式举行。双方一致认为，在中老建交60周年和发展全面战略合作伙伴关系大背景下，两国加强禁毒合作极其重要和必要。多年来，中老两国禁毒部门长期保持密切合作，相互支持，在情报交流、执法办案、人员培训、技术设备支持、替代发展等领域合作均取得务实进展。两国在大湄公河次区域禁毒合作谅解备忘录框架下通力合作，为解决本地区及周边毒品问题而努力。同时，中老两国与其他大湄公河次区域国家共同开展"平安航道"联合扫毒行动，有效打击跨国毒品犯罪，维护地区安全稳定，保障人民利益，在本地区乃至国际社会产生了积极反响。双方回顾了上次会议以来双方合作情况，通报了近期区域及互涉毒情形势、案件、替代发展工作情况。受疫情影响，当前"金三角"地区毒情形势更加复杂，制造冰毒、氯胺酮等合成毒品问题日趋严重，给中老两国和周边国家带来巨大威胁。中老两国应在双边及"平安航道"等多边机制下进一步加强合作，保持及时顺畅沟通，推进中老禁毒合作继续务实发展，坚决防止大湄公河次区域毒情进一步恶化，为维护地区安全、人民福祉做出更大贡献。

（三）中泰两国禁毒合作协定及实施概况

中泰两国禁毒合作始于20世纪90年代，近年来不断深化发展，高层互访和友好交往不断，双方建立了深厚友谊和互信关系。为进一步密切中泰两国禁毒合作关系，共同应对毒品犯罪的挑战，双方一致同意进一步完善和深化两国禁毒合作机制，加强针对"金三角"地区毒源地和西非裔贩毒团伙的情报交流，联合开展缉毒执法行动，共同打击跨国毒品犯罪，合作查缉易制毒化学品、麻醉药品和精神药品走私活动，联合培训缅甸、老挝、柬埔寨禁毒官员，进一步拓展毒品预防教育、戒毒康复、替代发展等方面交流与合作。此外，两国还先后成功举办中小学生禁毒预防教育交流营、联合打击西非裔贩毒团伙研讨会等，推动建立点对点联合查缉机制。推动两国和本地区禁毒斗争取得明显成效。

2000 年 10 月，中泰两国签署《禁毒谅解备忘录》。2005 年 5 月，中国国家禁毒委员会办公室和泰国肃毒委员会办公室签署《关于毒品样品交换的意向备忘录》。中泰两国在禁毒执法领域一直保持密切合作关系，20 余年来两国禁毒部门先后合作破获一系列在本地区具有重大影响力的案件，开展了"平安航道"联合扫毒行动。除禁毒执法合作外，双方还就减少毒品需求、戒毒康复、替代种植等领域开展合作，并在联合国、大湄公河次区域禁毒谅解备忘录、东盟加中国禁毒合作等机制下协调立场、密切配合，共同引领、推动次区域禁毒合作发展。

2002 年起，两国已连续召开 14 次禁毒合作双边会议。2016 年，在已有中央禁毒合作机制框架下，双方新建省区间禁毒合作机制。目前，中泰禁毒合作已经成为本地区乃至世界各国禁毒合作的典范，双方已建立全方位、全天候的禁毒合作关系，在缉毒执法、情报交流、毒品分析、减少毒品需求等各禁毒领域都保持着紧密合作。2009 年 9 月，第八届中泰禁毒合作双边会议在云南省大理白族自治州召开。中国国家禁毒委员会常务副秘书长和泰国肃毒委员会秘书长分别率团出席。会议回顾了近年来特别是第七届中泰禁毒合作双边会议以来两国禁毒合作取得的新进展、新成果，分析了当前两国面临的毒品形势，研究了进一步推进双边禁毒合作的意向和措施，签署了两国交换毒品样品备忘录。2016 年 8 月 30 日，第十四届中泰禁毒合作双边会议在广西壮族自治区南宁市举行。两国代表就最新毒情、互涉案件和情报、边境执法、戒毒康复、易制毒化学品管控、毒检分析、"平安航道"联合扫毒行动等领域进行了深入交流和探讨，达成了深入开展合作的一系列重要合作意向。双方议定，将继续巩固和加强现有机制，切实改善两国和本地区毒品形势，共同推动两国禁毒合作务实、深入发展。

2019 年 10 月召开第十七届中泰禁毒合作双边会议。期间，中泰双方回顾了上届会议以来双方开展的合作、取得的成效，就最新毒情、互涉案件和情报线索、毒品检验分析、边境执法合作等议题进行了深入交流和探讨，达成一系列重要合作意向。双方一致同意将继续巩固和加强现有合作机制，切实改善两国和地区毒品形势，共同推动中泰两国禁毒合作持续、健康、深入发展。会议期间，泰方还向中方提供了相关毒品样品，双方签署了《泰国肃毒委员会办公室向中国国家禁毒委员会办公室提供毒品样品交接书》。2021 年 4 月，第十八届中泰禁毒合作会议举行。会议指出，中泰两国在禁毒领域立场相同、措施相近，互为重要合作伙伴。长期以来，两国禁毒部门互相信任、互相支持，在各层级、各领域保持密切交流和良好合作，联手破获了一系列跨国毒品案件，抓获了一大批毒品犯罪分子，为打击两国毒品犯罪、维护大湄公河次区域安全稳定做出贡献，积极促进了全球禁毒合作开展，引领了南亚、东南亚的禁毒事业。"金三角"地区毒品问题是两国共同重要关切，受缅甸政局变化影响，当前"金三角"地区毒情形势更加复杂，规模化、工业化制造冰毒、氯胺酮等合成毒品问题日趋严重，给两国和周边国家带来巨大威胁。两国禁毒部门有责任、有义务联手应对"金三角"地区毒品问题。双方应继续秉持"平安航道"联合扫毒行动品牌作用，积极开展情报交流和执法合作，全力打击"金三角"地区制贩毒活动。双方将共同加强易制毒化学品管控合作，开展双向核查和来源倒查，全力阻止化学品流入制毒渠道；建立季度案件情报交流通报机制，积极开展直接、实时的情报交流；加强边境地区禁毒合作，推动云南省和泰北第五区完善更为紧密的合作机制。双方要加强禁毒各领域、全方位合作。双方将加强预防教育、毒品检验交流，拓宽在毒资调查、人员培训等领域的合作，联手将中泰禁毒合作打造成国际禁毒合作典范。

四、中国与其他国家禁毒合作概况

（一）中国与各大洲其他国家间禁毒合作

在亚洲，除与泰国、缅甸、老挝、越南、柬埔寨等国家签订合作协议、开展禁毒合作之外，中国还与印度、巴基斯坦、哈萨克斯坦、塔吉克斯坦、吉尔吉斯斯坦、阿富汗等国政府签署了双边禁毒合作协议。与日本、韩国等国家在禁毒合作方面一直保持着工作级的合作关系。与亚洲多国在缉毒情报信息交流、业务互访、人员培训、办案协作、调查取证等方面开展了密切的合作，并取得显著成效。2013 年首次派禁毒高级别代表团访问巴基斯坦和伊朗，精心构建堵截"金新月"地区毒品和易制毒化学品贩运的严密防线。2019 年 3 月，中巴双方在广州举行禁毒工作会谈暨"兄弟"联合缉毒行动，会议交流分析了当前面临的区域毒品形势，就禁毒情报交流与案件合作、边境执法合作、人员培训等议题进行了探讨，达成广泛共识，并议定将继续巩固和加强既有机制，切实改善两国和本地区毒品形势，共同推动禁毒合作不断向前发展。双方签署了《中巴"兄弟"联合缉毒行动方案》，宣布中巴"兄弟"联合缉毒行动正式启动。2006 年，中国与阿富汗签署了政府间禁毒合作协议，通过情报交流、案件协查等务实合作，破获多起贩毒案件。中国将"巴黎进程"作为应对阿富汗毒品问题的重要机制，愿与各方继续推动"巴黎进程"禁毒合作机制健康发展，全面发掘合作潜力。"巴黎进程"是一个应对阿富汗毒品和犯罪问题的多边合作机制，参加者为受到阿富汗毒品影响的国家及相关国际组织，其名称来自 2003 年 5 月召开的巴黎会议。目前，这一机制共有 58 个伙伴国及 23 个国际组织，上海合作组织成员国加入。"巴黎进程"运作模式包括会议磋商、提供技术援助、在一些重点国家设立分析师等，旨在强化毒情搜集和分析能力，为禁毒战略、计划、政策和行动提供数据支撑。

在欧洲，1993 年 11 月公安部与法国内政部签署了为期三年的禁毒合作协议。1997 年 2 月，中法双方签署了新的合作协议，内容涉及禁毒合作等。1998 年法方禁毒专家在华举办了缉毒业务培训班和反洗钱培训班。2001 年 12 月中法两国在北京举办了禁毒执法研讨会，签署了禁毒合作会谈纪要。2017 年 11 月由最高人民检察院检察理论研究所与法国驻华大使馆联合举办的"合成毒品犯罪治理"中法国际研讨会在北京举行。近百位来自中法双方有关部门和机构的代表围绕合成毒品犯罪的形势、政策与预防，合成毒品犯罪的侦查、国际司法协助与审判，合成毒品犯罪的定罪与量刑，合成毒品犯罪的证据审查与运用等四大主题展开深入研讨。

中德两国政府也不断加大易制毒化学品监管力度，严厉打击各类易制毒化学品走私贩运活动，全力遏制易制毒化学品流入制毒渠道。2012 年 11 月中德易制毒化学品管制合作研讨会在北京召开。中德双方一致认为，应继续加强易制毒化学品管制合作，及时通报情报信息，分享易制毒化学品立法、行政监管、打击、检验鉴定等方面经验和做法，强化对含麻黄碱类复方制剂、α-氰基苯丙酮等非列管化学品的监管和堵截，适时完善易制毒化学品监管法律法规，有效防止易制毒化学品流入制毒渠道。

在北美洲，自 1996 年起，我方应邀派员参加了加拿大警方组织的多次业务培训活动。中加禁毒执法部门一直在情报核查、联合办案方面保持着密切联系。

在南美洲，我国已于 1996 年、1998 年和 2002 年先后与墨西哥、哥伦比亚和秘鲁签订了政府间禁毒合作备忘录或议定书。2019 年 12 月，中国禁毒代表团赴秘鲁、阿根廷参加中秘、中阿禁毒合作交流。

在澳洲，我国与澳大利亚联邦警察研究制定《中澳打击邮包藏毒"控制下交付"工作程序》，中澳警方业务交往比较频繁，双方在禁毒部门业务联系和案件协查方面有密切合作，2013 年，双方签订中澳《关于毒品案件控制下交付的意向声明》，并联合举办中澳"中国华南地区跨国毒品犯罪研讨会"，进一步明确了双方在毒品侦查过程中的合作关系。2017年8月，澳大利亚司法部长盛赞澳大利亚与中国开展的缉毒合作，说这是澳大利亚目前开展的最成功的缉毒合作之一。基南当天发布了一份安全形势研究报告。报告指出，国际合作是打击毒品等犯罪行为最有效的方式，例如，澳大利亚与中国开展的联合缉毒行动。自2015年澳中组成联合缉毒行动小组以来，两国成功破获多起涉毒案件，缴获各类毒品近13吨。2015年11月，中国国家禁毒委员会与澳大利亚联邦警察局签署中澳联合缉毒行动方案，开展中澳联合缉毒"火焰"专项行动。2017年6月澳大利亚司法部长访华期间，双方签署协议将"火焰"专项行动延长至2018年1月。此外，我国还与澳大利亚、新西兰两国签订易制毒化学品管制合作协议，在协议框架下开展案件深度合作。

（二）中国在上海合作组织框架下的禁毒合作

除与东亚次区域、东盟国家开展禁毒合作机制、与多个国家签订禁毒合作双边协议之外，中国还借助"上海合作组织"框架，与其他五个成员国开展了系列禁毒合作。

上海合作组织的前身是上海五国会晤机制。2001年6月，上海五国元首在上海举行第六次会晤，乌兹别克斯坦以完全平等的身份加入"上海五国"。六国元首举行首次会议，并签署了《"上海合作组织"成立宣言》，上海合作组织正式成立。此次峰会还签署了《打击恐怖主义、分裂主义和极端主义上海公约》。面对共同的毒品威胁，上海合作组织各成员国一致认为，应将打击毒品犯罪作为组织的一项重要工作。各国政府不断加强沟通协调，在禁毒政策制定、减少毒品需求、缉毒执法、易制毒化学品管制等领域开展双边和多边合作，推动建立地区禁毒体系。

2004年6月，"上海合作组织"成员国各国元首在塔什干峰会上签署了《上海合作组织成员国关于合作打击非法贩运麻醉药品、精神药物及其前体的协议》，自此拉开了上海合作组织禁毒合作的序幕。2006年4月，上海合作组织成员国首次缉毒执法研讨会在北京召开，会议就建立禁毒情报信息交流机制、打击通过贩毒为恐怖主义融资的犯罪行为以及如何建立上海合作组织禁毒合作机制等问题进行研讨，确定了禁毒部门高官定期会晤制度和联络员机制。2008年4月，上海合作组织成员国秘书处首次召开禁毒领域会议，就落实上海合作组织禁毒合作协议和在本组织框架内建立长效禁毒机制等问题进行了研讨。2011年6月，上海合作组织成员国元首在阿斯塔纳峰会上批准了《2011-2016年上合组织成员国禁毒战略》及其《落实行动计划》，明确各成员国在应对阿富汗毒品威胁、禁毒预防教育、戒毒康复、国际合作等领域的相关措施及落实机制，为成员国禁毒合作指明了方向。2012 年 4 月，上海合作组织成员国禁毒部门领导人第三次会议在中国北京举行，各方在友好和建设性气氛中就国际和地区毒品形势、进一步完善三级禁毒合作机制、加强成员国禁毒领域务实合作、落实《2011-2016 年上合组织成员国禁毒战略》及其《落实行动计划》等问题进行了讨论，并就赋予上海合作组织常设机构禁毒协调职能问题交换了意见、达成了共识。

2013 年 4 月，我国公安部部长出席上海合作组织成员国禁毒部门领导人第四十二次会议，推动会议批准《〈2011-2016 年上合组织成员国禁毒战略落实行动计划〉2013-2014 年措施计划》，推动各领域禁毒合作务实开展，由此推动"上海合作组织"在禁毒合作方面进入机制化务实发展阶段，促进组织在禁毒合作方面取得更加实质性的发展。2018 年 5 月，上海合作组织成员国禁毒部门领导人第八次会议在天津举行。中国、印度、哈萨克斯坦、吉尔吉斯斯坦、巴基斯坦、俄罗斯、塔吉克斯坦、乌兹别克斯坦等禁毒部门负责人及上海合作组织秘书长出席会议。上海合作组织是本地区禁毒合作的重要平台。多年来，各成员国注重完善机制，着力推动各领域禁毒合作；注重立场协调，坚定维护现行国际禁毒体制，反对毒品合法化；注重规划引领，确定了共同发展的任务目标；坚持执法先行，推动各国打击跨国毒品犯罪效能进一步增强；注重能力建设，加强工作往来和经验交流，提供禁毒培训和技术设备支持，成员国禁毒执法能力水平进一步提高。

当前，国际和地区毒品形势依然严峻复杂。上海合作组织是我们的共同家园，中国政府始终高度重视上海合作组织框架下禁毒合作，将上海合作组织视为推动地区禁毒合作的重要平台。中国国家禁毒委员会副主任强调，中方愿与各方一道，发展"持续、稳定、互利、共赢"的禁毒合作关系，进一步丰富务实合作内涵，确保上海合作组织禁毒合作在新起点上取得新进展。中方愿与各方一道巩固禁毒合作成果，丰富务实合作内涵，为人类健康和各国人民创造更多福祉。各成员国应坚持互信共赢，坚定弘扬"上海精神"，引领国际禁毒政策走向，共同应对威胁挑战，合力治理毒品问题，建立更加紧密的禁毒合作关系。应坚持求同存异，建立起高效的禁毒协调机构。应坚持互利互惠，着力推进情报交流和联合执法，开展联合行动，强化易制毒化学品管控，加强减需、培训和技术交流，推进更加务实的禁毒合作措施。会议赞同各方商定的《上合组织预防麻醉药品和精神药品滥用构想》草案，支持按程序将其提交上海合作组织成员国元首理事会会议批准。

2022年4月，上海合作组织成员国禁毒部门负责人第十二次会议召开。会议听取了上海合作组织秘书处关于《〈2018-2023年上合组织成员国禁毒战略落实行动计划〉2021-2023年工作计划》落实情况及四个专家工作组开展工作情况通报，就成员国毒品形势及下步合作深入交换了意见。各方指出，合成毒品和新精神活性物质迅速蔓延、制毒化学品流入非法渠道严重威胁地区安全与稳定，强调成员国应共同努力，打击利用现代信息通信技术和电子支付工具实施的毒品走私和涉毒洗钱。各方重申，愿在联合国及其他禁毒平台框架下，继续推动共同禁毒立场及合作，维护和巩固现行国际禁毒体制。

（三）中国在金砖国家组织框架下的禁毒合作

禁毒合作是金砖国家组织框架下合作的重要组成部分。金砖国家禁毒合作机制建立于2013年，迄今已召开六届工作组会议，是中国、巴西、俄罗斯、印度、南非五国开展国际禁毒合作的重要多边平台。2013年6月，金砖国家首次禁毒部门领导人会议在莫斯科举行。各方就金砖国家毒品形势，采取措施应对共同面临的毒品问题，推动金砖国家禁毒合作机制化发展等议题建设性交换了意见，达成广泛共识。与会各方指出，金砖五国在国际社会各领域均具有重要影响。解决好金砖国家的毒品问题，对推动解决全球毒品问题，维护金砖国家安全、稳定和发展具有重要意义。目前，中国与金砖国家其他成员的禁毒合作拥有坚实基础。中国与俄罗斯签署了政府间、部门间和边境地区禁毒合作协议，建立了部长级年度会晤机制，互派了联络官；与南非保持密切高层交往，多次成功开展毒品案件情报交流和个案合作；与印度多次联合侦办跨国制贩毒案件，共同打击邮政寄递渠道毒品走私；与巴西就南美可卡因贩运和国家禁毒政策协调等共同关心的问题广泛深入交换过意见。

2017年8月，第三届金砖国家禁毒工作组会议在山东威海召开。会议秉承"深化金砖伙伴关系，开辟更加光明未来"的精神，交流了各自国家的毒情和禁毒工作情况，探讨了在禁毒情报交流、案件合作、易制毒化学品管制、新精神活性物质管制、人员培训和技术交流等方面开展合作的方式和内容，一致认为金砖国家在上述领域合作尚有很大潜力。中国愿继续与各国深化金砖框架下合作以及双边禁毒合作，在禁毒政策方面加强沟通协调，在打击毒品犯罪方面加大侦查合作力度，在减少需求方面开展经验交流，并愿在人员培训、毒检技术方面为各方提供协助，携手各方共同应对毒品问题的危害。会议原则通过了《金砖国家禁毒工作组工作规则》，这是金砖机制建立以来首个禁毒工作组工作规则。会议各方一致决定，加强金砖框架下和双边的禁毒合作，并就建立金砖禁毒工作组联络机制、情报交流和缉毒执法合作、国际禁毒政策协调、人员培训和经验交流等达成共识。

2022 年 4 月，第六届金砖国家禁毒工作组会议通过视频方式举行，中国作为今年金砖国家轮值主席国主办本次会议。各国分别介绍了本国毒情形势，重点交流了毒品治理经验，探讨了如何更好开展下一步合作。与会各方一致表示，毒品问题给人类社会带来巨大挑战和威胁，任何一国都难以独善其身。金砖五国毒情是世界毒情的缩影，反映出当前国际毒品形势复杂多变，毒品问题不仅涉及减少供应和需求，还涉及科技、网络、金融、生物医药等多方面复杂因素，是跨学科跨领域的社会问题。各国只有秉持人类命运共同体理念，共筑全球安全体系，相互借鉴，加强合作，才能更好应对毒品问题，促进世界安危与共。各方一致同意进一步加强五国禁毒部门之间的沟通协作，及时分享情报信息，同时加强在执法侦查、减需交流、人员培训、毒检技术交流等多方面的合作，增进战略互信、凝聚合作共识，把金砖禁毒合作打造成国际禁毒合作的典范。

第三编

禁毒法律适用

第九章

我国的禁毒法律概述

第一节　我国禁毒法概述

一、禁毒立法的意义

毒品对人类社会的危害是多方面的。毒品对人体健康有很大的危害，对中枢神经系统、心血管系统、呼吸系统、消化系统和生殖系统等会造成直接损害，长期使用可能导致器官功能减退、心血管疾病、精神障碍等严重后果。毒品还会导致社会治安问题，引发盗窃、抢劫、暴力等犯罪行为，严重影响社会稳定和安全。此外，毒品交易会带来非法的经济利益，破坏正常的社会经济秩序，导致资源错配和效率损失。

我国作为法治社会，对毒品以及相关的行为进行治理，必然要有一整套完整的禁毒法律规范。禁毒立法的重要性主要体现在以下几个方面：

（一）禁毒立法是政府对毒品问题进行社会管理的重要手段

通过立法，政府可以设定严格的毒品管制措施，禁止毒品的生产、贩卖和使用，减少毒品对社会秩序的破坏。同时禁毒立法进一步彰显了中国政府厉行禁毒的一贯立场和坚定决心。它表明了我国政府对毒品问题的严肃态度，为全面推进禁毒事业提供了法律保障。

（二）禁毒立法完善了中国预防和惩治毒品违法犯罪的法律体系

通过明确禁毒工作的领导体制、工作机制和保障机制，规范了禁毒宣传教育、毒品管制、戒毒措施以及国际合作等业务工作，有助于提升禁毒工作的效率和效果，对于依法全面推动中国禁毒事业发展具有重要意义。通过禁毒立法，可以对毒品违法犯罪行为产生法律威慑作用，对于那些企图从事毒品生产、贩卖、运输等活动的人，法律的威慑力可以使他们望而却步，降低毒品犯罪的发生率。

（三）禁毒立法有助于提高公众对毒品危害的认识

通过立法，政府可以开展大规模的宣传教育活动，使民众充分了解毒品的危害，提高自我防范意识。此外，禁毒立法还可以推动学校、家庭等加强对青少年学生的毒品预防教育。

（四）禁毒立法有助于保障人权

禁毒立法在对毒品管控的同时，也会保障公民的合法权益。例如，对于那些因吸毒导致犯罪的人，政府会为他们提供戒毒、康复等社会救助措施，帮助他们重新回归社会。

（五）禁毒立法有助于我国参与国际禁毒合作

在全球化背景下，毒品问题已成为一个世界性的难题。我国的禁毒立法不仅符合国际禁毒战略，而且通过与其他国家的合作，可以共享信息，提高打击毒品犯罪的能力。

综上可以看出，禁毒立法对于我国社会管理、法律威慑、宣传教育、人权保障以及国际合作具有重要意义。通过立法，政府可以更有效地打击毒品犯罪，保护公民的合法权益，维护社会秩序和稳定。

二、禁毒立法的背景

中华人民共和国禁毒立法的背景可以追溯到 20 世纪 50 年代。当时，为了维护国家安全和人民的生命财产安全，中国政府开始对毒品问题进行严格管控。在此后的几十年里，我国的禁毒立法不断完善，逐步形成了一套较为完整的禁毒法律体系。

第一，从国际层面来看，全球毒品问题日益严重，对人类健康和社会稳定造成了巨大威胁。为了应对这一挑战，联合国于 1961 年通过了《1961 年麻醉品单一公约》，并在此基础上发展了一系列国际禁毒公约。我国积极参与国际禁毒合作，于 1985 年加入了《1961 年麻醉品单一公约》，并于同年加入了《1971 年精神药物公约》。这些国际公约为我国禁毒立法提供了重要指导和支持。

第二，从国内层面来看，随着我国改革开放的深入推进，社会经济的快速发展，一些地区出现了严重的毒品问题苗头。为了切实保障人民群众的生命安全和身体健康，我国政府高度重视禁毒工作，不断加大禁毒立法力度。我国陆续制定和修改了一系列禁毒法律法规，如《刑法》《治安管理处罚法》等，为禁毒工作提供了有力的法治保障。

第三，我国还积极开展禁毒宣传教育，提高全民禁毒意识。各级政府、企事业单位和社会组织广泛开展禁毒宣传活动，通过各种渠道传播禁毒知识，引导广大人民群众树立正确的禁毒观念。同时，我国还加强了对青少年的禁毒教育，将禁毒知识纳入中小学教育课程，培养青少年自觉抵制毒品的能力。

三、禁毒立法的历程

如前文所及，中华人民共和国政府自20世纪50年代以来一直致力于打击毒品违法犯罪，保护人民群众的生命安全和身体健康。总体而言，禁毒立法过程经历了初创、发展、完善三个阶段。

（一）初创阶段（20世纪50年代~20世纪70年代）

在这个阶段，我国政府主要依靠政策和行政手段来打击毒品犯罪。

1950年，原政务院发布了《政务院关于严禁鸦片烟毒的通令》，这是中华人民共和国成立后的第一个禁毒法规。该通令明确规定禁止鸦片烟毒的生产、贩卖、运输和使用，并对违反规定者予以严惩。此举旨在消除鸦片烟毒这一严重的社会问题，保障人民的身心健康以及维护社会稳定。

通令所规定的以下三方面内容具有较大的意义：

第一，规定禁止鸦片烟毒的生产、贩卖、运输和使用，对违反规定者将予以严惩。这一内容彰显了政府对禁毒工作的决心和力度。

第二，要求各级政府设立专门的禁毒机构，负责组织和开展禁毒工作。这一内容强调了禁毒工作的组织性和针对性。

第三，提倡开展宣传教育活动，提高民众对鸦片烟毒危害的认识。这一内容表明政府重视从源头上解决问题，通过提高民众的防范意识来减少毒品的社会危害。

《政务院关于严禁鸦片烟毒的通令》的发布对我国的禁毒工作产生了深远的影响。在此之后，我国政府不断加强对禁毒工作的领导和投入，禁毒工作取得了显著成效。短短两三年的时间，中华人民共和国就基本禁绝了为患百余年的鸦片，创造了举世公认的奇迹。

（二）发展阶段（20世纪70年代~20世纪90年代）

在这个阶段，我国禁毒立法进入了一个新的发展阶段。

20世纪70年代末，我国社会上滥用麻醉药品的问题变得越来越严重，毒品违法犯罪现象再次显现。为应对这一情况，1978年，国务院公布施行了《麻醉药品管理条例》（已失效），这标志着我国禁毒行政立法的开端。

1979 年 7 月 1 日，第五届全国人民代表大会第二次会议审议通过了《刑法》，对毒品犯罪的规定具有重要的历史意义，为我国毒品犯罪的立法和司法实践奠定了基础。其中对毒品犯罪进行了明确规定，例如，第 171 条规定："制造、贩卖、运输鸦片、海洛因、吗啡或者其他毒品的，处五年以下有期徒刑或者拘役，可以并处罚金。一贯或者大量制造、贩卖、运输前款毒品的，处五年以上有期徒刑，可以并处没收财产。"明令禁止制造、贩卖、运输毒品等行为，为禁毒工作提供了刑事处罚的法律依据。这些规定使得毒品犯罪的打击范围更加明确，有利于司法机关准确地认定毒品犯罪行为。法定刑在一定程度上体现了我国对毒品犯罪严厉打击的态度，有助于遏制毒品犯罪的蔓延。针对毒品犯罪行为进行规定之余，对预防措施进行强调，加强相关的宣传教育工作，进一步提高了人民群众的法治观念和自我防范意识。强制戒毒措施的内容，利于戒毒工作的规范化开展，有助于解决毒品犯罪的戒毒难题，提高戒毒工作的效果。1979 年《刑法》对毒品犯罪的规定为后续毒品犯罪立法提供了基础。后续的刑法修正案和相关司法解释在此基础上不断完善和发展，我国对毒品犯罪的立法更加严密和完善。对毒品犯罪的打击力度不断加强，为维护社会治安、保障人民群众生命安全发挥了积极作用。

1982 年 3 月 8 日，第五届全国人民代表大会常务委员会第二十二次会议通过了《全国人民代表大会常务委员会关于严惩严重破坏经济的罪犯的决定》。该决定中针对 1979 年《刑法》的第 171 条规定的罪行的刑种，增加了无期徒刑和死刑，充分表明了我国政府对毒品犯罪严惩不贷的态度。

1986 年 9 月 5 日第六届全国人民代表大会常务委员会第十七次会议通过，1987 年 1 月 1 日起施行的《治安管理处罚条例》共 5 章 45 条，其中第 24 条规定："有下列妨害社会管理秩序行为之一的，处十五日以下拘留、二百元以下罚款或者警告：（一）明知是赃物而购买的；（二）倒卖车票、船票、文艺演出或者体育比赛入场票券及其他票证，尚不够刑事处罚的；（三）违反政府禁令，吸食鸦片、注射吗啡等毒品的；（四）利用封建迷信手段，扰乱社会秩序或者骗取财物，尚不够刑事处罚的；（五）偷开他人机动车辆的。"第 31 条规定："严厉禁止违反政府规定种植罂粟等毒品原植物，违者除铲除其所种罂粟等毒品原植物以外，处十五日以下拘留，可以单处或者并处三千元以下罚款；构成犯罪的，依法追究刑事责任。"《治安管理处罚条例》与《刑法》相衔接，对未构成犯罪的毒品相关违法行为，规定了相应的制裁措施，为禁毒行政处罚提供了明确的法律依据。

1987 年《海关法》的规定中，规定了毒品犯罪的主体包含单位，进一步完善了毒品犯罪构成要件。此外还将走私毒品纳入走私罪的规制范畴中，避免出现漏网之鱼。

国务院于 1987 年和 1988 年先后公布了《麻醉药品管理办法》（已失效）和《精神药品管理办法》（已失效），分别对两类药品的生产、供应、运输、使用等环节作出了明确规定。

1990 年 12 月 28 日，第七届全国人民代表大会常务委员会第十七次会议通过了《全国人民代表大会常务委员会关于禁毒的决定》。该决定共 16 条内容，其中第 2 条至第 10 条分别规定了 11 种有关毒品犯罪行为及刑罚内容，为后续《刑法》对毒品犯罪规定的修订与完善奠定了基础。此外，其首次规定了对毒品犯罪行为检举揭发的义务与奖励内容，将禁毒工作与走群众路线相结合，形成全社会共同禁毒的大声势。

1995 年 1 月国务院公布施行了《强制戒毒办法》，规范了强制戒毒的主管机关，戒毒对象，机构设置，戒毒期限以及管理制度和措施等。

1997 年 3 月 14 日，第八届全国人民代表大会第五次会议对 1979 年《刑法》作了全面修订，以专门章节 11 个条文对毒品犯罪行为及刑罚作了规定，共包含 12 个罪名。规定的犯罪行为涉及毒品的制造、运输、交易等各个环节以及相关物品的管制内容，使我国的禁毒相关立法工作得到进一步发展。

（三）完善阶段（21 世纪初至今）

在这个阶段，我国禁毒立法不断完善，立法力度不断加大。

2005 年 8 月 28 日第十届全国人民代表大会常务委员会第十七次会议通过，2006 年 3 月 1 日起施行，并于 2012 年 10 月 26 日第十一届全国人民代表大会常务委员会第二十九次会议修正的《治安管理处罚法》中，在第 11 条、71 条、72 条、73 条、74 条中，针对与毒品相关的违法行为，作出了处罚、处理规定，为禁毒行政执法提供了有力根据。

2005 年 8 月国务院公布了《麻醉药品和精神药品管理条例》，进一步规范和加强对两类药品的管理。同时，还通过了《易制毒化学品管理条例》，对易制毒化学品的生产、运输、购买等环节实行许可审批和分类管理制度。

2006 年 1 月国务院公布了《娱乐场所管理条例》，其中对娱乐场所的从业人员实施的贩毒、供毒、引诱、欺骗、容留他人吸食、注射毒品等行为以及相应的法律责任作出了明确规定。

2007 年 12 月 29 日第十届全国人民代表大会常务委员会第三十一次会议通

过，于 2008 年 6 月 1 日施行了《禁毒法》，这是我国第一部专门针对禁毒工作的法律。该法共分为 7 章，共有 71 条规定，包括总则、禁毒宣传教育、毒品管制、戒毒措施、禁毒国际合作、法律责任和附则。较之前文言及的法律规范，《禁毒法》在禁毒规定上更为全面，涵盖了预防、打击、治理和康复等方面内容。同时该部法律对毒品违法犯罪行为规定了严厉的法律责任，体现了我国对毒品问题的严肃态度。并针对我国毒品问题的实际情况，制定了有针对性的政策措施。该法强调禁毒国际合作的重要性，规定了与国际禁毒合作的有关内容。《禁毒法》的制定和实施，使得我国禁毒工作法治化得到强化，为执法部门、戒毒机构以及全社会开展禁毒工作提供了更为明确的法律依据。对禁毒工作的各个环节进行全面规范，包括预防、打击、治理和康复等方面，有利于提高禁毒工作的整体水平。严厉的法律责任，有利于严厉打击毒品犯罪，维护社会治安稳定。对毒品问题的预防和治理采取有力措施，有助于保障人民群众的生命安全和身体健康。与国际禁毒合作的相关规定，有利于加强我国与其他国家在禁毒领域的合作，共同应对毒品问题。《禁毒法》的出台，是全面推进依法治国、建设社会主义法治国家的重要举措。

2015 年 8 月 29 日第十二届全国人民代表大会常务委员会第十六次会议通过的《中华人民共和国刑法修正案（九）》中，对于毒品原料、配剂相关犯罪内容以及制造毒品的共同犯罪内容进行了修订。2020 年 12 月 26 日，第十三届全国人民代表大会常务委员会第二十四次会议通过《中华人民共和国刑法修正案（十一）》第 44 条规定："在刑法第三百五十五条后增加一条，作为第三百五十五条之一：'引诱、教唆、欺骗运动员使用兴奋剂参加国内、国际重大体育竞赛，或者明知运动员参加上述竞赛而向其提供兴奋剂，情节严重的，处三年以下有期徒刑或者拘役，并处罚金。组织、强迫运动员使用兴奋剂参加国内、国际重大体育竞赛的，依照前款的规定从重处罚。'"

在此阶段，我国政府还出台了一系列相应的部门规章，例如，《戒毒医疗服务管理暂行办法》《药品类易制毒化学品管理办法》《吸毒检测程序规定》《非药用类麻醉药品和精神药品列管办法》等。

总体而言，我国禁毒立法过程是一个不断发展、不断完善的过程。在这个过程中，我国政府始终坚定地打击毒品违法犯罪，保护人民群众的生命健康安全。同时，我国还积极参与国际禁毒合作，与世界各国共同应对毒品问题，为维护世界和平与发展作出了积极贡献。

四、我国的禁毒立法体系

我国关于毒品立法的体系包括以下几个层次：

（一）刑事法律规范

《刑法》是我国规定毒品犯罪的主要法律依据。自 1979 年第一部《刑法》公布以来，我国已经对毒品犯罪的规定进行了多次修订修正和完善。现行《刑法》对毒品犯罪的规定主要包括走私、贩卖、运输、制造毒品等、修正行为。此外，《刑法》还规定了对毒品犯罪的刑事责任和处罚措施。

（二）行政法律规范

行政法律规范是我国毒品立法体系的重要组成部分，除了像《中华人民共和国行政处罚法》《治安管理处罚法》这样的人民代表大会及其常务委员会的行政性质立法为毒品相关违法行为的行政处罚以及处理工作提供了相应的法律依据之外，根据《禁毒法》和《刑法》的规定，国务院、公安部、海关总署等部门公布了一系列关于毒品问题的行政法规和规章。这些法规和规章对毒品犯罪的预防、打击、戒毒等方面进行了具体规定。这些相关规范的出台，使得我国对于毒品违法犯罪的区分以及制裁更为明确、立体，是我国毒品立法体系中不可或缺的一部分。

（三）专门立法

《禁毒法》是我国专门针对毒品问题的法律。其对毒品的定义、分类、管制措施、戒毒措施、国际合作等方面进行了详细规定，是对禁毒立法工作的完善，也是重大突破，为我国毒品问题的综合治理提供了法律依据。

（四）相关解释

针对《刑法》和《禁毒法》在毒品问题上的规定，最高人民法院和最高人民检察院等有权机关公布了一系列适用解释。这些相关解释对《刑法》和《禁毒法》的规定作了进一步的明确和细化，为司法机关准确适用法律、打击毒品犯罪提供了依据。例如，《最高人民法院关于审理毒品犯罪案件适用法律若干问题的解释》对毒品犯罪的量刑、证据、鉴定等问题进行了详细规定。

（五）国际公约和协定

我国还积极参与国际禁毒合作，加入了《联合国禁止非法贩运麻醉药品和精神药物公约》《联合国打击跨国有组织犯罪公约》等一系列国际公约和协定。这些国际公约和协定对我国禁毒立法工作也产生了相当的影响。

总之，我国关于毒品立法的体系主要包括刑事法律规范、行政法律规范、专门法律规范等多个层次。这些法律规范共同构成了我国禁毒立法的基本框架和重要内容，为我国毒品问题的治理提供了有力的法律支撑。在实际工作中，司法机关应根据这些规范，准确适法，严厉打击毒品违法犯罪。

第二节　毒品犯罪概述

一、我国毒品犯罪的分类

根据我国现行《刑法》第六章第七节规定，毒品犯罪共涉及 12 种罪名。这些罪名包括经营型毒品犯罪、持有型毒品犯罪、消费型毒品犯罪和破坏禁毒活动型毒品犯罪。每一种类型的毒品犯罪都体现着不同程度的社会危害性，因此刑事法律针对不同类别的毒品犯罪也规定了不同力度的刑罚。具体来说，经营型毒品犯罪主要指的是生产、制造、销售或运输毒品的行为，它对社会的危害最大。消费型毒品犯罪指的是个人吸食毒品的行为，其危害性相对较小，但对个人健康和社会稳定仍然有一定影响。持有型毒品犯罪则是指非经营目的而持有毒品的行为，虽然危害程度较经营型犯罪低，但仍然会给社会带来一定的风险。而破坏禁毒活动型毒品犯罪则是指那些试图逃避打击禁毒活动，以及帮助毒品犯罪分子逃避处罚的行为。

经营型毒品犯罪包括走私、贩卖、运输、制造毒品罪，非法生产、买卖、运输制毒物品、走私制毒物品罪，非法种植毒品原植物罪，非法买卖、运输、携带、持有毒品原植物种子、幼苗罪。这些犯罪行为都是出于经济利益的考虑，目的是获取利润。而且，经营型毒品犯罪经常与其他暴力犯罪相联系，进一步加大了其对社会的危害性。相比其他三类毒品犯罪，经营型毒品犯罪的主观恶意更强，社会危害性更大。这是因为经营型毒品犯罪所涉及的罪行更加重大，其犯罪分子对于非法毒品市场的运作非常清楚，并且以利润为目的展开活动。因此，他们更加追求经济利益和个人财富，甚至会以牺牲公共利益为代价。这种主观恶意的强烈性导致了经营型毒品犯罪在社会上产生广泛的恶劣影响。鉴于经营型毒品犯罪的严重性和社会危害性，刑法对其定罪和量刑都更加严厉。法律对于这类犯罪行为给予了高度重视，以维护社会的公平正义和公共安全。通过加大对经营型毒品犯罪的刑罚力度，可以起到威慑犯罪分子的作用，使他们意识到违法行为的后果，并减少他们的犯罪动机。同时，严厉的刑罚也有助于保障社会大众的安全和福祉。

消费型毒品犯罪包括引诱、教唆、欺骗他人吸毒罪，强迫他人吸毒罪，容留他人吸毒罪，非法提供麻醉药品、精神药品罪以及妨害兴奋剂管理罪。这些犯罪行为加剧了毒品泛滥和社会危害。首先，引诱和教唆他人吸毒是消费型毒品犯罪的一种常见行为，通过言语和行动激发他人吸毒的欲望，导致毒品需求的扩大和传播的扩散。其次，欺骗他人吸毒是一种不诚实的行为，通过虚假宣传或其他手段误导他人对毒品的认知，使其误以为吸毒是无害或者有益的，从而诱使他们开始吸毒。最后，强迫他人吸毒和容留他人吸毒是一种强制行为，通过威胁、暴力或其他手段强迫他人吸食毒品，使他们成为毒品犯罪的受害者。而非法提供麻醉药品、精神药品以及妨害兴奋剂管理等行为则是通过违法手段获取和分发药物，进一步加剧了毒品问题的恶化。

持有型毒品犯罪仅包括非法持有毒品罪。这个罪名是走私、贩卖、运输制造毒品罪的补充条款。在司法实践中，对于认定上述行为是否属于"营利"存在困难，因此持有型毒品犯罪罪名的存在是为了解决对上述行为是否属于"营利"的认定困难。这一罪名的设立在司法实践中对于非法持有毒品行为的处理起到了重要的补充和指导作用。持有型毒品犯罪罪名的设立准确界定了非法持有毒品的行为范围，使得司法机关能够更有效地惩治和打击非法持有毒品的违法行为。

破坏禁毒活动型毒品犯罪包括两个罪名，一种是包庇毒品犯罪分子罪，另一种是窝藏、转移、隐瞒毒品、毒赃罪。这些犯罪行为妨碍了国家禁毒活动的顺利进行，给打击犯罪带来了困难，同时也对社会造成了一定的危害，应当受到刑罚处罚。此外，《刑法》第191条规定了洗钱罪，其中一种便是在明知是毒品犯罪所得的情况下，为了掩饰和隐瞒其来源和性质，采取特定手段进行财产转移的行为。这些特定行为包括为犯罪分子提供资金账户、帮助将财产转换为现金或有价证券、通过转账或其他方式协助资金转移、协助将资金汇往境外，以及其他掩饰和隐瞒犯罪所得来源和性质的方法。因此，洗钱罪的严重性在于其对毒品案件的侦查造成了严重影响，可以看作是破坏禁毒活动的犯罪行为之一。

二、我国毒品犯罪的法定刑特点

（一）人身罚与经济罚并行

鉴于毒品犯罪与高额利润密切相关，犯罪行为人受到巨大的诱惑，以身试法牟取暴利。并且仅仅对犯罪行为人进行一定时间的人身自由限制惩罚往往不足以阻止他们再次犯罪。因此，我国和许多其他国家采取类似的惩罚原则，即在对犯罪行为人进行人身处罚的同时也进行经济制裁，旨在打击其对金钱的占有欲望以及再次从事毒品犯罪的经济能力。

目前，我国刑法对毒品犯罪规定了人身罚和经济罚两类主要惩罚方式。人身罚包括限制犯罪行为人一定时间的人身自由（如管制、拘役、有期徒刑、无期徒刑）以及依法剥夺其生命权（死刑）。经济罚则主要包括没收财产和罚金。除了涉及包庇毒品犯罪分子罪、窝藏、转移、隐瞒毒品以及毒赃罪等两个罪名外，对于毒品犯罪，我国法律规定了人身处罚与经济处罚并行的原则。

（二）罪责刑相适应的刑罚幅度

在我国，毒品犯罪的刑罚幅度极为严厉，涵盖了从轻罪到重罪的不同程度的惩罚。根据刑法的规定，针对不同情况可以采用多个量刑幅度来给予相应的刑罚。这些刑罚措施确保了罪行和刑罚之间相适应的原则得以体现和执行。无论是对于轻微的毒品违法行为还是严重的毒品犯罪行为，都将被依法追究相当的责任。

我国对毒品犯罪的态度坚决严厉，这些刑罚措施起到了遏制毒品犯罪的重要作用。此外，这些刑罚措施也有助于传递对毒品犯罪持零容忍态度的社会信号。毒品犯罪是严重危害社会和个人健康的犯罪行为，对其进行严格的刑罚既能够维护社会秩序，又能够起到警示和震慑的作用，有效预防和减少毒品犯罪的发生。

三、毒品犯罪的相关问题

（一）毒品犯罪的客体

毒品犯罪的客体毒品犯罪行为主要对以下几方面产生破坏影响：

一是社会管理秩序。毒品犯罪违反了国家对毒品的管理制度，破坏了社会秩序，对社会稳定造成威胁。

二是公共卫生。毒品犯罪导致毒品在社会中泛滥，加剧了毒品滥用和传染病传播的风险，对公共卫生安全造成危害。

三是公众身体健康。毒品犯罪使毒品滥用者深陷毒瘾，导致身体健康状况恶化，甚至死亡。

四是家庭和谐。毒品犯罪对家庭造成严重破坏，导致家庭矛盾、破裂，破坏了家庭和谐。

五是财产权益。毒品犯罪通常伴随着洗钱、贪污、受贿等犯罪行为，侵犯了他人财产权益。

结合毒品犯罪行为对社会产生的负面影响，我国刑法理论通说认为，毒品犯罪侵犯的客体是"国家对毒品的管理制度"。但多数教材、专著又无法进一步解释"国家对毒品的管理制度"的具体内容，使得该种客体表述过于抽象。也有观点认为，毒品犯罪的本质是导致二次犯罪的危险。但又无法证明毒品犯罪会通常或必然导致二次犯罪的发生。还有观点认为，应当将毒品犯罪的保护法益理解为"公众健康"。

从直接性和具体性上而言，上述的五方面影响中，对社会秩序的破坏较为抽象，也较难以此为基础分辨各毒品犯罪的社会危害性大小，更难说明处罚轻重的根据。而对公共卫生、家庭和谐关系、财产权益的影响均相对较间接，不具备直接性就存在着或然的可能。因此，本书同意客体为"公众健康"的说法。如此更能说明对非法种植毒品原植物与贩卖毒品，非法持有毒品与运输毒品等犯罪行为设定的法定性存在相对轻重的原因，即对侵害公众健康的危险性以及危害性更大者，刑罚更重。

（二）形势政策

1. 突出打击重点，依法严惩严重毒品犯罪。依法严惩严重犯罪是宽严相济刑事政策中"严"的题中之义，也是贯彻罪刑均衡原则，发挥刑罚威慑作用的必然要求。毒品犯罪危害公民身心健康，影响社会风气，并容易引发盗窃、抢劫、杀人等犯罪，危害很大。其中，走私、制造毒品系源头性犯罪，贩卖、运输毒品造成毒品的传播、扩散，故《关于贯彻宽严相济刑事政策的若干意见》第7条把这四种毒品犯罪行为均列为严惩的重点。长期以来，人民法院坚持依法严厉打击严重毒品犯罪，对一批罪行严重的犯罪分子判处了重刑乃至死刑，较好地发挥了刑罚遏制毒品犯罪的作用。尤其是2007年最高人民法院统一行使死刑核准权后，通过严把案件事实关、证据关、程序关和法律适用关，更加严格地执行死刑政策，毒品案件的死刑适用更加慎重和公正。

2. 坚持区别对待，充分考虑从宽处罚情节。宽严相济刑事政策的核心是区别对待。对于情节较轻、社会危害性较小的犯罪，或者罪行虽重，但具有法定、酌定从宽处罚情节的被告人，应依法或者酌情予以从宽处罚。毒品犯罪的整体危害虽大，但具体犯罪也有轻重之别，不能不加区别地一律予以从严惩处，对其中罪行相对较轻的，或者具有法定、酌定从宽处罚情节的，应在量刑时充分考虑，以发挥刑罚的教育改造作用。

3. 把握量刑平衡，稳妥实现宽严"相济"。宽严相济刑事政策中"宽"与"严"是辩证统一、相辅相成的关系。二者相互依存，相互补充，共同促进。"相济"不是"宽"和"严"的简单相加，而是一种交融关系，追求的是法律效果与社会效果的有机统一。在毒品案件的审判中实现宽严"相济"，既要把握好个案之间的量刑平衡，也要把握好多被告人案件，特别是共同犯罪案件的量刑平衡。

（三）毒品的范围界定

根据我国《刑法》第357条第1款的规定，本法所称的毒品，是指鸦片、海洛因、冰毒、吗啡、大麻、可卡因以及国家规定管制的其他能够使人形成瘾癖的麻醉药品和精神药品。这条规定通过列举和概括的方式明确了毒品的范围，强调了毒品具有法定属性和自然属性的双重特征。毒品的法定属性指的是仅有国家明文规定需要受到管制的具体物品，而毒品的自然属性则指其能够引起人体产生生理和心理瘾癖的特性。对于"毒品"的界定主要依据于原卫生部公布的《麻醉药品品种目录》《精神药品品种目录》以及最高人民检察院公布的《非药用类麻醉药品和精神药品管制品种增补目录》。随着国内外毒品形势的变化，滥用的毒品呈现不断更新变化的趋势，因此有必要对这些目录进行更新和补充。截至 2023 年 4 月，我国共列管了 122 种麻醉药品、160 种精神药品以及174 种非药用类麻醉药品和精神药品，还包括整类芬太尼物质和整类合成大麻素物质。

（四）毒品的数量计算

根据我国《刑法》第 357 条第 2 款的规定，毒品的数量以查证属实的走私、贩卖、运输、制造、非法持有毒品的数量计算，不以纯度折算。这种规定一方面显示了我国对毒品犯罪打击的严厉态度，另一方面也是为了避免因为毒品纯度问题而引起立案、公诉、审理的困难。然而，毒品的纯度高低是衡量毒品含有毒性成分多少的重要指标。高纯度的毒品一旦流入社会，其危害性必然大于低纯度的毒品。特别是对于死刑案件而言，当毒品掺假较多、含量极低，或者毒品的成分复杂、含有不同种类的有毒成分时，如果不进行毒品含量鉴定，就会导致量刑失衡。随着科技的进步和普及，一些地方人民法院、检察院和公安部门已经共同解决了毒品案件中的含量鉴定问题。为此，最高人民法院、最高人民检察院和公安部在 2007 年联合出台了《办理毒品犯罪案件适用法律若干问题的意见》，明确规定在涉及可能判处死刑的毒品犯罪案件中，毒品鉴定结论中必须包含含量鉴定的结论。此外，毒品品名的认定应该以原卫生部公布的《麻醉药品品种目录》《精神药品品种目录》和最高人民检察院公布的《非药用类麻醉药品和精神药品管制品种增补目录》为依据。

（五）毒品犯罪的认定

罪名不以行为实施的先后、毒品数量或者危害大小排列，一律以刑法条文规定的顺序表述。对于同一宗先制造毒品，然后又走私的情况，应定罪为走私和制造毒品罪。如果下级法院在判决中确定罪名不准确，上级法院可以减少选择性罪名中的一部分或者改变罪名的顺序，但不能加重原本的刑罚。同时，上级法院也可以改变罪名，但不能增加罪名。

在认定吸毒者实施毒品犯罪的事实和确定罪名时，应谨慎考虑。如果吸毒者在购买、运输、存储毒品的过程中被查获，且没有证据证明其是为了实施贩卖等其他毒品犯罪行为，并且毒品数量未超过《刑法》第348条规定的最低数量标准，一般不予定罪处罚。如果查获的毒品数量达到较大以上，应根据其实际实施的毒品犯罪行为予以定罪处罚。

对于以贩养吸的被告人，应将其被查获的毒品数量确定为其犯罪数量。然而，在量刑时应考虑被告人吸食毒品的情况，酌情处理。如果被告人购买了一定数量的毒品，并且其中一部分被他吸食了，那么应根据能够证明的贩卖数量和查获的毒品数量来确定他的贩毒数量，已被吸食的部分不计入贩毒数量中。

有证据证明行为人不以牟利为目的，为他人代购毒品仅供吸食，如果毒品数量超过《刑法》第348条规定的最低标准，对托购者和代购者应以非法持有毒品罪定罪。对于代购者从中牟利，并变相加价贩卖毒品的情况，应以贩卖毒品罪定罪。而对于明知他人实施毒品犯罪并为其居间介绍、代购代卖的行为，无论是否牟利，都应以相关毒品犯罪的共犯论处。

盗窃、抢夺和抢劫毒品的行为应分别按照盗窃罪、抢夺罪或抢劫罪进行定罪，不考虑犯罪数额，根据情节轻重予以相应的定罪和量刑。若在盗窃、抢夺和抢劫毒品后还实施其他毒品犯罪，应对盗窃罪、抢夺罪、抢劫罪以及所犯的具体毒品犯罪分别定罪，并根据法律规定进行数罪并罚。在走私毒品的同时，又走私其他物品构成犯罪的，应分别按照走私毒品罪和其他走私罪进行定罪，并依法进行数罪并罚。

（六）共同犯罪

毒品犯罪中，部分共同犯罪人未到案，如现有证据能够认定已到案被告人为共同犯罪，或者能够认定为主犯或者从犯的，应当依法认定。没有实施毒品犯罪的共同故意，仅在客观上为相互关联的毒品犯罪上下家，不构成共同犯罪，但为了诉讼便利，可并案审理。针对毒品共同犯罪案件应当注意以下几个方面的问题：

第一，要正确区分主犯和从犯。区分主犯和从犯，应当以各共同犯罪人在毒品共同犯罪中的地位和作用为根据。要从犯意提起、具体行为、分工出资和实际分得毒赃多少以及共犯之间相互关系等方面，比较各个共同犯罪人在共同犯罪中的地位和作用。在毒品共同犯罪中，为主出资者、毒品所有者或者起意、策划、纠集、组织、雇佣、指使他人参与犯罪以及其他起主要作用的是主犯；起次要或者辅助作用的是从犯。受雇佣、受指使实施毒品犯罪的，应根据其在犯罪中实际发挥的作用具体认定为主犯或者从犯。对于确有证据证明在共同犯罪中起次要或者辅助作用的，不能因为其他共同犯罪人未到案而不认定为从犯，甚至将其认定为主犯或者按主犯处罚。只要认定为从犯，无论主犯是否到案，均应依照刑法关于从犯的规定从轻减轻或者免除处罚。

第二，要正确认定共同犯罪案件中主犯和从犯的毒品犯罪数量。对于毒品犯罪集团的首要分子，应按集团毒品犯罪的总数量处罚；对一般共同犯罪的主犯，应按其所参与的或者组织、指挥的毒品犯罪数量处罚；对于从犯，应当按照其所参与的毒品犯罪的数量处罚。

第三，要根据行为人在共同犯罪中的作用和罪责大小确定刑罚。不同案件不能简单类比，一个案件的从犯参与犯罪的毒品数量可能比另一案件的主犯参与犯罪的毒品数量大，但对这一案件从犯的处罚不是必然重于另一案件的主犯。共同犯罪中能分清主从犯的，不能因为涉案的毒品数量特别巨大，就不分主从犯而一律将被告人认定为主犯或者实际上都按主犯处罚，进而一律判处重刑甚至死刑。对于共同犯罪中有多个主犯或者共同犯罪人的处罚上也应做到区别对待。应当全面考察各主犯或者共同犯罪人在共同犯罪中实际发挥作用的差别，主观恶性和人身危险性方面的差异，对罪责或者人身危险性更大的主犯或者共同犯罪人依法判处更重的刑罚。

（七）毒品犯罪的地域管辖

应当依照《中华人民共和国刑事诉讼法》（简称《刑事诉讼法》）第25条的相关规定，对毒品犯罪的地域管辖，原则上以犯罪地为主，被告人居住地为辅。考虑到毒品犯罪的特殊性和毒品犯罪侦查体制，犯罪地不仅涵盖犯罪预谋地、毒资筹集地、交易地点、运输途经地以及毒品生产地，还包括毒资、毒赃和毒品的藏匿地、转移地，以及走私或贩运毒品的目的地。被告人居住地不仅指常住地和户籍所在地，还包括临时居住地。

（八）毒品犯罪的死刑适用

在审理毒品犯罪案件时，应坚决贯彻宽严相济的刑事政策，并突出打击毒品犯罪的重点。必须依法惩治毒枭、职业毒犯、再犯、累犯、惯犯、主犯等具备严重主观恶性、危害人身安全以及造成严重危害的毒品犯罪分子。此外，还要惩处那些将毒品走私入境，多次、大量或者向多人贩卖，诱使多人吸毒，武装掩护、暴力抗拒检查、拘留或者逮捕，或者参与有组织的国际贩毒活动等情节的毒品犯罪分子。对于犯罪行为极其严重的人，必须坚决依法判处死刑。

毒品数量是影响毒品犯罪案件量刑的重要因素，但并非唯一因素。在量刑时，尤其是考虑是否适用死刑时，应综合考虑毒品数量、犯罪情节、危害后果、被告人的主观恶性和人身危险性，以及当地禁毒形势等各种因素，进行区别对待。在审理毒品犯罪案件时，应结合本地毒品犯罪的实际情况和依法惩治、预防毒品犯罪的需要，参考最高人民法院复核的毒品死刑案件的典型案例，恰当把握死刑数量的标准。因此，量刑既不能只关注毒品数量而忽视其他犯罪情节，也不能只考虑其他情节而忽视毒品数量。

尽管已达到实际掌握的判处死刑的毒品数量标准，但具有法定酌定从宽处罚情节的被告人可以不判处死刑；相反，对毒品数量接近实际掌握的判处死刑的数量标准，但具有从重处罚情节的被告人，也可以判处死刑。对于毒品数量达到实际掌握的死刑数量标准，并且既有从重处罚情节又有从宽处罚情节的情况，应综合考虑各方面因素来决定刑罚，判处死刑立即执行应慎重考虑。

在处理某些毒品犯罪案件时，常常会遇到审查证据和确定事实的困难，因为毒品和毒资等关键证据已不存在。只有在下列条件同时满足的情况下，被告人的口供与同案其他被告人的供述才能作为定案证据：与其他被告人供述相符合，并且能够完全排除诱供、逼供和串供等情况。对于仅有被告人口供和同案被告人供述作为定案证据的情况，对于判处被告人死刑并立即执行的判决，应当特别慎重考虑。

根据 2007 年 12 月 18 日最高人民法院、最高人民检察院、公安部公布的《办理毒品犯罪案件适用法律若干问题的意见》，对于可能判处死刑的毒品犯罪案件，毒品鉴定结论中必须包含毒品含量鉴定的结论。

2008 年 12 月 1 日最高人民法院公布施行的《全国部分法院审理毒品犯罪案件工作座谈会纪要》规定："具有下列情形之一的，可以判处被告人死刑：（1）具有毒品犯罪集团首要分子、武装掩护毒品犯罪、暴力抗拒检查、拘留或者逮捕、参与有组织的国际贩毒活动等严重情节的；（2）毒品数量达到实际掌握的死刑数量标准，并具有毒品再犯、累犯、利用、教唆未成年人走私、贩卖、运输、制造毒品，或者向未成年人出售毒品等法定从重处罚情节的；（3）毒品数量达到实际掌握的死刑数量标准，并具有多次走私、贩卖、运输、制造毒品，向多人贩毒，在毒品犯罪中诱使、容留多人吸毒，在戒毒监管场所贩毒，国家工作人员利用职务便利实施毒品犯罪，或者职业犯、惯犯、主犯等情节的；（4）毒品数量达到实际掌握的死刑数量标准，并具有其他从重处罚情节的；（5）毒品数量超过实际掌握的死刑数量标准，且没有法定、酌定从轻处罚情节的。

毒品数量达到实际掌握的死刑数量标准，具有下列情形之一的，可以不判处被告人死刑立即执行：（1）具有自首、立功等法定从宽处罚情节的；（2）已查获的毒品数量未达到实际掌握的死刑数量标准，到案后坦白尚未被司法机关掌握的其他毒品犯罪，累计数量超过实际掌握的死刑数量标准的；（3）经鉴定毒品含量极低，掺假之后的数量才达到实际掌握的死刑数量标准的，或者有证据表明可能大量掺假但因故不能鉴定的；（4）因特情引诱毒品数量才达到实际掌握的死刑数量标准的；（5）以贩养吸的被告人，被查获的毒品数量刚达到实际掌握的死刑数量标准的；（6）毒品数量刚达到实际掌握的死刑数量标准，确属初次犯罪即被查获，未造成严重危害后果的；（7）共同犯罪毒品数量刚达到实际掌握的死刑数量标准，但各共同犯罪人作用相当，或者责任大小难以区分的；（8）家庭成员共同实施毒品犯罪，其中起主要作用的被告人已被判处死刑立即执行，其他被告人罪行相对较轻的；（9）其他不是必须判处死刑立即执行的。"

（九）毒品犯罪的立功问题

共同犯罪中，同案犯的基本情况应包括姓名、住址、体貌特征和联络方式等信息，这些信息应由被告人提供。如果公安机关根据被告人的供述抓获了同案犯，不应认定被告人有立功表现。如果被告人在公安机关抓获同案犯的过程中确实起到协助作用，例如：现场指认、辨认同案犯；带领公安人员抓获同案犯；提供了有关机关无法掌握的同案犯藏匿线索，据此抓获了同案犯；交代了与同案犯的联系方式，并积极协助公安机关抓获了同案犯。这些行为属于协助司法机关抓获同案犯，应认定为立功。

关于立功从宽处罚的把握，应以立功是否足以抵罪为标准。在毒品犯罪共同案件中，包括毒枭、毒品犯罪集团首要分子、共同犯罪的主犯、职业毒犯、毒品惯犯等各类犯罪人员，由于了解同案犯、帮凶的犯罪情况和个人信息，被捕后通常能够协助抓捕同案犯，获得立功或者重大立功的机会。对于是否从宽处罚，以及从宽的程度，主要应根据立功是否足以抵罪来进行综合考虑，即结合被告人罪行的严重程度和立功的重要程度。需要充分注意在毒品犯罪中共同犯罪者以及上下游之间的刑法平衡。对于严重的毒品犯罪人员，例如毒枭，如果其立功情况良好，从轻或减轻处罚的判断应该比较严格。如果他们的罪行极其严重，只有一般的立功表现，功不足以抵罪的情况下，可以不予从轻处罚。但如果他们揭发的是其他同样严重犯罪案件的罪犯，或者帮助抓捕的是同案中的其他首要分子或主犯，可以原则上从轻或减轻处罚；如果协助抓捕的只是同案中的从犯或帮凶，功不足以抵罪，或者从轻处罚之后整个案件的刑罚明显失衡，不应从轻处罚。相反，对于从犯、帮凶等立功，特别是协助抓捕毒枭、首要分子、主犯的，应从轻处罚，直至减轻或免除处罚。

被告人的亲属如果为了让被告人获得较轻的刑罚而举报、揭发他人的犯罪行为，或者协助司法机关逮捕其他犯罪分子，这不应被视为被告人的立功。若同监犯向被告人透露了被司法机关尚未掌握的犯罪事实，并由被告人进行了举报揭发，若经查证属实，虽然可以认定被告人立功，但对其从宽处罚的幅度和一般情况下的立功应有所区别。若被告人通过非法手段或非法途径获取他人的犯罪信息，比如向国家工作人员贿赂以获得犯罪信息，或通过律师、看守人员等非法途径获取犯罪信息后进行了举报揭发，这既不能认定为立功，也不能作为减轻处罚的情节。

（十）再犯从重

《刑法》第 356 条规定："因走私、贩卖、运输、制造、非法持有毒品罪被判过刑，又犯本节规定之罪的，从重处罚。"对同时构成累犯和毒品再犯的被告人，应当同时引用刑法关于累犯和毒品再犯的条款从重处罚。

（十一）特情介入案件的处理

运用特情侦破毒品案件是有效打击毒品犯罪的手段。对于特情介入侦破的毒品案件，需要根据不同情况进行分别处理。

1. 对于已持有毒品待售或者有证据证明已准备实施大宗毒品犯罪的行为人，采取特情贴靠、接洽等手段破获的案件，不存在犯罪引诱，应依法处理。

2. 行为人原本没有实施毒品犯罪的主观意图，但在特情诱惑和促成下产生了犯意，进而实施毒品犯罪的属于"犯意引诱"。对于因"犯意引诱"实施毒品犯罪的被告人，根据罪刑相适应原则，应从轻处罚，无论涉案毒品数量多大，都不应判处死刑立即执行。

3. 如果行为人在特情中既被安排上线，又提供下线的双重引诱，即"双套引诱"下实施毒品犯罪的，处刑时可以更宽容地从宽处罚或者根据法律免予刑事处罚。

4. 行为人本来只有故意实施数量较小的毒品犯罪，但在特情引诱下实施了数量较大、甚至达到实际掌握的死刑数量标准的毒品犯罪，则属于"数量引诱"。对于因"数量引诱"实施毒品犯罪的被告人，应依法从轻处罚，即使毒品数量超过实际掌握的死刑数量标准，一般也不判处死刑立即执行。

5. 对于不能排除"犯意引诱"和"数量引诱"的案件，在考虑是否判处被告人死刑立即执行时，应留有余地。

第十章

毒品犯罪主要罪名及其法律适用

第一节　走私、贩卖、运输、制造毒品罪

一、《刑法》规定

该罪名是由《刑法》第 347 条规定的。

第 347 条规定："【走私、贩卖、运输、制造毒品罪】走私、贩卖、运输、制造毒品，无论数量多少，都应当追究刑事责任，予以刑事处罚。

走私、贩卖、运输、制造毒品，有下列情形之一的，处十五年有期徒刑、无期徒刑或者死刑，并处没收财产：

（一）走私、贩卖、运输、制造鸦片一千克以上、海洛因或者甲基苯丙胺五十克以上或者其他毒品数量大的；

（二）走私、贩卖、运输、制造毒品集团的首要分子；

（三）武装掩护走私、贩卖、运输、制造毒品的；

（四）以暴力抗拒检查、拘留、逮捕，情节严重的；

（五）参与有组织的国际贩毒活动的。

走私、贩卖、运输、制造鸦片二百克以上不满一千克、海洛因或者甲基苯丙胺十克以上不满五十克或者其他毒品数量较大的，处七年以上有期徒刑，并处罚金。

走私、贩卖、运输、制造鸦片不满二百克、海洛因或者甲基苯丙胺不满十克或者其他少量毒品的，处三年以下有期徒刑、拘役或者管制，并处罚金；情节严重的，处三年以上七年以下有期徒刑，并处罚金。

单位犯第二款、第三款、第四款罪的，对单位判处罚金，并对其直接负责的主管人员和其他直接责任人员，依照各该款的规定处罚。

利用、教唆未成年人走私、贩卖、运输、制造毒品，或者向未成年人出售毒品的，从重处罚。

对多次走私、贩卖、运输、制造毒品，未经处理的，毒品数量累计计算。"

二、罪名释义

走私、贩卖、运输、制造毒品罪，是指明知是毒品而故意实施走私、贩卖、运输、制造的行为。本罪是选择性罪名。如果一宗毒品案实施了两种以上的犯罪行为，并且有确凿的证据支持，那么应该按照实施的犯罪行为的性质并列使用罪名，而不会重复计算毒品的数量。如果一宗毒品案可能存在两种以上的犯罪行为，但是只有其中一种或几种行为有足够确凿的证据，其他行为的证据不够充分，那么只能根据能够确认的行为性质来确定罪名。如果对不同的毒品分别实施了不同种类的犯罪行为，那么应该对不同的行为使用并列的罪名，并且计算毒品的数量。

三、刑罚

对犯本罪的分以下五种情况处罚：

1. 处三年以下有期徒刑、拘役或者管制，并处罚金。

2. 处三年以上七年以下有期徒刑，并处罚金。

3. 处七年以上有期徒刑，并处罚金。

4. 处十五年有期徒刑、无期徒刑或者死刑，并处没收财产。

5. 单位犯本罪的，对单位判处罚金，并对其直接负责的主管人员和其他直接责任人员，依照上述规定处罚。

四、相关问题与规定

（一）用语释义

1. 走私。根据 2012 年 5 月 16 日公布施行的《最高人民检察院、公安部关于公安机关管辖的刑事案件立案追诉标准的规定（三）》第 1 条第 2 款的规定："本条规定的'走私'是指明知是毒品而非法将其运输、携带、寄递进出国（边）境的行为。直接向走私人非法收购走私进口的毒品，或者在内海、领海、界河、界湖运输、收购、贩卖毒品的，以走私毒品罪立案追诉。"

2. 贩卖。《最高人民检察院、公安部关于公安机关管辖的刑事案件立案追诉标准的规定（三）》第 1 条第 3 款、第 4 款规定："本条规定的'贩卖'是指明知是毒品而非法销售或者以贩卖为目的而非法收买的行为。有证据证明行为人以牟利为目的，为他人代购仅用于吸食、注射的毒品，对代购者以贩卖毒品罪立案追诉。不以牟利为目的，为他人代购仅用于吸食、注射的毒品，毒品数量达到本规定第二条规定的数量标准的，对托购者和代购者以非法持有毒品罪立案追诉。明知他人实施毒品犯罪而为其居间介绍、代购代卖的，无论是否牟利，都应以相关毒品犯罪的共犯立案追诉。"

3. 运输。《最高人民检察院、公安部关于公安机关管辖的刑事案件立案追诉标准的规定（三）》第 1 条第 5 款规定："本条规定的'运输'是指明知是毒品而采用携带、寄递、托运、利用他人或者使用交通工具等方法非法运送毒品的行为。"

4. 制造。《最高人民检察院、公安部关于公安机关管辖的刑事案件立案追诉标准的规定（三）》第 1 条第 6 款、第 7 款规定："本条规定的'制造'是指非法利用毒品原植物直接提炼或者用化学方法加工、配制毒品，或者以改变毒品成分和效用为目的，用混合等物理方法加工、配制毒品的行为。为了便于隐蔽运输、销售、使用、欺骗购买者，或者为了增重，对毒品掺杂使假，添加或者去除其他非毒品物质，不属于制造毒品的行为。为了制造毒品而采用生产、加工、提炼等方法非法制造易制毒化学品的，以制造毒品罪（预备）立案追诉。购进制造毒品的设备和原材料，开始着手制造毒品，尚未制造出毒品或者半成品的，以制造毒品罪（未遂）立案追诉。明知他人制造毒品而为其生产、加工、提炼、提供醋酸酐、乙醚、三氯甲烷等制毒物品的，以制造毒品罪的共犯立案追诉。"

5. 明知。《最高人民检察院、公安部关于公安机关管辖的刑事案件立案追诉标准的规定（三）》第 1 条第 8 款规定："走私、贩卖、运输毒品主观故意中的'明知'，是指行为人知道或者应当知道所实施的是走私、贩卖、运输毒品行为。具有下列情形之一，结合行为人的供述和其他证据综合审查判断，可以认定其'应当知道'，但有证据证明确属被蒙骗的除外：（一）执法人员在口岸、机场、车站、港口、邮局和其他检查站点检查时，要求行为人申报携带、运输、寄递的物品和其他疑似毒品物，并告知其法律责任，而行为人未如实申报，在其携带、运输、寄递的物品中查获毒品的；（二）以伪报、藏匿、伪装等蒙蔽手段逃避海关、边防等检查，在其携带、运输、寄递的物品中查获毒品的；（三）执法人员检查时，有逃跑、丢弃携带物品或者逃避、抗拒检查等行为，在其携带、藏匿或者丢弃的物品中查获毒品的；（四）体内或者贴身隐秘处藏匿毒品的；（五）为获取不同寻常的高额或者不等值的报酬为他人携带、运输、寄递、收取物品，从中查获毒品的；（六）采用高度隐蔽的方式携带、运输物品，从中查获毒品的；（七）采用高度隐蔽的方式交接物品，明显违背合法物品惯常交接方式，从中查获毒品的；（八）行程路线故意绕开检查站点，在其携带、运输的物品中查获毒品的；（九）以虚假身份、地址或者其他虚假方式办理托运、寄递手续，在托运、寄递的物品中查获毒品的；（十）有其他证据足以证明行为人应当知道的。

《最高人民检察院、公安部关于公安机关管辖的刑事案件立案追诉标准的规定（三）》第 1 条第 9 款规定："制造毒品主观故意中的'明知'，是指行为人知道或者应当知道所实施的是制造毒品行为。有下列情形之一，结合行为人的供述和其他证据综合审查判断，可以认定其"应当知道"，但有证据证明确属被蒙骗的除外：（一）购置了专门用于制造毒品的设备、工具、制毒物品或者配制方案的；（二）为获取不同寻常的高额或者不等值的报酬为他人制造物品，经检验是毒品的；（三）在偏远、隐蔽场所制造，或者采取对制造设备进行伪装等方式制造物品，经检验是毒品的；（四）制造人员在执法人员检查时，有逃跑、抗拒检查等行为，在现场查获制造出的物品，经检验是毒品的；（五）有其他证据足以证明行为人应当知道的。

（二）立案追诉

《最高人民检察院、公安部关于公安机关管辖的刑事案件立案追诉标准的规定（三）》第 1 条第 1 款规定："走私、贩卖、运输、制造毒品，无论数量多少，都应予立案追诉。"

（三）数量与情节

1. 其他毒品数量大。2016 年 4 月 6 日公布的《最高人民法院关于审理毒品犯罪案件适用法律若干问题的解释》第 1 条第 1 款规定："走私、贩卖、运输、制造、非法持有下列毒品，应当认定为刑法第三百四十七条第二款第一项、第三百四十八条规定的'其他毒品数量大'：（一）可卡因五十克以上；（二）3, 4-亚甲二氧基甲基苯丙胺（MDMA）等苯丙胺类毒品（甲基苯丙胺除外）、吗啡一百克以上；（三）芬太尼一百二十五克以上；（四）甲卡西酮二百克以上；（五）二氢埃托啡十毫克以上；（六）哌替啶（度冷丁）二百五十克以上；（七）氯胺酮五百克以上；（八）美沙酮一千克以上；（九）曲马多、γ-羟丁酸二千克以上；（十）大麻油五千克、大麻脂十千克、大麻叶及大麻烟一百五十千克以上；（十一）可待因、丁丙诺啡五千克以上；（十二）三唑仑、安眠酮五十千克以上；（十三）阿普唑仑、恰特草一百千克以上；（十四）咖啡因、罂粟壳二百千克以上；（十五）巴比妥、苯巴比妥、安钠咖、尼美西泮二百五十千克以上；（十六）氯氮卓、艾司唑仑、地西泮、溴西泮五百千克以上；（十七）上述毒品以外的其他毒品数量大的。”

2. 其他毒品数量较大。《最高人民法院关于审理毒品犯罪案件适用法律若干问题的解释》第 2 条规定："走私、贩卖、运输、制造、非法持有下列毒品，应当认定为刑法第三百四十七条第三款、第三百四十八条规定的'其他毒品数量较大'：（一）可卡因十克以上不满五十克；（二）3，4-亚甲二氧基甲基苯丙胺（MDMA）等苯丙胺类毒品（甲基苯丙胺除外）、吗啡二十克以上不满一百克；（三）芬太尼二十五克以上不满一百二十五克；（四）甲卡西酮四十克以上不满二百克；（五）二氢埃托啡二毫克以上不满十毫克；（六）哌替啶（度冷丁）五十克以上不满二百五十克；（七）氯胺酮一百克以上不满五百克；（八）美沙酮二百克以上不满一千克；（九）曲马多、γ-羟丁酸四百克以上不满二千克；（十）大麻油一千克以上不满五千克、大麻脂二千克以上不满十千克、大麻叶及大麻烟三十千克以上不满一百五十千克；（十一）可待因、丁丙诺啡一千克以上不满五千克；（十二）三唑仑、安眠酮十千克以上不满五十千克；（十三）阿普唑仑、恰特草二十千克以上不满一百千克；（十四）咖啡因、罂粟壳四十千克以上不满二百千克；（十五）巴比妥、苯巴比妥、安钠咖、尼美西泮五十千克以上不满二百五十千克；（十六）氯氮卓、艾司唑仑、地西泮、溴西泮一百千克以上不满五百千克；（十七）上述毒品以外的其他毒品数量较大的。”

3. 情节严重。《最高人民法院关于审理毒品犯罪案件适用法律若干问题的解释》第 4 条规定："走私、贩卖、运输、制造毒品，具有下列情形之一的，应当认定为刑法第三百四十七条第四款规定的'情节严重'：（一）向多人贩卖毒品或者多次走私、贩卖、运输、制造毒品的；（二）在戒毒场所、监管场所贩卖毒品的；（三）向在校学生贩卖毒品的；（四）组织、利用残疾人、严重疾病患者、怀孕或者正在哺乳自己婴儿的妇女走私、贩卖、运输、制造毒品的；（五）国家工作人员走私、贩卖、运输、制造毒品的；（六）其他情节严重的情形。”

（四）量刑起点

依据 2021 年 7 月 1 日，最高人民法院、最高人民检察院联合印发《关于常见犯罪的量刑指导意见（试行）》规定："1. 构成走私、贩卖、运输、制造毒品罪的，根据下列情形在相应的幅度内确定量刑起点：（1）走私、贩卖、运输、制造鸦片一千克，海洛因、甲基苯丙胺五十克或者其它毒品数量达到数量大起点的，量刑起点为十五年有期徒刑。依法应当判处无期徒刑以上刑罚的除外。（2）走私、贩卖、运输、制造鸦片二百克，海洛因、甲基苯丙胺十克或者其它毒品数量达到数量较大起点的，在七年至八年有期徒刑幅度内确定量刑起点。（3）走私、贩卖、运输、制造鸦片不满二百克，海洛因、甲基苯丙胺不满十克或者其他少量毒品的，可以在三年以下有期徒刑、拘役幅度内确定量刑起点；情节严重的，在三年至四年有期徒刑幅度内确定量刑起点。2. 在量刑起点的基础上，根据毒品犯罪次数、人次、毒品数量等其他影响犯罪构成的犯罪事实增加刑罚量，确定基准刑。3. 有下列情节之一的，增加基准刑的10%-30%：（1）利用、教唆未成年人走私、贩卖、运输、制造毒品的；（2）向未成年人出售毒品的；（3）毒品再犯。4. 有下列情节之一的，可以减少基准刑的30%以下：（1）受雇运输毒品的；（2）毒品含量明显偏低的；（3）存在数量引诱情形的。"

（五）其他

1. 2008年12月1日最高人民法院公布的《全国部分法院审理毒品犯罪案件工作座谈会纪要》（已失效）第1条规定："如涉嫌为贩卖而运输毒品，认定贩卖的证据不够确实充分的，则只定运输毒品罪。对不同宗毒品分别实施了不同种犯罪行为的，应对不同行为并列确定罪名，累计毒品数量，不实行数罪并罚。对被告人一人走私、贩卖、运输、制造两种以上毒品的，不实行数罪并罚，量刑时可综合考虑毒品的种类、数量及危害，依法处理。"

2. 2012年6月18日最高人民法院、最高人民检察院、公安部公布施行的《关于办理走私、非法买卖麻黄碱类复方制剂等刑事案件适用法律若干问题的意见》第1条规定："……以加工、提炼制毒物品制造毒品为目的，购买麻黄碱类复方制剂，或者运输、携带、寄递麻黄碱类复方制剂进出境的，依照刑法第三百四十七条的规定，以制造毒品罪定罪处罚……"第2条规定："……以制造毒品为目的，利用麻黄碱类复方制剂加工、提炼制毒物品的，依照刑法第三百四十七条的规定，以制造毒品罪定罪处罚……"第3条规定："……明知他人利用麻黄碱类制毒物品制造毒品，向其提供麻黄碱类复方制剂，为其利用麻黄碱类复方制剂加工、提炼制毒物品，或者为其获取、利用麻黄碱类复方制剂提供其他帮助的，以制造毒品罪的共犯论处……"

3. 《最高人民法院关于审理毒品犯罪案件适用法律若干问题的解释》第3条规定："在实施走私、贩卖、运输、制造毒品犯罪的过程中，携带枪支、弹药或者爆炸物用于掩护的，应当认定为刑法第三百四十七条第二款第三项规定的'武装掩护走私、贩卖、运输、制造毒品'。枪支、弹药、爆炸物种类的认定，依照相关司法解释的规定执行。在实施走私、贩卖、运输、制造毒品犯罪的过程中，以暴力抗拒检查、拘留、逮捕，造成执法人员死亡、重伤、多人轻伤或者具有其他严重情节的，应当认定为刑法第三百四十七条第二款第四项规定的'以暴力抗拒检查、拘留、逮捕，情节严重'。"

4. 对于运输毒品犯罪，要注意重点打击指使他人或雇佣他人运输毒品的犯罪分子，以及接应、接货的毒品所有者、买家或卖家。对于运输毒品犯罪集团的首要成员，包括组织指使他人运输毒品的主犯、毒枭、职业毒犯和毒品再犯者，以及具有武装掩护、暴力抗拒检查拘留或逮捕、参与有组织的国际毒品犯罪、以运输毒品为业或多次运输毒品等严重情节的人员，应根据刑法、有关司法解释和司法实践所确定的数量标准，严厉惩处，对符合应判处死刑的必须坚决判处死刑。

在毒品犯罪中，仅仅运输毒品被认为具有从属特征和辅助性质，且情况复杂多样。有些涉案人员是被指使、雇佣的贫民、边民或者无业人员，他们只是为了赚取一点运费而为他人运输毒品，并不是毒品的所有者、买家或者卖家。相比于隐藏在幕后的组织、指示者和雇主，在整个毒品犯罪过程中，他们处于从属、辅助和被控制的地位，所起的作用和主观恶性相对较小，社会危害性也相对较低。因此，在刑罚量刑的把握上，对于参与运输毒品犯罪的这部分人员，应与走私、贩卖、制造毒品和前述具有严重情节的运输毒品犯罪分子有所区别，不能仅仅根据涉案毒品的数量来确定刑罚的轻重。如果有证据证明被告人确实是受人指使和雇佣参与运输毒品犯罪的，并且是初犯或者偶犯，可以从轻处罚，即使毒品数量超过了实际掌握的判处死刑的标准，也可以不立即执行判决。不能仅仅因为毒品数量超过实际掌握的判罪标准的死刑数量，就判定被告人是受人指使和雇佣参与运输毒品犯罪的，继而依法判处重刑，甚至是死刑。涉嫌为贩卖毒品而自行运输毒品，由于没有足够的贩卖毒品的证据，因此将其判定为运输毒品罪，与仅受指使为他人运输毒品的行为不同，其刑罚量刑标准应与仅运输毒品的行为有所区别。

第二节　非法持有毒品罪、非法种植毒品原植物罪

一、非法持有毒品罪

（一）《刑法》规定

该罪名是由《刑法》第 348 条规定的。

第 348 条规定："【非法持有毒品罪】非法持有鸦片一千克以上、海洛因或者甲基苯丙胺五十克以上或者其他毒品数量大的，处七年以上有期徒刑或者无期徒刑，并处罚金；非法持有鸦片二百克以上不满一千克、海洛因或者甲基苯丙胺十克以上不满五十克或者其他毒品数量较大的，处三年以下有期徒刑、拘役或者管制，并处罚金；情节严重的，处三年以上七年以下有期徒刑，并处罚金。"

（二）罪名释义

非法持有毒品罪，是指明知是鸦片、海洛因、冰毒或者其他毒品，而非法持有并且数量较大，根据证据尚不能认定为其他毒品犯罪的行为。

（三）刑罚

根据上述法律规定，对犯本罪的分以下三种情况处罚：

1. 非法持有鸦片二百克以上不满一千克、海洛因或者冰毒十克以上不满五十克或者其他毒品数量较大的，处三年以下有期徒刑、拘役或者管制，并处罚金。

2. 情节严重的，处三年以上七年以下有期徒刑，并处罚金。

3. 非法持有鸦片一千克以上、海洛因或者冰毒五十克以上或者其他毒品数量大的，处七年以上有期徒刑或者无期徒刑，并处罚金。

（四）相关问题与规定

1. 用语释义。

（1）非法持有。非法持有是指违反国家法律和国家主管部门的规定，占有、携带、藏有或者以其他方式持有毒品。

（2）明知。根据最高人民法院、最高人民检察院、公安部公布的《办理毒品犯罪案件适用法律若干问题的意见》中的规定，走私、贩卖、运输、非法持有毒品主观故意中的"明知"，是指行为人知道或者应当知道所实施的行为是走私、贩卖、运输、非法持有毒品行为。具有下列情形之一，并且犯罪嫌疑人、被告人不能做出合理解释的，可以认定其"应当知道"，但有证据证明确属被蒙骗的除外：（一）执法人员在口岸、机场、车站、港口和其他检查站检查时，要求行为人申报为他人携带的物品和其他疑似毒品物，并告知其法律责任，而行为人未如实申报，在其所携带的物品内查获毒品的；（二）以伪报、藏匿、伪装等蒙蔽手段逃避海关、边防等检查，在其携带、运输、邮寄的物品中查获毒品的；（三）执法人员检查时，有逃跑、丢弃携带物品或逃避、抗拒检查等行为，在其携带或丢弃的物品中查获毒品的；（四）体内藏匿毒品的；（五）为获取不同寻常的高额或不等值的报酬而携带、运输毒品的；（六）采用高度隐蔽的方式携带、运输毒品的；（七）采用高度隐蔽的方式交接毒品，明显违背合法物品惯常交接方式的；（八）其他有证据足以证明行为人应当知道的。

2. 立案标准。《最高人民检察院、公安部关于公安机关管辖的刑事案件立案追诉标准的规定（三）》第 2 条第 1 款、第 2 款规定："明知是毒品而非法持有，涉嫌下列情形之一的，应予立案追诉：（一）鸦片二百克以上、海洛因、可卡因或者甲基苯丙胺十克以上；（二）二亚甲基双氧安非他明（MDMA）等苯丙胺类毒品（甲基苯丙胺除外）、吗啡二十克以上；（三）度冷丁（杜冷丁）五十克以上（针剂 100 mg/支规格的五百支以上，50 mg/支规格的一千支以上；片剂 25 mg/片规格的二千片以上，50 mg/片规格的一千片以上）；（四）盐酸二氢埃托啡二毫克以上（针剂或者片剂 20 mg/支、片规格的一百支、片以上）；（五）氯胺酮、美沙酮二百克以上；（六）三唑仑、安眠酮十千克以上；（七）咖啡因五十千克以上；（八）氯氮卓、艾司唑仑、地西泮、溴西泮一百千克以上；（九）大麻油一千克以上，大麻脂二千克以上，大麻叶及大麻烟三十千克以上；（十）罂粟壳五十千克以上；（十一）上述毒品以外的其他毒品数量较大的。

非法持有两种以上毒品，每种毒品均没有达到本条第一款规定的数量标准，但按前款规定的立案追诉数量比例折算成海洛因后累计相加达到十克以上的，应予立案追诉。"

3. 数量与情节。

（1）其他毒品数量。关于本罪中的"其他毒品数量大"和"其他毒品数量较大"的问题可以参见第一节"走私、贩卖、运输、制造毒品罪"中的用语释义。

（2）情节严重。《最高人民法院关于审理毒品犯罪案件适用法律若干问题的解释》第 5 条规定："非法持有毒品达到刑法第三百四十八条或者本解释第二条规定的'数量较大'标准，且具有下列情形之一的，应当认定为刑法第三百四十八条规定的"情节严重"：（一）在戒毒场所、监管场所非法持有毒品的；（二）利用、教唆未成年人非法持有毒品的；（三）国家工作人员非法持有毒品的；（四）其他情节严重的情形。"

二、非法种植毒品原植物罪

（一）《刑法》规定

该罪名是由《刑法》第 351 条规定的。

第 351 条规定："【非法种植毒品原植物罪】非法种植罂粟、大麻等毒品原植物的，一律强制铲除。有下列情形之一的，处五年以下有期徒刑、拘役或者管制，并处罚金：

（一）种植罂粟五百株以上不满三千株或者其他毒品原植物数量较大的；

（二）经公安机关处理后又种植的；

（三）抗拒铲除的。

非法种植罂粟三千株以上或者其他毒品原植物数量大的，处五年以上有期徒刑，并处罚金或者没收财产。

非法种植罂粟或者其他毒品原植物，在收获前自动铲除的，可以免除处罚。"

（二）罪名释义

非法种植毒品原植物罪，是指明知是罂粟、大麻等毒品原植物而非法种植数量较大，或者经公安机关处理后又种植，或者抗拒铲除的行为。

（三）刑罚

根据上述法律规定，对犯本罪的分以下三种情况处罚：

1. 处五年以下有期徒刑、拘役或者管制，并处罚金。

2. 非法种植罂粟三千株以上或者其他毒品原植物数量大的，处五年以上有期徒刑，并处罚金或者没收财产。

3. 非法种植罂粟或者其他毒品原植物，在收获前自动铲除的，可以免除处罚。

（四）相关问题及规定

1. 用语释义。种植，是指播种、育苗、移栽、插苗、施肥、灌溉、割取茎叶或者收取种子等行为。

2. 立案标准。《最高人民检察院、公安部关于公安机关管辖的刑事案件立案追诉标准的规定（三）》第 7 条第 1 款规定："非法种植罂粟、大麻等毒品原植物，涉嫌下列情形之一的，应予立案追诉：（一）非法种植罂粟五百株以上的；（二）非法种植大麻五千株以上的；（三）非法种植其他毒品原植物数量较大的；（四）非法种植罂粟二百平方米以上、大麻二千平方米以上或者其他毒品原植物面积较大，尚未出苗的；（五）经公安机关处理后又种植的；（六）抗拒铲除的。"

3. 数量。

（1）数量较大与数量大。《最高人民法院关于审理毒品犯罪案件适用法律若干问题的解释》第 9 条规定："非法种植毒品原植物，具有下列情形之一的，应当认定为刑法第三百五十一条第一款第一项规定的'数量较大'：（一）非法种植大麻五千株以上不满三万株的；（二）非法种植罂粟二百平方米以上不满一千二百平方米、大麻二千平方米以上不满一万二千平方米，尚未出苗的；（三）非法种植其他毒品原植物数量较大的。非法种植毒品原植物，达到前款规定的最高数量标准的，应当认定为刑法第三百五十一条第二款规定的'数量大'。"

（2）数量计算。非法种植毒品原植物的株数一般应以实际查获的数量为准。因种植面积较大难以逐株清点数目的，可以抽样测算每平方米平均株数后按实际种植面积测算出种植总株数。

第三节　包庇毒品犯罪分子罪，窝藏、转移、隐瞒毒品、毒赃罪

一、包庇毒品犯罪分子罪

（一）《刑法》规定

该罪名是由《刑法》第 349 条规定的。

第 349 条规定："【包庇毒品犯罪分子罪】【窝藏、转移、隐瞒毒品、毒赃罪】包庇走私、贩卖、运输、制造毒品的犯罪分子的，为犯罪分子窝藏、转移、隐瞒毒品或者犯罪所得的财物的，处三年以下有期徒刑、拘役或者管制；情节严重的，处三年以上十年以下有期徒刑。

【包庇毒品犯罪分子罪】缉毒人员或者其他国家机关工作人员掩护、包庇走私、贩卖、运输、制造毒品的犯罪分子的，依照前款的规定从重处罚。

犯前两款罪，事先通谋的，以走私、贩卖、运输、制造毒品罪的共犯论处。"

（二）罪名释义

包庇毒品犯罪分子罪，是指明知是走私、贩卖、运输、制造毒品的犯罪分子，而向司法机关作虚假证明，掩盖其罪行，或者帮助其毁灭罪证，帮助其逃跑等，使其逃避法律制裁的行为。

（三）刑罚

根据上述法律规定，对犯本罪的分以下两种情况处罚：

1. 处三年以下有期徒刑、拘役或者管制。

2. 情节严重的，处三年以上十年以下有期徒刑。

（四）相关问题与规定

1. 立案标准。《最高人民检察院、公安部关于公安机关管辖的刑事案件立案追诉标准的规定（三）》第 3 条规定："包庇走私、贩卖、运输、制造毒品

的犯罪分子，涉嫌下列情形之一的，应予立案追诉：（一）作虚假证明，帮助掩盖罪行的；（二）帮助隐藏、转移或者毁灭证据的；（三）帮助取得虚假身份或者身份证件的；（四）以其他方式包庇犯罪分子的。实施前款规定的行为，事先通谋的，以走私、贩卖、运输、制造毒品罪的共犯立案追诉。"

《最高人民检察院、公安部关于公安机关管辖的刑事案件立案追诉标准的规定（三）》第 4 条规定："为走私、贩卖、运输、制造毒品的犯罪分子窝藏、转移、隐瞒毒品或者犯罪所得的财物的，应予立案追诉。实施前款规定的行为，事先通谋的，以走私、贩卖、运输、制造毒品罪的共犯立案追诉。"

2. 情节严重。《最高人民法院关于审理毒品犯罪案件适用法律若干问题的解释》第 6 条第 1 款、第 3 款规定："包庇走私、贩卖、运输、制造毒品的犯罪分子，具有下列情形之一的，应当认定为刑法第三百四十九条第一款规定的'情节严重'：（一）被包庇的犯罪分子依法应当判处十五年有期徒刑以上刑罚的；（二）包庇多名或者多次包庇走私、贩卖、运输、制造毒品的犯罪分子的；（三）严重妨害司法机关对被包庇的犯罪分子实施的毒品犯罪进行追究的；（四）其他情节严重的情形。包庇走私、贩卖、运输、制造毒品的近亲属，或者为其窝藏、转移、隐瞒毒品或者毒品犯罪所得的财物，不具有本条前两款规定的"情节严重"情形，归案后认罪、悔罪、积极退赃，且系初犯、偶犯，犯罪情节轻微不需要判处刑罚的，可以免予刑事处罚。"

3. 根据 2009 年 11 月 4 日公布的《最高人民法院关于审理洗钱等刑事案件具体应用法律若干问题的解释》（已失效）第 4 条的规定："刑法第一百九十一条、第三百一十二条、第三百四十九条规定的犯罪，应当以上游犯罪事实成立为认定前提。上游犯罪尚未依法裁判，但查证属实的，不影响刑法第一百九十一条、第三百一十二条、第三百四十九条规定的犯罪的审判。上游犯罪事实可以确认，因行为人死亡等原因依法不予追究刑事责任的，不影响刑法第一百九十一条、第三百一十二条、第三百四十九条规定的犯罪的认定。上游犯罪事实可以确认，依法以其他罪名定罪处罚的，不影响刑法第一百九十一条、第三百一十二条、第三百四十九条规定的犯罪的认定。本条所称"上游犯罪"，是指产生刑法第一百九十一条、第三百一十二条、第三百四十九条规定的犯罪所得及其收益的各种犯罪行为。"

二、窝藏、转移、隐瞒毒品、毒赃罪

（一）《刑法》规定

该罪名是由《刑法》第 349 条规定的。

第 349 条规定："【包庇毒品犯罪分子罪】【窝藏、转移、隐瞒毒品、毒赃罪】包庇走私、贩卖、运输、制造毒品的犯罪分子的，为犯罪分子窝藏、转移、隐瞒毒品或者犯罪所得的财物的，处三年以下有期徒刑、拘役或者管制；情节严重的，处三年以上十年以下有期徒刑。

【包庇毒品犯罪分子罪】缉毒人员或者其他国家机关工作人员掩护、包庇走私、贩卖、运输、制造毒品的犯罪分子的，依照前款的规定从重处罚。

犯前两款罪，事先通谋的，以走私、贩卖、运输、制造毒品罪的共犯论处。"

（二）罪名释义

窝藏、转移、隐瞒毒品、毒赃罪，是指明知是毒品或者是毒品犯罪所得的财物而为犯罪分子窝藏、转移、隐瞒的行为。

（三）刑罚

根据上述法律规定，对犯本罪的分以下两种情况处罚：

1. 处三年以下有期徒刑、拘役或者管制。

2. 情节严重的，处三年以上十年以下有期徒刑。

（四）相关问题与规定

1. 立案标准。《最高人民检察院、公安部关于公安机关管辖的刑事案件立案追诉标准的规定（三）》第 4 条第 1 款规定："为走私、贩卖、运输、制造毒品的犯罪分子窝藏、转移、隐瞒毒品或者犯罪所得的财物的，应予立案追诉。"

2. 情节严重。《最高人民法院关于审理毒品犯罪案件适用法律若干问题的解释》第 6 条第 2 款、第 3 款规定："为走私、贩卖、运输、制造毒品的犯罪分子窝藏、转移、隐瞒毒品或者毒品犯罪所得的财物，具有下列情形之一的，应当认定为刑法第三百四十九条第一款规定的'情节严重'：（一）为犯罪分子窝藏、转移、隐瞒毒品达到刑法第三百四十七条第二款第一项或者本解释第一条第一款规定的'数量大'标准的；（二）为犯罪分子窝藏、转移、隐瞒毒品犯罪所得的财物价值达到五万元以上的；（三）为多人或者多次为他人窝藏、转移、隐瞒毒品或者毒品犯罪所得的财物的；（四）严重妨害司法机关对该犯罪分子实施的毒品犯罪进行追究的；（五）其他情节严重的情形。包庇走私、贩卖、运输、制造毒品的近亲属，或者为其窝藏、转移、隐瞒毒品或者毒品犯罪所得的财物，不具有本条前两款规定的'情节严重'情形，归案后认罪、悔罪、积极退赃，且系初犯、偶犯，犯罪情节轻微不需要判处刑罚的，可以免予刑事处罚。"

3.《最高人民法院关于审理洗钱等刑事案件具体应用法律若干问题的解释》（已失效）第 4 条的规定："刑法第一百九十一条、第三百一十二条、第三百四十九条规定的犯罪，应当以上游犯罪事实成立为认定前提。上游犯罪尚未依法裁判，但查证属实的，不影响刑法第一百九十一条、第三百一十二条、第三百四十九条规定的犯罪的审判。上游犯罪事实可以确认，因行为人死亡等原因依法不予追究刑事责任的，不影响刑法第一百九十一条、第三百一十二条、第三百四十九条规定的犯罪的认定。上游犯罪事实可以确认，依法以其他罪名定罪处罚的，不影响刑法第一百九十一条、第三百一十二条、第三百四十九条规定的犯罪的认定。本条所称"上游犯罪"，是指产生刑法第一百九十一条、第三百一十二条、第三百四十九条规定的犯罪所得及其收益的各种犯罪行为。"

第四节　非法生产、买卖、运输制毒物品、走私制毒物品罪

一、《刑法》规定

本罪名是由《刑法》第 350 条规定的。

第 350 条规定："【非法生产、买卖、运输制毒物品、走私制毒物品罪】违反国家规定，非法生产、买卖、运输醋酸酐、乙醚、三氯甲烷或者其他用于制造毒品的原料、配剂，或者携带上述物品进出境，情节较重的，处三年以下有期徒刑、拘役或者管制，并处罚金；情节严重的，处三年以上七年以下有期徒刑，并处罚金；情节特别严重的，处七年以上有期徒刑，并处罚金或者没收财产。

明知他人制造毒品而为其生产、买卖、运输前款规定的物品的，以制造毒品罪的共犯论处。

单位犯前两款罪的，对单位判处罚金，并对其直接负责的主管人员和其他直接责任人员，依照前两款的规定处罚。"

二、罪名释义

非法生产、买卖、运输制毒物品、走私制毒物品罪，是指违反国家规定，非法生产、买卖、运输醋酸酐、乙醚、三氯甲烷或者其他用于制造毒品的原料、配剂的行为；违反国家禁毒法规和海关法规，逃避海关监管，携带醋酸酐、乙醚、三氯甲烷或者其他用于制造毒品的原料、配剂进出境的行为。

三、刑罚

据上述法律规定，对犯本罪的分以下四种情况处罚：

1. 情节较重的，处三年以下有期徒刑、拘役或者管制，并处罚金。

2. 情节严重的，处三年以上七年以下有期徒刑，并处罚金。

3. 情节特别严重的，处七年以上有期徒刑，并处罚金或者没收财产。

4. 单位犯前两款罪的，对单位判处罚金，并对其直接负责的主管人员和其他直接责任人员，依照前两款的规定处罚。

四、相关问题与规定

（一）用语释义

1. 明知。《最高人民检察院、公安部关于公安机关管辖的刑事案件立案追诉标准的规定（三）》第5条第4款规定："实施走私制毒物品行为，有下列情形之一，且查获了易制毒化学品，结合行为人的供述和其他证据综合审查判断，可以认定其'明知'是制毒物品而走私或者非法买卖，但有证据证明确属被蒙骗的除外：（一）改变产品形状、包装或者使用虚假标签、商标等产品标志的；（二）以藏匿、夹带、伪装或者其他隐蔽方式运输、携带易制毒化学品逃避检查的；（三）抗拒检查或者在检查时丢弃货物逃跑的；（四）以伪报、藏匿、伪装等蒙蔽手段逃避海关、边防等检查的；（五）选择不设海关或者边防检查站的路段绕行出入境的；（六）以虚假身份、地址或者其他虚假方式办理托运、寄递手续的；（七）以其他方法隐瞒真相，逃避对易制毒化学品依法监管的。"

2. 非法买卖。违反国家规定，实施下列行为之一的，认定为非法买卖制毒物品行为：一是未经许可或者备案，擅自购买、销售易制毒化学品的；二是超出许可证明或者备案证明的品种、数量范围购买、销售易制毒化学品的；三是使用他人的或者伪造、变造、失效的许可证明或者备案证明购买、销售易制毒化学品的；四是经营单位违反规定，向无购买许可证明、备案证明的单位、个人销售易制毒化学品的，或者明知购买者使用他人的或者伪造、变造、失效的许可证明或者备案证明，向其销售易制毒化学品的；五是以其他方式非法买卖易制毒化学品的。

（二）数量与情节

1. 数量大。根据2014年9月5日《最高人民法院、最高人民检察院、公安部关于办理邻氯苯基环戊酮等三种制毒物品犯罪案件定罪量刑数量标准的通知》的规定："违反国家规定，非法运输、携带邻氯苯基环戊酮、1-苯基-2-溴-1-丙酮或者3-氧-2-苯基丁腈进出境，或者在境内非法买卖上述物品，达到下列数量标准的，依照刑法第三百五十条第一款的规定，处三年以下有期徒刑、拘役或者管制，并处罚金：（一）邻氯苯基环戊酮二十千克以上不满二百千克；（二）1-苯基-2-溴-1-丙酮、3-氧-2-苯基丁腈十五千克以上不满一百五十千克。违反国家规定，实施上述行为，达到或者超过第一条所列最高数量标准的，应当认定为刑法第三百五十条第一款规定的'数量大'，处三年以上十年以下有期徒刑，并处罚金。"

2. 情节较重与情节特别严重。《最高人民法院关于审理毒品犯罪案件适用法律若干问题的解释》第 7 条规定："违反国家规定，非法生产、买卖、运输制毒物品、走私制毒物品，达到下列数量标准的，应当认定为刑法第三百五十条第一款规定的"情节较重"：（一）麻黄碱（麻黄素）、伪麻黄碱（伪麻黄素）、消旋麻黄碱（消旋麻黄素）一千克以上不满五千克；（二）1-苯基-2-丙酮、1-苯基-2-溴-1-丙酮、3，4-亚甲基二氧苯基-2-丙酮、羟亚胺二千克以上不满十千克；（三）3-氧-2-苯基丁腈、邻氯苯基环戊酮、去甲麻黄碱（去甲麻黄素）、甲基麻黄碱（甲基麻黄素）四千克以上不满二十千克；（四）醋酸酐十千克以上不满五十千克；（五）麻黄浸膏、麻黄浸膏粉、胡椒醛、黄樟素、黄樟油、异黄樟素、麦角酸、麦角胺、麦角新碱、苯乙酸二十千克以上不满一百千克；（六）N-乙酰邻氨基苯酸、邻氨基苯甲酸、三氯甲烷、乙醚、哌啶五十千克以上不满二百五十千克；（七）甲苯、丙酮、甲基乙基酮、高锰酸钾、硫酸、盐酸一百千克以上不满五百千克；（八）其他制毒物品数量相当的。

违反国家规定，非法生产、买卖、运输制毒物品、走私制毒物品，达到前款规定的数量标准最低值的百分之五十，且具有下列情形之一的，应当认定为刑法第三百五十条第一款规定的"情节较重"：（一）曾因非法生产、买卖、运输制毒物品、走私制毒物品受过刑事处罚的；（二）二年内曾因非法生产、买卖、运输制毒物品、走私制毒物品受过行政处罚的；（三）一次组织五人以上或者多次非法生产、买卖、运输制毒物品、走私制毒物品，或者在多个地点非法生产制毒物品的；（四）利用、教唆未成年人非法生产、买卖、运输制毒物品、走私制毒物品的；（五）国家工作人员非法生产、买卖、运输制毒物品、走私制毒物品的；（六）严重影响群众正常生产、生活秩序的；（七）其他情节较重的情形。

易制毒化学品生产、经营、购买、运输单位或者个人未办理许可证明或者备案证明，生产、销售、购买、运输易制毒化学品，确实用于合法生产、生活需要的，不以制毒物品犯罪论处。"

《最高人民法院关于审理毒品犯罪案件适用法律若干问题的解释》第8条规定："违反国家规定，非法生产、买卖、运输制毒物品、走私制毒物品，具有下列情形之一的，应当认定为刑法第三百五十条第一款规定的'情节严重'：（一）制毒物品数量在本解释第七条第一款规定的最高数量标准以上，不满最高数量标准五倍的；（二）达到本解释第七条第一款规定的数量标准，且具有本解释第七条第二款第三项至第六项规定的情形之一的；（三）其他情节严重的情形。

违反国家规定，非法生产、买卖、运输制毒物品、走私制毒物品，具有下列情形之一的，应当认定为刑法第三百五十条第一款规定的'情节特别严重'：（一）制毒物品数量在本解释第七条第一款规定的最高数量标准五倍以上的；（二）达到前款第一项规定的数量标准，且具有本解释第七条第二款第三项至第六项规定的情形之一的；（三）其他情节特别严重的情形。"

（三）其他

1. 未经许可或备案，易制毒化学品的生产、经营、购买和运输，无论是个人还是单位，只要确实用于合法的生产和生活需求，不以制毒物品犯罪论处。

2. 为了非法买卖制毒物品而采用生产、加工、提炼等方法非法制造易制毒化学品的，以非法买卖制毒物品罪（预备）立案追诉。

3. 明知他人实施非法买卖制毒物品犯罪，而为其运输、储存、代理进出口或者以其他方式提供便利的，以非法买卖制毒物品罪的共犯立案追诉。明知他人实施走私制毒物品犯罪，而为其运输、储存、代理进出口或者以其他方式提供便利的，以走私制毒物品罪的共犯立案追诉。

4. 2012年6月18日最高人民法院、最高人民检察院、公安部公布施行的《关于办理走私、非法买卖黄麻碱类复方制剂等刑事案件适用法律若干问题的意见》第1条规定："……以加工、提炼制毒物品为目的，购买麻黄碱类复方制剂，或者运输、携带、寄递麻黄碱类复方制剂进出境的，依照刑法第三百五十条第一款、第三款的规定，分别以非法买卖制毒物品罪、走私制毒物品罪定罪处罚。将麻黄碱类复方制剂拆除包装、改变形态后进行走私或者非法买卖，或者明知是已拆除包装、改变形态的麻黄碱类复方制剂而进行走私或者非法买卖的，依照刑法第三百五十条第一款、第三款的规定，分别以走私制毒物品罪、非法买卖制毒物品罪定罪处罚……"

第5条规定："对于本意见规定的犯罪嫌疑人、被告人的主观目的与明知，应当根据物证、书证、证人证言以及犯罪嫌疑人、被告人供述和辩解等在案证据，结合犯罪嫌疑人、被告人的行为表现，重点考虑以下因素综合予以认定：1. 购买、销售麻黄碱类复方制剂的价格是否明显高于市场交易价格；2. 是否采用虚假信息、隐蔽手段运输、寄递、存储麻黄碱类复方制剂；3. 是否采用伪报、伪装、藏匿或者绕行进出境等手段逃避海关、边防等检查；4. 提供相关帮助行为获得的报酬是否合理；5. 此前是否实施过同类违法犯罪行为；6. 其他相关因素。"

第 6 条规定："实施本意见规定的行为，以走私制毒物品罪、非法买卖制毒物品罪定罪处罚的，应当以涉案麻黄碱类复方制剂中麻黄碱类物质的含量作为涉案制毒物品的数量。实施本意见规定的行为，以制造毒品罪定罪处罚的，应当将涉案麻黄碱类复方制剂所含的麻黄碱类物质可以制成的毒品数量作为量刑情节考虑。多次实施本意见规定的行为未经处理的，涉案制毒物品的数量累计计算。"

第五节　非法买卖、运输、携带、持有
毒品原植物种子、幼苗罪

一、《刑法》规定

本罪名是由《刑法》第 352 条规定的。

第 352 条规定："【非法买卖、运输、携带、持有毒品原植物种子、幼苗罪】非法买卖、运输、携带、持有未经灭活的罂粟等毒品原植物种子或者幼苗，数量较大的，处三年以下有期徒刑、拘役或者管制，并处或者单处罚金。"

二、罪名释义

非法买卖、运输、携带、持有毒品原植物种子、幼苗罪，是指违反国家毒品管理法规，买卖、运输、携带、持有没有经过灭活的罂粟等毒品原植物种子或者幼苗，数量较大的行为。

三、刑罚

根据上述法律规定，对犯本罪的，处三年以下有期徒刑、拘役或者管制，并处或者单处罚金。

四、相关问题与规定

《最高人民检察院、公安部关于公安机关管辖的刑事案件立案追诉标准的规定（三）》第 8 条规定："非法买卖、运输、携带、持有未经灭活的罂粟等毒品原植物种子或者幼苗，涉嫌下列情形之一的，应予立案追诉：（一）罂粟种子五十克以上、罂粟幼苗五千株以上；（二）大麻种子五十千克以上、大麻幼苗五万株以上；（三）其他毒品原植物种子、幼苗数量较大的。"

第六节　引诱、教唆、欺骗他人吸毒罪，强迫
他人吸毒罪，容留他人吸毒罪

一、引诱、教唆、欺骗他人吸毒罪

（一）《刑法》规定

本罪名是由《刑法》第 353 条第 1 款规定的。

第 353 条第 1 款规定："【引诱、教唆、欺骗他人吸毒罪】引诱、教唆、欺骗他人吸食、注射毒品的，处三年以下有期徒刑、拘役或者管制，并处罚金；情节严重的，处三年以上七年以下有期徒刑，并处罚金。"

同时，第 3 款规定："引诱、教唆、欺骗或者强迫未成年人吸食、注射毒品的，从重处罚。"

（二）罪名释义

引诱、教唆、欺骗他人吸毒罪，是指引诱、教唆、欺骗他人吸食、注射毒品的行为。本罪是选择性罪名，实施了引诱、教唆、欺骗他人吸食、注射毒品行为之一的，即以该行为确定罪名。实施了其中两种以上行为的，将所实施行为并列为一个罪名，不实行数罪并罚。

（三）刑罚

根据上述法律规定，对犯本罪的分以下两种情况处罚：

1. 处三年以下有期徒刑、拘役或者管制，并处罚金。

2. 情节严重的，处三年以上七年以下有期徒刑，并处罚金。

（四）相关问题与规定

1. 立案标准。《最高人民检察院、公安部关于公安机关管辖的刑事案件立案追诉标准的规定（三）》第 9 条规定："引诱、教唆、欺骗他人吸食、注射毒品的，应予立案追诉。"

2. 情节严重。《最高人民法院关于审理毒品犯罪案件适用法律若干问题的解释》第 11 条规定："引诱、教唆、欺骗他人吸食、注射毒品，具有下列情形之一的，应当认定为刑法第三百五十三条第一款规定的'情节严重'：（一）引诱、教唆、欺骗多人或者多次引诱、教唆、欺骗他人吸食、注射毒品的；（二）对他人

身体健康造成严重危害的；（三）导致他人实施故意杀人、故意伤害、交通肇事等犯罪行为的；（四）国家工作人员引诱、教唆、欺骗他人吸食、注射毒品的；（五）其他情节严重的情形。"

二、强迫他人吸毒罪

（一）《刑法》规定

本罪名是由《刑法》第353条第2款规定的。

第353条第2款规定："【强迫他人吸毒罪】强迫他人吸食、注射毒品的，处三年以上十年以下有期徒刑，并处罚金。"

同时，第3款规定："引诱、教唆、欺骗或者强迫未成年人吸食、注射毒品的，从重处罚。"

（二）罪名释义

强迫他人吸毒罪，是指以暴力、胁迫或者其他强制手段，迫使他人吸食、注射毒品的行为。

（三）刑罚

根据上述法律规定，对犯本罪的处三年以上十年以下有期徒刑，并处罚金。

（四）相关问题与规定

《最高人民检察院、公安部关于公安机关管辖的刑事案件立案追诉标准的规定（三）》第10条规定："违背他人意志，以暴力、胁迫或者其他强制手段，迫使他人吸食、注射毒品的，应予立案追诉。"

三、容留他人吸毒罪

（一）刑法规定

本罪名是由《刑法》第354条规定的。

第354条规定："【容留他人吸毒罪】容留他人吸食、注射毒品的，处三年以下有期徒刑、拘役或者管制，并处罚金。"

（二）罪名释义

容留他人吸毒罪，是指行为人利用自己的住房或者其他场所，召集、收留他人吸食注射毒品的行为。

（三）刑罚

根据上述法律规定，对犯本罪的，处三年以下有期徒刑、拘役或者管制，并处罚金。

（四）相关问题与规定

1. 立案标准。《最高人民法院关于审理毒品犯罪案件适用法律若干问题的解释》第 12 条第 1 款规定："容留他人吸食、注射毒品，具有下列情形之一的，应当依照刑法第三百五十四条的规定，以容留他人吸毒罪定罪处罚：（一）一次容留多人吸食、注射毒品的；（二）二年内多次容留他人吸食、注射毒品的；（三）二年内曾因容留他人吸食、注射毒品受过行政处罚的；（四）容留未成年人吸食、注射毒品的；（五）以牟利为目的容留他人吸食、注射毒品的；（六）容留他人吸食、注射毒品造成严重后果的；（七）其他应当追究刑事责任的情形。"

2. 其他。《最高人民法院关于审理毒品犯罪案件适用法律若干问题的解释》第 12 条第 2 款、第 3 款规定："向他人贩卖毒品后又容留其吸食、注射毒品，或者容留他人吸食、注射毒品并向其贩卖毒品，符合前款规定的容留他人吸毒罪的定罪条件的，以贩卖毒品罪和容留他人吸毒罪数罪并罚。

容留近亲属吸食、注射毒品，情节显著轻微危害不大的，不作为犯罪处理；需要追究刑事责任的，可以酌情从宽处罚。"

第七节　非法提供麻醉药品、精神药品罪

一、《刑法》规定

本罪名是由《刑法》第 355 条规定的。

第 355 条规定："【非法提供麻醉药品、精神药品罪】依法从事生产、运输、管理、使用国家管制的麻醉药品、精神药品的人员，违反国家规定，向吸食、注射毒品的人提供国家规定管制的能够使人形成瘾癖的麻醉药品、精神药品的，处三年以下有期徒刑或者拘役，并处罚金；情节严重的，处三年以上七年以下有期徒刑，并处罚金。向走私、贩卖毒品的犯罪分子或者以牟利为目的，向吸食、注射毒品的人提供国家规定管制的能够使人形成瘾癖的麻醉药品、精神药品的，依照本法第三百四十七条的规定定罪处罚。

单位犯前款罪的，对单位判处罚金，并对其直接负责的主管人员和其他直接责任人员，依照前款的规定处罚。"

二、罪名释义

非法提供麻醉药品、精神药品罪，是指依法从事生产、运输、管理、使用国家管制的麻醉药品、精神药品的单位和人员，违反国家规定，向吸食、注射毒品的人提供国家规定管制的能够使人形成瘾癖的麻醉药品、精神药品的行为。

三、刑罚

根据上述法律规定，对犯本罪的分以下三种情况处罚：

1. 处三年以下有期徒刑或者拘役，并处罚金。

2. 情节严重的，处三年以上七年以下有期徒刑，并处罚金。

3. 单位犯前款罪的，对单位判处罚金，并对其直接负责的主管人员和其他直接责任人员，依照前款的规定处罚。

四、相关问题与规定

（一）情节数量

《最高人民法院关于审理毒品犯罪案件适用法律若干问题的解释》第 13 条规定："依法从事生产、运输、管理、使用国家管制的麻醉药品、精神药品的人员，违反国家规定，向吸食、注射毒品的人提供国家规定管制的能够使人形成瘾癖的麻醉药品、精神药品，具有下列情形之一的，应当依照刑法第三百五十五条第一款的规定，以非法提供麻醉药品、精神药品罪定罪处罚：（一）非法提供麻醉药品、精神药品达到刑法第三百四十七条第三款或者本解释第二条规定的"数量较大"标准最低值的百分之五十，不满"数量较大"标准的；（二）二年内曾因非法提供麻醉药品、精神药品受过行政处罚的；（三）向多人或者多次非法提供麻醉药品、精神药品的；（四）向吸食、注射毒品的未成年人非法提供麻醉药品、精神药品的；（五）非法提供麻醉药品、精神药品造成严重后果的；（六）其他应当追究刑事责任的情形。

具有下列情形之一的，应当认定为刑法第三百五十五条第一款规定的"情节严重"：（一）非法提供麻醉药品、精神药品达到刑法第三百四十七条第三款或者本解释第二条规定的"数量较大"标准的；（二）非法提供麻醉药品、精神药品达到前款第一项规定的数量标准，且具有前款第三项至第五项规定的情形之一的；（三）其他情节严重的情形。"

（二）其他

1. 2002 年 10 月 24 日公布施行的《最高人民检察院法律政策研究室关于安定注射液是否属于刑法第三百五十五条规定的精神药品问题的答复》中指出："根据《精神药品管理办法》等国家有关规定，"能够使人形成瘾癖"的精神药品，是指使用后能使人的中枢神经系统兴奋或者抑制连续使用能使人产生依赖性的药品。安定注射液属于刑法第三百五十五条第一款规定的"国家规定管制的能够使人形成瘾癖的"精神药品。鉴于安定注射液属于《精神药品管理办法》规定的第二类精神药品，医疗实践中使用较多，在处理此类案件时，应当慎重掌握罪与非罪的界限。对于明知他人是吸毒人员而多次向其出售安定注射液，或者贩卖安定注射液数量较大的，可以依法追究行为人的刑事责任。"

2.《最高人民检察院、公安部关于公安机关管辖的刑事案件立案追诉标准的规定（三）》第12条规定："……依法从事生产、运输、管理、使用国家管制的麻醉药品、精神药品的人员或者单位，违反国家规定，向走私、贩卖毒品的犯罪分子提供国家规定管制的能够使人形成瘾癖的麻醉药品、精神药品的，或者以牟利为目的，向吸食、注射毒品的人提供国家规定管制的能够使人形成瘾癖的麻醉药品、精神药品的，以走私、贩卖毒品罪立案追诉。"

3. 2015年9月24日由公安部、原国家卫生和计划生育委员会、原国家食品药品监督管理总局、国家禁毒委公布的《非药用类麻醉药品和精神药品列管办法》及其附表《非药用类麻醉药品和精神药品管制品种增补目录》，是根据国务院公布的《麻醉药品和精神药品管理条例》第3条第2款制定的，《非药用类麻醉药品和精神药品管制品种增补目录》可认定为是毒品的依据。

4. 2017年1月5日公布的《公安部、国家食品药品监督管理总局、国家卫生和计划生育委员会关于将卡芬太尼等四种芬太尼类物质列入非药用类麻醉药品和精神药品管制品种增补目录的公告》规定："根据《麻醉药品和精神药品管理条例》《非药用类麻醉药品和精神药品列管办法》的有关规定，公安部、国家食品药品监督管理总局和国家卫生和计划生育委员会决定将卡芬太尼、呋喃芬太尼、丙烯酰芬太尼、戊酰芬太尼四种物质列入非药用类麻醉药品和精神药品管制品种增补目录。"

第十一章

毒品治安案件查处

第一节　毒品治安违法行为及其查处概述

毒品问题是一直是影响社会治安秩序的主要因素之一，自建国以来，我国始终坚持"严厉打击毒品违法犯罪行为"的高压政策，使涉毒违法犯罪行为大幅度减少。除此之外，建立在"二元处罚机制"之上的治安违法行为与刑事犯罪行为案件办理的分流，也提高了基层打击毒品案件的效率，因此结合我国实践，梳理毒品治安违法行为的概念是学习该类案件查处的基础。

一、毒品治安行为的概述

毒品违法犯罪行为是常被提及到的概念，这一概念囊括了与毒品相关的，违反国家法律法规的一切行为，但受部门法的影响，毒品违法行为与毒品犯罪行为却有着本质上的区别。

（一）毒品违法行为与毒品犯罪行为

违法行为是指违反国家现行法律规定，危害法律所保护的社会关系的行为，亦称"非法行为"。它包括了刑事违法行为、民事违法行为和行政违法行为。同时按照情节严重程度，可以分为一般违法行为和严重违法行为（即犯罪行为）。而犯罪行为则是指严重危害社会、违反刑事法律，应受刑罚处罚的行为。介于毒品的特殊性，目前毒品违法行为主要指违反我国《刑法》和有关禁毒法律法规，具有社会危害性的行为，因此违反我国《刑法》相关规定的行为被称为毒品犯罪行为，违反其他有关禁毒法律法规的行为被称为一般毒品违法行为。

一般毒品违法行为与毒品犯罪行为的区别主要表现在以下几个方面：[1]

1. 行为违法性认定的主体不同。受我国行政机关与司法机关职责的划分，一般毒品违法行为应由行政机关依照有关法律、行政法规，给予立案查处，确认其行为是否违法，例如未按照麻醉药品药用原植物年度种植计划进行种植的，由药品监督管理部门责令限期改正。而毒品犯罪行为则应当由公安机关侦查部门负责依法追究刑事责任。例如致使麻醉药品和精神药品流入非法渠道造成危害，构成犯罪的，依法追究刑事责任。

2. 行为违法性认定的法律依据不同。对于涉毒行为违法性的认定，要根据现场情况确定行为人的行为是否违反了我国或国际上有关毒品的法律法规。一般毒品违法行为的认定主要依据是《治安管理处罚法》《娱乐场所管理条例》《麻醉药品和精神药品管理条例》等。毒品犯罪行为主要依据是《刑法》等刑事法律规定。

3. 行为的社会危害程度不同。一般毒品违法行为涵盖了违反国家和国际禁毒法律、法规的较轻微行为，其范围广泛，可能包括一些不涉及刑事责任的轻微违法行为，如非法持有少量毒品、吸食毒品等。这些行为虽然违反了禁毒法规，但尚未达到构成犯罪的程度。而毒品犯罪行为则是指严重违反禁毒法律、法规，构成刑事犯罪的行为。根据《刑法》的规定，毒品犯罪包括走私、贩卖、运输、制造毒品罪，非法持有毒品罪等。这些行为具有严重的社会危害性，对社会的安全和稳定构成威胁。

4. 行为适用的处罚不同。涉毒违法行为与毒品犯罪行为在法律责任上存在显著差异，因此适用的处罚也不相同。涉毒违法行为应承担行政法律责任，行政处罚包括罚款、行政拘留、吊销公安机关发放的行政许可等，而毒品犯罪行为则应承担刑事法律责任，刑事处罚包括管制、拘役、有期徒刑、无期徒刑、死刑等。

（二）毒品治安违法行为与其他毒品行政违法行为

毒品治安违法行为，通常指的是违反国家关于毒品管理的治安管理规定，但尚未构成犯罪的行为，因此毒品治安违法行为是毒品违法行为的一种。其他毒品行政违法行为是指行政相对人违反了除治安管理相关规定外的，其他有关禁毒的行政法规的行为，两者有着一定的区别。

1. 两种行为认定与处罚的主体不同。毒品治安违法行为的查处主体只能是

---

[1] 李文君、阮惠风：《禁毒学》，中国人民公安大学出版社 2018 年版，第 317 页。

公安机关，而其他毒品行政违法行为的认定主体则包括卫生行政部门、工商行政管理部门、食品药品监督管理部门等。

2. 两种行为适用的处罚种类不同。毒品治安违法行为既可以适用财产罚也可以适用人身自由罚，但是其他毒品行政违法行为不能适用人身自由罚即行政拘留。

（三）毒品治安违法行为的种类

毒品治安违法行为主要是破坏国家毒品管制的行为，因此在对毒品治安违法行为的梳理中，仅统计了与毒品管制相关联的违法行为，同时根据毒品的概念，[1] 未将涉及易制毒化学品的违反治安管理的行为纳入其中，根据 2020 年公布的《违反公安行政管理行为的名称及其适用意见》，毒品治安违法行为的种类主要包括以下 14 种（见表 11-1）。

表 11-1　毒品治安违法行为的种类（14 种）

名称	条款	行为名称
《治安管理处罚法》（2012 年修正）	第 71 条第 1 款第 1 项	非法种植毒品原植物
	第 71 条第 1 款第 2 项	非法买卖、运输、携带、持有毒品原植物种苗
	第 71 条第 1 款第 3 项	非法运输、买卖、储存、使用罂粟壳
	第 72 条第 1 项	非法持有毒品
	第 72 条第 2 项	提供毒品
	第 72 条第 3 项	吸毒
	第 72 条第 4 项	胁迫、欺骗开具麻醉药品、精神药品
	第 73 条	教唆、引诱、欺骗吸毒
	第 74 条	为吸毒、赌博、卖淫、嫖娼人员通风报信
《娱乐场所管理条例》	第 14 条和第 43 条	娱乐场所从事毒品违法犯罪活动
	第 14 条和第 43 条	娱乐场所为毒品违法犯罪活动提供条件
《禁毒法》	第 61 条	容留吸毒
	第 61 条	介绍买卖毒品
《麻醉药品和精神药品管理条例》	第 82 条第 1 款	麻醉药品、精神药品流入非法渠道

---

[1] 毒品指鸦片、海洛因、冰毒、吗啡、大麻、可卡因以及国家规定管制的其他能够使人形成瘾癖的麻醉药品和精神药品。

二、毒品治安案件的概念

（一）毒品治安案件的概念

毒品治安案件是指由公安机关立案查处的，涉及行为人违反治安管理法律规范，破坏国家对毒品的管制制度，应受治安处罚法律事实。主要包括非法买卖、运输、携带、持有毒品；非法种植、生产毒品原植物；为他人提供吸毒场所；引诱、教唆、欺骗、强迫他人吸食、注射毒品；容留他人吸食、注射毒品等行为。

（二）毒品治安案件的构成

1. 毒品治安案件的主体。毒品治安犯罪的主体是一般主体，即既可以是自然人亦可以是单位，比如携带持有毒品的违法主体主要是自然人，但娱乐场所从事毒品违法犯罪活动的违法主体则是单位。

2. 毒品治安案件的主观要件。毒品犯罪的主观方面表现为故意，即明知自己的行为会产生危害结果，并且希望或者放任这种结果的发生。但是如果行为人如果不知运输、携带的物品为毒品，则不构成违法行为。

3. 毒品治安案件的客体。毒品犯罪治安案件侵犯的客体是我国对毒品的管制制度和人民的生命健康。由于鸦片、海洛因、冰毒等麻醉药品和精神药品既有医用价值，又能使人形成瘾癖，使人体产生依赖性。因而，违法行为人不仅自己吸食还帮助他人运输，破坏我国的毒品管制制度。

4. 毒品治安案件的客观要件。毒品治安案件的客观要件指犯罪行为的具体表现。比如非法种植毒品原植物案件客观方面表现为非法种植罂粟不满 500 株或者其他少量毒品原植物。

（三）毒品治安案件主要类型

1. 吸食、注射毒品。吸食、注射毒品，是指行为人违反国家毒品管制法规，明知是毒品而自愿吸入、吞服或通过针剂注射进入人体内的违法行为。该类案件主要依据《治安管理处罚法》第 84 条第 3 款查处。对于吸毒成瘾者，公安机关将依据《禁毒法》同时责令其接受社区戒毒或采取强制隔离戒毒措施。

2. 运输制造毒品。运输制造毒品是指将毒品原料或成品进行非法运输，以及非法制造毒品的行为。这类案件往往涉及大规模的毒品生产和运输活动，对社会的危害极大。运输制造毒品的行为人往往为了获取巨额利润，不惜铤而走险，严重破坏了社会的安定和谐。

3. 非法持有毒品。非法持有毒品是指违反国家规定，私自藏有、占有鸦片、海洛因、冰毒等毒品但数量较少（如非法持有鸦片不满 200 g、海洛因或者冰毒不满 10 g），尚未构成刑事犯罪的行为。

4. 引诱教唆吸毒。引诱教唆吸毒是指故意诱导、劝说他人吸食、注射毒品的行为。这类案件往往涉及对未成年人的引诱和教唆，使其陷入毒品的泥潭。引诱教唆吸毒的行为人不仅严重侵犯了他人的身心健康，还破坏了社会的道德风尚。

5. 容留他人吸毒。容留他人吸毒是指为他人提供场所、工具等条件，方便其吸食、注射毒品的行为。这类案件通常发生在家庭、宾馆、娱乐场所等私密空间，具有较大的隐蔽性。容留他人吸毒的行为人可能出于友情、利益或其他原因而提供便利，但其行为无疑加剧了毒品的传播和滥用。

6. 非法种植原植物。非法种植原植物是指违反国家法律法规，擅自种植用于提炼毒品的植物的行为。这类案件往往涉及对毒品原料的非法获取和生产，是毒品犯罪链条中的重要环节。非法种植原植物的行为人可能出于自用或贩卖等目的，但其行为无疑为毒品犯罪提供了物质基础。

7. 买卖制毒物品。买卖制毒物品是指未经许可或违反法律规定，擅自购买、销售用于制造毒品的原料、辅料、设备等物品的行为。这类案件涉及毒品制造的上游环节，为毒品制造提供了必要的物质条件。买卖制毒物品的行为人可能出于牟利或满足他人需求等原因而从事此类活动，但其行为无疑助长了毒品犯罪的蔓延。

8. 非法提供药品。非法提供药品是指违反国家法律法规，擅自向他人提供麻醉药品、精神药品等管制药品的行为。这类案件通常涉及医疗机构、药店等场所的工作人员或其他相关人员，他们可能出于个人私利或其他原因而违规提供药品。非法提供药品的行为不仅违反了国家对药品的管制规定，还可能导致药品的滥用和依赖。

（四）毒品治安案件的危害

近年来因毒品引发的治安案件频频发生，例如因吸食毒品产生幻觉持刀伤人屡见不鲜，毒品治安案件不仅会给个人或他人造成巨大的伤害，也会对社会治安秩序造成严重影响。

1. 损害身心健康。涉毒治安案件的首要危害是对个人身心健康的严重损害。毒品会对人体神经系统产生强烈的刺激和破坏，导致生理功能紊乱，产生幻觉、妄想等精神症状。长期吸食毒品还会导致免疫力下降，容易感染各种疾病，甚至危及生命。此外，毒品还会对大脑造成不可逆的损害，导致记忆力下降、智力减退等后果。

2. 破坏家庭和谐。涉毒治安案件不仅对个人造成伤害，也严重破坏了家庭的和谐与稳定。吸毒者往往沉迷于毒品的追求，忽视了家庭的责任和义务，导致夫妻关系破裂、亲子关系疏远。同时，吸毒者的行为也会给家庭带来经济负担和精神压力，使家庭陷入困境。

3. 诱发违法犯罪。涉毒治安案件往往与违法犯罪活动紧密相连。吸毒者为了获取毒品，可能会采取盗窃、抢劫、诈骗等违法犯罪手段。此外，毒品交易也涉及走私、贩卖、运输等违法行为，给社会治安带来极大的威胁。这些违法犯罪行为不仅危害了社会的安宁，也损害了人民群众的生命财产安全。

4. 威胁社会安全。涉毒治安案件的存在对社会安全构成严重威胁。毒品犯罪的蔓延和扩散，容易引发群体性事件和社会动荡。同时，毒品也会使一些人失去理智，做出危害社会的行为，甚至引发暴力事件。这些都对社会稳定和安全构成了极大的挑战。

5. 败坏社会风气。涉毒治安案件对社会风气的败坏也是不可忽视的。毒品作为一种不道德、不健康的行为，会对社会的道德观念和价值取向产生负面影响。吸毒者的存在和毒品交易的蔓延，容易使人们产生对社会的失望和不满情绪，进一步加剧社会矛盾和冲突。

涉毒治安案件的危害是多方面的、深层次的。为了维护社会的和谐稳定和促进人民的身心健康，我们必须坚决打击毒品犯罪，加强禁毒宣传教育，提高全社会对毒品危害的认识和警惕性。同时，也需要加强家庭教育和社区建设，营造健康向上的社会环境，共同抵御毒品的侵蚀和危害。

三、毒品治安案件的查处

（一）毒品治安案件查处的概念

毒品治安案件查处是指公安机关治安管理部门为了查清涉毒违法事实和违法行为人，维护国家毒品管控制度和社会治安秩序，根据《治安管理处罚法》等法律法规，对涉毒治安违法行为进行调查取证并对违法行为人进行治安处罚的行政执法活动。

（二）毒品治安案件查处的法律依据

毒品治安案件查处的法律依据涵盖了多个法律法规和规范性文件，为公安机关在打击毒品犯罪、维护社会治安稳定方面提供了全面的法律保障。公安机关在查处毒品治安案件时，应严格遵循相关法律法规的规定，确保执法活动的合法性和有效性。

1. 《治安管理处罚法》规定。《治安管理处罚法》是毒品治安案件查处的重要法律依据之一。《治安管理处罚法》涵盖了多数毒品治安违法行为的种类，同时规定了涉毒行为的治安管理处罚措施，如警告、罚款、拘留等，并规定了相应的处罚幅度。这些规定为公安机关在查处毒品治安案件时提供了明确的法律依据，确保了处罚的合法性和公正性。

2. 《禁毒法》相关条款。《禁毒法》是我国禁毒工作的基本法律，对毒品犯罪和毒品违法行为的打击和预防作出了全面规定。在毒品治安案件查处中，禁毒法相关条款为公安机关提供了明确的法律指引。例如，禁毒法规定了禁毒工作的原则、禁毒机构的职责、毒品管制措施等，为毒品治安案件的查处提供了有力的法律支持。

3. 药品管理法规。药品管理法规对药品的生产、经营、使用等环节进行了规范，对于涉及药品类毒品的治安案件查处具有重要意义。药品管理法规规定了药品的分类管理、许可制度、监管措施等，为公安机关在查处涉及药品类毒品的治安案件时提供了法律依据和执法指导。

4. 麻精药品管理条例。《麻醉药品和精神药品管理条例》是针对麻醉药品和精神药品的特殊管理规定，对于涉及麻醉药品及精神药品的毒品治安案件查处具有重要意义。该条例明确了列入特殊管理的麻醉药品和精神药品的分类、管理要求以及违法行为的处罚措施等，为公安机关在查处涉及麻精药品的毒品治安案件时提供了明确的法律依据。

5. 《强制戒毒办法》（已失效）。《强制戒毒办法》（已失效）是针对吸毒人员的特殊管理措施，对于毒品治安案件的查处和吸毒人员的戒治具有重要意义。该办法规定了强制戒毒的适用条件、程序、措施以及戒毒机构的管理要求等，为公安机关在查处毒品治安案件时采取强制戒毒措施提供了法律依据。

6. 《公安机关办理行政案件程序规定》等部门规章。《公安机关办理行政案件程序规定》是公安机关在查处毒品治安案件时必须遵循的程序性规定。该规定明确了行政处罚的立案、调查、决定、执行等程序要求，确保了公安机关在查处毒品治安案件时依法行使职权，保障行为人的合法权益。

7. 司法解释与指导案例。司法解释和指导案例是毒品治安案件查处的重要依据之一。最高人民法院、最高人民检察院等司法机关发布的关于毒品犯罪的司法解释和指导案例，为公安机关在查处毒品治安案件时提供了具体的法律适用指导和参考依据。这些司法解释和指导案例结合具体案件情况，对法律条文进行了具体解释和适用说明，有助于公安机关更准确地理解和适用法律，提高案件查处的质量和效率。

（三）毒品治安案件查处的原则

1. 过罚法定原则。过罚法定原则指对违反《治安管理处罚法》和禁毒法规的涉毒行为，依照法律法规认定并处罚，法律没有明确规定的，不得认定该行为违法并处罚。过罚法定原则包括：禁止类推解释、禁止溯及既往、处罚明确和适当。过罚法定原则虽然源于刑法中的罪刑法定原则，但治安案件的认定与犯罪行为的认定一样，关乎对行为人的人身自由权和财产权剥夺的罚则，因此过罚法定原则应是治安案件查处中必须遵守的基本原则。

2. 过罚相当原则。过罚相当原则是指实施治安处罚必须与违法行为的事实、性质、情节以及法益侵害程度相当，即毒品治安案件行为人实施了哪种违法行为，就应当予以法律法规设定的相应的处罚，违法情节和违法结果越严重，处以的罚责就应当越严厉。《治安管理处罚法》第 6 条第 1 款规定："治安管理处罚必须以事实为依据，与违反治安管理的事实、性质、情节以及社会危害程度相当。"

3. 公开公正原则。公正公开透明原则是毒品治安案件查处的基本原则之一。公安机关在办案过程中，应坚持公正立场，不受任何外界因素的干扰。同时，应公开办案程序和结果，接受社会监督，确保案件查处的公正性和透明度。此外，还应保障当事人的合法权益，充分听取其意见和申辩。

4. 教育与处罚相结合原则。涉毒治安案件的处理中，应坚持教育为主、处罚为辅的原则。在查处涉毒案件时，不仅要对违法行为人进行处罚，更重要的是要通过教育手段，使行为人认识到毒品的危害性，自觉远离毒品，实现真正的自我救赎。通过教育的方式，可以提高违法者的法律意识，增强其抵制毒品的自觉性，有助于从根本上解决毒品问题。

5. 尊重和保障人权原则。在查处毒品治安案件时，公安机关应始终尊重并保障涉案人员的人权和尊严。这包括尊重其人格尊严、隐私权、知情权等，避免对其进行侮辱、虐待或非法拘禁等侵犯人权的行为。同时，在处理案件时，应依法对涉案人员进行必要的教育和帮助，促进其改过自新、回归社会。

（四）毒品治安案件查处的程序

毒品治安案件查处主要适用治安案件查处的普通程序，一般不适用当场处罚的简易程序，治安案件查处的普通程序主要包括案件受理、调查、告知、听证、治安处罚、案件处理和结案等过程。其中，听证是治安案件查处中的选择性程序，有适用的条件限制，应根据案件具体情况而决定。

1. 毒品治安案件受理。毒品治安案件的受理是指公安机关对报案、控告、举报、群众扭送或者违法嫌疑人投案，以及其他行政主管部门、司法机关移送的案件，表示接受并进行调查处理的活动。治安案件受理是治安案件查处的起点，应由县级公安机关及其公安派出所应当及时受理并按照规定进行网上接报案登记。《治安管理处罚法》第 90 条规定："公安机关对报案、控告、举报或者违反治安管理行为人主动投案，以及其他国家机关移送的违反治安管理案件，应当立即立案并进行调查；认为不属于违反治安管理行为的，应当告知报案人、控告人、举报人、投案人，并说明理由。"

（1）毒品治安案件的受理来源主要包括：公民报案、控告、举报和群众扭送；机关、团体、企事业组织报告、违法嫌疑人的投案；公安机关在日常治安检查中发现的；其他执法部门如海关、边防、交通管理等移送。

（2）毒品治安案件受理的程序。

第一，受理登记。《公安机关办理行政案件程序规定》第 60 条规定："县级公安机关及其公安派出所、依法具有独立执法主体资格的公安机关业务部门以及出入境边防检查站对报案、控告、举报、群众扭送或者违法嫌疑人投案，以及其他国家机关移送的案件，应当及时受理并按照规定进行网上接报案登记。对重复报案、案件正在办理或者已经办结的，应当向报案人、控告人、举报人、扭送人、投案人作出解释，不再登记。"

第二，审查线索。公安机关对报案人或提供的报案材料从真实性、关联性和合法性进行初步审查，确定违法行为的存在，同时审查案件管辖的范围。

第三，提出处理意见。《公安机关办理行政案件程序规定》第 61 条规定："公安机关应当对报案、控告、举报、群众扭送或者违法嫌疑人投案分别作出下列处理，并将处理情况在接报案登记中注明：（一）对属于本单位管辖范围内的案件，应当立即调查处理，制作受案登记表和受案回执，并将受案回执交报案人、控告人、举报人、扭送人；（二）对属于公安机关职责范围，但不属于本单位管辖的，应当在二十四小时内移送有管辖权的单位处理，并告知报案人、控告人、举报人、扭送人、投案人；（三）对不属于公安机关职责范围的事项，在接报案时能够当场判断的，应当立即口头告知报案人、控告人、举报人、扭送人、投案人向其他主管机关报案或者投案，报案人、控告人、举报人、扭送人、投案人对口头告知内容有异议或者不能当场判断的，应当书面告知，但因没有联系方式、身份不明等客观原因无法书面告知的除外。在日常执法执勤中发现的违法行为，适用前款规定。"第 62 条规定："属于公安机关职责范围但不属于本单位管辖的案件，具有下列情形之一的，受理案件或者发现案件的公安机关及其人民警察应当依法先行采取必要的强制措施或者其他处置措施，再移送有管辖权的单位处理：（一）违法嫌疑人正在实施危害行为的；（二）正在实施违法行为或者违法后即时被发现的现行犯被扭送至公安机关的；（三）在逃的违法嫌疑人已被抓获或者被发现的；（四）有人员伤亡，需要立即采取救治措施的；（五）其他应当采取紧急措施的情形。行政案件移送管辖的，询问查证时间和扣押等措施的期限重新计算。"

2. 毒品治安案件的调查。《公安机关办理行政案件程序规定》第49条规定："对行政案件进行调查时，应当合法、及时、客观、全面地收集、调取证据材料，并予以审查、核实。"第50条对治安案件案件事实做出了明确的规定。[1]

（1）传唤。传唤是公安机关对违法行为嫌疑人或单位违反治安管理规定直接负责的主管人员和其他直接责任人员，限令其在指定时间和指定地点接受询问的一项治安措施。根据《治安管理处罚法》第96条的规定，传唤的形式主要包括三种，即书面传唤、口头传唤和强制传唤，公安机关在毒品治安案件查处过程中，应根据具体情况，选择合适的传唤方式。同时在对违法嫌疑人进行传唤后，要及时进行询问查证，询问查证的时间不得超过8小时；情况复杂，依照本法规定可能适用行政拘留处罚的，询问查证的时间不得超过24小时。[2]

（2）询问。询问也称治安询问，是公安机关办案人民警察为了查清案件事实，依照法定程序向治安违法行为人或案件知情人了解案件有关情况，获取言词证据的一种调查活动。询问的要求：首先，询问违法嫌疑人，可以到违法嫌疑人住处或者单位进行，也可以将违法嫌疑人传唤到其所在市、县内的指定地点进行；在公安机关询问违法嫌疑人，应当在办案场所进行。其次，询问违法嫌疑人、被侵害人或者其他证人，应当个别进行。最后，询问应当制作询问笔录，准确记录违法行为发生的经过和事实。

（3）勘验、检查。《公安机关办理行政案件程序规定》第81条第1款规

---

[1] 《公安机关办理行政案件程序规定》第50条："需要调查的案件事实包括：（一）违法嫌疑人的基本情况；（二）违法行为是否存在；（三）违法行为是否为违法嫌疑人实施；（四）实施违法行为的时间、地点、手段、后果以及其他情节；（五）违法嫌疑人有无法定从重、从轻、减轻以及不予行政处罚的情形；（六）与案件有关的其他事实。"

[2] 《治安管理处罚法》第96条："需要传唤违反治安管理行为人接受调查的，经公安机关办案部门负责人批准，使用传唤证传唤。对现场发现的违反治安管理行为人，人民警察经出示人民警察证，可以口头传唤，但应当在询问笔录中注明。公安机关应当将传唤的原因和依据告知被传唤人。对无正当理由不接受传唤或者逃避传唤的人，经公安机关办案部门负责人批准，可以强制传唤。"

定："对于违法行为案发现场，必要时应当进行勘验，提取与案件有关的证据材料，判断案件性质，确定调查方向和范围。"勘验是指公安机关对违法行为发生的场所进行的实地勘测检验活动，《公安机关办理行政案件程序规定》第81条第2款规定："现场勘验参照刑事案件现场勘验的有关规定执行。"检查指公安机关及其人民警察在办理治安案件中，对于与案件有关的一切场所、物品、人身进行的查证、调查手段。治安检查不得少于两人，检查妇女身体应当由女性工作人员进行，同时勘验检查时应有见证人在场，检查情况应当制作检查笔录。

（4）鉴定、检测。鉴定指公安机关指派或者聘请具有专门知识的人，就案件中的专门性技术问题进行鉴别、判断并作出结论的调查活动。在毒品治安案件中，鉴定主要是对毒品质地、种类、含量、成分等的确定。

鉴定里面还包含对涉嫌吸毒人员检测的规定，对涉嫌吸毒的人员，应当进行吸毒检测，被检测人员应当配合；对拒绝接受检测的，经县级以上公安机关或者其派出机构负责人批准，可以强制检测。采集女性被检测人检测样本，应当由女性工作人员进行。

对涉嫌服用国家管制的精神药品、麻醉药品驾驶机动车的人员，可以对其进行体内国家管制的精神药品、麻醉药品含量检验。

（5）证据保全。证据保全指在对治安案件的查处中，为了防止证据的毁损灭失，而对案件有关的证据采取的固定和保存方法。证据保全的方法主要包括：扣押、查封、冻结、抽样取证等。

3. 告知。《治安管理处罚法》第112条第1款规定："公安机关作出治安管理处罚决定前，应当告知违反治安管理行为人拟作出治安管理处罚的内容及事实、理由、依据，并告知违反治安管理行为人依法享有的权利。"

（1）告知的内容。公安机关在对毒品治安案件行为人作出行政处罚决定前，应当告知违法嫌疑人拟作出行政处罚决定的事实、理由及依据，并告知违法嫌疑人依法享有陈述权和申辩权。毒品治安案件适用治安案件查处的普通程序，因此作出行政处罚决定前，应采用书面形式或者笔录形式告知。

（2）告知的陈述申辩。公安机关必须充分听取毒品治安案件违法行为人的意见，对违反治安管理行为人提出的事实、理由和证据，应当进行复核。违反治安管理行为人提出的事实、理由或者证据成立的，公安机关应当采纳。

4. 毒品治安案件的处罚决定。公安机关办理治安案件自受理之日起不得超过30日；案情重大、复杂的经上一级公安机关批准，可以延长30日。

治安案件调查结束后，公安机关应当根据不同情况，分别作出以下处理：

①确有依法应当给予治安管理处罚的违法行为的，根据情节轻重及具体情况，作出处罚决定。②依法不予处罚的，或者违法事实不能成立的，作出不予处罚决定。③违法行为已涉嫌犯罪的，移送主管机关依法追究刑事责任。④发现违反治安管理行为人有其他违法行为的，在对违反治安管理行为作出处罚决定的同时，通知有关行政主管部门处理。

毒品治安案件适用的治安处罚措施包括：警告、罚款、行政拘留、吊销公安机关发放的行政许可。其他涉及毒品治安案件涉案财物处置的处罚措施包括：收缴、追缴、没收等。

第二节　毒品治安案件各案查处

一、非法种植毒品原植物案件查处

非法种植毒品原植物案件指违反《治安管理处罚法》和其他禁毒法规，私自种植罂粟或者其他毒品原植物，情节轻微，尚不构成犯罪的案件。但是在成熟前自行铲除的，不予处罚。

（一）非法种植毒品原植物治安案件的构成

1. 客体。非法种植毒品原植物行为侵犯的客体是国家对毒品、麻醉品原植物的管理制度。

2. 客观方面。非法种植毒品原植物行为的客观方面表现为非法种植罂粟不满五百株或者其他少量毒品原植物的行为。这一行为主要包括两方面的含义：一是违法嫌疑人种植毒品原植物，种植指对植物的栽培，毒品原植物指用来提炼、加工成鸦片、海洛因、冰毒、吗啡、可卡因等麻醉药品和精神药品的原植物，主要有罂粟、古柯、恰特草等。

3. 主体非法种植毒品原植物行为主体为一般主体，即年满 14 周岁，具有辨认和控制能力的自然人。

4. 主观方面。非法种植毒品原植物的违法行为人主观表现为故意，即明知是毒品原植物而种植，不论行为人是出于观赏还是其他目的，都不影响对违法行为的认定。

（二）非法种植毒品原植物治安案件的特点

1. 种植行为隐秘，种植区域多发生在偏僻、偏远地区。种植毒品原植物的行为较为隐秘，采用间种、套种等方式进行掩护种植，同时种植地点也多选在交通闭塞、外人难以进入的山区、农田等。

2. 种植规模多以零星种植为主。零星种植户大多数与其他农作物夹种，种植数量不等，一般多在 100 株以下属治安案件，有的只种几株不予处罚。

3. 种植违法行为人大多文化程度低、经济条件差、年龄较长。根据某地公安机关对非法种植毒品原植物案件的统计，从查获的违法犯罪人员分析，人群年龄普遍偏大，大多在 50 岁~70 岁之间，且文化程度较低，多为初中以下或文盲、半文盲，占总数的 70% 以上。

4. 种植时间多有季节性。种植毒品原植物种类较为单一，多数为罂粟，植物的生长一般都具有季节性要求，罂粟 9、10 月种植，次年 2、3 月开花，大约两周后就会花落结果。

5. 种植目的多样。违法行为人种植毒品原植物的目的有观赏、有治疗疾病、有预防家禽感染瘟疫、有利益驱使等。

（三）非法种植毒品原植物案件查处要点

非法种植毒品原植物案件较为隐蔽，案件来源多于知情群众的举报或者在日常治安检查或治安巡逻等执法活动中发现。

1. 非法种植毒品原植物案件的受理，对群众举报的非法种植毒品原植物信息进行详细登记，制作受案登记表，确认管辖，同时对群众提供的证明材料进行登记，妥善保管。

2. 进行实地勘验、检查，确认种植毒品原植物的种类、面积、数量、原植物生长情况等。但由于种植毒品原植物的地区较为偏僻，在实地勘验中，警方多采用无人机或小型飞机进行空中勘查，对种植面积、数量、区域等进行拍摄，获取非法种植毒品原植物的证据。同时，制作现场勘验笔录、现场照片、现场图，对现场所获得的毒品原植物进行取证，如果数量过大，可以就毒品原植物进行随机抽样取证，抽取样品数量以能够认定植物品质特征为限。

3. 做好询问工作。种植毒品原植物案件的查处要重视对知情人的调查访问，了解知情人与违法嫌疑人之间的关系，发现违法嫌疑人非法种植毒品原植物的时间、地点、具体情况等。

4. 讯问违法嫌疑人。对非法种植毒品原植物的违法嫌疑人的讯问，要把握以下要点：一是犯罪嫌疑人的基本情况及违法犯罪经历；二是是否明知是毒品原植物；三是非法种植毒品原植物的情况，包括种植的时间、地点、参与人员、种植过程、收获情况等。四是种植毒品原植物种子来源和种植目的等。

5. 对毒品原植物进行鉴定。对案件查处过程中，发现的疑似毒品原植物，要经过鉴定，确认是否为毒品原植物和毒品原植物的种类。

二、非法持有毒品案件查处

非法持有毒品案件是指行为人明知是毒品而违反国家法律规定，非法持有鸦片不满200 g、海洛因或者冰毒不满10 g或者其他少量毒品，尚不构成犯罪的案件。

（一）非法持有毒品案件构成

1. 客体。非法持有的行为侵犯的客体是国家对毒品、麻醉品原植物的管理制度。行为人非法持有的对象为行为人所持有的、无法查明真实来源和去向的一切毒品。

2. 客观方面。客观方面主要表现为违法嫌疑人对毒品的持有行为，持有指行为人对毒品事实上的掌握与支配，它包括行为人随身携带、住处放置等。对持有的理解应当包括以下几点：一是非法持有毒品对毒品的来源没有要求，无论是捡拾还是赠予，都为持有；二是持有的本质特征表现为对毒品的实际支配和控制，比如寄存或偷放在他人处的毒品，不影响认定；三是持有的方式可以是共同持有也可以是单独持有；四是非法持有毒品的行为需要达到持有的稳定状态，并非一持有就构成违法。

3. 主体特征。主体为一般主体，即年满14周岁，具有辨认和控制能力的自然人。

4. 主观方面。非法持有毒品要求违法行为人主观上必须是明知，即明知是毒品而持有，对于毒品的种类、纯度和毒品的持有目的等，不需要明知。

（二）非法持有毒品案件查处要点

1. 勘验、检查。对藏匿毒品的场所、持有物品的违法嫌疑人以及嫌疑人携带的物品等进行全面、详细的勘验检查，对现场发现的作案工具、毒品进行当场扣押，并在扣押后24小时内向所属公安机关办案部门或者公安派出所负责人报告，并补办批准手续，对发现的其他涉案物品、痕迹进行固定、提取和拍照。

2. 讯问违法嫌疑人。对非法持有毒品的违法嫌疑人进行讯问，应围绕以下内容：一是持有毒品的时间、地点、种类、数量；二是毒品来源、何人提供、何处购买；三是出卖人的情况；四是持有毒品的目的；五是是否有戒毒或者毒品违法犯罪前科。

3. 询问知情人。对非法持有毒品案件的知情人进行调查访问，了解案件基本情况，询问的重点主要包括：一是知情人与违法嫌疑人之间的关系；二是对违法嫌疑人持有毒品的基本情况的了解。

4. 对可疑毒品的鉴定。对查处的可疑毒品，进行鉴定，确定是否是毒品，以及毒品的种类和数量。

5. 对违法嫌疑人进行吸毒检测。对非法持有毒品的违法嫌疑人进行吸毒检测，确认违法嫌疑人是否吸食毒品以及体内毒品的成分。

三、吸毒案件查处

吸毒案件指行为人违反《治安管理处罚法》和其他禁毒法规，吸食（注射）鸦片、海洛因、冰毒、吗啡、大麻、可卡因等毒品的案件。

（一）吸毒案件的构成

1. 客体特征。行为人吸毒的违法行为侵犯的客体是国家对毒品的管理制度。

2. 客观方面。吸毒的客观方面表现为行为人吸入、食用或者通过一定的医疗器械向体内注入毒品的行为，主要的吸毒方式有烟吸、烫吸、鼻嗅、口服和注射 5 种。因疾病的需要，依照医生的嘱咐和处方服用、注射麻醉药品或者精神药品的，不属于吸食、注射毒品行为。

3. 主体。主体为一般主体，即年满 14 周岁，具有辨认和控制能力的自然人。

4. 主观方面。吸毒行为的主观方面表现为故意，即行为人明知是毒品而吸食、注射的。

（二）吸毒案件的特点

1. 吸毒行为人特征。吸毒人员从职业看无业人员占多数，从性别看男性居多，且普遍文化程度低，有犯罪前科。从吸毒人员的行为表征看，吸食海洛因、杜冷丁的行为人容易困乏倦睡、麻木，吸食摇头丸等新型毒品的行为人则表现为亢奋、偏执，已出现暴力行为和幻觉。

2. 吸毒地点特征。吸毒人员在对地点的选择上，传统毒品与新型毒品有一定的差异性，海洛因等传统毒品需要鼻吸、烟吸或者注射，吸毒人员往往选择偏僻或人烟稀少的地方，比如家中、宾馆等。而摇头丸、氯胺酮、笑气等新型毒品多集中于酒吧、迪厅、KTV 包房等娱乐场所。

3. 现场特征。吸毒案件现场往往能够发现毒品和吸毒工具，如注射器、枕头、锡纸、吸管、纯净水等。

（三）吸毒案件的查处要点

1. 案件的受理。吸毒人员到公安机关主动登记，指吸毒人员是在公安机关未掌握其为吸毒人员的情况下主动到公安机关登记吸毒人员资料的行为。对主动到公安机关登记吸毒人员，公安机关应当将其信息录入"吸毒人员动态库"。

2. 对涉嫌吸毒人员的现场检测。根据《吸毒检测程序规定》第 2 条第 1 款的规定，吸毒检测是运用科学技术手段对涉嫌吸毒的人员进行生物医学检测，为公安机关认定吸毒行为提供科学依据的活动。现场检测由县级以上公安机关或者其派出机构进行，分为现场检测、实验室检测、实验室复检。吸毒检测样本的采集应当使用专用器材，检测样本为采集的被检测人员的尿液、血液、唾液或者毛发等生物样本，被检测人员拒绝接受检测的，经县级以上公安机关或者其派出机构负责人批准，可以对其进行强制检测。

3. 现场辨认。吸毒人员辨认吸毒现场时，应当拍照或录像。

4. 勘验、检查现场。吸毒违法现场一般有吸食的工具等涉案物品，因此在吸毒现场，要对可疑毒品及其包装物，吸食工具或注射工具等涉案痕迹、物品进行固定、提取、拍照。同时对现场查获的毒品进行提取、称重，注意对违法嫌疑人注射毒品部位进行拍照记录。

5. 询问违法嫌疑人。询问违法嫌疑人的内容包括：

（1）违法嫌疑人的个人基本情况以及是否有前科。

（2）是否明知是毒品而吸食。

（3）吸毒的时间、地点、方式、毒品种类、频率，是否与他人一同吸食，最近一次吸毒的具体情况等。

（4）毒品购买的相关情况，包括资金来源、购买方式、购买对象、购买时间和地点等。

（5）查获毒品包装物及其他财物等情况。

（6）初次吸毒时间、吸毒持续时间、戒断反应等"成瘾"情节。

6. 鉴定毒品种类。检验鉴定违法嫌疑人吸食的毒品种类。

7. 认定吸毒行为人是否吸毒成瘾。根据公安部公布的《吸毒成瘾认定办法》第 7 条的规定，认定吸毒行为人是否吸毒成瘾。

第十二章

国际禁毒公约

近百年来，世界各国都面临着相同的毒品问题，同时也通过不同形式开展全球性和区域性的禁毒合作。随着跨国毒品问题的不断延伸，国际禁毒公约已然成为了各国开展禁毒合作的法律准则和依据，在打击国际毒品犯罪过程中发挥了重要作用。

国际禁毒公约主要包括了有关毒品管制、执法合作、禁毒教育、戒毒治疗等方面的内容，其制定的目的在于减少毒品的需求与供应，减少毒品对民众产生的危害。国际禁毒公约旨在加强国际、各国政府以及相关组织之间的禁毒合作协议、规则、纲领，既可以由成员国自愿签署与加入，也可以通过相关国家与组织签订相应的禁毒协议。非缔约国可以在公约生效前后自愿加入，当加入公约后，缔约国则需要遵守公约规定，承担相应的义务、履行相应的责任。

第一节 国际禁毒公约概述

一、国际禁毒公约的制定

（一）从国际禁毒会议到国际禁毒公约的制定

19 世纪以来，以鸦片、吗啡为主的毒品逐渐蔓延世界各国，从损害个人身体逐渐演变到各类犯罪活动，甚至对部分国家的安全稳定产生了巨大影响。中国在经历两次鸦片战争之后，从政权与社会稳定到经济发展都遭受到了强烈打击。尽管 1906 年清政府颁布《禁烟章程》、1908 年清朝民政部颁布《禁烟稽核章程考成办法》，明确禁止官员吸食毒品，同时将禁烟成绩作为官员奖惩标准之一。但在英国政府和商人的谋划下，清政府并未能够完全阻挡毒品的侵蚀，对我国近代时期产生了严重的不良影响。在列强不断侵入的情况下，清政府仅能够通过寻求列强同情和支持来遏制毒品问题的泛滥。同时，美国各州相应出现鸦片、大麻、可卡因等毒品问题的泛滥，再加上美国并未在第二次鸦片战争中获得较大的外交利益，为了谋求扩张的美国以社会安全与国际外交利益为考虑，与中方共同倡议并筹划了第一次国际禁毒会议"万国禁烟会议"。

1909年2月1日至2月26日，由美国倡议、中国主办的"万国禁烟会议"在上海外滩的汇中饭店举办。来自中国、美国、英国、法国、德国、俄罗斯、日本、意大利、荷兰、葡萄牙、奥匈帝国、古泰国、波斯（今伊朗）等13个国家的41名代表参加了本次会议，共同探讨禁烟大计。由于当时的时代背景，来自不同大洲的13个国家能够共同参加本次会议难得可贵，因此该会议被称为"万国禁烟会议"。

本次会议中，中国代表团提议以减少与挽救吸毒人员为目的，成立专门的委员会，为戒烟提供方法与策略，该方案得到其他各国代表团的一致认同。在会议最后的总结性发言中，作为大会发起方的美国和中国均发表了禁烟演讲，其中中国代表唐国安指出，民众吸食鸦片已经对中国制造了经济和道德方面的双重问题，吸食鸦片已经使得中国产生了巨大的经济损失，这也将持续造成中国持续贫困与落后。在世界各国继续禁毒的共同愿望下，该会议取得了阶段性的成效。唐国安引用中国古圣人孔子的"己所不欲，勿施于人"和《圣经》中"爱你的邻人如同爱你自己一样"两句名言结束了本次会议的总结，引起了各国代表的共鸣。

本次"万国禁烟会议"是历史上第一次多边性的国际禁毒会议，首次明确了在世界范围内对鸦片等毒品提出禁止的宗旨，同时也唤醒了世界各国对于毒品危害性的认知。本次会议对正当使用的鸦片数量进行限制，对进口鸦片进行了管制，并逐步对取缔吸食鸦片进行了研讨，最终通过了9项有关种植、贩卖、运输、吸食等方面的决议，虽然主要以建设性意见进行认定，但是对于公约上签字的国家都产生了相应的影响，该会议中确定的原则随后在国际禁毒公约中被采纳。"万国禁毒会议"的顺利召开，实现了国际对于解决鸦片问题进行共同探讨的先例，不仅让世界各国人民认识到鸦片的危害，还能够在政治、经济、商业等方面提出更加具体的规制与处置措施，同时推进了参与国家积极开展禁毒工作。

然而，本次会议除了英国出席以外，其他主要生产鸦片的国家（例如，土耳其）均未出席，这使得本次会议并未将鸦片生产与贸易问题列为此次会议的内容，仅对鸦片消费问题进行了研讨，这使得对鸦片的生产与贸易并未发挥相应的限制作用，也没有限制英国在毒品方面的扩张。对此，美国在 1911 年主导并举办第二次"万国禁烟会议"，不仅邀请到第一次会议的代表，同时还将荷兰等鸦片主要生产国家纳入其中。

从 1911 年 12 月 1 日至 1912 年 1 月底，历时两个多月的第二届"万国禁烟会议"在荷兰召开，并通过了第一部国际禁毒公约——《海牙国际禁止鸦片公约》。该公约总共分为六章，其中前三章分别对"生鸦片""鸦片烟膏"和"药用鸦片、吗啡、可卡因和其他相似药品"的生产、分配与运输进行了界定，并明确了"没有各缔约国的正当许可，禁止生鸦片的进出口""对鸦片烟膏采取先管制制造、使用再渐次禁止"的规定与措施。第四章专门对中国以及列强在中国国内租借地的鸦片管制问题进行了规定，要求各缔约国减少在中国国内进行生鸦片的生产与销售。第五章要求各国制定有关鸦片的法律法规。第六章则针对各缔约国签署与批准的手续进行了规定。至此，《海牙国际禁止鸦片公约》的签订发挥了重要作用，为后续各国不断完善相关禁毒法律法规提供了标准和指导。

（二）国际禁毒公约的细化

在《海牙国际禁止鸦片公约》签订之后，国际社会大量投入人力、财力、物力开展禁毒工作。在禁毒实践工作中，人们对毒品危害性的认知有所提升，同时也推动着国际禁毒公约的不断发展，将简单的纲要逐渐细化为毒品管制模式。为了进一步检验《海牙国际禁止鸦片公约》的实际效果，国际禁毒委员会提议再次召开国际禁毒会议，并分别在 1924 年 12 月 11 日和 1925 年 2 月 19 日签署了《关于熟鸦片的制造、国内贸易及使用的协定》和《海牙国际鸦片公约》，进一步推动麻醉品国际交易进出口许可证制度的建立。

在此基础上，部分公约的签订进一步推进着国际禁毒公约的完善。1931 年 7 月 13 日在日内瓦签订的《限制制造及调节分配麻醉品公约》明确了在相应范围内对麻醉品的生产进行严格控制，并仅用于科学研究与医用；1931 年 11 月 27 日在曼谷签订的《远东管制吸食鸦片协定》明确了远东地区吸食鸦片的管制与约束；1936 年 6 月 26 日在日内瓦签订的《禁止非法买卖麻醉品公约》在国际禁毒方面进一步强化了国际禁毒标准，并将毒品犯罪明确为国际公认的犯罪类型。1946 年 12 月 11 日，该公约进行再次修订，增加了对各类毒品犯罪的管辖权，并明确了各缔约国有义务明确立法措施、适用有期徒刑或者其他刑罚，对涉及到生产、制造、运输、贩卖毒品的相关犯罪行为进行严厉打击。

二、国际禁毒公约的完善

二战结束后，国际势力进一步分割，与此同时，1945 年在美国旧金山签署的《联合国宪章》标志着联合国的成立。随后，联合国在 1946 年成立了联合国麻醉品委员会，作为联合国在麻醉品管制领域的决策机构，主要承担着对世界各国麻醉品的研究与管控。

随着国际毒品形势的不断变化，联合国于 1972 年在日内瓦再次召开会议，并对《1961 年麻醉品单一公约》进行了修订，于 3 月 25 日签订了《修正 1961 年麻醉品单一公约议定书》。该公约将管制麻醉品的范围扩大至能够天然种植的麻醉原料，包括鸦片、大麻、古柯叶等。另外，公约还要求各缔约国就非法种植、生产、销售毒品的行为认定为犯罪行为并予以制裁。同时，由于苯丙胺等兴奋剂以及安眠酮等安眠药滥用问题屡禁不止，联合国于 1971 年在维也纳签订了《1971 年精神药物公约》，建议世界各国对精神药品同样进行严格管控。

随着国际毒品犯罪案件数量不断增加，同时恐怖主义、有组织犯罪与毒品犯罪紧密联系，严重威胁到国际社会的稳定发展。对此，联合国于 1984 年通过了起草新的禁毒公约 141 号决定，并最终于 1988 年 12 月 19 日通过了《联合国禁止非法贩运麻醉药品和精神药物的公约》。至此，《禁止非法买卖麻醉品公约》《经〈修正 1961 年麻醉品单一公约的议定书〉修正的 1961 年麻醉品单一公约》《1971 年精神药物公约》《联合国禁止非法贩运麻醉药品和精神药物公约》这四大禁毒国际公约形成了体系较为完善的国际禁毒公约，在联合国的倡议下，世界各国陆续签订了部分禁毒文件，都在禁毒工作中发挥着应有的价值与作用。

整体而言，以国际协议、公约作为载体的国际禁毒法律法规，均基于主权平等与意志自由的条件而形成，在坚持国际法原则和尊重各国主权和领土完整且互不干涉内容原则的情况下，要求各缔约国之间通过合理的协商谈判来处理双边禁毒事宜，同时将毒品犯罪列为刑事犯罪，追究毒品犯罪相关人员的刑事责任，不能将毒品犯罪仅作为经济犯罪或者政治犯罪进行处罚。

第二节　国际禁毒公约对毒品的管制

一、《1961 年麻醉品单一公约》

（一）《1961 年麻醉品单一公约》的制定

1961 年 3 月 20 日，在纽约举行的国际会议上通过了《1961 年麻醉品单一公约》，并于 1964 年生效。该公约取代了原本各国所缔结的关于阿片剂、大麻和可卡因的相关国际条约，同时规定了关于种植用作麻醉品原料来源植物的管制措施和国家对于生产、制造、交易、销售麻醉物品的管制措施，平衡了医疗与科研需要下的麻醉品供需关系。该公约进一步明确了各国联合实现对麻醉药品管控的意志，对于有效限制和阻止非法种植、生产、制造、贩卖和使用麻醉品发挥了积极作用。

1972 年 3 月 5 日，在日内瓦召开的联合国会议通过了《修正 1961 年麻醉品单一公约的议定书》，对《1961 年麻醉品单一公约》进行了修订，该公约也被称为《61 公约》。1975 年该条约正式生效，全文包括了共 51 条有关缔约国国家药品管制制度、国际药物管制的机关、违反公约的罚则以及进入公约的程序等内容。

（二）《1961 年麻醉品单一公约》有关国际药物管制机关的规定

《1961 年麻醉品单一公约》第 5 条明确了麻醉品委员会和国际麻醉品管制局为主管国际麻醉品管制的机关，并由世界卫生组织进行配合。其中，麻醉品委员会是联合国经济与社会理事会下的附属机构，是公约宗旨相关事项的核心决策机关，主要职责包括联合国系统内部负责处理各种与麻醉药品有关的事项。国际麻醉品管理局于 1961 年通过《1961 年麻醉品单一公约》时一并设立，是以保障联合国各项药物管理条约实施的独立准司法管制机关，其成立取代了监督公约实施的国际条约机构。该机构的职责是负责确保医疗与科研工作所需的药品与供应需求相对等，并且确保麻醉品不得通过非法渠道进行贩卖、运输和转移，同时相关评估与统计报告制度应当由国际麻醉品管理局进行统一制定与管理。

（三）《1961 年麻醉品单一公约》规定的受管制物质

《1961 年麻醉品单一公约》中所规定受管制的物质分别包括麻醉品及其制剂、麻醉品的原植物和植物材料。《1961 年麻醉品单一公约》中对所需要进行管控的物品进行了陈列，并对不同药品与药剂的管理明确了不同情形的制度与措施，同时对不同药物的治疗用途和依赖性进行了定义。

其中，第一种分类包括了成瘾度高且容易遭受到滥用或者可以转化为成瘾性药品的物质，例如如大麻和大麻酯（以及浸膏和大麻酊）、麻醉品原料（古柯叶、罂粟草浓缩物、鸦片），鸦片止痛剂（吗啡）以及大量的合成药物（芬太尼及其类似的药物、美沙酮）。

第二种分类包括了药物成瘾性和易滥用性较弱的物质，例如可待因及其衍化物。

第三种分类包括了供正当私聊用途的麻醉品制剂，但该类麻醉品的化学成分较为简单且容易遭受滥用。虽然各国无需对该类制剂的进出口进行许可，也不需要向麻醉管理局提供该类制剂的相关数据或者统计报告，但仍需要提供该类麻醉品制剂的数量资料。

第四种分类包括了在成瘾性和易被滥用性较为明显的相关有害药物，部分物质被推断为较少运用于医疗实践的情况，因此各国可以自主选择是否对相关物质采取管制措施。

《1961 年麻醉品单一公约》第 3 条中规定："缔约国或世界卫生组织根据情报认为有修订任一附表的必要时，应当连同其所根据的情报通知秘书长。"对于管制范围需要变更的情况，秘书长应当根据要求将该通知转发至各缔约方、麻醉品委员会和世界卫生组织。世界卫生组织应当向麻醉品委员会提供的相关医学和科学处理意见，并由麻醉品委员会根据世界卫生组织所提供的意见，就所规定的特定药物添加、删除或者转移至相应的管制类型范围内。

（四）《1961 年麻醉品单一公约》中缔约国国家药物管理制度

根据公约中的规定，各国均应当承担本国内药物监管的义务，明确相关药物的生产、制造、进出口、销售、贸易、使用以及拥有权仅用于医疗和科研工作。其中，协约国应当承担的义务包括如下：

1. 建立特别机关负责本国药物进行管制。根据《1961 年麻醉品单一公约》第 17 条的规定，各缔约国应当设立专门的管理机关，负责运行公约中的各项规定与措施，并协调各政府机构和部门在执法、司法等领域中对条约规定的落实情况。条约指出，相关管理机关可以由多部门协作组成，同时该国可以指定单一机构作为代表政府和国际药物管制机构进行沟通的机构，并且在落实公约和执法过程中确保国际合作所需要的立法与行政措施。

2. 对本国麻醉品需求进行评估与报告。《1961 年麻醉品单一公约》第 12 条第 5 款规定："管制局，为限制麻醉品的使用及分配，使其不超出医药学及科学用途所需适当数量并确保其可供此种用途起见，应尽速核定估计书，包括补充估计书或于征得关系政府同意时修正此种估计书。倘政府与管制局之间意见不一致时，后者应有权确定、递送及出版其本局的估计书，包括补充估计书。"

3. 对本国麻醉品原植物的种植、麻醉品的生产和制造进行管制。《1961 年麻醉品单一公约》第 19、20、23、25、26、28 条，还要求各国对于罂粟、古柯树和大麻植物的非法种植应当进行管制。协约国需要提供罂粟种植面积的评估与统计数额报告，并在该类植物威胁到公众健康与安全时予以禁止。另外，《1961年麻醉品单一公约》还要求各国开展生产阿片剂原材料的国际贸易必须与麻醉品管理局进行合作，以保证该类材料在全球范围内的供需达到平衡状态，从而避免生产不足或者过量而产生的的非法贩运与滥用问题。

4. 对涉麻醉品相关单位进行定期检查。根据《1961年麻醉品单一公约》第34条的规定，所有涉及麻醉品的制造商、贸易商、医院与科研机构都必须保存相关药物的处置记录，相关记录应当做到全面、真实、充分，同时保存两年以上，以备国家麻醉品管制机构进行检查。虽然公约中对于检查程序没有做出明确规定，但是检查工作要求必须对麻醉品的种植、制造、贸易和销售等各环节进行管制和监督，以确保相关工作能够依法、有效进行。

5. 对麻醉品的国内贸易和销售进行管制。《1961年麻醉品单一公约》第30、34条规定了药物的国内贸易以及销售应当根据许可证进行，被许可人应当具备规定中的资格条件。各国政府需要对相关贸易与销售所涉及到的人和企业以及相关活动的地点都进行管制，还应当防止贸易商、经销商和其他授权实体储备过多数量的麻醉品和罂粟草。

6. 对麻醉品的国际贸易进行管制。除了各国开展的生产阿片剂原材料的国际贸易必须通过麻醉品管理局进行合作之外，《1961年麻醉品单一公约》第31条还对麻醉品国际贸易进行了特殊规定，包括需要对公约管制物质的进出口许可进行管理，以及根据麻醉品进出口需求对自由港和自由区的管制和监督、禁止相关交易、要求扣留未附单证的发运货物等内容。各国需要设立有权颁发麻醉品进出口许可证的管理部门，并且由秘书长通报主管部门的名称与地址，并由联合国毒品和犯罪问题办事处执行主任进行转交。

7. 涉及麻醉品的预防和治疗。目前，世界各国都已明确了对非法麻醉品从源头进行打击与管控的目标，同时还包括了加强相关预防和治疗的措施。根据《1961年麻醉品单一公约》第38条的规定，各国需要采取预防药物滥用的措施，并向滥用药品的人员提供教育、医疗、护理等社会服务，同时由各国政府加强相关职能部门的培训。

（五）对违反公约行为的处罚

1. 对于违反公约行为的认定。根据《1961年麻醉品单一公约》第35、36、37条的规定，各国必须在符合他国宪法、法律和行政制度的前提下，在国家和国际之间开展合作，着重开展预防和打击非法种植、生产、销售药物和贩卖运输活动，各国应当针对非法种植、生产、制造、购买、分销、运输、交付、进出口等犯罪行为进行惩治。同时，各国需要在该类犯罪行为的故意参与、共谋、未遂以及相关预备行为和涉案财物处置方面进行规定。在不违反缔约国宪法以及相关法律法规的情况下，应当在不通过加按照不同的性质和程度进行定罪与处罚。

2. 处罚原则。根据《1961 年麻醉品单一公约》第 36 条第 1 款的规定，故意实施涉麻醉品犯罪行为并且情节严重的，应当处以监禁刑或者其他剥夺其自由的刑罚。实施犯罪过程中使用的相关药品、药物或者设备应当依法进行收缴或者没收。若犯罪行为人已因某国法律受过刑事处罚，如果再犯该类犯罪时应当认定为累犯。此外，对于涉罪的药物滥用者，各国应当秉持治疗与处罚相结合的原则。

3. 关于管辖权及引渡的规定。根据《1961 年麻醉品单一公约》第 36 条第 2 款的规定，对于麻醉品的违法行为采用属地管辖原则，即本国人或者外国人犯相关罪行且情节严重的，由犯罪地的缔约国进行追诉。引渡需要以不违背缔约国本国刑法中关于管辖的内容为限，各缔约允许在各国之间签订引渡条约，但以条约存在为引渡条件的缔约国，在接收到与该国未签订引渡条约的另一缔约国提出的引渡请求时，有权决定是否认可本公约作为办理引渡的法律依据。不以条约存在为引渡条件的各缔约国应当承认该犯罪行为是否为各国允许引渡的犯罪行为，但必须依照受请求的缔约国法律规定的条件，同时引渡的准许应当受缔约国法律制约。当该国麻醉品管制机构认为犯罪情节不够严重时，缔约国仍有权拒绝逮捕或者引渡。

二、《1971 年精神药物公约》

（一）《1971 年精神药物公约》的制定

为了进一步控制全球范围内精神药品的泛滥使用，联合国各成员国于 1971 年 2 月 21 日在维也纳签订了《1971 年精神药物公约》，又称《71 公约》，强化了国际社会有关精神类药品管控的法律依据。《1971 年精神药物公约》以《1961 年麻醉品单一公约》为范文，都对精神药剂的内容、管理方法和管制范围以及专供医学和科学研究等方面进行了规定，并明确了防止精神药品滥用和处罚的措施。另外，《1971 年精神药物公约》明确了各缔约国"关乎人类之健康与福利""决心预防并制止该等物质之滥用以及从而引起的非法产销""确认精神药物在医学和科学的用途上不可或缺，且其仅供此种用途应不受不当的限制""深信之有效防止滥用精神药物措施须有协调以及普遍的行动"等宗旨。

（二）《1971 年精神药物公约》有关国际药物管制机关的规定

《1971 年精神药物公约》沿用了《1961 年麻醉品单一公约》中有关国际药物管制机关的规定，即联合国经济及社会理事会、麻醉品委员会和国际麻醉品管理局。

（三）《1971 年精神药物公约》规定的受管制物质

《1971 年精神药物公约》中进行管制的物质主要表现为精神类药品和特定制剂，其中包括天然的、半合成的以及人工合成的药物，而制剂主要为精神类药物的混合物或者溶剂。对于精神类制剂的管制，同样使用对精神药品的管制措施，但如果相关制剂包含了多种受管制的精神类药品，则需要对不同精神药品的管制措施进行分析比较，并选用最为严格的管制措施进行管制。

当精神类制剂中所含标准之外的精神药物且不具有滥用危险或者通过常规方法不足以提取并且达到滥用剂量的情形下，在不足以引发公共卫生和社会问题时，则不需要对该制剂进行管制。对于该问题，则可以将相关豁免管制制剂的名称、成分以及豁免办法通知秘书长，由秘书长决定将该项通知送达其他缔约国、世界卫生组织和管理局。

（四）防止精神药物滥用的措施

1. 设立国家特别管制机构。《1971 年精神药物公约》要求缔约国针对精神药品设置特别管制机构，同时可以和《1961 年麻醉品单一公约》规定所设置的管制机构相同，也可以是与该管制机构具有合作关系的机构。

2. 对精神药品进行严格管制。精神药品的包装规范和相关广告已明确了基本管制要求，即《1961 年麻醉品单一公约》中规定的缔约国应当遵守世界卫生组织的规章和要求，制定适用于人员安全的精神药物使用方法说明，其中包括具体的注意事项与警示标语，同时各缔约国还应当遵守相关法律规范，不得利用广告向民众推销精神类药品。

对于精神类药品产销和贮存需要进行登记与记录，相关机构应当做好针对精神类药品产销和存储的备案登记制度，严格按照规章制度进行管理，确保能够追踪溯源。同时建立相关责任制度，确保药品的存储安全。

第三节　联合国禁止非法贩运麻醉药品和精神药物公约

一、《联合国禁止非法贩运麻醉药品和精神药物公约》概述

进入 20 世纪 80 年代，全球范围内麻醉药品和精神药品的非法生产、需求

和贩运出现了规模化的上升趋势，对人类健康和幸福产生严重威胁，并对全球和地区的经济、文化、政治基础带来了不利影响。毒品的非法运输严重侵蚀着社会各类群体，甚至对儿童群体产生了无法估量的危害。同时，非法运输麻醉药品和精神药品还与其他有组织犯罪紧密联系，对世界各国的主权、安全和稳定产生威胁。因此，基于针对非法贩运麻醉药品和精神药品的抵制责任，有必要在国际合作范围内采取协调行动，并探寻增进国际刑事合作的有效法律手段。1988 年 10 月 20 日，联合国在奥地利维也纳禁止非法贩运麻醉药品和精神药物公约会议的第六次全会上签订了《联合国禁止非法贩运麻醉药品和精神药物公约》（简称《联合国禁毒公约》），该公约于 1990 年 11 月 11 日对中国正式生效。《联合国禁毒公约》共有 34 个条款，目的在于禁止非法贩运麻醉药品和精神药物，为执行《1961 年麻醉品单一公约》和《1971 年精神药物公约》提供另外的法律机制。该公约明确规定了打击毒品洗钱犯罪的刑事手段和缔约国承担的强制性义务，对毒品犯罪及刑罚原则、制度和国际禁毒相关合作形式进行了较为详细的规定，是典型的国际刑法规范性文件。同时，该公约也首次提出了毒品洗钱犯罪的概念，初步规定了有关识别毒品洗钱犯罪以及规范侦查的国际合作机制，是国际社会制定的第一个惩治跨国洗钱犯罪的国际性法律规范性文件。

二、《联合国禁毒公约》对毒品犯罪行为的界定

《联合国禁毒公约》第 3 条针对行为人故意实施的毒品犯罪行为进行了分类和列举，规定缔约国应当通过立法和行政措施，将以下十七类行为认定为犯罪，并采取相应的处罚措施：

（一）非法制造毒品

非法制造毒品，是指违反《1961 年麻醉品单一公约》和《1971 年精神药物公约》的各项规定，生产、制造、提炼、配制任何受管制的麻醉药品和精神药品的行为。

（二）非法提供毒品

非法提供毒品，是指违反《1961 年麻醉品单一公约》和《1971 年精神药物公约》的各项规定，有条件交付或者无偿赠送任何受管制的麻醉药品和精神药品的行为。

（三）贩卖毒品

贩卖毒品，是指违反《1961 年麻醉品单一公约》和《1971 年精神药物公约》的各项规定，兜售、分销、出卖任何受管制的麻醉药品或者精神药物，获取非法利润的行为。

（四）贩运毒品

贩运毒品，是指违反《1961 年麻醉品单一公约》和《1971 年精神药物公约》的各项规定，以任何条件和手段经手、发送、运输受管制的麻醉药品和精神药品的行为。

（五）走私毒品

走私毒品，是指违反《1961 年麻醉品单一公约》和《1971 年精神药物公约》的各项规定，进口或者出口受管制的麻醉药品和精神药品的行为。

（六）种植毒品原植物

种植毒品原植物，是指违反《1961 年麻醉品单一公约》和《1971 年精神药物公约》的各项规定，为生产麻醉品或者供个人消费而种植罂粟、古柯或者大麻植物的行为。

（七）非法持有毒品

非法持有毒品，是指违反《1961 年麻醉品单一公约》和《1971 年精神药物公约》的各项规定，为了进行上述非法制造、提炼、贩卖、贩运、走私受管制的麻醉药品或者精神药物的任何活动或者供个人消费而以某种方式获取毒品并据为己有的行为。

（八）非法购买毒品

非法购买毒品，是指违反《1961 年麻醉品单一公约》和《1971 年精神药物公约》的各项规定，为了进行上述非法制造、提炼、贩卖、走私受管制麻醉药品或者精神药物的任何活动或者供个人消费而购买毒品的行为。

（九）制造、运输、分销制毒设备、物质

制造、运输、分销制毒设备、物质，是指明知其用途或者目的是非法种植、生产或者制造受管制麻醉药品或者精神药品而故意加工、制作、运送、出售任何可用于非法制造毒品的设备和物质的行为。

（十）组织、管理或资助毒品犯罪

组织、管理或资助毒品犯罪，是指通过某种途径、方式对任何非法制造、提供、贩卖、贩运、走私、种植、持有、购买毒品等活动进行策划、指挥或者提供某种便利或者援助的行为。

（十一）转换或者转让毒品犯罪非法所得财产

转换或者转让毒品犯罪非法所得财产，是指明知特定财产来自非法制造、提供、贩卖、贩运、走私、种植、持有、购买毒品的犯罪或者参与前述犯罪行为，为了隐瞒或者掩饰该财产的非法来源或者为了协助任何涉及此种犯罪的人逃避其行为的法律后果而转换或者转让该财产的行为。

（十二）隐瞒或掩饰毒品犯罪非法所得财产

隐瞒或掩饰毒品犯罪非法所得财产，是指明知特定财产来自非法制造、提供、贩卖、贩运、走私、种植、持有、购买毒品的犯罪或者参与前述犯罪的行为，隐瞒或掩饰该财产的真实性质、来源、所在地，处置、转移其相关权利或者所有权的行为。

（十三）非法获取、占有或者使用毒品犯罪财产

非法获取、占有或者使用毒品犯罪财产，是指明知财产来自非法制造、提供、贩卖、贩运、走私、种植、持有、购买毒品的犯罪或者参与前述犯罪的行为，而获取、占有或者使用该财产的行为。

（十四）非法持有制毒设备、物质

非法持有制毒设备、物质，是指明知特定设备、物质被用于非法种植、生产或者制造受管制的麻醉药品或者精神药物而占有制造毒品设备、物质的行为。

（十五）教唆实施毒品犯罪

教唆实施毒品犯罪，是指以任何手段公开鼓励或者引诱他人进行上述任何涉及毒品犯罪的行为。

（十六）鼓励、引诱他人非法使用毒品

鼓励、引诱他人非法使用毒品，是指以任何手段公开鼓励或者引诱他人吸食、注射受管制麻醉药品和精神药物的行为。

（十七）参与实施上述涉及毒品犯罪的行为

参与实施上述涉及毒品犯罪的行为，是指参与实施、合伙或者共谋实施、实施未遂以及帮助、教唆，为其提供便利和建议实施以上任何毒品犯罪的行为。

三、《联合国禁毒公约》对毒品犯罪的惩罚原则及特殊方法

《联合国禁毒公约》对追究毒品犯罪行为的刑罚原则、制度、形式以及查获毒品犯罪的特殊方法进行了相应规定。

（一）严厉打击毒品犯罪行为

《联合国禁毒公约》第3条第4款（a）规定："各缔约国应使按本条第1款确定的犯罪受到充分顾及这些罪行的严重性质的制裁，诸如监狱或以其他形式剥夺自由，罚款和没收。"第3条第5款规定："缔约国应确保其法院和拥有管辖权的其他主管当局能够考虑按照第1款所确定的犯罪构成特别严重犯罪的事实情况，例如：（a）罪犯所属的有组织的犯罪集团涉及该项犯罪（b）罪犯涉及其他国际上有组织的犯罪活动；（c）罪犯涉及由此项犯罪所便利的其他非

法活动；（d）罪犯使用暴力或武器；（e）罪犯担任公职，且其所犯罪行与该公职有关；（f）危害或利用未成年人；（g）犯罪发生在监禁管教场所，或教育机构或社会服务场所，或在紧邻这些场所的地方，或在学童和学生进行教育、体育和社会活动的其他地方；（h）以前在国外或国内曾被判罪，特别是类似的犯罪，但以缔约国国内法所允许的程度为限。"

《联合国禁毒公约》要求各缔约国在制定针对毒品犯罪行为人的提前释放或者假释法律法规时，应当充分考虑毒品犯罪突出的严重社会危害性和主观恶性，以及行为人是否出现前述"严重情节"，严格控制提前释放和假释，以防止行为人再次实施毒品犯罪。由于毒品犯罪具有集团化、跨国化的趋势和特征，通常情况下案件侦破难度大、耗费时间长，因此该公约特别要求各缔约国针对毒品犯罪需要规定"较长的追诉时效，并且当被指认的罪犯已逃避司法处置时，该期限应当更长"，从程序上确保能够有效打击毒品犯罪。

（二）明确替代和补充措施的适用

《联合国禁毒公约》寻求惩罚和挽救相结合的司法目标，强调教育、治疗、康复等措施的运用，以实现毒品罪犯从思想和身体上消除再次犯该类犯罪的目的。该公约第 3 条第 4 款（b）规定："缔约国还可规定除进行定罪或惩罚外，对犯有按本条第 1 款确定的罪行的罪犯采取治疗、教育、善后护理、康复或回归社会等措施。"该公约第 3 条第 4 款（c）规定："尽管有以上各项规定，在性质轻微的适当案件中，缔约国可规定作为定罪或惩罚的替代办法，采取诸如教育、康复或回归社会等措施，如罪犯为嗜毒者，还可采取治疗和善后护理等措施。"

（三）突出经济惩罚

《联合国禁毒公约》第 5 条把"没收"作为一种特殊措施罗列出来，作为针对毒品犯罪必须附加的刑罚之一。"没收"的目的在于对毒品犯罪非法获取的暴利实施惩戒，同时也使罪犯失去再次实施毒品犯罪赖以凭借的物质基础，从源头上降低该类犯罪发生的可能。

没收所得的收益、财产或罚没物变卖所得的款项可以捐给专门从事打击非法贩运及滥用毒品的政府间机构，或者按照没收实施国国内法律、行政程序或者专门缔结的双边或多边协定，定期地或逐案地与其他缔约国分享该类收益或者财产，或由变卖这类收益或财产所得的款项，将其作为对社会被侵害利益与秩序的一种变相补偿。

《联合国禁毒公约》明确了针对毒品犯罪事实没收财产的范围、程序、罚没物的处置及国际合作等内容。《联合国禁毒公约》第五条规定了毒品犯罪事实没收的范围："1. 各缔约国应制定可能必要的措施以便能够没收：（a）从按第三条第 1 款确定的犯罪中得来的收益或价值相当于此种收益的财产；（b）已经或意图以任何方式用于按第三条第 1 款确定的犯罪的麻醉药品和精神药物、材料和设备或其他工具。2. 各缔约国还应制定可能必要的措施，使其主管当局得以识别、追查和冻结或扣押本条第 1 款所述的收益、财产、工具或任何其他物品，以便最终予以没收。3. 为执行本条所述的措施，各缔约国应授权其法院或其他主管当局下令提供或扣押银行记录、财务记录或商业记录。任一缔约国不得以保守银行秘密为由拒绝按照本款的规定采取行动。4.（a）在接到对按第三条第 1 款确定的某项犯罪拥有管辖权的另一缔约国依本条规定提出的请求后，本条第 1 款所述收益、财产、工具或任何其他物品在其领土内的缔约国应：（一）将该项请求提交其主管当局，以便取得没收令，如此项命令已经发出，则应予以执行；或（二）将请求国按本条第 1 款规定对存在于被请求国领土内的第 1 款所述收益、财产、工具或任何其他物品发出的没收令提交其主管当局，以便在请求的范围内予以执行。（b）在接到对按第三条第 1 款确定的某项犯罪拥有管辖权的另一缔约国依本条规定提出的请求后，被请求国应采取措施识别、追查和冻结或扣押本条第 1 款所述的收益、财产、工具或任何其他物品，以便由请求国，或根据依本款（a）项规定提出的请求，由被请求国下令最终予以没收。（c）被请求国按本款（a）项和（b）项规定作出决定或采取行动，均应符合并遵守其国内法的规定及其程序规则或可能约束其与请求国关系的任何双边或多边条约、协定或安排。（d）第七条第 6 至 19 款的规定可以比照适用。除第七条第 10 款所列情况外，按本条规定提出的请求书还应包含以下各项：（一）如系按（a）项（一）目提出的请求，须附有足够的对拟予没收的财产的说明和请求国所依据的事实的陈述，以便被请求国能够根据其国内法取得没收令；（二）如系按（a）项（二）目提出的请求，须附有该请求所依据的、由请求国发出的，法律上可接受的没收令副本，事实的陈述，和关于请求执行该没收令的范围的说明；（三）如系按（b）项提出的请求，须附有请求国所依据的事实的陈述和对所请求采取的行动的说明；（e）各缔约国应向秘书长提供本国有关实施本款的任何法律和条例的文本以及这些法律和条例此后的任何修改文本。（f）如某一缔约国要求采取本款（a）项和（b）项所述措施必须以存在一项有关的条约为条件，则该缔约国应将本公约视为必要而充分的条约依据。（g）缔约国应谋求缔结双边和多边条约、协定或安排，以增强根据本条进行的国际合作的有效性。5.（a）缔约国按照本条第 1 款或第 4 款的规定所没收的收益或财产，应由该缔约国按照其国内法和行政程序加以处理。（b）缔约国按本条规定依另一缔约国的请求采取行动时，该缔约国可特别考虑就下述事项缔结协定：（一）将这类收益和财产的价值，或变卖这类收益或财产所得的款项，或其中相当一部分，捐给专门从事打击非法贩运及滥用麻醉药品和精神药物的政府间机构；（二）按照本国法律、行政程序或专门缔结的双边或多边协定，定期地或逐案地与其他缔约国分享这类收益或财产或由变卖这类收益或财产所得的款项。6.（a）如果收益已转化或变换成其他财产，则应将此种财产视为收益的替代，对其采取本条所述的措施。（b）如果收益已与得自合法来源的财产相混合，则在不损害任何扣押权或冻结权的情况下，应没收此混合财产，但以不超过所混合的该项收益的估计价值为限。"

缔约国应遵循公约原则，制定本国国内法和相关行政程序，并以此为依据实施没收程序。各缔约国可以考虑规定涉案收益或应予没收的其他财产合法来源的举证责任倒置原则，即由涉案人员负责举证说明收益或应予没收的其他财产的合法来源，但该种行动应符合其国内法的原则和司法及其他程序的性质，且不得解释为损害善意第三方的权利。

如果涉案收益、财产、工具或者其他物品在另一个缔约国领土范围内，对该毒品犯罪拥有管辖权的缔约国，可以依照公约向财物所在国提出请求，被请求国接到请求书后，应当将该项请求提交其主管当局，依照被请求国国内法律规定及其程序规则或者可能约束其与请求国关系的任何双边或多边条约、协定或安排，最终获取没收令状。对于符合条件的请求，被请求国应当采取措施识别、追查、冻结、扣押相关收益、财产、工具或者其他物品。如此项命令已经发出，则应当予以执行。

被请求国按另一缔约国的请求采取行动时，可特别考虑就罚没财物所取得款项的归属缔结专门协定，如将其全部或者部分捐给专门从事打击非法贩运及滥用麻醉药品和精神药物的政府机构，或者按照本国法律、行政程序或专门缔结的双边、多边协定，定期或者逐案地与其他缔约国分享该类款项。

（四）控制下交付

针对毒品犯罪突出的跨国性和集团性问题，《联合国禁毒公约》第 11 条提出了专门应对国际非法贩运毒品的手段——控制下交付。为了查获毒品犯罪中的"上下线"及其幕后的买卖双方，不能简单地没收货主不明或者夹带毒品的货物以及逮捕承运人，而是采取"放长线、钓大鱼"的措施，进行控制下交付。控制下交付要求各缔约国协同作战、密切配合，及时搜集和交换毒品犯罪情报。在侦办毒品犯罪案件的过程中，在一国或者多国的主管当局知情与监督下，允许货物中非法隐藏或者夹带的毒品输出、通过或者运往其领土，按期查明涉及毒品犯罪的所有行为人，并进行严厉打击。

通常情况下，在发现托运货物中夹带毒品时，经主管当局的同意，采取维持原状或者用替代物替换全部或者部分活动，而不使非法贩运者发现该情形，并允许收货人领取集装箱、行李包、药丸或者其他物品，同时对该货物或者邮件采取严密监控和控制措施，待查明所有涉案人员，采取强制措施后，将国际毒品犯罪集团一网打尽。

（五）加强多种形式的国际合作

《联合国禁毒公约》要求各缔约国应当直接通过主管国际组织或者区域组织进行合作，通过拦截或者其他技术手段，协助和支援犯罪涉及的过境国，尤其是需要协助和支援的发展中国家。缔约国可以承诺向该过境国提供财政援助，以便充实和加强有效控制和预防非法贩运所需的基础设施。缔约国之间可以通过缔结双边或多边协定，增强国际合作的有效性。

当特定毒品犯罪案件需要移交于其他缔约国进行更加适当的司法处置时，缔约国应当考虑将该案件移交起诉的可行性。另外，《联合国禁毒公约》第9条提供了各缔约国开展国际合作的其他形式，如交换案件情报信息、组建合作小组、为执法人员提供培训、开展科研合作、召开国际学术会议等，从而促进建立共同打击毒品犯罪的机制。

第四编

毒品犯罪案件侦查

第十三章

毒品犯罪案件概述

第一节 我国毒品犯罪的概念及特点

一、毒品、毒品犯罪与毒品犯罪案件

《刑法》第357条第1款规定："本法所称的毒品，是指鸦片、海洛因、甲基苯丙胺（冰毒）、吗啡、大麻、可卡因以及国家规定管制的其他能够使人形成瘾癖的麻醉药品和精神药品。"根据国务院2024年修订的《麻醉药品和精神药品管理条例》第3条第1款和第2款可知，麻醉药品和精神药品，是指列入麻醉药品目录、精神药品目录的药品和其他物质，由国务院药品监督管理部门会同国务院公安部门、国务院卫生主管部门制定、调整并公布。通过法律规定来看，毒品犯罪的认定，必须是围绕我国法律规定的毒品范畴的物质进行的。经过长期的国际禁毒合作，我们对毒品的定义经历了一个逐步扩大、深化的过程。同时随着社会的不断发展，我国在经历不同的历史阶段和不断变更的社会文化过程中，不同类型的毒品不断进入大众视野，这也使得我国对于毒品的定义有了更深刻的理解。我国《刑法》采用"列举+兜底"的方法定义毒品，既指明了现阶段我国毒品的主要分类，又概括了毒品的实质特征。这样既便于禁毒实践的认定和操作，又补充了列举的不足；既能有效推动禁毒工作进程，又能接轨国际禁毒合作。当然，我国法律对于"毒品"的定义绝不会仅仅止于此，随着时代发展，"毒品"的概念也会随之很快翻新。总而言之，"毒品"这一概念，是个与时俱进的名词，毒品的涵盖范围必将随着新物质的出现而不断扩大。

毒品犯罪是指违反国家和国际有关禁毒法律、法规，破坏毒品管制活动，

应该受到刑罚处罚的犯罪行为。根据《联合国禁毒公约》第 3 条可知，毒品犯罪是指非法生产、制造、提炼、配售、兜售、分销、出售、交售、经纪、发送、过境发送、运输、进口或出口麻醉药品和精神药品、种植毒品原植物以及进行上述活动的预备行为和与之相关的危害行为。根据《刑法》第 347~355 条的规定，毒品犯罪主要包括走私、贩卖、运输、制造毒品罪，非法持有毒品罪，包庇毒品犯罪分子罪，窝藏、转移、隐瞒毒品、毒赃罪，非法生产、买卖、运输制毒物品、走私制毒物品罪，非法种植毒品原植物罪，非法买卖、运输、携带、持有毒品原植物种子、幼苗罪，引诱、教唆、欺骗他人吸毒罪，强迫他人吸毒罪，容留他人吸毒罪，非法提供麻醉药品、精神药品罪。其中，走私、贩卖、运输、制造毒品罪，无论数量多少，都应当追究刑事责任，予以刑事处罚。

在词义阐释层面上，毒品犯罪案件概念的准确界定必须对"毒品""犯罪""案件"三个词作出准确的界定，通常来说，"案件"必须是进入刑事诉讼程序并且已经予以立案的犯罪事件。我国国内众多学者从不同的研究角度出发，对毒品犯罪案件的概念进行了界定，但至今仍存在较多争议，尚未形成统一的观点。我们认为，毒品犯罪案件的概念应在准确理解和把握基本词义并充分吸收众多专家观点的基础上，从管辖权主体、犯罪行为方式以及行为所触及法律法规三层面，将其界定为：依法享有管辖权的国家机关对于违反禁毒法律法规，从事非法走私、贩卖、运输、制造、毒品，种植毒品原植物等与毒品、毒品原植物、毒品原植物种子及幼苗、制毒物品有关的行为，依法应受刑罚处罚，被立案侦查的案件。

二、我国当前毒品犯罪案件的特点

毒品及毒品犯罪案件一直是我国及全球社会面临的一个重要的社会问题，近年来，我国在打击毒品犯罪案件上取得了一些成果，公安部、国家禁毒委等机构发布的数据显示：近五年来，我国毒情整体态势向好且持续得到巩固。毒品犯罪案件数量、犯罪嫌疑人数量以及缴获毒品数量、查处吸毒人员总数等持续下降。尽管如此，目前世界毒品形势仍然复杂，形势严峻。全球毒品产量居高不下，毒品网上交易愈加活跃，毒品滥用人数持续走高，毒情形势出现新情况、新变化。

《2022 年世界毒品报告》指出，2020 年全世界约有 2.84 亿 15 岁~64 岁的人使用毒品，比前十年增加了 26%。与此相反的是，我国的毒品问题则呈现出持续向好的态势，境外毒品输入数量和国内制毒产量"双减"，国内毒品供应量和流通量"双降"，毒品走私贩运和制毒物品流失问题得到遏制，毒品滥用规模和涉毒犯罪案件连续多年下降。这些成绩的取得来之不易。居安思危，我们更应当认真分析研究这些年来我国禁毒形势发生的巨大变化，找出其发生发展的原因，有针对性地采取措施，继续努力保持良好态势。

在司法实践中，毒品犯罪的主要类型是走私、贩卖、运输毒品罪；该罪处于毒品犯罪链条的中游，上衔毒品制造，下接吸毒人员，是毒品犯罪治理的核心环节，也是毒品案件中占比最大的一类。毒品犯罪在向全球大部分国家和地区蔓延的情况下，此类毒品犯罪案件的特点也发生了一定变化。在规模化和暴力化的趋势下，又表现出了武装化和网络化，方式更加多样，手段更加隐蔽。

（一）区域跨度大，"互联网+寄递"贩毒模式突出

世界三大毒源地，其中就有两大毒源地毗邻我国边境地区，即位于东南亚地区缅甸、老挝、泰国交界地带的"金三角"地区和位于阿富汗、巴基斯坦和伊朗三国交界地带的"金新月"地区。两大毒源地一个接近我国的东南地区，靠近广东和云南；一个靠近我国的西北边陲，与我国在语言、风俗习惯等方面的相似性导致毒品流入较为容易。受"金三角"地区、"金新月"地区两大主要毒品发源地、美国等地大麻合法化的影响，以及我国国内对制贩毒犯罪行为的打击强度影响，我国毒品市场上流通的毒品主要来源地在境外，国外的毒品通过多种方式流入国内毒品市场。根据《2023年中国毒情形势报告》，毒品主要来自境外、少量来自国内制毒渠道仍是当前中国毒品来源结构的最显著特征。2023年，境外毒品渗透入境数量陡增，缴获境外毒品20.5吨，同比上升84.7%，占年缴毒总量的79.2%。中国国内制毒活动虽有抬头之势，但规模较小、产量较少，在毒品消费市场所占份额持续下降。

起初边境贩毒主要通过人体藏毒、夹带藏毒等各种方法，后来国际邮件快递业务发展使得毒品犯罪分子看到了这一方式的快捷性和安全性。因此，国外的毒品开始通过国际邮件快递大肆流入中国，近年来，海关查获的利用国际寄递渠道贩毒的案件数不胜数。据报道，2020年以来，海关缉私部门立案侦办走私毒品及其制品的犯罪案件866起，共缴获各类毒品1.6吨，易制毒化学物品106吨。[1]

近年来随着信息网络的不断普及，网络论坛、QQ、微信、直播间等交流平台以及微信、支付宝等第三方支付平台成为传播毒品、建立渠道、收付毒资的主要载体，钱货分离成为毒品犯罪的常态，犯罪成本更低、隐蔽性更强，发现

---

〔1〕　罗丽琳：《计算机网络贩毒的现状、发展趋势和预防对策》，载《涪陵师范学院学报》2007年第3期。

和取证难度加大。另外，随着近年来物流产业的飞速发展，通过物流渠道运输毒品日益增多，利用网络和物流运输毒品成为了贩毒的新常态。通过网络购买，利用虚假身份信息邮寄，借助第三方支付平台转账，成为了新型贩毒方式。《2018 年中国毒品形势报告》提出"网络+寄递"已成为贩毒活动的主要方式。不法分子通过互联网发布、订购、销售毒品和制毒物品，网上物色运毒"马仔"，或通过物流寄递等渠道运毒，收寄不用真名，联络使用隐语、暗语，采用微信、支付宝、Q 币等在线支付方式，交易活动"两头不见人"。《2021 年中国毒情形势报告》指出：涉毒案件在网上和网下交织更为紧密。毒品市场继续向线上延伸，更多采用钱毒分付、人物分离交易模式，"网络+寄递"非接触式贩毒手法增多。勾连交易由大众聊天工具向小众社交工具、二手交易平台、游戏平台甚至暗网发展；毒资流转由网上银行转账向虚拟货币和游戏币扩展；运送毒品由"大宗走物流、小宗走寄递"向大宗毒品交专业团队组织运输、小量毒品交由未严格执行实名制要求的寄递公司代送。《2023 年中国毒情形势报告》进一步指出：网络贩毒手段更加隐蔽。网络技术的发展不断催生新的勾连方式、交易模式和支付手段，依托 Telegram 等境外网络通联工具，建立涉毒聊天群组，由中介实施担保交易，成为新兴毒品交易模式；毒资支付多采用比特币、泰达币等虚拟币或其他加密货币，资金流向更难追踪；毒品交付则多采取"埋包"、邮包寄递、闪送等非接触方式，进一步增强了贩毒行为的隐蔽性和发现打击难度。

（二）犯罪主体组织化、集团化

为了突破国家、地方权力打击的藩篱，毒品犯罪主要依赖组织化、系统化运作。毒品犯罪市场常常以犯罪组织的形式出现。在我国，毒品犯罪的主体包括毒品犯罪集团、毒品犯罪团伙以及单独的犯罪人三种基本形态。其中，犯罪集团和犯罪团伙是毒品犯罪最常见的形态。从犯罪集团组成或团伙组成结构来看，改革开放初期我国境内传统型毒品的产地多在境外政治控制较为薄弱、经济落后的地区，毒品犯罪集团主要由当地黑恶势力组成，多利用我国滇西南地区的地理位置优势，经由我国完成毒品的走私、运输、贩卖等活动。近年来，随着毒品种类的不断翻新，尤其是新型毒品的不断出现，我国早已由最初的毒品过境国变为毒品制造、出口、消费并存的国家。跨境毒品犯罪组织将现代企业的管理运营模式引入到跨境毒品犯罪活动中，使得跨境毒品犯罪的组织化、集团化特征日趋明显。贩毒集团多以民族、家族关系等作为连接纽带，通过境内外的相互勾结，逐步形成制毒—运毒—藏毒—贩卖的"一条龙"式运作流程，上下游犯罪产业链日趋完整。犯罪人员经过周密策划与严密分工，以家庭或宗族方式发展下线并通过移动通讯、互联网技术等多种方式及时交换情报。同时，在产业链完善性上，边境毒品犯罪系统化区分明显，有专门的洗钱公司与毒品运输渠道、运输方式进行买卖与销赃操作，且在近年来逐步呈现"化整为零""境外扩散"的趋势。例如，在运毒方式上，除了传统的"人身带货"式运毒方式外，犯罪分子利用邮寄、同城快递等方式或小众物流快递公司运送毒品，中途变更收货地址，交易两头不见人，实现了"人货分离、人钱分离、钱货分离"，无疑加大了发现、查处、取证难度。

此外，当今世界动荡局势下，一些恐怖主义组织"以毒养恐、以恐贩毒、恐毒结合"，利用毒品犯罪进行恐怖融资，以此为恐怖活动提供资金支持，毒品犯罪与恐怖主义相互交织的局面正在形成，恐怖组织的武装力量更是不可小觑。这些不法之徒的武装对抗，不但给侦查人员的人身安全带来极大的威胁，还造成了非常恶劣的影响，破坏了祈求和平安定的公民的正常生活，给他们带来极大的恐慌。

（三）犯罪链条商业化

毒品不是商品，但具有商品的市场特性，基于商业逐利的本性，毒品犯罪活动的背后必将隐藏着一条利益链，而在这条利益链上的利益主体均是为了瓜分这块充满诱惑的"蛋糕"。从20世纪80年代我国的毒情形势来看，我国毒源地主要在境外，走私、贩卖、运输毒品成为我国毒品犯罪的主要形式，毒品犯罪的利益链条主要是"供—销"的简单模式，加之当时我国吸毒人数相对较少，还主要是毒品犯罪的过境国。20世纪90年代，随着改革开放步伐的不断加大，"金三角"地区等毒源地的毒品不断涌向我国，对我国实行"多头入境，全线渗透"。与此同时，国内罂粟种植现象死灰复燃、愈演愈烈；制造毒品犯罪也初露端倪，从以鸦片、海洛因等罂粟提取加工物为主开始转向包括以冰毒、氯胺酮为代表的新型毒品的生产、制造。与此相伴生的，非法买卖制毒物品、走私制毒物品的犯罪行为也逐渐出现，充斥并丰盈着毒品犯罪的利益链条。而在需方市场，改革开放在带来经济飞速发展和文化多元融合的同时，在经济和文化的相互交迭过程中也为毒品亚文化的流行提供了一定生存的空间。我国吸毒人数开始呈现逐年递增的趋势，而毒品犯罪也在供方市场和需方市场内不断互动平衡的牵引下形成了毒品生产、加工、运输、贩卖以及消费环环相扣、有序交易的畸形市场，在此供给过程中，链条各节点由各商业要素相链接，并按照市场规则进行利益分享，实现贩毒网络风险利润的自我补偿，商业化特征越来越凸显。

（四）缺少一般意义上的"被害人"，隐蔽性强

走私毒品犯罪案件是典型的"无被害人犯罪"。与其他一般刑事案件不同，走私犯罪案件涉案双方都是吸毒人员或者贩毒人员，有些案件甚至没有典型意义上的被害人，因此出现无人举报、报案的情况，无法通过正常的程序侦破案件。毒品是一种依赖性或成瘾性物质，受害人大多为吸食毒品者，他们大多对于毒品具有较强的依赖性，相比于检举揭发走私毒品犯罪行为，吸食毒品者更有动力去隐匿或保护他们，因为一来保护他们即可让自己有渠道去购买毒品满足自己吸食需要，而且一旦检举揭发自己将被纳入涉毒人员管控，甚至导致因吸食毒品被行政拘留等。

而正是由于毒品犯罪没有通常意义上的被害人，故而缺少最能指明侦查方向的被害人陈述。除了制造毒品外，也没有真正意义的案发现场，贩卖毒品的地点多选在能避开社会监控、天网覆盖的地点，而且人流密集、四通八达，一旦交接便能瞬间离场，现场很难留下物证，也很难找到证人；运输毒品多采用邮寄方式，即使是自己运输，除非现场挡获，否则很难搜集物证。因此从现场勘查获得的痕迹、物证少之又少。毒品犯罪案件通常也缺少被害人陈述、缺少证人证言、现场勘查作用微弱且不完全、物证种类单一，基本证据链条只有查获的毒品、制毒工具、毒资等物证，和鉴定毒品的鉴定意见以及犯罪嫌疑人供述，和普通刑事案件证据链条有书证、物证、证人证言、被害人陈述、犯罪嫌疑人供述和辩解、鉴定意见、勘验和检查笔录、视听资料相比较，毒品犯罪案件的证据具有相对的单一性。

随着科技的日新月异，我国已成为全球网民第一的互联网大国，互联网与物联网不断方便生活的同时，也为不法犯罪分子提供了隐蔽的交易平台。由于网络购物方便、安全和网上支付简单、快捷等特点，毒品犯罪分子利用网络的虚拟身份进行线上毒品人货分离式的交易，减少了传统当面交易的贩毒风险。这种形式更加剧了毒品犯罪的隐蔽性特点，亦给毒品犯罪案件的调查取证和涉毒资产的查控带来挑战。

（五）涉案毒品种类多元化

20 世纪 90 年代后期，约有 230 种精神活性物质受到国际管制，但主导毒品市场的主要是大麻、可卡因、鸦片、海洛因、苯丙胺和"摇头丸"等少数几种毒品。经过二十多年的发展，毒品市场有了很大变化，毒品种类日益增多，尤其是近十年来大量新精神活性物质层出不穷。世界各国向 UNODC 累计报告新精神

活性物质的数量从 2009 年的 166 种增至 2019 年的 950 种，并在 2022 年 12 月达到 1182 种。《国际禁毒蓝皮书：国际禁毒研究报告（2019）》和《国际禁毒蓝皮书：国际禁毒研究报告（2020）》中指出，新精神活性物质具有更新快、种类多、毒效强、扩散广、危害大等特点，隐约有取代传统毒品和合成毒品之势，成为全球"第三代毒品"。由于打击一种物质很容易导致另一种替代物质的出现，当前市场上毒品种类的多样性成为国家和国际干预措施有效性的一个极大挑战。

我国国内的情况是：20 世纪 80 年代初，我国毒品犯罪主要以鸦片、海洛因、吗啡等传统毒品为主，该类毒品长期充斥着整个毒品犯罪市场。进入 20 世纪 90 年代，以冰毒、摇头丸为代表的新型合成毒品逐渐成为我国毒品市场上流行最快、滥用最为广泛的神经系统兴奋剂，它们和氯胺酮等其他人工化学合成的精神活性物质一起被称为"新型毒品"。进入 21 世纪，以海洛因为代表的传统毒品缴获量总体呈逐年递减态势，近几年来，在传统毒品和合成毒品不断受到严厉打击的背景下，毒品犯罪分子又将目光转移到新精神活性物质上。截至 2024 年 7 月 1 日，我国列管的新精神活性物质已达 234 种。然而，依然有不少毒品犯罪分子利用列管漏洞，通过对被列管的物质化学结构进行简单的修饰，从而获得效果更强或者类似的新的物质，并将其伪装成市场上常见的饼干、糖果、奶茶等物质，使新精神活性物质常常游走于合法与非法的边缘地带。由于大量的新精神活性物质的化学结构可以人为设计与合成，在某种新精神活性物质被列管后，不法分子可以对被列管物质的化学分子结构加以修饰，新的替代产品可以在极短的时间内被制造出来。

第二节　毒品犯罪的分类

关于毒品犯罪的类型，理论界存在不同的分类办法。本节介绍以下三种最基本的分类办法，希望有助于我们全面认识和把握毒品犯罪。这三种分类反映出毒品犯罪和其他犯罪不同的特点，清楚地揭示了毒品犯罪的内部结构和存在形态。对这三种分类进行深入讨论有利于我们对毒品犯罪的认识和法律实践的开展。

一、按照行为的性质将毒品犯罪分为消费型、经营型、持有型和破坏禁毒活动型四类

（一）消费型毒品犯罪

吸食、注射毒品是典型的毒品消费行为，出于伦理、医学、法学和禁毒策略的综合考虑，以及联合国 1987 年通过的《控制麻醉药品滥用今后活动的综合性多学科纲要》所提出的"吸毒是一种慢性复发性脑疾病"的定位，目前国际大多数国家均未将单纯的滥用毒品行为认定为犯罪，在我国亦将其视为一种违法行为。因此，我国刑法并未规定吸食、注射毒品罪。消费型毒品犯罪仅包括以下 5 种罪名：

1. 引诱、教唆、欺骗他人吸毒罪。《刑法》第 353 条第 1 款规定："引诱、教唆、欺骗他人吸食、注射毒品的，处三年以下有期徒刑、拘役或者管制，并处罚金；情节严重的，处三年以上七年以下有期徒刑，并处罚金。"引诱、教唆、欺骗他人吸食、注射毒品罪，是指违反国家法律规定，使用各种手段，引诱、教唆、欺骗他人吸食、注射毒品的行为。

2. 强迫他人吸毒罪。《刑法》第 353 条第 2 款规定："强迫他人吸食、注射毒品的，处三年以上十年以下有期徒刑，并处罚金。"强迫他人吸食、注射毒品的行为构成犯罪。强迫他人吸毒罪，是指违背他人意志，用暴力、胁迫或者其他强制手段，迫使他人吸食、注射毒品的行为。

3. 容留他人吸毒罪。《刑法》第 354 条规定："容留他人吸食、注射毒品的，处三年以下有期徒刑、拘役或者管制，并处罚金。"容留他人吸毒罪，是指明知他人吸毒而为其提供吸食、注射毒品的场所和便利的行为。

4. 非法提供麻醉药品、精神药品罪。《刑法》第 355 条规定："依法从事生产、运输、管理、使用国家管制的麻醉药品、精神药品的人员，违反国家规定，向吸食、注射毒品的人提供国家规定管制的能够使人形成瘾癖的麻醉药品、精神药品的，处三年以下有期徒刑或者拘役，并处罚金；情节严重的，处三年以上七年以下有期徒刑，并处罚金。向走私、贩卖毒品的犯罪分子或者以牟利为目的，向吸食、注射毒品的人提供国家规定管制的能够使人形成瘾癖的麻醉药品、精神药品的，依照本法第三百四十七条的规定定罪处罚。单位犯前款罪的，对单位判处罚金，并对其直接负责的主管人员和其他直接责任人员，依照前款的规定处罚。"非法提供麻醉药品、精神药品罪，是指依法从事生产、运输、管理、使用国家管制的麻醉药品、精神药品的人员和单位，违反国家规定，故意向吸食、注射毒品的人提供国家规定管制的能够使人形成瘾癖的麻醉药品、精神药品的行为。

5. 妨害兴奋剂管理罪。从全球来看，许多国家将滥用兴奋剂入刑，如法国、意大利、丹麦、挪威、芬兰等国家在刑法分则中专门规定了反兴奋剂的内容，或者通过制定单行刑法，采用附属刑法与刑法典相结合等形式，惩治涉兴奋剂犯罪。

我国历来重视在体育运动中禁用兴奋剂类违禁药物问题，并为此制定了一系列法律法规。1995 年 8 月，第八届全国人民代表大会常务委员会通过《中华人民共和国体育法》（后于 2009 年、2016 年再次修正，2022 年一次修订），将反兴奋剂纳入国家法律范畴。2003 年以来，我国相继签署并加入了《世界反兴奋剂条例》和《反对在体育运动中使用兴奋剂国际公约》。2004 年 1 月，国务院颁布《反兴奋剂条例》。2014 年 11 月，国家体育总局制定了《反兴奋剂管理办法》（已失效，2021 年重新公布）、《体育运动中兴奋剂管制通则》（已失效）。

《中华人民共和国刑法修正案（十一）》设立了妨害兴奋剂管理罪，正式将妨害兴奋剂管理行为入刑。目前，对于妨害兴奋剂管理罪的立案追诉和定罪量刑标准，尚未出台司法解释及规范性文件，该罪司法适用的相关重点问题亟待深入探讨和明确。

消费型毒品犯罪是毒品泛滥的潜在诱因，具有较大的社会危害性。

（二）经营型毒品犯罪

经营型毒品犯罪包括走私、贩卖、运输、制造毒品罪等五种罪名，是毒品犯罪中社会危害性最大的一类犯罪，也是我国禁毒司法实践中最主要的毒品犯罪形式。

1. 走私、贩卖、运输、制造毒品罪。《刑法》第 347 条第 1 款规定："走私、贩卖、运输、制造毒品，无论数量多少，都应当追究刑事责任，予以刑事处罚。"毒品数量不是构成本罪的必要条件，这一规定体现了我国对毒品犯罪坚决从严惩处的精神。另外，本罪是选择性罪名，构成本罪并不要求行为人同时实施走私、贩卖、运输、制造毒品的行为，行为人只要实施了其中一种行为即构成本罪；实施了其中两种或两种以上行为的，也只构成本罪一罪，确定罪名时以其实施的行为为准。如行为人只是实施了运输、贩卖毒品行为的，即定为运输、贩卖毒品罪，不需要分别定为运输毒品罪和贩卖毒品罪。

2. 非法生产、买卖、运输制毒物品、走私制毒物品罪。《刑法》第 350 条第 1 款规定："违反国家规定，非法生产、买卖、运输醋酸酐、乙醚、三氯甲烷或者其他用于制造毒品的原料、配剂，或者携带上述物品进出境，情节较重的，处三年以下有期徒刑、拘役或者管制，并处罚金；情节严重的，处三年以上七年以下有期徒刑，并处罚金；情节特别严重的，处七年以上有期徒刑，并处罚金或者没收财产。"本罪是一个选择性罪名，构成什么就定什么罪。本罪的犯罪对象是用来制造毒品的化学物品，而不是毒品本身。我国称之为易制毒化学品，联合国称之为制毒前体。这是本罪区别于走私毒品罪最主要的标志。

3. 非法种植毒品原植物罪。《刑法》第 351 条第 1 款规定："非法种植罂粟、大麻等毒品原植物的，一律强制铲除。有下列情形之一的，处五年以下有期徒刑、拘役或者管制，并处罚金：（一）种植罂粟五百株以上不满三千株或者其他毒品原植物数量较大的；（二）经公安机关处理后又种植的；（三）抗拒铲除的。"明知是罂粟、大麻、古柯树等毒品原植物而非法种植，且数量较大，或经公安机关处理后又种植，或者抗拒铲除的，适用非法种植毒品原植物罪。

4. 非法买卖、运输、携带、持有毒品原植物种子、幼苗罪。《刑法》第 352 条规定："非法买卖、运输、携带、持有未经灭活的罂粟等毒品原植物种子或者幼苗，数量较大的，处三年以下有期徒刑、拘役或者管制，并处或者单处罚金。"非法买卖、运输、携带、持有未经灭活的罂粟等毒品原植物种子或者幼苗，数量较大的，构成本罪。本罪的法定数量，即罂粟原植物植株数量 500 株以上、大麻 5000 株以上，或者行为人多次贩卖、运输毒品原植物种子或幼苗，虽然每次数量均不够大，但累计达到上述数量。本罪为选择性罪名，即实施了非法买卖、运输、携带、持有毒品原植物种子、幼苗行为之一的，即以该行为确定罪名；实施其中两种以上行为的，将所实施行为并列为一个罪名，不实施数罪并罚。

（三）持有型毒品犯罪

持有型毒品犯罪仅指非法持有毒品罪一个罪名。《刑法》第 348 条规定："非法持有鸦片一千克以上、海洛因或者甲基苯丙胺五十克以上或者其他毒品数量大的，处七年以上有期徒刑或者无期徒刑，并处罚金；非法持有鸦片二百克以上不满一千克、海洛因或者甲基苯丙胺十克以上不满五十克或者其他毒品数量较大的，处三年以下有期徒刑、拘役或者管制，并处罚金；情节严重的，处三年以上七年以下有期徒刑，并处罚金。"非法持有毒品罪，是指违反国家毒品管理规定，明知是毒品而非法持有，数量较大的行为。

该罪为走私、贩卖、运输、制造毒品罪的补充兜底。如果根据已查获的证据能够证明非法持有毒品是为了走私、贩卖、运输或者窝藏毒品犯罪的，应当认定为走私、贩卖、运输毒品罪或者窝藏毒品罪。穷尽所有证据仍不能认定非法持有较大数量毒品是为了进行走私、贩毒、运输或者窝藏毒品犯罪的，才构成本罪。

（四）破坏禁毒活动型毒品犯罪

此类毒品犯罪危害了国家禁毒活动的有效开展，为打击犯罪设置了人为障碍，存在严重的社会危害性，应受到刑罚处罚。

1. 包庇毒品犯罪分子罪。《刑法》第 349 条第 1 款规定："包庇走私、贩卖、运输、制造毒品的犯罪分子的……处三年以下有期徒刑、拘役或者管制；情节严重的，处三年以上十年以下有期徒刑。"包庇毒品犯罪分子罪，是指明知是走私、贩卖、运输、制造毒品的犯罪分子，故意对其进行包庇，以使其逃避法律制裁的行为。

2. 窝藏、转移、隐瞒毒品、毒赃罪。《刑法》第 349 条第 1 款规定："……为犯罪分子窝藏、转移、隐瞒毒品或者犯罪所得的财物的，处三年以下有期徒刑、拘役或者管制；情节严重的，处三年以上十年以下有期徒刑。"窝藏、转移、隐瞒毒品、毒赃罪是指故意为毒品犯罪分子窝藏、转移、隐瞒毒品或者毒品犯罪所得的赃物的行为。

此种分类标准主要反映的是不同毒品犯罪的不同社会危害。比如营利性的毒品犯罪是危害最大的犯罪，因为其营利性会使得这些毒品犯罪行为的感染性、牵连性、罪恶性都比其他犯罪要大。破坏性毒品犯罪总体来说只是毒品犯罪的辅助行为，不算毒品犯罪里面的核心行为。持有型毒品犯罪则基本上是营利性毒品犯罪的推定行为。

二、按照发生的概率把毒品犯罪分为常见毒品犯罪和非常见毒品犯罪

根据《2021 年中国毒情形势报告》《2022 年中国毒情形势报告》《2023 年中国毒情形势报告》，我国近 3 年查获的毒品案件总数为 11.8 万起，其中走私、贩卖、运输、制造毒品犯罪案件为 10 余万起，占比约 85%。所以将走私、贩卖、运输、制造毒品罪称为常见（发）毒品犯罪，其他毒品犯罪称为非常见毒品犯罪。

做这种划分的意义是我们应当对常见毒品犯罪予以更多的关注和分析研究，这些犯罪占据了大部分的司法资源，从公安机关到检察院，再到法院，绝大多数的办案人员就是和这些常见的毒品犯罪打交道。

三、按照毒品流行的时间把毒品犯罪分为传统型毒品犯罪和新型毒品犯罪

按照目前的毒品代际发展理论，毒品种类的发展演变大致可以分为三个阶段，即以原植物性毒品为代表的第一代毒品、以合成毒品为代表的第二代毒品和以新精神活性物质为代表的第三代毒品。在我国，习惯上将第一代毒品称为传统毒品，将第二代、第三代毒品合称为新型毒品。因此，将涉及第一代毒品的毒品犯罪称为传统毒品犯罪，涉及第二代、第三代毒品的毒品犯罪称为新型

毒品犯罪。

新型毒品具有替代性强、品种数量多、更新速度快、隐蔽性高等特点，使得新型毒品犯罪具备一些与传统毒品犯罪不同的特点。人们普遍对新型毒品危害缺乏正确全面的认识，认为冰毒、摇头丸、氯胺酮、冰毒、依托咪酯等不是毒品，吸食是一种时尚，而不是违法行为，吸食新型毒品不会成瘾，容易戒断。从司法实践中审理的新型毒品案件来看，吸食新型毒品群体多元化，吸食群众逐步由过去的社会无业青年向商人、公司职员、演员、大学生和国家公务员等其他社会阶层扩散，且具有群体性。贩运新型毒品人员复杂，不仅有无业人员、农民还有转业待安置人员、公司经理、职员，当然无业人员、农民仍占贩运新型毒品的绝大部分。吸食新型毒品群体低龄化加快，青少年逐渐成为侵害对象。新型毒品的贩卖的对象主要是一些娱乐场所里盲目追求时尚潮流的青年人。法院审理的此类案件中，诸多被告年纪在18周岁以下，一些人既是贩毒人员又是吸食毒品者。

经过多年坚持不懈的努力，我国的禁毒工作取得了明显成效，毒情形势持续向好，然而，新精神活性物质类毒品横空出世，其本身含有的技术、数量众多的品种、快速更迭特性以及参与治理主体的多元性等特征，都不同程度对其治理带来新的挑战。对毒品犯罪进行传统与新型的区分，其主要意义就在于新型毒品犯罪需要我们更及时、动态的立法关注和更加灵活的司法关注。

更及时、动态的立法关注是我们对于毒品犯罪的立法应当随时关注犯罪的现实状况，跟随犯罪状况的变化而实时修改完善现有法律。更灵活的司法关注则是需要更加灵活地应对新型毒品犯罪的审判。司法实践中，应该严格把握合成毒品犯罪案件的追诉及量刑标准，谨慎处理新型毒品犯罪案件的罪与非罪问题、此罪与彼罪问题、重罪与轻罪问题。因为与传统毒品相比，新型合成毒品工艺简单，价格相对低廉，更容易获得。而毒品犯罪属于重罪，一旦混淆罪与非罪的界限，将会导致打击面过大，出现过度使用刑罚、伤害无辜的严重后果，因此，对于新型毒品犯罪案件应当确立更为严谨的追诉及量刑标准。

第十四章

毒品犯罪案件的常用侦查措施

毒品犯罪案件的常用侦查措施，是指公安机关在侦查毒品犯罪案件时经常采用的，侦查人员必须掌握、使用的侦查措施。毒品犯罪案件的侦查手段与措施较多，基本上可以分为两大类，即公开的侦查措施及秘密侦查措施，具体包括侦查询问与讯问、突袭行动、公开查缉、控制下交付、金融调查、技术侦查、内线侦查、外线侦查等，本章仅对其中几种主要的侦查措施予以介绍。

第一节 侦查询问与侦查讯问

一、侦查询问

(一) 毒品犯罪案件中侦查询问的概念

询问是我们在社会活动中经常使用的一种交流方式。通过询问，人们从他人那里掌握自己想要了解的信息。侦查活动中的询问是侦查措施中的一种。我国在侦查破案过程中使用询问的方式由来已久，询问也是侦查活动中最重要的侦查措施之一。从传统字义上来说，"询问"有征询、查询、查问等意思，有时还可以作为诘问、追问使用。在侦查活动中，询问被赋予了特殊的法律意义。侦查询问是指在侦查活动中，侦查人员为了收集线索和证据，查明案件事实真相，对证人和被害人依法采取的面对面调查和诘问的活动，是基本侦查手段中的一种。

毒品犯罪案件中的侦查询问，是侦查部门为查明毒品犯罪案件的基本情况，发现毒品案件的侦查线索，获取毒品犯罪证据，甄别毒品犯罪人的口供，向有关人员或知情人员了解、核实、查证与毒品犯罪有关的问题的一项常用措施。

（二）毒品犯罪案件中侦查询问的构成要素

毒品犯罪案件因其缺少一般意义上的"被害人""犯罪现场"等要素而凸显出隐蔽性强的特点，基于此，大部分毒品犯罪案件立案线索来源有限，侦查中获取与案件相关信息情报线索尤其是实物证据的路径也相对较少，实践中，侦查询问成为毒品犯罪案件侦查中重要的线索来源渠道。高效和高质量的毒品犯罪案件侦查活动均离不开准确可靠的信息。调查询问工作质量的高低在很大程度上决定着毒品犯罪案件侦查部门能否全面深入地分析、认识案情，并在此基础上制定科学的侦查对策，准确、及时地发现和甄别毒品犯罪人。

毒品犯罪案件中的侦查询问既具有与其他刑事案件中侦查询问相同的构成要素和程序方法，也具有与其自身相对应的策略。

侦查询问的构成要素主要有六个方面：侦查询问人员、侦查询问对象、侦查询问程序、侦查询问策略、侦查询问方法和侦查询问语言，每个构成要素都有其特点和价值。在任何侦查询问活动中，单靠一个构成要素是无法达成有效询问的目标的，需要综合发挥各个因素的作用。只有侦查询问人员运用适当的策略、方法和语言，经过合法的侦查询问程序，并且侦查询问对象积极配合询问工作，侦查询问才有可能获得成功。下面将结合毒品犯罪案件特点对这六个构成要素进行具体分析。

1. 侦查询问人员。侦查询问人员是侦查询问活动的主体，也是有效侦查询问中最基本的构成要素。每个案件都不可能是完全一样的，案件的起因、经过、结果都有自己的特殊性，因此，侦查询问没有特定的模式。这就要求询问人员根据自己对案件的分析了解，制定侦查询问计划，并通过对侦查询问对象进行询问以获取线索和证据。从某种意义上说，侦查询问人员的能力和素质决定了询问能否成功。毒品犯罪案件本身具有较为突出的隐蔽性、复杂性，加之主要类型的毒品犯罪案件缺少一般意义上的"被害人""目击者"等案件中的重要询问对象，因此要求此类案件的侦查询问人员一方面需要充分吃透案情，掌握必要的专业知识和询问技巧，另一方面在各种各样复杂、繁琐的案情中，要具备随机应变的能力、谦和的态度、耐心和细心的态度，这些素质和能力可以帮助侦查询问人员更好地与侦查询问对象交流，灵活运用各种侦查询问技巧、方法，更有利于获得重要的线索和证据，成功达到侦查询问的目的。

2. 侦查询问对象。侦查询问对象是询问的客体，一般包括证人和被害人。在侦查询问活动中，因为侦查询问人员想要了解的情况最终是由询问对象表述出来的，所以侦查询问对象表达的好坏会影响侦查询问的效果，只有侦查询问对象积极配合侦查询问人员工作，侦查询问才可能取得成功。在毒品犯罪案件的侦查询问中，侦查询问对象通常有三种情况：第一种情况是主动报案、积极配合侦查询问；第二种情况是被动接受侦查询问，不愿配合；第三种情况是怀有其他目的，做出虚假陈述。

第一种情况是最有利于侦查询问的一种状况，通常在隐蔽性强的毒品犯罪案件中极少出现。第二种情况是侦查询问对象被动接受询问，不愿配合。表现在毒品案件中，因贩毒分子心狠手辣，有的知情人或毒品犯罪嫌疑人的亲人朋友等担心名誉受损、遭受打击报复、害怕惹祸上身、影响家庭生活等而不愿意配合侦查询问，给侦查询问工作造成一定的困难。第三种情况是侦查询问对象怀有其他目的，故意做出虚假陈述。在毒品案件的侦查实践中，有的侦查询问对象从表面上来看是积极主动地配合侦查询问工作，但其背后其实是怀有不可告人的目的。例如，有的毒品犯罪人出于"黑吃黑"等目的，假装积极主动地向侦查机关提供所谓的"证言"以扰乱转移侦查视线，企图借助侦查部门的力量达到清除异己或垄断制贩毒市场等的目的；有的证人虽然知晓案件实情，但却因为和作案人关系密切而故意做出虚假证言来扰乱侦查视线，维护作案人。

可见，毒品案件的侦查询问工作中难免会遇到"证言难取"的情况，对此，侦查询问人员要认真分析和把握侦查询问对象的真实心理状态，尽力使其配合询问工作。

3. 侦查询问程序。由于侦查询问是侦查措施的一种，所以侦查询问的整个程序必须依照法律的规定进行。侦查询问程序合法大体包括以下几个部分：一是人员合法。人员合法是指侦查询问人员具有侦查询问的资格，侦查询问对象具有证人的资格。我国《刑事诉讼法》关于侦查询问人员有如下规定：审判人员、检察人员、侦查人员必须按照法定程序，搜集能够证实毒品犯罪嫌疑人、被告人有罪或者无罪、犯罪情节轻重的各种证据。凡是知道案件情况的人，都有作证的义务。生理上、精神上有缺陷或者年幼的人，不能辨别是非、不能正确表达的人，不能作证人。二是地点合法。按照我国《刑事诉讼法》的相关规定，侦查询问人员询问证人，可以在现场进行，也可以到证人所在单位、住处或者证人提出的地点进行，在必要的时候，可以通知证人到人民检察院或者公安机关提供证言。在现场询问证人，应当出示工作证件；到证人所在单位、住处或者证人提出的地点询问证人，应当出示人民检察院或者公安机关的证明文件。三是过程合法。过程合法就是要求侦查询问人员要按照相关法律法规的规定进行侦查询问。首先，询问证人、被害人应当由侦查询问人员进行。询问的时候，侦查人员不得少于 2 人。询问证人时，应当出示证明文件，应当个别进行。一般应先让证人就他所知道的情况作连续的详细叙述，并问明所叙述的事实的来源，然后根据其叙述结合案件中应当判明的事实和有关情节，向证人提出问题，让证人回答。其次，在第一次询问时，应当向证人、被害人宣读《证人诉讼权利义务告知书》《被害人诉讼权利义务告知书》告知其享有的权利和承担的义务、问明被害人是否申请回避，并在询问笔录中注明。最后，还要注意的是，侦查询问人员在询问时不得向证人、被害人泄露案情或者表示对案件的看法，严禁采用暴力、威胁等非法方法询问证人、被害人。对涉及国家秘密、商业秘密、个人隐私的，应当保密，并在询问笔录中注明。

侦查询问的过程看似简单，实则有许多细节需要注意。因为，一旦询问过程不合法，就无法形成有效的证据。而在毒品案件中，侦查询问是获取证据的重要渠道，因此，侦查询问人员一定要重视询问过程的合法性，尤其是注意其中的细节问题。

4. 侦查询问策略。在毒品案件的侦查实践中，侦查询问活动总是会受到很多不利因素的影响，这种影响一方面来自侦查询问人员本身，另一方面来自侦查询问对象的心理作用。从侦查询问人员方面来看，其影响主要源自侦查询问过程中侦查询问方式出现纰漏，影响了侦查询问效果。例如，侦查询问人员的用语不当可能会影响侦查询问的效果，这种情况在侦查询问人员身上时有发生。有时侦查询问人员打断侦查询问对象的陈述，使侦查询问对象的回忆不能连续，可能会造成陈述的不准确；有时侦查询问人员过多地使用简单问答的形式，虽然可以问清一些重点问题，但由于问答过于封闭，可能会错过一些细节性问题。另外，有时侦查询问人员在侦查询问时态度不妥，导致侦查询问对象产生反感心理，不愿意积极配合侦查询问人员工作，亦会影响侦查询问的效果。从侦查询问对象的心理来看，在毒品案件中一些证人存在害怕被打击报复的心理、"事不关己高高挂起"的心态，案件关系人害怕名誉受损等心理都会使侦查询问过程遇到阻碍。

在侦查询问实践过程中，侦查询问策略的核心要求就是把握好"天时、地利、人和"。"天时"是指询问时机。证人和被害人的陈述过程实际上就是对案发情形的回忆过程，随着时间的推移这种记忆可能会越来越模糊甚至出现偏差。所以，侦查询问人员要掌握好侦查询问的时机，时间既不能太早也不能太晚。如果太早，由于刚刚发生案件，侦查询问对象的神经可能还没有放松下来，不利于侦查询问；如果太晚，由于时间过去太久，侦查询问对象的记忆可能模糊或出现偏差，也不利于侦查询问。所以，寻找一个合适的时机侦查询问更有利于侦查询问的成功。

"地利"是指侦查询问要在一个合适的场所进行。在侦查询问时要充分考虑到侦查询问对象的感受。有的人心理素质差，在案发现场或公安机关接受侦查询问会加剧其紧张心理，不利于侦查询问，对此可以选择在侦查询问对象的住处或单位进行询问；而有的人不想被别人知道自己是案件关系人或证人，对此则可以选择在公安机关或其他合适场所。总之，让侦查询问对象感到放松更有利于其对事件的回忆。

"人和"即询问过程中要与侦查询问对象建立一个良好的交流关系。侦查询问人员在侦查询问过程中要充分尊重、理解侦查询问对象，这样侦查询问对象也会信任侦查询问人员，更愿意配合侦查询问人员的工作。在彼此建立信任的基础上，侦查询问会变得更加顺畅，一些细节性、关键性的线索和证据也就会自然而然地被发现。

5. 侦查询问方法。侦查询问方法是指侦查询问人员针对询问中出现的不同情况而采取的具体手段和技巧。侦查询问方法相对于侦查询问策略更为具体，是实现有效侦查询问的直接手段，在侦查询问中应用广泛，效果也比较明显。其中，最核心的原则就是"因人而异，对症下药"，要根据不同人的不同心理状态采用不同的、恰当的侦查询问方法。在毒品犯罪案件的侦查询问中，多采用但不限于以下方法：

（1）情感疏导法。就是利用不同侦查询问对象在情感上的特点，让其产生某种对侦查询问有利的情感，以达到有效侦查询问的目的。在毒品案件的侦查询问实践中，一些人抱着"事不关己"或者不想给自己添麻烦的心态而不情愿作证。侦查询问人员可以针对不同人的性格特点，激起侦查询问对象对吸毒成瘾者及其家庭现状的同情心、对制造贩卖毒品的憎恨心以及隐藏在心中的责任感和正义感，促使其配合侦查询问人员的询问工作。

（2）顾虑消除法。在毒品案件的侦查询问中，一些人不愿意配合提供证言的主要原因是担心因此而遭受贩毒集团或贩毒分子的打击报复，由此给自己及家人带来无妄之灾。侦查询问人员在进行侦查询问时要善于发现其顾虑所在，在侦查询问过程中通过交流以尊重、谦和的态度赢得其信任，进而向其提供一些可行的保护措施等方法来消除其顾虑心理，使其如实做出陈述。

（3）证据驳斥法。在毒品案件的侦查询问实践中发现，一些证人或知情人有的由于自认为身份高贵，作证这些"小事"与其身份不符，有的出于所谓的

"哥们儿义气"，有的与制贩毒分子有某种利害关系而不愿作证或作伪证。一旦发现这些情况，侦查询问人员要立即进行驳斥，告知其法律的严肃性和可能承担的法律后果的严重性，并适时出示部分证据对其错误的态度和所作的伪证进行纠正与揭露，并对其进行说服教育，使其配合工作、如实陈述。

（4）意图隐蔽法。在毒品案件的侦查询问中，遇到戒备心很强并不心甘情愿反映情况的知情人，侦查询问人员如果正面直接提出问题，对方会推诿搪塞、转移话题、隐瞒真相，使侦查询问陷入僵局。此时，侦查询问人员可以有意隐蔽侦查询问意图，对知情人就其他不同方面的问题不经意提问或把问题分割、穿插、交替地侦查询问，并频繁地转移侦查询问目的，跳跃式地从这一个问题转移到另一个问题，使被侦查询问人精力分散、顾此失彼，这种侦查询问策略往往会打破侦查询问对象的思想防御体系，使其露出破绽，反映出真实情况。

6. 侦查询问语言。科学合理的侦查询问语言是进行有效侦查询问的构成要素之一。由于侦查询问的本质就是侦查询问人员通过与侦查询问对象进行语言的交流而获取证据，所以侦查询问的成功在很大程度上更依赖于侦查询问人员语言交流的能力。侦查询问语言的使用具有特定的要求，概括来说其一般要求是：文明合法、准确规范和简明灵活。语言文明合法即用语文雅、和气、庄重、措辞妥帖、有礼有节，要符合党的政策和国家法律，表述的内容有法律的范围限制，于法有据，体现取证的法律性和严肃性。准确规范是侦查询问人员用语选词造句符合语法规范，能准确恰当地表达侦查询问的内容，能选用贴切的语言来完成侦查询问各个环节工作，表情达意不能概念不清、语义模糊、语言晦涩、不知所云，不可说东道西、断断续续、语义毫无关联。简明灵活则是要求侦查询问语言有高度的概括性，简洁明了、含义清晰，使侦查询问对象较易接受问话人的信息，理解侦查询问内容，及时作出反应。同时要求侦查询问人员面对不同的人采用不同的交流技巧，根据不同侦查询问对象的不同反应，使用或强硬或舒缓的语言技巧，攻破侦查询问对象的心理防线。例如，面对女性侦查询问对象，选择的语言和蔼可亲、文明礼貌、措辞含蓄，赢得其信任；面对男性侦查询问对象，语言简洁明了、谦虚温和，获得对方认可；面对了解详细案情的侦查询问对象，深追细问，不放过每一个细节。这些交流技巧都会对侦查询问效果产生有利的影响，值得侦查询问人员深入思考和反复归纳总结。

二、侦查讯问

（一）毒品犯罪案件中侦查讯问的概念

侦查讯问是一种通过侦查讯问人员对毒品犯罪嫌疑人进行面对面的诘问，

以获取信息、查明案件事实真相为主的侦查手段。在刑事侦查中，侦查讯问具有独特的价值，通过侦查讯问可以全面细致地了解案情，包括隐藏在犯罪行为之后的心理动机，以及一些只有毒品犯罪嫌疑人本人才知晓的案件细节，而这些都将是定罪量刑的重要依据。侦查讯问时需要侦查讯问人员将其希望传递的信息传达给被侦查讯问人员，对侦查讯问过程中产生的信息进行发掘、捕捉和整理，并根据侦查讯问情况的发展变化及时调整侦查讯问计划，以达到第一时间突破毒品犯罪嫌疑人口供的侦查讯问目的。同时，侦查讯问过程也需要遵守法定程序，确保双方的合法权益不受侵犯。此外，侦查讯问结果可作为后续处理或诉讼的重要参考依据。

在毒品案件侦查讯问过程中，侦查讯问主要表现为：侦查讯问人员为了查明毒品犯罪嫌疑人的行为是否构成毒品犯罪和毒品犯罪情节的轻重而对其进行的一种面对面的审查活动。

（二）毒品犯罪案件中侦查讯问的难点

毒品犯罪案件自身的特点使得对其毒品犯罪嫌疑人的侦查讯问与一般刑事案件有所不同，侦查讯问实践中表现出对毒品案件嫌疑人的侦查讯问往往存在较多难点。

1. 毒品犯罪案件的主观"明知"难以认定。我国《刑法》规定的12种毒品犯罪都要求毒品犯罪嫌疑人在主观方面具有"故意"，即要求毒品犯罪嫌疑人对法律规定的犯罪对象有所认识，"明知"是毒品。贩卖是毒品流通链条的核心环节，具有行为隐蔽性强、中间环节多、直接证据少等特点，是打击毒品犯罪的重点和难点。近年来，为了有效打击新类型毒品犯罪，我国先后颁布多项毒品列管规定。由于毒品列管规定颁布频率较高，贩卖新类型毒品的行为人到案后多辩称不知道涉案物品为毒品，在案证据通常亦难以证明行为人明知涉案物品含有何种新精神活性物质以及已经知悉相关列管规定，能否认定被告人明知涉案物品为毒品，经常成为讯问中的难点。

贩毒人员绝大部分有吸毒情节，尤其对于没有贩卖毒品前科的毒品犯罪嫌疑人，难以认定其购买毒品的目的是贩卖。根据《全国法院毒品犯罪审判工作座谈会纪要》（已失效），对于有吸毒情节的贩毒人员，一般按照其购买的毒品数量认定其贩卖毒品数量，但仍然要考虑其吸毒情节。在司法实践中，如果该人员无贩毒前科，又坚称其就是为了吸食而购买，其主观目的证据是一大难点。

2. 案件证据材料相对较少，讯问难度加大。在国家对于毒品犯罪的严厉打击态势下，毒品犯罪嫌疑人作案越来越具有隐蔽性和跨地域性的特点，例如在毒品交易过程中双方多通过电话联系，避免以微信、短信等方式留下书面痕迹，且在通话中用暗语指代毒品种类，如"水""三点水"指代"海洛因"，"肉""两点水"指代"冰毒"等，使得公安机关难以找到书证、证人等直接证据。毒品犯罪嫌疑人对于公安机关侦查讯问人员的侦查讯问具有相当的敏感性，心理素质强，经常在供述中沉默不言、避重就轻、编造事实，既不交代其本人的犯罪事实，也相互包庇其他人的犯罪事实，使侦查讯问人员无法达到讯问目的。

在毒品案件的侦查讯问实践中，侦查讯问部门多采取监听、GPS 定位、音频视频监控等技术侦查讯问措施，取得贩毒过程中双方通话录音等材料，能够对贩毒人员的锁定、抓捕及定罪起到重要作用。技术侦查措施经常在破获重大毒品犯罪中起到重要作用，但技术侦查证据在刑事诉讼过程中的运用尚存在法律制度不完善、技术侦查过程缺少法律监督、技术侦查证据举证质证不充分等问题。在毒品犯罪案件的侦查讯问中，侦查讯问人员因缺少通过其他侦查讯问措施获得的有力证据，又对技术侦查证据难以合理运用，从而加大了侦查讯问工作的难度。

3. 毒品犯罪组织机构严密，内部"上线""下线"不清。我国境内的毒品大部分来源于境外毒源地，为使利益最大化，逃避侦查打击，毒品犯罪嫌疑人多以团伙或集团形式有组织地进行毒品犯罪。毒品犯罪团伙或集团在组织货源、伪装毒品、运输毒品、毒品交接、毒品销售以及毒资管理等环节都有专人负责，"上线"与"下线"都由上层统一管理，彼此之间"单线联系"或者不联系，导致互相不知晓彼此的真实身份，以减小暴露的可能性。这种严密的组织形式及松散的"链条式"连接方式，使得侦查部门在抓获"下线"后仍无法通过讯问获得"上线"的线索信息。且因毒品犯罪是严重的刑事犯罪，毒品犯罪嫌疑人为了逃避打击，常常经过很长时间的预谋，但是真正到毒品交易的时候，用时极短，可以说"一闪即逝"，这都给侦查讯问工作带来困难。

4. 毒品犯罪嫌疑人拒供心理突出，反讯问策略丰富。侦查讯问的主要目的，是通过侦查讯问人员的侦查讯问活动，帮助毒品犯罪嫌疑人克服心理障碍，引导其形成供述动机并获取供述，最终查明案件事实。而反侦查讯问行为则是侦查讯问活动的最大障碍。侦查讯问阶段的反侦查讯问行为，是指毒品犯罪嫌疑人为了隐瞒犯罪案件的事实真相，逃避或减轻自己所应承担的罪责，而采取掩盖、否定和歪曲客观事实，抗拒、阻碍侦查讯问的各种行为。由于大部分毒品犯罪嫌疑人深知侦查讯问中对案情的供述关系到侦查讯问人员对案情的判断，最终影响自己命运，因而大多数嫌疑人拒供防御心理突出，会想方设法利用各种反侦查讯问行为对抗侦查讯问工作。且毒品犯罪嫌疑人往往十分狡猾，反侦查意识强，反侦查讯问伎俩经验丰富，为了逃避或减轻法律的制裁，不供、少供、谎供现象比较普遍，严重阻碍了侦破案件的进程。

（三）毒品犯罪案件侦查讯问的策略与方法

侦查讯问是一种心理对抗艺术，它需要侦查讯问人员拥有丰富的侦查讯问经验并在此基础上加以升华，而不仅仅只是一些心理技巧的运用。侦查讯问又是一项专业性极强的工作。一方面，侦查讯问受到法律程序性的制约，不仅以获取口供为目的，还要关注获取口供的合法性与人权保障；另一方面，在法律规范之外，为调整侦查讯问双方的利益冲突，实现双方的良性心理互动，侦查讯问还需要使用诸多策略性的方法与技巧。侦查讯问的一般程序和方法本文不再赘述，仅针对毒品犯罪案件的特点及其侦查讯问难点，分析相应的策略与方法。

近年来，《刑事诉讼法》的进一步完善和以审判为中心诉讼制度的全面深化改革，对侦查讯问工作提出了高标准、严要求。一些传统的侦查讯问模式侧重于对抗与强制，意在营造高压的侦查讯问情境来突破毒品犯罪嫌疑人的心理防线。但实践表明，这类侦查讯问模式容易增加毒品犯罪嫌疑人翻供、谎供的风险，同时还会滋生违规违法取证等现象，不利于案件侦破和人权保障。因此，有必要加强革除传统讯问模式弊端的研究，探索适应新形势的毒品犯罪案件讯问方法。

1. 充分且有针对性地做好侦查讯问前的准备工作。做好侦查讯问前的准备工作是任何案件侦查讯问的第一步。结合毒品犯罪案件的特点，侦查讯问前的准备阶段是非常重要的环节。侦查讯问人员需要充分了解毒品犯罪案件的具体案情和毒品犯罪嫌疑人的信息资料，可以通过阅读分析侦查讯问阶段收集到的线索信息、向办案民警交流、询问监所管教、询问毒品犯罪嫌疑人的家人等途径收集了解毒品犯罪嫌疑人的相关信息，包括：案件现有证据、毒品犯罪嫌疑人在案件中的作用、参与毒品犯罪的原因、有无同伙、与同伙的关系等案件信息；年龄、婚姻状况、父母子女状况等人口信息；成长经历和犯罪经历等。通过对信息的全面细致梳理，初步分析判断毒品犯罪嫌疑人的心理特点，据此为接下来从何种角度切入侦查讯问，以及与毒品犯罪嫌疑人建立和谐的相容关系提供方向，并进一步确定初步的侦查讯问策略，总结出对毒品犯罪嫌疑人的侦查讯问计划。

2. 合理应用共情技术。从某种意义上说，侦查讯问是侦查讯问人员与毒品犯罪嫌疑人之间的博弈，需要侦查讯问人员把握嫌疑人的心理波动并选择合适的时机进行突破。共情是个体面对一个或多个个体的情绪情景时，首先产生与他人情绪情感的共享，之后在认识到自我与他人有区别的前提下，对其总体状况进行认知评估，从而产生的一种伴有相应行为的情绪情感反应，且主体将这种反应指向客体的心理过程。[1]作为心理学中一项关键技术，共情技术在侦查讯问中具有重要的应用价值，可以促使犯罪嫌疑人转变供述态度，唤醒其通过认罪认罚和积极改造而重归家庭、重回社会的决心。在毒品犯罪案件中，一部分毒品犯罪嫌疑人畏罪心理较强，结合毒品犯罪嫌疑人所犯罪行的具体情况，侦查讯问人员可以运用"置之死地而后生"的共情攻心策略，说足说透其罪行的严重性，强化其畏罪怕死心理，借此激起毒品犯罪嫌疑人的求生欲望，促使其如实交代罪行。

针对不同类型的毒品犯罪嫌疑人，侦查讯问人员要依托准备工作判断其是否属于共情技术的应用对象范围。例如，某些罪责感强烈的情感型犯罪嫌疑人与主观恶性不大的初犯、偶犯、胁从犯、未成年犯等，在实施毒品犯罪行为之后通常会存在一定的悔恨和自责心理，而且希望能够得到侦查讯问人员与社会公众的理解和宽容。对于此类毒品犯罪嫌疑人，侦查讯问人员应用共情技术进行沟通、引导，往往能取得良好的侦查讯问效果。而对于部分主犯、累犯及惯犯，因其本身有着丰富的犯罪经验和反讯问经验，且擅长掩饰伪装，应变能力较强，所以共情技术对其很难发挥作用。

共情时机的把握是应用共情技术的关键环节。一般来说，不宜在侦查讯问工作开始阶段就急于使用共情技术。随着侦查讯问的展开与深入，受侦查讯问压力、主观认知、信息刺激等多种因素的影响，一部分毒品犯罪嫌疑人的犹豫和矛盾心理逐渐上升，表现出既想通过认罪伏法摆脱煎熬，又担心如实交代后身陷囹圄，此时侦查讯问人员要积极沟通、因势利导，应用共情技术打开毒品犯罪嫌疑人的心门，促使其形成供述决意，主动坦白。

3. 科学运用侦查讯问策略。在毒品犯罪案件的侦查讯问中，常用的侦查讯问策略有：加强教育、政策攻心；偶抛证据、打破幻想；声东击西、迂回进攻；说理教育、亲情感化；抓住弱点、乘隙而入等，侦查讯问人员根据不同毒品犯罪嫌疑人的不同心理、性格特点和相关信息线索，在侦查讯问中科学使用侦查讯问策略，"魔高一尺，道高一丈"，侦查讯问的过程充分体现侦查讯问人员的

---

[1] 刘聪慧等：《共情的相关理论评述及动态模型探新》，载《心理科学进展》2009 年第 5 期。

智慧。

经过研究发现，在毒品犯罪案件的侦查讯问中，毒品犯罪嫌疑人常见的心理特征主要表现为畏罪、侥幸、戒备、贪财和恐慌五种。针对毒品犯罪嫌疑人不同的心理特征，应该采取相应的讯问策略。侦查讯问人员可以利用毒品犯罪行为人对罪责有所认识、侥幸心理强的特点，一方面通过法律政策教育，尤其是通过认罪认罚从宽政策的讲解缓解毒品犯罪嫌疑人的畏罪心理；另一方面要结合现有掌握的证据和线索情况，灵活有效、适时适量的使用证据（如暗示用证、点滴用证）迫使毒品犯罪嫌疑人改变对案件事实和证据的认知、放弃幻想，面对必须承担法律后果的现实，进而产生只有早点供、彻底供才能获得从宽处理的心理动机。

例：问："想明白没？把你的事跟我们说说吧。"

答："说啥？我没有做违法的事，你们让我说啥？"（心存侥幸）

问："你不说，难道你能确保楚某、薛某都不说？"（离间同伙）

答：（不语）

问："涉毒的事！"（另一名民警补充道。）

答："我没做违法的事咋说。"

问："老实点。"

答："那我就买过一次小零包。"（避重就轻）

……

问："还记得红色拉杆箱吗？"

答："我没有红色拉杆箱。"

问："经核实楚某手里的红色拉杆箱不是他自己的，你知道是谁的吗？"

答："不知道。"（紧张不安）

问："薛某也交代了一些情况，我看你们到底谁在说谎。"
（引起嫌疑人对攻守同盟的质疑）

答："我没说谎。"

问："你仔细回忆回忆。"

答："你们是知道的，我手里没有箱子啊。"（仍然心存侥幸）

问："就我们目前掌握的证据来说，无论你是否交代，即使零口供，你也难以逃脱法律的制裁。"

答：（不语）

问："请老实回答我！你在郑州乘飞机时带的红色拉杆箱里面装的是什么东西？"（机智地避开红色拉杆箱，转而追问红色拉杆箱里装的是何物品。）

答："那是我去老挝谈生意带的换洗衣服。"（出其不意，露出破绽。无论嫌疑人回答里面是啥物品，都已经承认了自己有这个箱子。）

问："你不是说你没有红色拉杆箱吗？"（出现矛盾）

答：（不语）

问："你看这是什么？"（打开手机里机场安检拍摄的截图资料）（适时抛出证据，揭露谎言）

答："可是，我，我没有做违法的事。"

……

红色拉杆箱里不是衣服而是一沓沓百元现钞，揭露出毒品犯罪嫌疑人的谎言，矛盾不攻自破。此案侦查讯问中侦查讯问人员提前做好功课，使得毒品犯罪嫌疑人终于无法抵赖，瓦解了他的侥幸心理，打破幻想，迫使他如实供述了犯罪事实。该种侦查讯问策略在毒品犯罪侦查讯问中也是常用的一种方法。

而声东击西则是一种有意避开毒品犯罪嫌疑人的防御中心，伪装攻击方向，虚张声势，以假象造成毒品犯罪嫌疑人的错觉，从而乘虚而入，使其猝不及防，从侧面冲垮其防线的谋略方法。

例：问："听说你离婚了？"（声东击西）

答："是的。"

问："你一共有几个孩子？"

答："四个。"

问："现在你身边有几个孩子？"

答："一个。"

问："剩下三个都判给你前妻了？"

答："是的。"

问："你前妻带的那三个孩子，假如你不承认他们是你的，那么经DNA鉴定都是你的孩子，你不承认行吗？"

答："不行。"

问："你抬头看看这是什么?"（乘虚而入）

答："摄像头。"

问："对,它和DNA一样,都是高科技,它拍下的事实能否认吗?（有内在联系,堵住退路。）

答：（不语）

问："那天晚上你提着一个黑色的袋子摔门而出,匆匆忙忙乘电梯下去干什么?"（楼梯口有监控摄像头）

答："扔垃圾。"

问："但是之后在你家门口不远处的广场电线杆附近,你手里还是提着它在那里徘徊啊!"（有监控摄像头）

答：（不语）

问："你老婆怎么说你手里拿的是西瓜呢?"

答："对,是西瓜。"（出现矛盾,露出破绽。）

问："不老实,袋子里到底是什么?"（步步紧逼）

答：（不语）

问："大冬天的,你晚上拿着西瓜在外干什么?是现金吧!"（追讯核心问题——毒品用现金交易）

答：（不语）

问："你家门口附近有几个摄像头?"（暗示拍下的事实无法抵赖）

答：（低头不语）

问："你好好想想吧。"

答：（浑身发抖）

问："想好了再告诉我。"

答："我说,但我不想跟你说。我要跟张警官说。"（迫不得已,找自己信得过的人供述。）

本案中先从孩子谈起,消除毒品犯罪嫌疑人的戒备心理,让他开口说话,就容易露出破绽,让他承认DNA鉴定是不可抵赖的科学事实,再告诉他摄像头和DNA道理一样,说明它们之间有内在的联系,堵住其退路。毒品交易一般都是用现金进行交易,所以话题立即转向核心问题,步步紧逼,迫使其如实供述犯罪事实,实现预期目的。这种侦查讯问策略是毒品犯罪讯问中常用的一种侦查讯问技巧。

第二节　突袭行动

一、突袭行动概述

（一）概念

突袭行动，是指侦查部门的侦查人员为了抓捕毒品犯罪嫌疑人和当场缴获毒品，收集毒品犯罪证据，而突然闯入某一地点的禁毒执法活动。

突袭行动是缉毒执法工作中危险性最高的一项侦查活动，在侦破毒品犯罪案件过程中，缉毒执法部门经常要进行突袭行动。

（二）目的

突袭行动的目的是当场抓获毒品犯罪嫌疑人；当场查获涉案毒品、毒资；获取与毒品犯罪活动有关的其他证据。

在突袭行动中，侦查人员往往面临比较危险的执法环境，突袭计划制订不当或者未能正确地评估和认识突袭计划中的风险因素，都可能会给执行突袭行动工作造成被动，导致执行突袭行动的侦查人员出现伤亡的严重后果。

二、突袭行动前的准备工作

（一）情报的搜集

1. 时间。突袭行动的成功实施往往是精心准备的直接结果，时间的长短将决定搜集突袭目标情报任务的深度。在某些情况下，禁毒部门可能只有几个小时的时间来做这项工作，有时候则可能有长达几个月的时间来搜集情报。

2. 内容。为了取得制订突袭计划所需要的情报信息资料，侦查人员必须搜集三个方面的情报内容：突袭目标地点的详细情况；有关人员的背景资料；经常出入突袭目标地点的人员情况及其真实身份资料。

突袭目标地点的详细情况应包括：将要进入的建筑物及其周围环境；建筑物的房间布局；房门、窗户、通道及通讯设施的位置；询问管理人员、邻居或其他有关人员了解建筑物的相关情况；毗邻建筑物的分布情况；毒品犯罪嫌疑人可能的逃跑路线；障碍物、地形、行人交通状况等。

在突袭行动中，目标嫌疑人及其在突袭目标地点的同伙情况是制订突袭计划最为重要的情报。如有可能，在突袭前应彻底掌握每一个人的身体状况、精神状况、行为特征、有无投降可能、有无拘捕历史、是否拥有武器、使用武器的技术等情报信息。此外，突袭行动开始前还应确定毒品犯罪嫌疑人在建筑物中的确切位置。

（二）人员的组织

1. 挑选突袭队员。挑选突袭队员时，不应只考虑他们的职务或资历，应主要考虑他们的经验和能力。突袭队员应该是经验丰富的侦查员，要具备良好的判断能力，心理素质稳定、服从命令。下面是选择突袭队员时应考虑的一些因素：①身材高大，可以承担繁重任务。②善于使用武器的侦查人员。③与案件直接有关的人员。④必要的技术人员。⑤记录突袭现场情况的侦查人员。⑥有特殊技能的侦查人员，如训犬员、译员、潜水员、有特殊相貌的人等。⑦技术器材操作人员，如摄像师。

2. 突袭队员的分工。突袭队员的人数要控制在一个适当的范围之内，最好是挑选相互认识熟悉的侦查员来承担突袭任务。所有的突袭人员应该分别承担四项任务：警戒、掩护、抓捕和协助。

（1）警戒组。警戒组的任务是封锁突袭地点的外围，控制那些可能会严重干扰公安机关执行任务的旁观者及那些可能会置自己安全于不顾的行人，防止他们进入突袭现场。

（2）掩护组。掩护组的任务是拦截某一特定地区里的毒品犯罪分子或抓捕那些从抓捕组手中脱逃的犯罪分子。掩护组的队员应隐蔽自己，把守出口，不应直接进入建筑物。

（3）抓捕组。抓捕组的任务是设法进入建筑物抓捕毒品犯罪嫌疑人。抓捕组的队员要和毒品犯罪嫌疑人直接接触，因此他们的危险性最大，必须相互认识，并接受过专业训练，且配备必要的特殊装备。

（4）协助组。协助组的任务是协助抓捕组实施抓捕、羁押毒品犯罪嫌疑人，并对突袭地点进行彻底而又系统的搜查。

（三）计划的制定

制定突袭计划时应考虑以下因素：

1. 所有的突袭队员都应了解案情和突袭任务的具体情况。

2. 所有的突袭队员都应了解突袭目标物的详细情况。

3. 应提供毒品犯罪嫌疑人所使用的交通工具的详细情况，以便对这些车辆进行监控或拦截。

4. 应宣布突袭队员到达集合地点的确切时间，同时还要留出时间使突袭队员从集合地点到达突袭现场。

5. 准备好有关的法律手续。

6. 制定应对突发情况的措施。

7. 安排具体的突袭任务。

（四）器材的准备

1. 武器。突袭行动准备武器时应考虑以下因素：①在市区执行突袭任务时，尽量不要选用射程远、火力强的武器，以免造成不必要的伤亡。②枪支、弹药应尽量统一，为补给工作带来方便。

2. 服装。参加突袭行动的侦查员应统一佩戴在一定距离外能够鉴别出的识别标志。

3. 车辆。应准备适当的交通工具来运送突袭队员、器材、抓获的毒品犯罪嫌疑人和缴获的犯罪证据。

4. 通讯器材。为了保证突袭行动的顺利实施，为突袭队员装备精良的通讯器材是一个主要的工作，因为通讯器材可以为有效地控制突袭现场情况提供良好的条件。除了先进的通讯设备外，手势信号也非常重要。手势是最古老的联络方式，但在突袭行动中却可以作为另一种联络手段来使用。如果无线电通讯设备发生故障或出现其他问题，这种联络方法在突袭行动中就能够起到很重要的作用。在突袭行动前的准备会上，应该把每一个手势的意思都解释清楚，以避免在突袭行动中发生误会。

5. 其他工具。根据突袭行动的实际需要，应该准备一些特殊的工具，包括破门工具、撬棍、大铁锤、撞墙锤、断线钳等，以备现场特殊情况使用。

三、突袭行动的实施

1. 所有突袭队员应在规定时间内到达选定地点集合，与外界联系应加以限制。

2. 警戒组的队员应进入自己的阵地，对突袭地点严密封锁，并施放路障，追捕车上的人员各就各位。

3. 掩护组、协助组和抓捕组应直接接近目标，尽量隐蔽自己，根据进入突袭现场的计划去做。

4. 突袭行动指挥官在确认每个战斗小组就位后，应向抓捕组发出按计划行动的信号。

5. 抓捕组和协助组控制了突袭现场后，应对房屋进行搜查和取证。应做到"五个当场"（当场固定证据、当场讯问毒品犯罪嫌疑人、当场获取旁证材料、当场称量毒品并做好记录、当场对毒品进行取样送检）。

6. 突袭行动结束后，要对突袭地点进行封锁，直到清理工作结束。在带走毒品犯罪嫌疑人和提取了所有的证据之后，指挥官应决定结束突袭行动，并将其通知所有队员。然后，突袭队员应按照事先制定的计划由里到外依次撤离突袭现场。最后，所有突袭队员还应回到集合地点集合点名，并对所有的器材进行清点和检查。

7. 在突袭行动结束后，应尽快召开总结会，听取各组关于执行任务的情况汇报，最后形成书面材料。

第三节　公开查缉

一、公开查缉概述

（一）公开查缉的概念

公开查缉是指公安机关根据查缉毒品的需要依法采取的以公开方式在边境地区、交通要道、口岸、山间通道、收费站以及飞机场、火车站、长途汽车站、码头、货运物流场所等对来往人员物品、货物以及交通工具进行检查、盘查以及现场处置等措施，以期查获毒品、易制毒化学品、毒品原植物、种子及其幼苗的一项专门工作。公开查缉的主体包括海关、公安边防、公安禁毒等部门；公开查缉的主要手段包括证件检查、文件检查、观察、盘问、搜查、扣押、现场处置等；公开查缉的目标包括毒品、毒品原植物、种子及其幼苗、易制毒化学品、毒品犯罪嫌疑人以及其他违禁品和违法犯罪人员。

（二）公开查缉的任务

公开查缉的任务是预防、发现、打击毒品违法犯罪活动，将走私渗透入境的毒品堵截查获在辖区内，努力减少毒品内流造成更大的社会危害。同时开展双向查缉，堵截易制毒化学品非法走私外流出境。

（三）公开查缉的法律依据

1. 《中华人民共和国人民警察法》。《中华人民共和国人民警察法》第9条规定："为维护社会治安秩序，公安机关的人民警察对有违法犯罪嫌疑的人员，经出示相应证件，可以当场盘问、检查；经盘问、检查，有下列情形之一的，可以将其带至公安机关，经该公安机关批准，对其继续盘问：（一）被指控有犯罪行为的；（二）有现场作案嫌疑的；（三）有作案嫌疑身份不明的；（四）携带的物品有可能是赃物的。对被盘问人的留置时间自带至公安机关之时起不超过二十四小时，在特殊情况下，经县级以上公安机关批准，可以延长至四十八小时，并应当留有盘问记录。对于批准继续盘问的，应当立即通知其家属或者其所在单位。对于不批准继续盘问的，应当立即释放被盘问人。经继续盘问，公安机关认为对被盘问人需要依法采取拘留或者其他强制措施的，应当在前款规定的期间作出决定；在前款规定的期间不能作出上述决定的，应当立即释放被盘问人。"该法条中虽未对公开查缉作明确说明，但公开查缉亦属于现场盘问、检查的一种方式。

2.《禁毒法》。《禁毒法》第26条第1款规定："公安机关根据查缉毒品的需要，可以在边境地区、交通要道、口岸以及飞机场、火车站、长途汽车站、码头对来往人员、物品、货物以及交通工具进行毒品和易制毒化学品检查，民航、铁路、交通部门应当予以配合。"该项法规是目前我国唯一较为直接的对公开查缉毒品犯罪作出的规定，也是我国目前开展公开查缉毒品犯罪活动的重要依据。

3.《公安机关人民警察盘查规范》。2008年公安部印发《公安机关人民警察盘查规范》，此规范文件不具备法律效力，只是属于公安部门内部的一项规范性文件。该规范较为具体的涉及到包括公开查缉以及盘查、检查的程序性内容，并对执法原则作了规范。

（四）公开查缉的分类

1. 根据公开查缉的特点可分为有目标的公开查缉和无目标的公开查缉。

（1）有目标的公开查缉，是指根据有关情报提供的毒品犯罪线索，在特定的时间、地点、范围内，对特定的人、物、车辆等进行的检查。

（2）无目标的公开查缉，是指根据各地的实际情况，选择适当的时间、地点，定期或不定期地对人、物、车辆等进行的检查或抽查。

2. 根据公开查缉的方法不同可分为查车验证、巡逻盘查、堵卡伏击、跟踪查缉等。

（1）查车验证，是指对交通沿线的过往车辆、乘客、行人进行有关证件、携带行李、运输货物以及人身、车辆各个部位的检查。

（2）巡逻盘查，是指对毒品问题比较突出的地区，贩毒嫌疑人经常出没活动的街巷、落脚藏身场所进行流动巡逻和盘查。

（3）堵卡伏击，是指对边境沿线、口岸等毒品贩运的必经之地，在一定时间、季节、范围内，采取预先潜伏、设卡守候堵击，查缉毒品和贩毒嫌疑人。

（4）跟踪查缉，是指为了使侦查工作顺利开展，在不惊动查缉对象的情况下，对贩毒嫌疑人、车辆等进行跟踪监视，控制贩毒活动，以选择适当时机对其进行查缉。

3. 根据公开查缉的对象不同可分为对人身、物品、交通运输工具进行的三种检查。

（1）对人身的公开查缉，是指依法对人体各个部位、衣着及随身携带的行李物品进行的公开检查。

（2）对物品的公开查缉，是指对人员所携带的行李物品、交通工具所运载的货物或者住宅里所存放的物品进行的公开检查。

（3）对交通运输工具的公开查缉，是指对飞机、火车、轮船、汽车、拖拉机等机动车和自行车、人（畜）力车等非机动车各个部位进行检查。

4. 根据公开查缉的地点、时间，可以分为定点查缉、临时查缉和重点查缉。

（1）定点查缉，是指在交通沿线或毒品贩运的重点路线专门设立长期堵卡查缉点，对过往的人、物、车辆等进行的检查。

（2）临时查缉，是指公安机关获取情报线索后，在毒品贩运的必经之地，临时设立检查点或在特定的地点和时间设立临时检查点，公开进行查缉。

（3）重点查缉，是指对有重点嫌疑的人、物、车辆等进行的检查。

二、公开查缉的方法

（一）准备工作

1. 人员准备。通常来说，查缉对象不同，查缉人员的数量也相应不同。

对人员进行查缉时，最少应为两人一组对一人进行查缉检查，其中一人负责实施检查，另一人负责警戒，观察被检查人的一举一动，以便随时采取相应的紧急措施。

对客车进行查缉时，一般主要是查缉客车上旅客的人身及行李物品，一般要求是四人一组来进行检查，其中三人上车查缉检查，一人在车辆周围负责巡视、警戒工作，以防毒贩将毒品从车窗抛出或跳窗逃跑等紧急情况发生。在负责上车查缉检查的三人中，一人负责把守车门，询问驾驶员、乘务员、乘客等，同时防止有人从车门逃走；另外两人负责对乘客及其行李物品进行检查。一般车内检查完毕后，如认为有必要，还需对乘客行李箱内及车顶行李架进行检查。

对货车进行查缉时，一般要求四人一组。当货车停稳后，两人分头对驾驶员和副驾驶座位上的乘客询问并观察其表情，另两人则各自对车辆及货物进行查缉检查。需要注意的是，四人应同时开展行动，车辆及货物未检查完时，驾驶员和乘客不得脱离控制，四人要互通信息，当查到可疑物品时要不动声色，配合默契。

当然，无论查缉对象如何，组织公开查缉时，都应当留出机动力量，准备追击的车辆，以随时准备实施控制、追捕、抓捕等紧急行动。

2. 设备准备。公开查缉一般要准备的设备包括交通工具、毒品检验设备、通讯器材等。交通工具要根据交通路况准备相应的交通工具，追缉车辆应当性能良好且燃料充足；毒品检验设备主要有：γ射线探测仪、毒品综合检测仪、X光机、人体藏毒检查仪以及拉曼光谱检测仪、光谱离子分析仪等，各地根据公开查缉的实际需要结合具体情况配备相应的仪器设备，此外，还要准备好便携式的毒品现场检测箱。当然，在执行任务前需要对仪器设备的性能做好检查，精密仪器还要配备专业技术人员。

3. 武器准备。根据查缉对象和目标的不同，公开查缉时必须保证配备足够的武器，以防遇到武装对抗和暴力反抗等突发事件。查缉人员除携带常规警务执勤设备外，还应加强武器力量，设置机动警戒岗哨，配备冲锋枪等高性能武器，以备急用，同时兼具威慑之目的。

4. 缉毒犬准备。缉毒犬，是指经过专门训练，能够按照警犬训导员的指挥，在各种场所对不同的行李物品进行查缉，从中发现隐藏毒品物件的专业犬。在毒品犯罪案件的查缉中，缉毒犬以其特有的经济、快速、高效、准确等特点，被各级公安机关、海关、边防武警部队等部门列为查缉毒品的有力武器。

（二）公开查缉点的选择

公开查缉点一般可以分为固定检查点（常设点）和临时检查点（流动点）两种。固定检查点可以考虑设置于交通要道、海关、边防检查站等地点。临时检查点则要考虑本地毒情形势选择近期毒贩经常通行的路线设置，对人烟稀少的小路也要不定时检查。一般来说，设置查缉站点需要考虑的因素有：

1. 路线。一般要在主要的毒品运输路线上设置查缉站点，同时还要结合情报调研，适时根据毒品运输新动向调整查缉地点。采取固定与流动并用，形成"点、线、面"相结合的查缉网络。

2. 安全。设置查缉点要考虑安全的问题，宜设于能够限制车速的一些特殊路段，如爬坡刚结束路段、收费站出口段等地点，此时车辆速度较慢，不容易因紧急停车或快速冲卡而造成查缉人员的伤亡。

3. 隐蔽。为了使查缉点尽量隐蔽，使贩毒分子不能事先观察到查缉点而做出反查缉的准备，查缉点一般设置在弯道结束路段等。

（三）公开查缉的一般方法

多年来，禁毒实战部门通过长期查缉工作的实战，总结出了一些实用的公开查缉方法，如云南禁毒部门归纳的"六看""五查""四问"的查缉谋略：

1. "六看"。

（1）看证件的真伪，即是否有涂改、伪造。

（2）看证件与籍贯、口音、外出理由是否相符；证件与年龄、身份、所携带物品是否相符等。

（3）看出示的车、船、机票、运输货物的单据与问答情况、去向是否相符。

（4）看被检查对象的着装、神态、举止有无异常。

（5）看车辆有无结构异位，有无新铆钉、新喷漆痕迹等可疑之处。

（6）看可能藏匿毒品的可疑部位、可疑行李和货物。

2. "五查"。

（1）查贩毒活动比较猖獗的重点地区和毒品集散地来的车辆和人员。

（2）查内地到边境一线经商、打工有贩毒嫌疑的人员。

（3）查物品种类与实际重量是否一致，主要是从边境带往内地的物资和托运货物以及从内地运往边境的制毒物品。

（4）查在检查中神色紧张、答复吞吐、回答前后矛盾的人员。

（5）查货物中有违反经济规律，有商品"倒流"现象的车辆。

3. "四问"。

（1）问姓名、年龄、住址（检查证件是否真实）。

（2）问旅程目的及去向。

（3）问随身携带的行李物品情况（判断是否与旅途目的相符，有无无主物品等）。

（4）问所载货物名称、种类、数量和运费。

（四）人员检查

1. 人体藏毒部位。人体藏毒是指利用人的身体外部或者身体的体腔来进行毒品藏匿，一般难以发现。即使是发现了异常迹象，也很难轻易找出毒品，往往需要对毒品贩运者进行人身搜查。利用人体藏毒进行毒品走私贩运的行为分为两种：体内藏毒和体外藏毒，其中体内藏毒又分为吞服毒品和将毒品塞入体内两种方式。

（1）体外藏毒。以缠绕的方式将毒品捆绑在腹部、肩膀、脚、小腿肚、背部、大腿、胯等部位，有时也利用特制背心、腰带、胸衣、夹克衫、潜水服、鞋子等物品藏匿毒品。

（2）体内藏毒。一是以吞服的方式将毒品藏入体内。吞服的毒品通常被加工成球形或条形，以避孕套等不易被胃液腐蚀的材料包装，使用牙线或外科手术缝合线包装封口。由于包装上残留的毒品或者因包装破裂而泄漏出少量毒品的作用，造成携带者有困乏、反应迟钝、表情麻木或面色苍白等生理反应。为了防止在运输途中排泄，毒品携带者通常随身带有防腹泻的药物以及防痉挛药物、抗酸剂等。二是以塞入的方式将毒品藏入体内。通常将毒品加工成圆柱形塞入阴道或者肛门，在一些地区的缉毒实践中，也发现有将毒品藏匿在耳孔、鼻孔、口腔、假牙、假肢内等部位的情况，给查缉工作带来新的困难。

2. 人员查缉方法。

（1）察言观色。毒品携带者在遇到公安人员检查时往往会表现出神色紧张、焦虑不安等表情，有经验的侦查人员在与被检查对象目光接触的一刹那就能基本判断对方是否有问题。

（2）查验证件，确定重点嫌疑人。对可疑人员的检查通常是通过查验居民身份证和其他有关证件的方式来确定检查的重点，从而发现贩毒嫌疑人。

（3）深入盘查。确定重点对象后，对其进行深入细致的盘问、检查。从盘问中进一步发现破绽，通过检查随身行李及物品来判断可疑程度。

（4）体外检查。对嫌疑较大的人员，可以对其人身进行一定的搜查，包括简单检查和重点检查。简单检查是一种快速的检查方法，是通过拍摸的方式确定受检对象是否带有武器、凶器、爆炸物品和毒品。检查时采取从上至下的顺序，用手触摸是否有异物感。重点检查是在初步检查的基础上，进一步细致检查受检对象是否带有武器和毒品等。

（5）体内检查。这种方式主要针对人体藏毒中的体内藏毒，可以通过医学手段检查确认。

（五）物品检查

1. 随身携带行李检查。应先让被检查对象指认其行李物品后再进行检查。一般情况下，无人认领的行李物品是检查的重点。检查时，最好先让被检查对象自己翻开箱包，同时观察包内物品和被检查对象的表情，发现异常时应把人和物一起带下车。物品检查一般由两名以上侦查人员进行，其中一人负责检查，另一人负责警戒。

2. 货物检查。对客车行李箱、车顶行李架上的物品，应在驾驶员配合和被检查对象到场的情况下，现场进行检查。在检查物品时，首先要打开箱包，仔细观察箱包结构是否异常；然后对箱包内的物品逐一进行认真细致地检查，被翻动的物品要及时归位。

3. 制毒物品检查。公开查缉除查缉毒品外，还应注意查获易制毒特殊化学品和其他制毒物品。对于运输特殊化学品的车辆，要检查是否有运输许可证，是否伪造、谎报，用途是否合理以及有无伪装、藏匿、混合运输等情况。

（六）车辆检查

对汽车检查的工作量大，需要的时间较长，要针对车辆的具体情况，确定检查的具体部位，特别是对运载物资较多的汽车的检查，应注意从情报调研入手，做到有目标、有重点地进行检查。

1. 车辆藏毒部位。

（1）车体藏毒。车体具有较大藏匿毒品的空间，而且这些空间往往可以藏匿数量较大的毒品，如邮箱、水箱、储气罐、车厢夹板、轮胎、车门的夹层、方向盘、车内座椅等等。因此，交通工具往往成为大宗毒品运输经常使用的藏毒工具。

（2）货物藏毒。毒品贩运者利用车载货物藏匿毒品主要是因为大量的货物可以夹杂数量庞大的毒品，且检查难度较大，如大型的机械设备、精密且价格昂贵的电子仪器等。

2. 车辆查缉方法。

（1）查车验证。车辆检查首先进行的工作是查车验证。车辆停稳后，侦查人员需要明确担任警戒任务的人员，并让驾驶员熄火下车，检查驾驶室内是否还有其他搭乘人员，然后查验证件，着重检查驾驶员的户籍地与行驶证是否相符，并同时观察驾驶员和搭乘人员的神色，看所运输物品的来源地和目的地，判断货物的流向及装载方式是否合理，从中发现矛盾和疑点。

（2）重点部位检查。根据车辆经常藏匿毒品的部位特点，主要围绕车厢底板、车顶、车门、水箱、油箱、传动轴、发动机底壳、前挡风玻璃底下、副驾驶座位下夹层、电瓶、轮胎、空气滤清器等部位展开。要仔细检查车辆是否有焊接改装、螺丝松动、新扭撬的痕迹以及汽车底部各处是否捆扎其他物品；油罐车如果是空车，首先应打开油罐车的盖子进行检查，然后再检查其他可能藏匿毒品的地方。

（3）利用缉毒犬和查缉设备检查。经过特殊训练的缉毒警犬能够在复杂的气味环境中快速、高效地搜出毒品，起到穿针引线、一针见血和威慑犯罪的目的。另外，查缉工作中要注意高科技设备的应用，如拉曼光谱检测仪、内窥镜等。

三、公开查缉的证据收集

公开查缉中常见的主要证据包括物证（物品、运输工具、包装物、通讯器材、武器、制毒工具、指纹等痕迹物证和其他微量物证）、书证（通讯记录、银行票据、住宿票、飞机票、车船票以及身份证明等）、毒品犯罪嫌疑人的供述和辩解、证人证言和鉴定意见等。

（一）证据收集的基本要求

1. 对查获的毒品实行专人管理，部门之间移交毒品时，要采取原物封存的措施固定、保全毒品，并将与毒品犯罪嫌疑人核实等详细情况记录在案。

2. 收集毒品物证时要做到"五个当场"：当场讯问毒品犯罪嫌疑人，当场获取旁证材料，当场固定证据，当场称量毒品并做好记录，当场取样送检。

3. 物证的收集应全面。除毒品外，其他与毒品运输有关的物品，如通讯工具、运输毒品的交通工具、携带毒品的工具、各种藏匿毒品的物品、包装物等，都应当全面进行提取。不能提取原物的，要当场进行登记并拍照、录像固定。要加强对指纹及其他相关书证的收集，如果遇到"人货分离"难以排查毒品犯罪嫌疑人的情况，还要注意微量物证的收集。对人体藏毒尤其是体内藏毒的案件，排出毒品要及时、完全，可以采取医学手段等措施促使毒品携带者尽快将体内毒品排出。毒品排出后要清洗干净，先拍照固定，再拆开包装物称量、记录。

4. 旁证收集要充分，记录要详实。对有旁证材料的，要收集能够证实毒品犯罪活动的一个或多个环节的有价值的证言。

（二）证据收集的注意事项

1. 强化证据意识。公开查缉人员要加强自身的证据意识，查缉中要注意对证据的保全、科学提取等，做到：①收集证据必须主动、及时。②要有目的、有计划。③要客观全面，既要收集不利于毒品犯罪嫌疑人的证据又要收集对其有利的证据。④要深入、细致。⑤遵守法定程序，注意保守秘密。

2. 树立诉讼意识。收集证据的目的是为刑事诉讼提供证据，公开查缉人员要树立诉讼意识，关注诉讼结果，总结经验、吸取教训，保证收集的证据合法有效。工作中要注意以下几个方面：①收集的证据要客观。询问、讯问时应客观记录证人、毒品犯罪嫌疑人的叙述，不能有主观猜测的成分，更不能诱导其陈述。②必须同案件有客观联系，对案情有实际证明作用。凡是与案件无关的事实或材料不收集。③注意其他程序方面的要求，如笔录必须由两名侦查人员签名等。

第四节　控制下交付

一、控制下交付的概念

《联合国禁止非法贩运麻醉药品和精神药物公约》第 1 条（g）规定："'控制下交付'系指一种技术，即在一国或多国的主管当局知情或监督下，允许货物中非法或可疑的麻醉药品、精神药物、本公约表一和表二所列物质或它们的替代物质运出、通过或运入其领土，以期查明涉及按本公约第三条第 1 款确定的犯罪的人；"

在毒品案件中，控制下交付既是一种侦查措施，同时也是一种重要的侦查策略。是在侦查机关的严密监控下，通过伪装手段让毒品等违禁品继续流转，确保毒品犯罪嫌疑人的行为处于可控状态，最终在交易阶段将所有毒品犯罪嫌疑人绳之以法。

控制下交付作为打击和控制跨境走私贩运毒品活动的重要措施，首次出现在《联合国禁止非法贩运麻醉药品和精神药物公约》中，《联合国打击跨国有组织犯罪公约》和《联合国反腐败公约》又进一步扩大了控制下交付的适用案件范围。我国已经加入这三个公约，根据国际法原理，这些公约在所有的加入国都应当有效。《刑事诉讼法》第 153 条第 2 款中规定了控制下交付的内容，即"对涉及给付毒品等违禁品或者财物的犯罪活动，公安机关根据侦查犯罪的需要，可以依照规定实施控制下交付。"

二、控制下交付的作用

在毒品犯罪案件侦查中运用控制下交付这一侦查措施的意义在于：在保证已查知的毒品或易制毒化学品不落入贩毒分子之手的前提下，促使更多的贩毒分子暴露，有助于抓获贩毒活动的主犯，甚至能够将全部案犯一网打尽，并获得有利的取证时机；有助于掌握毒品犯罪的有关情况，如贩毒路线、贩毒手法及贩毒活动的规律、特点；有助于选择破获全案的突破口，从而最大限度地予以揭露和打击。实施控制下交付是毒品犯罪案件侦查"顺线深挖"策略的具体体现，"人赃俱获"也是破案后的诉讼活动顺利完成的保证。

三、控制下交付的实施

控制下交付的实施应当遵循三个原则：一是合法原则，意思是跨国实施控制下交付时必须尊重过境国、目的地国的国内法，二是合作原则，包括国际合作与国内合作,三是保密原则,即对发现、查获的违禁品信息以及行动方案必须严格保密。

毒品犯罪的控制下交付是缉毒人员与毒贩进行的一场博弈。一方面,侦查人员为了揭露并抓获幕后的组织者与策划者,通过对收集的情报信息进行分析研判,根据不同的时空特点,综合利用自身拥有的侦查资源,做出决策并采取行动,进而将毒品的贩运置于自身的控制之下,最终将毒贩抓获。另一方面,毒贩也在根据形势的变化,对交易的安全性进行评估并做出决策,利用其掌握的犯罪资源,竭尽全力摆脱缉毒人员的控制并完成毒品的贩运。

为了在这场博弈中获得优势,缉毒人员应当厘清控制下交付的实施顺序并且准确把握关键环节,即明确毒品犯罪控制下交付的实施步骤。

（一）发现和查获毒品物质或毒资

《联合国禁止非法贩运麻醉药品和精神药物公约》第 1 条（g）规定:"'控制下交付'系指一种技术,即在一国或多国的主管当局知情或监督下,允许货物中非法或可疑的麻醉药品、精神药物、本公约表一和表二所列物质或它们的替代物质运出、通过或运入其领土,以期查明涉及按本公约第三条第 1 款确定的犯罪的人;"在毒品犯罪控制下交付中,可疑或非法物品是指公约中附表列举的处于国际管制下的毒品、制毒物品以及涉毒资金、即毒资。发现和查获毒品物质和毒资的途径多种多样,如对毒品物质的查获主要通过海关和边检部门的检查、公开查缉工作等,对于毒资的查获主要通过金融部门和金融监管部门的配合。然而,毒品物质和毒资的发现和查获方法都离不开禁毒情报的搜集和研判。

（二）评估风险并做出决定

评估环节是控制下交付实施过程中的重中之重,直接影响到后续行动的成功与否。缉毒人员所进行的评估工作主要涉及两个方面:一是对实施控制下交付实施的必要性分析,二是对实施控制下交付的可能性判断。前者与案件本身的性质和控制下交付的本质属性有关。控制下交付是一种秘密侦查措施,而秘密侦查措施由于相比一般的侦查措施而言具有较高的风险性,所以通常是一种补充性的侦查措施而使用的。因此,如果适用一般的侦查措施就可以侦破,就没有必要实施控制下交付。换言之,若没有实施控制下交付的必要,则无需考量可能性;若具有必要性,那么再考虑是否有可能实施控制下交付。后者需要综合考虑多方面的因素,具体包括:其他执法机构有没有做好准备、愿不愿意为控制下交付提供帮助;毒品犯罪嫌疑人是否对警方的侦查行为有所察觉;运送毒品的毒品犯罪嫌疑人是否愿意合作;毒品在运送过程中丢失的可能性;侦查人员与合作的嫌疑人可能面临的风险；计划与执行控制下交付的时间是否充分等等。总而言之，在评估环节，缉毒人员通过掌握的信息对实施控制下交付的风险进行评估，进而判断所拥有的侦查资源是否能将毒品的贩运和毒资的转移行为完全置于自身控制之下。如果评估之后认为能够顺利完成控制下交付，则进入下一环节；如果评估之后认为风险超出控制范围，则应当决定停止实施控制下交付。

值得注意的是，虽然在确认毒品与毒资之后要进行细致评估，但事实上评估工作是贯穿控制下交付行动的始终。侦查活动的情况瞬息万变，即便是最科学、最有效的评估也无法将所有的情况纳入视野，必然会遇到未知的情况。所以，在实施控制下交付的全过程中要时刻对客观情况进行分析，做好随时中止的准备。

（三）制定计划并取得合作

在评估并且决定实施控制下交付之后，必须制定详细的执行计划。计划内容主要包括：参与实施控制下交付的部门与人员有哪些、使用哪些工具与设备、行动的时间、已经查明的毒贩的基本情况、各人员的具体任务、可能面临的风险以及备用行动方案等。取得相关部门的合作是制定计划的关键，也是顺利完成控制下交付的关键。

（四）监控毒品物质的运输与涉毒资金的移转

这一步是控制下交付的核心内容。从字面来看，监控包括两个方面的内容：一个是监督，另一个是控制。监督是指毒品或者毒资时刻处于侦查人员的监视范围之内，控制是指侦查人员能够随时掌控毒品或毒资的存在状态。在实施监控的过程中，侦查人员必须把握好监控的程度。监控的力度过大，则容易暴露行动，使犯罪分子提高警惕；监控力度不够，则会有毒品和毒资丢失的风险。

（五）收网抓捕行动

这一步是实施控制下交付的最后环节，即收网环节。而时机选择的准确与否是抓捕涉案人员的关键点。抓捕时机通常分为三种：交付前实施抓捕、交付时实施抓捕和交付后实施抓捕。在大多数情况下，侦查人员会在毒品刚刚交付时果断出击，将毒品犯罪嫌疑人抓获。因为在这一时机行动，既能保证"人赃并获"，又能够防止毒品或毒资的进一步流失。然而，实践中也不乏在交付前以及交付后实施抓捕的情况。

四、应注意的事项

（一）严密控制毒品和逆用人员

在实施控制下交付时，运送前就要设法对毒品进行开封、取证、化验、复原等，以鉴定毒品的真伪和种类。若有条件，最好由警方秘密控制毒品；如果没有条件，一定要严密监控，防止毒品"去向不明"，也要防止逆用人员逃跑和泄密，同时要与毒品途径地的警方取得联系，保证毒品"安全"运行。

（二）实施统一指挥

控制下交付大多是跨地区协同作战、多警种联合侦查，因此必须加强统一指挥工作，一般应以立案地毒品案件侦查部门为主。尤其是在交付现场实施抓捕时，现场秩序难免混乱，如果没有一个统一的指挥机构，可能出现因"多头指挥"而导致侦查工作失败的情况，不但无法贯彻"一网打尽"的思想，甚至可能造成更加严重的后果。

（三）充分准备，灵活处置

毒品犯罪嫌疑人在交付毒品前为了安全起见，经常会采取各种试探性手段，如屡次推迟交付时间，不断变换交易地点，深夜突然提出交付等，致使缉毒部门难以迅速集中警力赶赴交付现场。同时，还应考虑到一些可能出现的意外因素，做好应急预案，如通讯不畅、交通堵塞、交付现场人多混乱等。

（四）明确侦查人员的责任

在对毒品犯罪实施控制下交付的时候，必须明确相关决策人员和责任人员的责任。实施控制下交付是一个风险性很高的手段，稍有不慎就会导致全盘计划的失败，使犯罪分子逃之夭夭，白白花费大量的人力物力，甚至还会造成相关参加人员付出生命的代价。因此，必须明确每个人的责任，实行控制下交付的各个环节都要有专门的侦查人员负责，每个环节既相互独立又相互衔接，出了问题要严格追究相关责任人员的责任。这样才会促使侦查人员在实施控制下交付手段时严格认真按照要求去做。同时，实施过程中如果出现违法犯罪行为也要给予相应的处罚，防止人浮于事、推诿扯皮。如果责任追究不能到位，许多制度和规定将流于形式。

此外，在保证毒品、毒资绝对安全的情况下，要尽快、更多地发现涉案毒品犯罪嫌疑人。对于有条件使用技术侦查手段的案件，要尽量使用技术侦查手段，以加强对毒品犯罪嫌疑人的监控和案件的取证。审讯突破口的选择要适时、恰当。

第五编

吸毒与戒毒

第十五章

吸毒问题概述

第一节　毒品依赖性的形成机理

一、药物依赖性的相关概念

药物依赖性是指药物与机体相互作用所造成的一种精神状态，表现为身体依赖性和精神依赖性。身体依赖又称生理依赖，指反复使用依赖性药物后，机体产生的一种适应状态。一旦停药，用药者会出现一系列难以忍受的症状和体征，成为戒断症状或戒断综合征。精神依赖又称心理依赖，指用药者对药物所产生的一种不能自制的心理渴求，驱使用药者周期性地或连续地使用该类药物以缓解这种心理需求。

药物成瘾性主要指精神依赖性，强调依赖者的强迫性觅药和用药行为是导致药物成瘾的关键因素。

药物滥用指与医疗目的无关的反复大量使用依赖性特性或依赖性潜力的药物，导致依赖发生，并产生明显的恶性后果，如不履行自身义务、为了使用该物质不顾其对身体的危害，甚至不惜触犯法律。

奖赏指被大脑认为具有正性强化作用或应该获取的刺激。人或动物对某种刺激的行为反应次数增加的效应称为强化效应，包括正性强化和负性强化。正性强化指能满足渴求的行为（趋利），负性强化指能逃避厌恶的行为（避害）。

敏化指反复用药后，集体对药效期待的增加，同时也指具有药物滥用史的个体对药物及药物相关线索或刺激反应的敏感化。

复吸指经过一段戒断期后又恢复以前的觅药和用药行为，如再次使用依赖性药物、与先前用药相关的线索（如与以往用药相关的人、地点或物品）、身体或心理应激或压力都可能触发强烈的渴求而导致复吸。

二、依赖性药物的作用机制

神经递质是脑内神经元之间或神经元与效应器细胞如肌肉细胞、腺体细胞等之间传递信息的化学物质。在神经元的信息传递过程中，当一个神经元受到来自环境或其他神经元的信号刺激时，储存在突触前膜囊泡中的神经递质可向突触间隙释放，并作用于突触后膜相应受体，将递质信号传递给下一个神经元，进而调节神经系统的功能，如传递神经冲动、调节神经元的兴奋性和抑制性、调节情绪等。不同的神经递质具有不同的功能和效应，其间复杂的相互作用和平衡对于维持正常神经系统功能至关重要。导致依赖性药物滥用与成瘾的根本原因是其直接或间接的拟神经递质作用。

阿片类药物，如吗啡、海洛因、二乙酰吗啡等，可通过血脑屏障进入脑组织，模拟脑内 β 内啡肽，激活特定的阿片受体，使机体产生欣快感。

精神兴奋剂，如苯丙胺类毒品和冰毒的成瘾机制是通过促进多巴胺、去甲肾上腺素、5-羟色胺释放和阻止其重吸收而实现的。高剂量时，苯丙胺、冰毒能够提高中枢和外周单胺类神经递质的活性，通过促进单胺类神经递质的释放，抑制其再摄取和降解酶的活性，使细胞间隙多巴胺、去甲肾上腺素、5-羟色胺浓度升高，进而使机体产生欣快感、提高警觉性，使人更长久地处于警觉状态，并增强注意力和运动活力。

3，4-亚甲二氧基甲基苯丙胺和3，4-亚甲基二氧基苯丙胺的成瘾机制则与苯丙胺类毒品和冰毒不同。它们除了增加多巴胺释放外，苯环结构使其具有更高的脂溶性，更易穿过细胞膜，作为5-羟色胺转运体的配体被转运至突触间隙，进而与突触囊泡中贮存的5-羟色胺交换，增加5-羟色胺释放并抑制其重吸收。导致纹状体、黑质和海马等部位的5-羟色胺水平升高。

以氯胺酮为代表的氯胺酮类也属于常见的合成毒品，一方面氯胺酮类毒品阻滞了 NMDA 受体（离子型谷氨酸受体的一种亚型），导致谷氨酸和乙酰胆碱的分泌增加；另一方面氯胺酮能引起伏隔核内多巴胺的释放增加和再摄取减少，抑制尾壳核内多巴胺的再摄取；此外，氯胺酮还会抑制5-羟色胺在人血小板和小鼠脑的突触前膜的重摄取。这些作用机制导致多巴胺、5-羟色胺、谷氨酸和乙酰胆碱等神经递质的相互作用失调，从而引起滥用和成瘾。

大麻类药物通过模拟内源性大麻素，激活分布在基底神经节和脑皮质的大麻素受体，使机体产生轻松和愉悦的感觉。

三、药物成瘾的神经生物学机制研究进展

药物成瘾是一种以不计后果的强迫性用药为特征的慢性复发性脑疾病，多年来，人们对毒品成瘾机制的认识经历了一个从身体依赖向精神依赖的转变过程。早期，大部分研究集中于躯体依赖和戒断症状，并以躯体依赖作为判断毒品成瘾的标准，后来，研究者发现成瘾戒断症状消失很长时间后，复吸率依然很高，可见，躯体依赖并非成瘾者持续用药的主要原因。

关于毒品成瘾机制的研究先后出现过几个代表性理论，如同向过程理论（1987年Wise和Bozarth提出）、反向过程理论（1988年Koob和Bloom提出）和动机-敏化理论（1993年Robinson提出），但上述任一理论均无法圆满解释毒品成瘾的机制，因而始终缺乏有效干预毒品成瘾的方法。近年来，有关毒品成瘾的神经生物学机制的研究主要集中在毒品引起的脑内神经环路以及细胞与分子水平的适应性改变，认为毒品成瘾的本质是一种以毒品引起的基因表达和神经突触可塑性改变为基础的病理性记忆。成瘾记忆受到毒品的正性奖赏和戒断负性情绪的综合强化，一旦形成便长期持续存在，很难消退。因此，吸毒成瘾者一朝吸毒，终生想毒，一生戒毒。虽然通过戒断、脱毒治疗，成瘾者对毒品的躯体依赖症状可以减退甚至完全消失，但在应激事件、毒品相关线索或毒品本身诱导下，原有的成瘾记忆能重新被唤起（记忆提取和再巩固），由此导致复吸。

（一）药物成瘾的相关脑区

精神活性药物产生的欣快感在成瘾记忆中主要起到正性强化作用。脑内负责药物奖赏的主要区域为中脑腹侧被盖区（简称VTA）和伏隔核（简称NAc），多巴胺神经递质系统在奖赏中起重要作用。VTA发出多巴胺能神经投射支配NAc和背侧纹状体，同时也发出多巴胺神经投射支配海马、杏仁核、前额叶皮层等其他多个脑区。

药物撤退主要引起戒断等躯体症状并且导致负性情感的形成。负性情感成为药物成瘾记忆中的负性强化因素，主要是涉及杏仁核、终纹床核和NAc壳核。

对药物的渴求是成瘾记忆的长期储存和消退后记忆重建的主要因素，而控制动机的主要脑区包括形成条件性记忆的基底腹侧杏仁核、海马以及前额叶皮质等脑区。

（二）药物诱导神经突触可塑性改变

大量研究表明，记忆的基础是神经突触可塑性的改变，即在外界信息刺激

下诱发的记忆相关脑区内神经突触传递功能的长时程增强或长时程减弱。

精神活性物质能引起奖赏脑区神经元结构和功能的变化。如，急性安非他明给药能促进 VTA 多巴胺能神经元兴奋性突触的长时程增强。慢性可卡因暴露能导致 VTA 多巴胺能神经元和 NAc 中间棘神经元突触数目增多和树突分叉增加，慢性吗啡暴露则减少 VTA 神经元胞体体积并降低 NAc 中间棘神经元突触数目。

（三）成瘾相关学习记忆

各类记忆都经历一系列相似的神经生物学过程，如记忆的获得、巩固、提取、再巩固、消退等。一个新的记忆的形成通常经历两个阶段：从信息编码后的不稳定阶段进入持久保持阶段，整个过程称为记忆的巩固。目前认为记忆的巩固涉及短期的局部神经元突触可塑性改变和长期的各脑区联系的逐步重构。精神活性物质依赖的本质是一种以神经突触可塑性改变为基础的病理性记忆，这种病理性记忆转化为长时程记忆并且产生消退抵抗是导致药物复吸的关键。

药物成瘾这一病理性记忆是基于环境线索和精神依赖的联合型记忆。如果反复多次获药后，对获药环境线索的再暴露，即该关联性记忆的再提取，将诱发吸毒者对药物的渴求和觅药行为。而环境线索这个条件性刺激通过再次激活药物奖赏和戒断依赖的神经环路，从而促进觅药行为的累积，临床上表现为吸毒者对药物的复吸。此外，根据临床及动物实验结果发现，情感也是促进觅药行为和药物复吸的重要因素。动物实验结果提示，足底电击、强迫游泳、空间限制、食物剥夺、社交失败和母爱剥夺等应激因素均可引起负性情绪从而导致复吸。

毒品成瘾的神经生物学机制涉及神经可塑性、奖赏、学习记忆和感觉，以及认知等重要脑科学前沿领域对毒品成瘾机制的研究，不仅具有巨大的医学和药学应用价值，也是国际脑科学基础研究的重要前沿。

第二节　我国吸毒问题概述

一、毒品在近代中国

毒品在中国的流行，与帝国主义密不可分，众所周知，鸦片是西方列强打开中国中世纪大门的敲门砖。自 1800 年英国东印度公司确立向东方输出鸦片的政策后，中国日益沦为殖民者推销毒品的主要对象。从 1800 年到鸦片战争前夕，西方列强共向中国输入鸦片达 638 119 箱，价值 6.01 亿银元。到 1880 年，印度鸦片的出口量达到 10 万箱，估计有 80%以上流入中国，加上波斯等其他国家的鸦片走私，实际输入中国的鸦片已接近 10 万箱。此后，输入中国的印度鸦片每年维持在 5 万~6 万箱之间。20 世纪 20 年代后，除印度、土耳其等国的鸦片每年仍有输入外，日本等国还组织吗啡、海洛因等烈性毒品的走私。到 20 世纪 30 年代初，输入中国的鸦片、吗啡、海洛因等毒品折算成鸦片每年约达 10 万箱，即 500 万公斤，同时期，国内种植罂粟的面积达到 8000 万亩，占全国耕地面积的 6.1%，有些地区的种植面积占耕地面积的 80%~90%。至此，由于毒品数量供应充足，全国吸毒人口在 1929 年~1934 年间达到了空前绝后的地步，总计全国吸食各类毒品的总人数达到 8000 万人，约占总人口的 16.8%。

二、毒品在现代中国

（一）改革开放前

中华人民共和国成立后，为保护人民健康，恢复与发展生产，并指导全国开展禁毒工作，政务院于 1950 年 2 月 24 日公布《政务院关于严禁鸦片烟毒的通令》指出："一、各级人民政府应协同人民团体，进行广泛的禁烟禁毒宣传，动员人民起来一致行动，在烟毒较盛地区，各级人民代表会议或人民代表大会，应把禁烟禁毒工作作为专题讨论，定出限期禁绝办法。二、各级人民政府为使禁烟禁毒工作进行顺利，得设禁烟禁毒委员会。该会由政府民政、公安部门及各人民团体派员组织，民政部门负组织之责。三、在军事已完全结束地区，从 1950 年春起应禁绝种烟；在军事尚未完全结束地区，军事一经结束，立即禁绝种烟，尤应注意在播种之前认真执行。在某些少数民族地区如有种烟者应斟酌当地实际情况，采取慎重措施，有步骤地进行禁种。四、从本禁令颁布之日起，全国各地不许再有贩运制造及售卖烟土毒品事情，犯者不论何人，除没收其烟土毒品外，还须从严治罪。五、散存于民间之烟土毒品，应限期令其缴出，我人民政府为照顾其生活，得分别酌予补偿。如逾期不缴出者，除查出没收外，并应按其情节轻重分别治罪。六、吸食烟毒的人民限期登记（城市向公安局，乡村向人民政府登记），并定期戒除。隐不登记者、逾期而犹未戒除者，查出后予以处罚。七、各级人民政府卫生机关，应酌制戒烟药品，及宣传戒烟戒毒药方，对贫苦瘾民得免费或减价医治。烟毒较盛的城市，得设戒烟所，戒烟戒毒药品的供应，应由卫生机关统一掌握，严防隐蔽形式的烟毒代用品。八、各大行政区人民政府（或军政委员会）、中央直辖省、市人民政府，各按本地区情况，依据本禁令方针，制定查禁办法及禁绝种吸日期，呈报中央人民政府政务院批准施行，并于批准后，印发布告，进行广泛深入的宣传教育工作。"

该通令详细规定了全国禁毒的提纲，尽管仍沿用原来的禁烟禁毒的说法，但具有鲜明的特色，例如，发扬全党动员、深入民众，强化思想教育工作的传统，在全社会范围内号召民众一致行动；为有效实行禁毒，各地可根据实情制定具体办法，设立禁绝种吸的最后日期；考虑具体情况，政府将免费为贫苦瘾民戒烟，对少数民族地区慎重地有步骤地进行禁种。

到 1952 年，由于在一部分地区仍存在烟毒现象，中共中央决心发动一场全国规模的禁毒运动，以将残存且顽固的毒贩彻底肃清。同年 7 月 30 日，中央批准了公安部《关于开展全国规模的禁毒运动的报告》。该报告对此次禁毒运动做了部署：一、目前运动主要集中力量在城镇进行，农村暂时不动。二、运动分为三期，第一期为"大破案"，即先逮捕、审讯一批有证据有价值的毒犯；第二期为"继续深入和铺开其他重点"；第三期为"追捕漏网毒犯和处理结束工作"。三、大举破案后，须迅速召开群众大会，向群众宣讲禁毒运动的政策和意义，动员民众积极参加，与毒犯作斗争。四、在禁毒运动中，各省市之间可直接交换材料和联合缉毒；各大行政区和省市应每 5 天向公安部汇报一次情况。同时，为严惩毒品犯，政务院于同年 10 月 3 日通过了《中华人民共和国惩治毒犯条例（草案）》，全文共 18 条，视犯罪行为对毒犯处以无期徒刑、死刑、有期徒刑或三年以下管制。此条例虽为草案，但无疑从法律上完善了对毒品犯罪的量刑与处罚，为彻底铲除毒祸提供了法律依据。

据统计，1949 年至 1952 年底，全国各地人民法院共判处毒品案 22 万件，依法惩办 8 万多名制贩毒品的罪犯，其中 800 余名罪犯被处以死刑，超 2000 万烟民脱胎换骨，戒除毒瘾。至此，经过三年扎实细致的禁毒运动，中国政府在 1953 年向世界庄严宣告：中华人民共和国为"无毒国"。

（二）改革开放后

自 1953 年至改革开放，毒品在中国几乎处于禁绝状态。1978 年，中国进入改革开放的新时期，市场经济体制重新建立，私有经济得到恢复，公民购买力提升，加之边境开放，外资引进，人员交往急速增加，毒品通过毗邻我国西南边境的"金三角"地区再次涌入境内。

"金三角"地区作为当时鸦片类毒品的全球最大产地，紧邻我国西南边境。我国西南边境线长，植被茂密，是走私活动的天然屏障。毒贩们打通了从"金三角"地区北上的中国通道，将鸦片、吗啡和海洛因走私进入中国，再经由内地省份转运到沿海地区走私出境，中国成为了一个毒品过境国。伴随着毒品的过境，国内出现了毒品的贩运，一些地方非法种植罂粟的违法犯罪活动也开始冒头，吸贩毒人员队伍迅速扩大，至 20 世纪 90 年代末，统计在案的吸毒人数达 68.1 万余人，实际吸毒人数应远超该统计数据，与此同时，我国从毒品消费市场演变为境内毒品制造市场，并发展蔓延。毒品违法犯罪活动不仅严重影响吸毒者身心健康，同时危害社会治安，破坏社会秩序，并衍生出一系列社会问题。

为坚决惩治与预防毒品犯罪，我国在 1979 年制定的第一部《刑法》第 171 条，明确规定了毒品犯罪。1982 年 3 月公布的《全国人民代表大会常务委员会关于严惩严重破坏经济的罪犯的决定》（已失效），对《刑法》中毒品犯罪的相关规定作了进一步补充和修改，尤其在量刑方面提出："对刑法第一百一十八条走私、套汇、投机倒把牟取暴利罪，第一百五十二条盗窃罪，第一百七十一条贩毒罪，第一百七十三条盗运珍贵文物出口罪，其处刑分别补充或者修改为：情节特别严重的，处十年以上有期徒刑、无期徒刑或者死刑，可以并处没收财产。"从而加大了对毒品犯罪的打击力度。同年，云南省率先成立了全国第一支缉毒队伍。1984 年 9 月，《中华人民共和国药品管理法》通过，并在第 30 条、39 条、40 条对麻醉、精神、毒性、放射性药品的管理作了新规定，第 40 条规定："麻醉药品，包括原植物，只准由国务院卫生行政部门会同有关部门指定的单位生产，并由省、自治区、直辖市卫生行政部门会有关部门指定的单位按照规定供应。"1987 年 11 月，《麻醉药品管理办法》公布，对麻醉药品的定义、种植、生产、供应、运输、进出口、使用以及违法行为的处罚等作了进一步详尽的规定。1988 年 12 月，《精神药品管理办法》（已失效）发布，第 2 条明确规定："精神药品是指直接作用于中枢神经系统，使之兴奋或抑制，连续使用能产生依赖性的药品。"并对精神药品实行严格的管理与控制。此后，在《中华人民共和国治安管理处罚条例》（已失效）、《中华人民共和国外国人入境出境管理法实施细则》（已失效）、《中华人民共和国海关法》等法律法规中，均从各个角度对毒品犯罪作出了打击和处理的规定。

以上各项法律法规的颁布，为禁毒斗争提供了必要的法律依据，为加强禁毒立法，进一步遏制毒品犯罪的扩张，严惩毒品犯罪，1990 年 12 月，我国禁毒史上第一部法律公布，即《全国人民代表大会常务委员会关于禁毒的决定》（已失效）。它解决的了当时禁毒工作中迫切需要解决的许多重大问题，给司法机关提供了惩治毒品犯罪的强大法律武器。同年，国家禁毒委员会成立，由公安部、海关总署、民政部、卫生部等 16 个部委组成。1991 年 6 月，全国禁毒工作会议召开，这是从 1953 年中华人民共和国扫除毒患以来，首次召开的专门研究解决禁毒问题的全国性高层会议，并提出"三禁并举、堵源截流、严格执法、标本兼治"的禁毒工作方针。此后，我国先后公布了《强制戒毒办法》（1995年1月公布，已失效）、《麻醉药品和精神药品管理条例》（2005年8月公布）、《易制毒化学品管理条例》（2005年8月公布）等法律法规，并修订了《刑法》、《中华人民共和国治安管理处罚条例》等，以进一步加强禁毒法治建设。

2007年12月，我国禁毒工作的基本法《禁毒法》公布，并于2008年6月1日起施行，这是我国禁毒法治史上第一部全面规范全国禁毒工作的重要法律。《禁毒法》的通过，进一步完善了我国预防和惩治毒品犯罪的法律体系，彰显了中国政府厉行禁毒的一贯立场和决心，对于依法全面推进我国禁毒事业具有重要意义，是我国禁毒史上的重要里程碑。至此，以《禁毒法》为核心，以刑事和行政法规为主体，以地方性法规为补充的我国禁毒法律体系得到健全和完善。

通过多年的努力，目前全国毒情整体向好态势继续得到巩固拓展，毒品走私贩运和制毒物品流失问题得到遏制，毒品滥用规模和涉毒犯罪案件连续多年呈现下降的良好态势，2022年毒品违法犯罪活动下降至近10年来的最低点。[1]截至2022年底，我国现有吸毒人员112.4万名，占全国人口总数的0.8‰，新发现吸毒人员7.1万名，戒断三年未发现复吸人员379万名，现有吸毒人数连续5年下降，戒断三年未发现复吸人数连续10年上升，毒品滥用治理成效持续显现。

目前，我国毒品主要来自境外，国内地下制造毒品市场占比极小。"金三角"地区仍是我国最主要毒源地，境外输入氯胺酮主要来自柬埔寨和泰国，经我国东南沿海向我国香港地区和我国台湾地区中转；境外输入可卡因，主要从南美地区海运走私至我国沿海地区中转分销，以大宗案件为主较多；境外输入大麻多来自北美地区，多通过国际邮包少量、多次、分散入境，涉及我国多个省份。反观国内地下制造毒品市场，由于持续推进"除冰肃毒"专项行动和重点地区突出毒品问题整治工作，国内规模性制毒活动得到有效遏制，制毒活动在部分省份零星散发，呈现出选址隐蔽、规模小型、分段加工、多点合成等"零、小、散"特点。受全国范围内开展的"清源断流"专项行动打击等影响，毒品走私贩运活动大幅减少，贩毒分子不断改变运毒通道、藏毒手法、贩卖方式，其中贩毒渠道以陆路为主，非接触式贩毒模式突出，贩毒分子多通过互联

---

[1] 《2022年中国毒情形势报告》，载 http://www.nncc626.com/2023-06/21/c_1212236289.htm，最后访问日期：2025年5月7日。

网进行勾连，使用小众社交软件组群通联，联络中使用隐语、暗语，聊天记录"阅后即焚"，交易资金采用虚拟货币、游戏币在线支付；交货采取雇佣专业运毒组织、物流货车代送，或通过邮包寄递、同城快递、"埋雷"等方式寄送，交易两头不见人。

第三节　吸毒的原因与预防

吸食毒品的原因具有复杂性、综合性，是吸毒者内在因素与外在因素、诱因等交互作用的结果。

一、吸毒人员的内在因素

1. 对毒品危害缺乏认知。有些吸毒者认为毒品虽然对人体有一定危害，只要不是经常吸食就没有问题，自己只是想体验一次吸毒的感觉或是经不起别人的挑唆而吸毒。据调查显示，在吸毒者中，特别是青少年吸毒者，因满足自我好奇心吸食毒品处于榜首，加上对自我的盲目自信，认为自己自制力好，不会上瘾的错误理念，往往就是吸毒者走向吸毒成瘾不归路的开端。还有一些人误认为毒品有许多有益功能，如可以为个人减压，可以使人暂时远离苦恼，可以提神醒脑、减肥等功能。

2. 对自我身心状况缺乏认知。尤其是未成年人，处于特殊生长发育阶段，对自己行为的调节、控制能力较差，易受不良社会习气和朋友圈感染。特别是进入青春期后，产生强烈的独立意向、逆反心理，拒绝长辈的关心和干涉，不愿受家长管束，渴望结交朋友，爱追时髦，加上社会价值观多元化和复杂化的影响，容易形成不正确的三观，也更容易受身边"损友"勾引。有研究对某省首次吸毒 35 岁以下的戒毒人员显示，超过半数的人第一次吸毒是由朋友推荐。[1]

3. 对禁毒法律缺乏认知。学校禁毒教育是毒品预防教育的一个重要组成部分。有调查数据显示，吸毒人员文化程度偏低，虽存在高学历人员，但仍以初中文化程度居多。[2] 一方面由于吸毒人员过早的终止学业，脱离学校教育，使得毒品预防教育的重要环节缺失，导致其对毒品的危害性缺乏深刻的认识，拒毒能力下降，容易受到周围环境的影响而吸毒；另一方面，由于过早进入社会，

---

〔1〕　张永林、褚宸舸：《青少年吸毒行为的特点、成因与预防——以陕西省为例》，载《江苏警官学院学报》2020 年第 1 期。
〔2〕　张维：《吸毒人员基本特征实证研究——以社会预防为视角》，载《法学杂志》2018 年第 8 期。

心智不成熟，对社会不能形成理性、客观的认识，更容易将自身置入诱发吸毒行为发生的、高风险的社会环境中。

二、导致吸毒的外在因素

（一）家庭不良因素

稳定、和谐的家庭关系有助于个人身心的健康发展，培养健全的道德品质，并给予成员们支持和安全感。有研究表明，吸毒人员主要以无配偶者居多（包括未婚、离婚、丧偶），[1]究其原因，一方面良好的婚姻关系能够极大的促进个体心理成熟及对家庭的责任感，让个体在作出任何决定时能够有所牵绊，从而减小已婚者吸毒的可能性；另一方面，吸毒不仅容易引起各种家庭矛盾，导致家庭关系紧张，因此对婚姻关系具有较强破坏作用。

对于未成年人而言，家庭教育环境是其价值观形成和行为规范习得的基础环境。不完整的家庭结构、父母监管缺失或简单粗暴致使沟通交流不畅使得未成年人在家庭生活中缺乏父母的关心和陪伴，导致不良习惯以及个性的形成，从而增加其吸毒的可能性。更有甚者，受到家庭成员吸毒或其他不良行为的影响，最终沉迷于吸毒走上不归路或是参与到毒品犯罪当中。

（二）学校不良因素

未成年人因各种原因导致的学业成绩不理想，被老师、同学贴上"差生"的标签后，产生厌学情绪，进而逃课、逃学，最终发展为辍学。辍学后，学校教育和监管缺失，如果此时家庭监管同时缺位，极易导致青少年不良行为的发生，诸如抽烟、酗酒、赌博、夜不归宿、长期混迹娱乐场所等，进而增加吸毒的风险。

学校是毒品预防教育的主要阵地。然而，毒品预防教育的资源分配、发展水平既受多重因素影响，如地区经济发展水平或地方党政领导的重视程度。总体而言，中小学义务教育阶段相对较好，而高等教育、继续教育、职业教育学校的毒品预防教育并未全面覆盖。此外，地区之间的投入也存在差异，城镇投入较多，乡村、偏远、落后地区投入较少。再者，毒品预防教育存在同质化、表面化以及针对性、有效性不强的问题，工作方式千篇一律，手段缺乏科学性及创新性。最终导致毒品预防教育效果大打折扣。

（三）社会不良因素

我国处于社会转型期，人口流动愈加密集，大量人口涌入城市。一方面，

---

[1] 苏中华等：《我国部分地区成瘾物质使用的纵向研究第三部分：吸毒人员的人口学特征》，载《中国药物依赖性杂志》2005 年第 1 期。

由于父母外出务工，导致农村留守儿童增多，家庭监管薄弱或缺失，对留守儿童成长产生一系列负面影响，增加其吸毒的风险；另一方面，那些辍学后过早进入社会，选择进城务工的青少年，由于过早脱离学校教育、家庭监管和社会控制，吸毒的风险也会明显增加。

互联网的应用及快捷通讯方式（如 QQ、微信）的广泛存在和应用，使许多不法分子有可乘之机，使他们能方便快捷地散播各种各样的涉毒信息，并传播毒品亚文化，极易误导涉世未深的青少年。有些人认为新型毒品成瘾性不强，吸食新型毒品是寻找创作灵感的灵药，是时尚，是潮流，或是减肥、放松身心、缓解压力的良方。这种毒品亚文化在互联网的加持下，传播迅速，使得越来越多的年轻人为寻求刺激，尝试吸食新型的毒品。

三、吸毒行为的预防

禁绝毒品，要坚持预防为先，标本兼治的原则。一方面，需要依靠国家法律及政策切断所有毒品来源，使得高危人群无接触毒品的机会，吸毒人员无法继续获取毒品、吸食毒品。另一方面，要充分发挥社会、社区、家庭三位一体管控预防的综合作用，有效防止戒毒人员复吸。

现代国际药物滥用预防教育体系一般秉承三级预防机制。一级预防针对普通人群，通过提升包括儿童在内的广大未成年人群对普通毒品及其危害的认识，以期达到预防毒品使用的效果。二级预防针对已在吸毒但尚未成瘾的潜在高危人群，从而达到预防毒品滥用的效果。三级预防针对吸毒成瘾人群，目的在于通过遏制或减弱毒品市场与该类人群的毒品供求关系，从而达到弱化毒品市场对毒品需求的效果。在此背景下，我国学者讨论了如何构建适合我国国情的药物滥用预防体系，提出我国药物滥用预防教育工作的思路、组织、内容、方式、评估等都应进行适当调整，应遵循"有目标、有人员、有方法、有考核"的工作思路，通过构建全覆盖的全民禁毒宣传教育体系，不断提高广大人民群众特别是青少年禁毒意识和拒毒、防毒能力。此外，针对吸毒的原因，不少学者提出了相应的对策，如完善家庭教育，加强对子女的监管和教育；加强学校教育，防止青少年辍学，教育矫治青少年的不良行为；强化禁毒教育，利用新媒体提高禁毒教育的社会效果；强化监管、惩罚和打击力度，净化滋生毒品的社会环境；完善戒毒工作机制和戒毒措施，对吸毒成瘾者进行科学矫治等。然而，我们需意识到禁毒工作仅仅靠强化毒品预防教育，遏制毒品向其他人群尤其是青少年蔓延是不够的，还需要完善戒毒康复管理模式，让吸毒人员早日回归社会。2015 年，国家禁毒委员会办公室会同另外十个部门制定《全国社区戒毒社区康复工作规划（2016-2020 年）》，深入实施社区戒毒社区康复"8·31"工程，推进吸毒人员网格化服务管理，完善戒毒医疗服务网络。此后，各地禁毒部门深入开展吸毒人员"平安关爱"行动，充分发挥社区戒毒、社区康复、强制隔离戒毒和自愿戒毒等多种戒毒措施的作用，针对吸毒人员的不同类别和成瘾程度，积极协调政府和社会资源提供有针对性的戒毒治疗、就业指导、社会救助等服务，努力帮助社会面吸毒人员巩固戒毒成果，顺利回归社会。

禁毒工作绝非一蹴而就之事，是一项长期而复杂的工作，禁毒工作任重而道远。

第十六章

戒毒问题概述

第一节 我国的戒毒体制与机制

中国近代史的屈辱记忆是和毒品紧紧相连的，早在第一次鸦片战争前，清政府就已意识到毒品的危害，于 1729 年颁布了中国的第一个禁烟诏令，这不仅标志着中国禁烟历史的开端，也是世界上第一个禁烟令。从那时起至现在的近三百年里，在各个不同的历史时期，各执政政府都开展过禁吸戒毒行动，探寻适应毒品治理及社会发展需要的有效戒治手段，根据制度变迁的特点，在历史维度上大致可分为以下四个阶段，即中华人民共和国成立前、中华人民共和国成立初期、改革开放之初至 2007 年、《禁毒法》颁布至今。

一、中华人民共和国成立前

继 1729 年，清政府颁布了中国历史上第一个禁烟诏令后，先后颁布了《吸食鸦片烟治罪条例》（1813 年）、《钦定严禁鸦片烟条例》（1838 年）、《禁烟章程十条》及其配套的各种实施办法与细则等，但由于外国列强的侵扰以及清政府的腐败无能，这个时期的禁毒行动收效甚微，还是以失败而告终。

辛亥革命胜利后，于 1929 年成立禁烟委员会，后又改设禁烟总监和禁毒总会，专门负责制定禁毒法令。如《禁烟暂行章程》《修正禁烟条例》《禁烟法》《厉行禁绝鸦片及其他代用品实施办法》《禁烟实施办法》《检举烟民登记办法》等。相比于清晚期，此阶段的禁烟立法无论是数量还是质量都有很大的发展，并在立法上完成了以保安处分法对吸毒行为进行规制的戒治方式，建立了"保安处分型"的戒毒体系。然而，由于内忧外患、军阀混战，直至中华人民共和国成立前夕，全国吸毒者数量仍高达 2000 万之众，吸毒问题并未得到有效的遏制。

二、中华人民共和国成立初期（1950 年~1952 年底）

中华人民共和国成立之初，我国就制定发布了一系列禁毒法令、戒毒法规和政策，形成了在行政强制前提下的以自行戒毒为主、强制戒毒为辅、社会有力监督和多部门参与的综合戒毒模式。1950 年 2 月 24 日，中央人民政府政务院向全国公布了《政务院关于严禁鸦片烟毒的通令》，其中指出："吸食烟毒的人民限期登记（城市向公安局，乡村向人民政府登记），并定期戒除。隐不登记者，逾期而犹未戒除者，查出后予以处罚。"同时提出帮扶戒除的要求："各级人民政府卫生机关，应配制戒烟药品，及宣传戒烟戒毒药方，对贫苦瘾民得免费或减价医治。烟毒较盛的城市，得设戒烟所。戒烟戒毒药品的供应，应由卫生机关统一掌握，严防隐蔽形式的烟毒代用品。"时至 1952 年，由于一部分地区仍存在烟毒现象，1952 年 4 月，中共中央又发布了《中共中央关于肃清毒品流行的指示》，提出更为严格的禁烟要求："要在全国范围内有重点地大张旗鼓地发动一次群众性的运动，来一次集中的、彻底的扫除，务将一切毒贩肃清"，要求"号召吸毒人员坚决戒除毒瘾，并动员其家属和社会舆论给予吸毒人员强大的压力，迫使他们戒除毒瘾。"与此同时，全国各大行政区也相继颁布了一系列地区性禁烟禁毒政策。在中央和地方的一致合力下，在短短 3 年时间内，中国成就了举世闻名的"无毒国"。此阶段，一方面政府通过教育改造与严厉惩办相结合的禁烟禁毒政策，另一方面杜绝境外毒源的渗透和危害，创造出了前所未有的禁毒奇迹，但并未形成一套完整的戒毒模式。

三、改革开放之初至 2007 年

20 世纪 70 年代末，在对外开放国门的同时，国际毒潮也随之入侵，我国在禁绝鸦片毒品 30 年之后，毒品问题再度卷土而来，并由边境迅速向内陆发展蔓延，吸毒者数量不断上升，新型合成毒品泛滥，严重危害社会秩序稳定。面对来势汹汹的毒品问题，1981 年 8 月，国务院公布了《国务院关于重申严禁鸦片烟毒的通知》并规定："对于鸦片等毒品的吸食者，应当由公安、民政、卫生等部门组织强制戒除。"时隔一年后，于 1982 年 7 月公布《中共中央、国务院关于禁绝鸦片烟毒问题的紧急指示》并提出："严禁吸食毒品，取缔地下烟馆。吸食毒品的人，要加强教育，令其到政府登记，限期戒除"，"隐瞒或拒不登记，又逾期不戒除的，强制收容戒除，并给予必要的惩处"。以上虽对戒毒工作提出了要求和规定，但并未对戒毒工作做进一步具体划分和细化。

1990 年 12 月 28 日，《全国人民代表大会常务委员会关于禁毒的决定》公布并施行。一方面首次规定了对吸毒者进行治安行政处置的原则，第 8 条第 1 款规定："吸食、注射毒品的，由公安机关处十五日以下拘留，可以单处或者并处二千元以下罚款，并没收毒品和吸食、注射器具。"这种行政性质的处罚一直延续到 2005 年《中华人民共和国治安管理处罚法》的公布，最终以法律的形式固定下来；另一方面首次明确了我国的强制戒毒体系，《全国人民代表大会常务委员会关于禁毒的决定》明确了强制戒毒体系的基本结构，其中第 8 条第 2 款规定："吸食、注射毒品成瘾的，除依照前款规定处罚外，予以强制戒除，进行治疗、教育。强制戒除后又吸食、注射毒品的，可以实行劳动教养，并在劳动教养中强制戒除。"1995 年国务院根据该决定制定了《强制戒毒办法》（已失效），系统地对强制戒毒加以规范。2003 年司法部公布的《劳动教养戒毒工作规定》（已失效），进一步对劳动教养戒毒制度进行了完善。

这一时期，戒毒策略严格且单一化，吸毒成瘾人员一律送至戒毒所戒毒，缺乏对戒毒者的科学分类以及针对性的戒治手段，戒毒制度从初期的教育改造转变为"强制、劳教戒毒为主、自愿戒毒为辅"，同时，社会对吸毒者的态度由"行为不良者"转变为"罪犯"。

四、《禁毒法》颁布至今

2007 年 12 月 29 日，中华人民共和国第十届全国人民代表大会常务委员会第三十一次会议通过《禁毒法》，并于 2008 年 6 月正式施行。《禁毒法》对中华人民共和国成立以来的禁毒工作进行了全面系统的规范，将过去有关禁毒的法律法规进行了整合，特别是在戒毒措施方面有了重大的调整，摒弃了过去以"强制戒毒、劳教戒毒为主、自愿戒毒为辅"的单一模式，在第四章"戒毒措施"中提出了集自愿戒毒、社区戒毒、强制隔离戒毒、社区康复四位于一体的综合性戒毒模式。一方面，它改变了过去以强制戒毒为主导的戒毒模式，将最初对吸毒者以惩罚为主转变为以治疗、康复、教育为主，突出了将吸毒人员视为病人的中心理念。另一方面，在强调以人为本的人权体制下，以及劳教戒毒模式自身的局限性，劳教戒毒模式正式退出历史的舞台。2011 年，《戒毒条例》公布施行，对《禁毒法》中的戒毒措施进行了进一步的细化，使戒毒措施的实施有了进一步的可操作性。2021 年，《戒毒治疗管理办法》公布，进一步规范了社会戒毒医疗机构的发展，完善了我国的自愿戒毒制度。至此，在国家和各级政府、各部门的多年努力下，我国戒毒模式越来越健全，戒毒工作越来越趋于规范。虽然现行的戒毒模式还存在着很多有待解决的问题，但现行的戒毒模式框架还是为今后继续探索和完善禁吸戒毒工作打下了良好的基础。

第二节　自愿戒毒

自愿戒毒在《禁毒法》颁布之前就已存在，但却始终缺乏相关的法律规范予以明确。《禁毒法》首次以法律形式对自愿戒毒、戒毒医疗机构及其业务活动等内容做出明确规定，自此，自愿戒毒制度成为我国戒毒康复制度的重要组成部分，且承担着对吸毒者提供法律救济的重要任务。在此基础上，《戒毒条例》也进一步表明了国家鼓励自愿戒毒的积极态度。

吸毒者具有三重身份，即违法者、受害者和病人。由于吸毒行为具有一定的社会危害性，所以人们对于吸毒者的违法行为人身份认同程度最高。然而，随着对成瘾机制的研究愈加深入，越来越多的学者认为，成瘾是一种慢性、复发性、复杂性脑部疾病，治疗成瘾性疾病需要综合医学、社会学、心理学等领域的经验，来构建科学的戒治体系。

心理学理论认为，正面鼓励可以使特定行为得到进一步加强，负面惩戒则会使这些行为被削弱直至消失。由于成瘾者本身的心理、行为模式就存在社会适应性差、人际交往障碍等问题，如果一味地采用负强化方式进行强制戒毒，很容易引发其对社会的反感情绪，影响康复效果。自愿戒毒制度将吸毒者更多地定位在受害人与病人的身份上，给予其相应的权利救济。尤其在《戒毒条例》中明确规定，对自愿接受戒毒治疗的吸毒人员不予处罚。虽然"自愿戒毒免罚"的做法颇受争议，但是这一制度的意义重大，其体现了我国对吸毒人员不再仅以打击和处罚为中心，而是强调通过自我积极调适的方式来挽救吸毒人员及其家庭，这种制度善意对于鼓励吸毒人员主动回归社会具有积极的效应。

然而，由于我国自愿戒毒制度确立的时间较晚，整个制度体系仍不够完善。在实践中，还存在康复效果不佳、财政困难等问题，并由此导致自愿戒毒机构数量出现严重萎缩。

第一，作为戒毒康复制度的两种基本方式，自愿戒毒与强制隔离戒毒在本质上存在着天然的对立关系。强制隔离戒毒的重心在于行政权力的高度干预，而自愿戒毒却以避免行政权力干预为前提，主动接纳吸毒人员。因此，如果行政权力过度干预，自愿戒毒模式就会失去存在的意义。实践中，自愿戒毒机构在运营过程中，确实需要运用一定的行政强制力来强化管理；且在某些具体的量化标准，如"吸毒成瘾严重"的判断上，行政权力的干预很容易越位。因此，容易产生行政执法权过度干预自愿戒毒机构运营的问题。

　　第二，自愿戒毒主要在自愿戒毒医疗机构、戒毒药物维持治疗机构以及社区戒毒康复中心等处所实施。非公立自愿戒毒机构较少得到国家支持，包括医保政策的支持，再加上大多数吸毒成瘾者缺乏治疗动机，个人所需支付的戒毒费用高昂，使得吸毒成瘾者抵触、排斥自愿戒毒治疗。此外，公安部门对吸毒人员实行严格管控制度，要求自愿戒毒机构登记并定期提交进入机构的吸毒人员信息，这进一步使得很多吸毒人员不愿意选择自愿戒毒机构。

　　第三，合理有效的戒毒康复模式应当是从生理脱毒到心理脱毒，再到回归社会的完整过程。目前，大部分自愿戒毒机构对于接受治疗的吸毒人员仅提供相对短暂的生理脱毒治疗；对于后期的持续治疗及回归社会的指导，自愿戒毒机构既无法纳入自身工作范围，也缺乏必要的衔接措施。这样，戒毒治疗中的生理脱毒就成为一个孤立的环节，自愿戒毒机构治愈人员的复吸率居高不下，没有达到自愿戒毒制度的预期目标。此外，由于自愿戒毒机构是基于双方协议而进行管理的，能够采取的强制措施极为有限且缺乏明确的法律依据，难以对虚假戒毒人员采取有效的制约行动，从而导致最终效果与自愿戒毒机构设立的初衷相背离。

第三节　强制隔离戒毒

　　强制隔离戒毒是公安机关依据《禁毒法》的规定，对吸毒成瘾人员执行的强制戒毒措施，通过将其限制在特定戒毒场所一定时间，辅助以生理脱毒、心理矫治、康复训练、戒毒治疗等综合戒治手段，使吸毒人员脱离有毒环境，戒除毒瘾。相较于其他几种戒毒措施，强制隔离戒毒具有明显的行政强制性，《禁毒法》第38条明确了吸毒成瘾人员可以被强制隔离戒毒的具体条件，即"吸毒成瘾人员有下列情形之一的，由县级以上人民政府公安机关作出强制隔离戒毒的决定：（一）拒绝接受社区戒毒的；（二）在社区戒毒期间吸食、注射毒品的；（三）严重违反社区戒毒协议的；（四）经社区戒毒、强制隔离戒毒后再次吸食、注射毒品的。对于吸毒成瘾严重，通过社区戒毒难以戒除毒瘾的人员，公安机关可以直接作出强制隔离戒毒的决定。吸毒成瘾人员自愿接受强制隔离戒毒的，经公安机关同意，可以进入强制隔离戒毒场所戒毒。"强制隔离戒毒的决定由县级以上公安机关作出。

　　《中华人民共和国行政强制法》第2条第2款规定："行政强制措施，是指行政机关在行政管理过程中，为制止违法行为、防止证据损毁、避免危害发生、控制危险扩大等情形，依法对公民的人身自由实施暂时性限制，或者对公民、法人或者其他组织的财物实施暂时性控制的行为。"我国行政处罚中的人身处罚最主要是行政拘留和劳动教养，劳教制度已于 2013 年废除。而强制隔离戒毒是根据《禁毒法》的规定，由国家行政机关作出决定并执行，在法律规定的期限内，对吸食毒品成瘾人员进行人身自由限制，隔绝有毒环境，进行强制治疗和行为矫正。因此，从具体的法律规定来看，强制隔离戒毒应当是一种行政强制措施。我国现行强制隔离戒毒制度延续并发展自强制戒毒和劳教戒毒，制度制定之初，就着力进行去劳教化设置，注重教育矫治，弱化惩罚性和制裁性。毒品对成瘾者神经系统可造成不可逆的损伤，吸毒成瘾者等多出现精神异常、抑郁、焦虑或狂躁等症状，因此，通过教育戒治、医疗康复手段对吸毒人员进行治疗矫正，其意义要大于对其吸毒行为进行惩罚制裁。将强制隔离戒毒定性于行政强制措施而不是行政处罚，一方面可以从主观上消除吸毒人员及其家庭的对立情绪，有利于社会的整体和谐稳定，另一方面有利于节省司法资源，将有限的司法资源集中到对吸毒人员的教育、转化、挽救上，而不是关注于对其进行惩罚、制裁，并将更多的司法资源用于打击贩毒等源头性的犯罪行为上，从而实现司法资源的最优化配置。强制隔离戒毒的特性主要有：

（一）法定性

强制隔离戒毒法律制度是由《禁毒法》《戒毒条例》等相关法律法规所确认和规范的，由行政机关决定实施的一项具体行政强制措施，在法律法规授权的范围内，以特定的期限、固定的场所和规范的流程对吸毒成瘾人员执行强制隔离戒毒，因此具有法定性。

（二）强制性

从定义可以知，强制隔离戒毒是一种行政强制措施，由公安机关依法决定，以国家强制为保障实施，对具体执行对象进行的单方面行政强制行为，相对人不能违抗。《禁毒法》除在第 38 条规定了强制隔离戒毒是由县级以上人民政府公安机关决定，由作出决定的公安机关送强制隔离戒毒场所执行；同时还在第 26 条规定了需对强制隔离戒毒人员进行物品检查，防止毒品流入，对有自伤自残情形的戒毒人员可以使用保护性约束措施。此外，在《司法行政机关强制隔离戒毒工作规定》第 30 条规定："遇有戒毒人员脱逃、暴力袭击他人等危险行为，强制隔离戒毒所人民警察可以依法使用警械予以制止。警械使用情况，应当记录在案。"这一条明确了强制隔离戒毒的人民警察在特定的情形中可以使用警械。以上都是由国家强制力作为后盾保证实施的，对人身自由的限制和警械具的使用，都是强制性的体现。

（三）矫治性

强制隔离戒毒过程会综合运用诸如个体心理咨询、团体心理辅导、音乐放松治疗、情景适应训练、物理康复、体能恢复等多种科学手段，对戒毒人员开展心理矫治、认知矫正、康复训练、医疗救助和诊断评估，通过对戒毒人员开展各项矫治活动，逐步达到心理脱瘾、体能恢复的目标。因此，对戒毒人员开展心理矫治和行为矫正，是强制隔离戒毒突出的特点之一。

（四）教育性

根据法律规定，强制隔离戒毒期间，戒毒场所应当提供科学规范的戒毒治疗、心理矫治、身体康复训练和卫生、道德、法治教育，开展职业技能培训。通过组织开展教育活动，使戒毒人员明德守法，了解毒品危害、明确戒毒流程、增强戒毒能力；通过开展必要的职业技能培训，使戒毒人员掌握回归社会必需的实用技术，更好的融入社会，回归正常生活。

（五）惩罚性

吸毒人员既是违法者，又是病人和受害者，此三重身份属性具有逻辑递进关系，应当先是违反法律规定的违法者，其后才是病人和受害者。吸毒行为违反了《禁毒法》和《戒毒条例》的规定，是违法行为，由吸毒问题衍生出一系列的违法犯罪问题，危害了社会公共利益，损害了正常稳定的社会秩序，对家人和他人的侵害也是显而易见的。因此，国家运用公权力，对吸毒成瘾人员进行强制隔离戒毒，在一定期限内限制其人身自由，剥夺公民的基本权利，具有明显的惩罚性，吸毒作为一项违法行为，必须付出相应的违法成本。

第四节　社区戒毒与社区康复

社区戒毒是指吸毒成瘾人员在社区牵头、监管下，整合家庭、社区、公安、卫生和民政等方面力量和资源，使吸毒人员在社区里实现戒毒；社区康复是指经过强制隔离戒毒或社区戒毒后，法律规定的后续跟进服务措施，即采用带有强制性的责令手段进行后续照顾，采用带有强制性的责令手段进行的后续跟进服务，使戒毒人员身体、精神、心理以及社会功能得到康复，防止复吸，回归社会。这两种戒毒方式紧密联系、相辅相成，均以社区为载体，虽具有强制性但不限制人身自由，通过各种人性化管理和治疗方式，救治吸毒人员并帮助其重新融入社会，对于从根本上防范社会治安问题、深化社会治安综合治理具有积极作用。

近年来，关于社区戒毒康复的主要做法包括：一是对照辖区公安派出所、街道（乡镇）党政机关相关部门以及居（村）民委员会等基层职能单位在戒毒康复工作中的不同分工，将社区戒毒康复的具体任务和职责层层细化、逐级分解；二是加大处置吸毒人员力度，联合公安、司法、卫生、民政等部门整合戒毒和医疗资源，提升收戒能力，定期走访吸毒人员，劝导具备条件的吸毒人员接受药物维持治疗，对不接受药物维持治疗、逾期不报到、严重违反协议的人员，以及吸毒成瘾人员实施强制隔离戒毒；三是强化社区管理，加大禁毒社工队伍建设，配置吸毒人员管理、服务队伍，同时加强社区戒毒康复的执行力度，落实定期见面、谈话和定期尿检（毛发初筛检测）等措施；四是大力开展毒品预防宣传，通过列入各大中小学培训计划、利用公众媒体开展禁毒宣传活动等途径，使毒品预防教育内容深入人心，大力宣传禁毒专项打击整治行动战果，发动群众踊跃举报毒品违法犯罪，营造广大群众积极参与禁毒的良好氛围。

我国的社区戒毒康复工作不断深入开展，在全面禁毒工作中贡献了重要力量，体现了禁毒管理的人性化，对构建和谐社会、促进经济发展和保障人民安居乐业发挥了巨大作用，但社区戒毒康复还存在以下问题。

（一）社区戒毒康复工作主体和职责不清

《禁毒法》第5条第1款规定："国务院设立国家禁毒委员会，负责组织、协调、指导全国的禁毒工作。"《禁毒法》虽然将禁毒委员会法定化，但禁毒委员会并非实体机构，不利于有效统筹指挥各成员单位。实践中，全国普遍采用禁毒办和公安禁毒部门合署办公体制。公安机关虽不是社区戒毒的主体实施部门，但在社区戒毒工作中发挥着重要作用；负责责令社区戒毒，对社区戒毒人员进行日常动态管理，定期对社区戒毒人员进行吸毒检测等。除了这些专项职责，公安机关还参与社区戒毒工作小组的访谈帮教工作，定期对戒毒人员进行走访谈心。公安机关既要在禁毒工作中发挥打击防范职能，又要负责社区戒毒康复工作的组织、协调、指导，工作压力大，往往力不从心、顾此失彼。其他相关职能部门则过于依赖公安机关，对社区戒毒康复工作存在分工不清、责任不明、重视不够等情况，制约了职能作用的发挥，大大降低工作效能。

（二）社区禁毒、戒毒宣传教育开展松散

社区是禁毒宣传教育的重要场所，但多数社区存在宣传教育工作没有专职人员和经费，宣传内容陈旧过时，居民不感兴趣；或是缺乏针对性的宣传教育，群众受教育面过窄；抑或是社区居委会虽制定了社区戒毒康复计划，但工作重点在于应对具体社区事务，缺乏对宣传教育工作的理论指导，重打击、轻预防等，导致公众对毒品的特性和危害了解不够深入。

（三）社区戒毒康复与综合治理契合度不高

社会各界的重视程度和力量投入，是社区戒毒康复工作取得切实成效的重要保障。但当前我国社区戒毒康复工作涉及的职能部门各尽其责、协同作战的综合治理契合度较低：首先，社会公众虽不否认吸毒现象的存在，但认为没那么严重，觉得毒品问题事不关己，因此对戒毒康复工作不够重视。其次，社区戒毒康复工作体系还有待进一步完善。如戒毒康复社工的招募、培训、工作职责、奖惩措施等方面缺乏系统的规划，以致社工专业能力不足，缺乏职业荣誉感，社工队伍的整体素质不能满足岗位工作需要等。最后，相关工作机制存在"缺位"情况。个别地方政府没有充分发挥政府主导推动的作用，仅仅依靠原有的禁毒系统架构、资金和人力资源开展社区戒毒工作。没有给基层工作部门提供必要的制度、经费、人员等保障。有些乡镇、街道等基层组织相应的工作机构和工作人员配备不足，导致在工作执行中大打折扣。参与戒毒康复工作的各部门责任边界模糊，整体合力不足，甚至出现推诿扯皮的现象，有限的戒毒资源未能得到充分利用。

（四）吸毒人员帮教工作机制不健全

毒品的固有属性决定了吸食者生理毒瘾易戒，心瘾却伴随终生。社区在戒毒康复工作目标的制定上过于"理想化"，要求所有吸毒者"彻底戒除毒瘾，永不复吸"，没有从吸毒人员的具体情况和实际需求出发，没有考虑到吸毒人员之间的差异性，忽略了吸毒人员多方面改变的可能性，不利于吸毒人员身心和社会生活全面康复的实现。仅注重吸毒人员的生理戒毒，却忽视了心理矫治，帮教措施落实不到位。他们回归社会后，亲友疏远，心理落差容易使其复吸。大多社区戒毒康复人员受教育程度不高，法治观念淡薄，缺乏就业能力，家庭生活不稳定，加上居无定所，经常出现违反社区戒毒康复协议，未报告即擅自离开社区戒毒康复执行地、逾期不去执行地报到、行踪不定等情况，给社区戒毒康复的执行和监管带来很大困扰。加之基层社区干部力量和警力不足，对戒毒对象的信息掌握不及时、不准确，且帮教对象的家属持放任或放弃态度，导致社区戒毒康复人员脱管失控问题依然较为突出。

第六编

典型案例

第十七章

贩卖毒品典型案例

在刑法学上，贩卖毒品是指有偿转让毒品的行为，即行为人将毒品交付给对方，并从对方获取物质利益。贩卖方式可以是公开的，也可能是秘密的；可以是直接交易，也可能是间接交易；可以是行为人请求对方购买，也可能是对方请求行为人转让。在司法实践中，贩卖毒品是"走私、贩卖、运输、制造毒品罪"的客观行为之一，是毒品犯罪整体过程中的重要一环。根据《刑法》第347条第1款规定："走私、贩卖、运输、制造毒品，无论数量多少，都应当追究刑事责任，予以刑事处罚。"然而，现实生活中总有人在利益的驱使下，罔顾法律，走上知法犯法的道路，给家庭带来无尽痛苦，给社会治安造成严重危害。

第一节　案情介绍

案例1：贩卖海洛因案

一、基本案情

王某，男，1966年4月11日出生于H省Z市，汉族，高中文化，无业。郝某，女，1968年7月28日出生于H省M县，汉族，初中文化，无业，与王某为夫妻。孙某，男，年满75周岁，汉族，文盲，农民，捕前住H省X市。2019年11月中旬，孙某携带毒品从X市乘车至Z市，到王某家中，以每克600元的价格卖给王某30克毒品海洛因（又称老黄皮）。2019年12月10日，孙某又携带毒品从X市乘车至Z市，到王某家中后，以每克600元的价格卖给王某80克毒品海洛因。郝某将两次购买共110克海洛因的毒资6.6万元给付孙某。王某购买的毒品，一部分用于夫妻吸食，剩下的高价出售（1000元一克）。叶某一般就从王某手中购买毒品,一般情况下,叶某电话联系王某,给王某说要多少钱的,王某就会直接把海洛因给叶某送到家门口,每次买几百元不等。叶某总计从王某那了二三万元的毒品。2019 年 12 月 10 日,孙某完成毒品交易正准备出门时,被侦查人员抓获,同时被抓获的还有王某和郝某,并在王某和郝某家中搜出两包毒品疑似物。经检验,净重 1.88 克的 1 号毒品疑似物中检出海洛因成分,净重 119 克的 2 号毒品疑似物中未检出海洛因、吗啡成分。2019 年 12 月 28 日,侦查人员再次到被告人王某和郝某的家中搜查,搜出 5 瓶不明液体,共计 726 克,均检出美沙酮成分。

二、审判过程及结果

根据《刑法》之规定,判决如下:

1. 被告人王某犯贩卖毒品罪,判处无期徒刑,剥夺政治权利终身,并处没收个人全部财产。

2. 被告人孙某犯贩卖毒品罪,判处有期徒刑十三年,并处罚金人民币四万元。

3. 被告人郝某犯贩卖毒品罪,判处有期徒刑十年,并处罚金人民币三万元。

4. 扣押在案的毒品、66 000 元毒资依法予以没收,上缴国库,扣押在案未移送的其他物品由扣押机关依法处理。

案例 2:贩卖电子烟案

一、基本案情

2021 年 8 月份,在 B 市 T 区某小区的一间出租屋内,民警找到了毒品犯罪嫌疑人罗某。罗某 22 岁,在校大学生,学习的是舞蹈编导专业。这间出租屋就是她跟男友的住处。而这屋里十分杂乱,到处都是散落的生活用品,就在这些杂乱的物品中,民警起获黄色液体 3.48 克,经鉴定检出合成大麻素类物质,而这些烟油就是民警找到罗某的原因。

原来就在几个小时前,罗某给自己的顾客宿某发了一份同城闪送,快递里装的就是这些烟油。民警抓获宿某时,宿某把上家罗某供了出来,她说自己是在酒吧认识的罗某,当时罗某就向她介绍了这种"上头"电子烟,说抽了之后非常爽,宿某试了之后果然很满意,于是之后就一直在罗某这购买这种"上头"电子烟的烟油。

而宿某和罗某的落网只是第一步,民警了解到罗某也是在 KTV 里接触到的

"上头"电子烟,于是又找到了罗某的上家,也就是居住在 H 省的王某。王某是前美容院员工,离职后待业在家,为了赚钱她就研究上了这种"上头"电子烟,随后她从上家那里以每 5 毫升 150 元到 300 元不等的价格购买烟油,之后再以 500 元的价格卖给罗某从中赚取差价。而因为从 H 省到 B 市路途遥远,邮寄有风险,罗某直接拉了自己 H 省的好友小美(化名)下水,帮她邮寄烟油。之后王某就通过同城快递把烟油寄给小美,再由小美邮寄给罗某。

而王某的上家是经营电子烟店的吴某,吴某是个在校大学生,但是在校期间就外出创业,开的就是电子烟店。他知道自己卖的是违禁品,是含有大麻素的"上头"电子烟,但是因为其中的利润太大,尤其是在大麻素被列管后,"上头"电子烟的价格一路飙升,让他没能禁得住诱惑,继续贩卖赚钱。

二、审判过程及结果

近日 F 区人民法院一审判决,被告人罗某犯贩卖毒品罪,判处有期徒刑七个月,并处罚金一万元,而其他涉案人员已经另案处理。涉案人员中小美还是个未成年人,只知道邮寄的是电子烟,确实不知道内幕,而且也并未从中获取利益,最终检察机关决定对小美不予起诉。只是让小美的监护人对小美严加看管,不要让小美再接触到类似触犯法律的物品。

案例 3:贩卖电子烟案

一、基本案情

2021 年初,被告人 X 市某大学在校学生李某某从手机软件上了解到贩卖"上头电子烟油"的信息后,便添加微信,购买合成大麻素电子烟及烟油,后将烟油按比例兑辅助油,制作成合成大麻素电子烟弹进行贩卖。2021 年 7 月,被告人李某某明知合成大麻素类物质已被国家列管为毒品,其仍于 2021 年 7 月 16 日、18 日、19 日分别向谢某某、王某(系未成年人)贩卖合成大麻素电子烟共计四次,并通过微信收取毒资共计人民币 885 元。2021 年 7 月 19 日 18 时 30 分许,被告人李某某在其居住的房间被公安机关抓获,在其卧室内,查获无色透明塑料瓶 3 瓶,内装无色油状液体,净重共计 23.5279 克,从中均检出合成大麻素成分。

二、审判过程及结果

经 X 市 B 区人民法院审理认为,被告人李某某违反国家毒品管制法规,明知是毒品仍多次向他人贩卖,非法牟利,其行为已构成贩卖毒品罪,依法应予惩处。公诉机关的指控成立，量刑建议适当。被告人李某某向未成年人贩卖毒品，酌情从重处罚；被告人李某某自愿认罪认罚，依法可从轻处罚。据此，以被告人李某某犯贩卖毒品罪，判处有期徒刑七年，并处罚金人民币二万元。

第二节　案例分析

一、案情分析

（一）案例1

海洛因和吗啡最初同为鸦片提取物，结构类似，都属于阿片类毒品。海洛因也可以由吗啡和醋酸酐反应制的，其镇痛作用是吗啡的4~8倍。美沙酮，是阿片受体激动剂，药效与吗啡类似，具有镇痛作用，并可产生呼吸抑制、缩瞳、镇静等作用。与吗啡比较，具有作用时间较长、不易产生耐受性、药物依赖性低的特点。20世纪60年代初期发现此药具有治疗海洛因依赖脱毒和替代维持治疗的药效作用。在案例1中，王某家中搜出的2号毒品疑似物中未检出海洛因和吗啡等毒品成分，孙某向王某售卖是否构成贩卖毒品罪？侦查机关从王某家中查获的美沙酮液体是否计入贩卖毒品数量？

在《最高人民法院关于适用〈全国人民代表大会常务委员会关于禁毒的决定〉的若干问题的解释》中规定："明知是假毒品而冒充毒品贩卖的，以诈骗罪定罪处罚。不知道是假毒品而当作毒品走私、贩卖、运输、窝藏的，应当以走私、贩卖、运输、窝藏毒品犯罪（未遂）定罪处罚。"从《刑法》对诈骗罪和贩卖毒品罪的规定可以看出贩卖毒品的量刑比诈骗罪的量刑重，只要是贩毒就会被刑事处罚。[1]

案例1一审结束后，孙某上诉称：孙某两次向王某所卖毒品均事先知道是假的，都是底料，没有海洛因，1.88克毒品是为了迷惑王某验货而准备，其主观目的是诈骗。如果孙某在侦查阶段供述其知道毒品都是假的，那么孙某贩卖的110克假毒品将以诈骗罪定罪。实际情况是孙某在一审中辩解其系被毒品交易的上家所骗，在二审中又辩解此次交易其明知是假毒品而诈骗王某，说法前

---

[1]　《刑法》第347条第1款规定："走私、贩卖、运输、制造毒品，无论数量多少，都应当追究刑事责任，予以刑事处罚。"《刑法》第266条规定："诈骗公私财物，数额较大的，处三年以下有期徒刑、拘役或者管制，并处或者单处罚金；数额巨大或者有其他严重情节的，处三年以上十年以下有期徒刑，并处罚金；数额特别巨大或者有其他特别严重情节的，处十年以上有期徒刑或者无期徒刑，并处罚金或者没收财产。本法另有规定的，依照规定。"

后不一。法院以孙某对有利于自己的事实在侦查阶段不予供述，与常理不符为由，不予采纳孙某上述意见。因此，孙某从他人处购买毒品贩卖给王某，除作为样品交付的 1.88 克海洛因外，所交易的 119 克毒品疑似物虽然经鉴定不是毒品海洛因，但是其二人的交易均属于贩卖毒品罪的未遂。

关于美沙酮液体是否计入贩卖毒品数量，王某供述家中查获的 726 克含美沙酮成分的液体是医院所给，用于其戒毒，经尿液检测证实王某和郝某确实属于吸毒成瘾人员。现有证据无法证实该液体的来源及用途，亦不能排除王某从合法途径获取并用于个人吸食的可能性。法院判定从王某家中查获的 726 克含美沙酮成分的液体不能认定为王某和郝某贩卖毒品的对象。

（二）案例 2 和案例 3

电子烟是一种模仿卷烟的电子产品，有着与卷烟一样的外观、烟雾、味道和感觉。电子烟不是戒烟手段，同样有害公共健康。"上头"电子烟是不法分子在电子烟油中添加了合成大麻素或依托咪酯等新精神活性物质成分，吸食后会使人在不知不觉中上瘾。早在 2021 年 7 月，合成大麻素就被我国列入了非药用类麻醉药品和精神药品管制品种增补目录，正式纳入了国家管制范围，被称为第三代毒品。2023 年 9 月公布的《国家药监局、公安部、国家卫生健康委关于调整麻醉药品和精神药品目录的公告》，将依托咪酯列入第二类精神药品目录，自 2023 年 10 月 1 日起施行。因此贩卖含有大麻素或依托咪酯成分等毒品成分"上头"电子烟就是贩卖毒品。

在不知情的情况下，帮陌生人运输或者看管毒品，是否构成贩运毒品罪呢？在贩卖电子烟案例 1 中，小美是未成年人，并且确实不知道毒品内幕，也并未从中获取利益，最终检察机关决定对小美不予起诉。审判活动的基本准则是以事实为依据、以法律为准绳，也就是以证据证明的事实为准。在机场或火车站可能出现，帮助陌生人拿行李，但行李中藏有大量毒品的案件。这种情况涉嫌贩运毒品犯罪，是一种严重的刑事犯罪，历来都是严打的对象。完全不知情携带病毒不会作犯罪处理，但须提供充分证据证明：你与托运人不认识或无关系；与收货人不认识或无关系；对托运物品是什么不清楚等，需要有其他人证或物证证明自己确实不知情。

在上述两个"上头"电子烟案例中，罗某判处有期徒刑七个月，李某某判处有期徒刑七年。根据《刑法》的相关规定，上述两起贩卖"上头"电子烟的案例均为贩卖其他少量毒品，应判处三年以下有期徒刑、拘役或者管制，并处罚金；情节严重的，处三年以上七年以下有期徒刑，并处罚金；向未成年人出售毒品的，从重处罚。在贩卖电子烟案例 2 中，李某某向未成年人王某出售毒品，酌情从重处罚。

二、案例启示

《最高人民法院关于适用〈全国人民代表大会常务委员会关于禁毒的决定〉的若干问题的解释》中对贩卖假毒品进行了解释，其主要根据是主观恶性。主观恶性是刑事违法行为的基本特征之一。主观恶性体现在一个人的行为规范上，反映了这个人是否是一个有益于社会的人。主观恶意贩卖毒品对社会的危害要远远大于主观恶意用假毒品去诈骗，因此在量刑上不知道是假毒品而当作毒品贩卖的仍然判定为贩卖毒品罪。"勿以恶小而为之，勿以善小而不为"应该是我们每一个人的行为准则，并且在学习、生活和工作中坚持行为准则才能修炼好我们的内核。只有这样，我们才能真正成为一个有品德、有爱心的人，为社会的进步和和谐做出贡献。让我们共同努力，让善良成为我们生活的底色，让美好成为我们社会的主旋律。

在案例 1 中，三名毒品犯罪嫌疑人案发时年纪最小的也已经 61 周岁，年纪最大的已经 75 周岁以上。目前吸毒人员年龄向中老年过渡趋势明显，尤其是毒龄 5 年以上的大龄吸毒人员。中老年群体贩毒者自身都吸毒，零包贩卖毒品大多是为了以贩养吸，以贩卖的毒资可供自己吸食或者帮助他人贩卖以获取毒品。中老年人是需要被关爱的群体，该年龄段处于身体还算硬朗，工作又大多处于闲赋状态，是工作阶段到养老阶段的一个过渡时期。这个时期收入明显降低，身体精力尚且充沛，知识水平和文化素养不高且有劣迹前科的老年人更容易走上重新犯罪的道路。针对中老年这类特殊群体，我们应该弘扬中华优秀传统文化，倡导尊老、敬老、爱老、助老的社会风气，增强大学生尊重老人的意识，有助于减少中老年人违法犯罪和危害社会的行为。

与传统毒品不同，"上头"电子烟常常被冠以日常用品的包装，出现在年轻人扎堆的地方。但是"上头"电子烟与普通电子烟是完全不同的两个物品。"上头"电子烟属于新型毒品，吸食后会出现头晕、呕吐、精神恍惚、致幻等反应，并在不知不觉中染上毒瘾，而过量吸食则会出现昏迷、休克、窒息甚至猝死等情况。吸食和贩卖毒品，均属于刑事犯罪活动，在上述提及的两个"上头"电子烟贩卖案例中，两名大学生葬送了自己美好的前程。

大学生是家庭、社会和国家的希望，同时也是很多不法分子的目标，这是因为大学生少了家长的贴身管教，手上也有了一些钱。初步接触社会，很容易被各种花花世界所诱惑。案例 1 中的罗某和宿某为了图新潮、为了显示自己的与众不同，接触了类似明显有猫腻的东西。案例 2 中的李某某贪图不法利润，使自己被毒品侵蚀。大学生充满着朝气和活力，积极尝试新鲜事物是好事，但是大学生更应该学会明辨是非的能力，掌握基本的法律知识和和法律素养。我们处于社会主义国家，拥有公平和法治的优良制度，社会处于蓬勃发展的大好时期，如果大学生能够把自己的时间和精力用在对社会有益的事业中，不仅自己能发展的更长远，拥有更宽广的生命厚度。我们国家与西方国家的科技水平的差距也会因此缩小或超越他们。

第十八章

制造毒品典型案例

制造毒品是指制造毒品的行为。只要是制造毒品，即构成制造毒品罪。制造毒品包括以下五种情况：一是将毒品的原植物作为原料，提取或制成毒品，如将罂粟制成鸦片。二是毒品的精制，即去掉毒品中的不纯物，使之成为纯度更高的毒品。如去除海洛因中所含的不纯物。三是使用化学方法制作毒品。如使用化学方法将吗啡制作成海洛因。四是使用除化学方法以外的方法使一种毒品变为另一种毒品。如将盐酸吗啡加入蒸馏水，使之成为注射液。五是非法按照一定的处方针对特定人的特定情况调制毒品。制造毒品罪应以实际上制造毒品为既遂标准，至于制造出来的毒品数量多少、纯度高低等，都不影响既遂的成立。着手制造毒品后，没有实际上制造出毒品的，则是制造毒品未遂。

第一节 案情介绍

"外国人用鸦片打开中国的大门，我也应该用冰毒打开他们的大门！"说出这句话是中国第一大毒枭刘某某，他恶贯满盈，制造冰毒超过14吨，于2009年被执行死刑。刘某某生产、贩卖冰毒与其个人价值观有很大的关系，他虽然当过兵和司法警察，但是没有把自己的特长和优势发挥到对人类有益的工作中，而是走上了制毒贩毒的不归路。

一、刘某某的制毒脉络

（一）制毒前的人生

1965年3月5日，出生于F省A市S镇。12岁时父亲去世，母亲常年卧病，兄弟姐妹5人靠大哥拉扯长大。

图 18-1　刘某某庭审现场

1983 年 11 月，虽然刘某某的学习成绩优异，但是不满足现状的他退学入伍，在武警 Z 市边防支队当兵。

1983 年～1988 年的近 6 年里，没有任何社会背景的刘某某勤奋上进，从一名普通士兵一步步晋升到武警 Z 市边防支队 T 县大队某派出所的正排职干事并代理司务长。1988 年刘某某贪污公款 145.15 元被部队处分。

1989 年 12 月退出现役，转业到地方，被安排在 A 市人民法院任司法警察。担任法警时曾立"三等功"，是人民法院的"先进工作者"。可是法警每个月不到 60 元的工资很快让他厌倦了这份工作。

1994 年 12 月，刘某某辞去法警工作，先去政府从事招商工作，随后"下海"。

（二）疯狂制毒

1995 年刘某某纠合郭某某、丁某某在 A 市 S 镇 I 村和 X 村交界处设立了"H 塑料有限公司"，开始以生产"洋葱素""洋葱晶"为名研发试制毒品"安非他命"。由于当时冰毒生产必须使用麻黄素，而使用时必须加入强醋酸，味道难闻，污染严重，极易被警方发现。而且麻黄素被国家严格控制，市场上很难找到。刘某某抛开这个配方，研发了一种使用甲胺、酒石酸、盐酸、碱片等化学原料合成得到冰毒的新的制造技术。成功后，刘某某迅速试探销路，并与陈某甲商议由陈某甲帮忙联系买主。

1996 年 6 月，刘某某把首批制造出来的安非他命 15 千克交由其小舅子吴某某保管，同年 7 月 4 日中午，陈某甲从吴某某处取了一小包安非他命样品给中间人温某介绍的买主验货，并商定好价钱及数量，第二天中午 12 时许，吴某某将 5 包共 5 千克的安非他命毒品用方便面纸箱包装好后，交给陈某甲。当陈某甲与张某某等人汇合进行交易时，被公安机关抓获。被缴获的白色晶体物经送检，检出安非他命成分含量达 45%。在涉案人员中，陈某甲和张某某因检举刘某某有功死刑改判无期，吴某某判三年有期徒刑，缓刑五年执行。刘某某潜逃。

1998 年 5 月间，被告人刘某某与陈某乙（已于 2009 年 1 月 9 日被执行死刑）等人商议由刘某某提供制毒技术并负责生产，其他人提供资金，共同制造冰毒贩卖牟利。之后，陈某乙出资租用了其妻兄在 D 省 P 市 C 村的一家手提包加工厂作为制造毒品的场所。同年 5 月至 6 月，刘某某纠合江某某等人，陈某乙纠合罗某某等人共同在上述地点生产毒品冰毒约 300 千克，由陈某乙等人销售牟利。生产过程中，由刘某某主要负责购买原料、提供技术等。同年 9 月初，因在 P 市制毒造成附近鱼塘被污染以及容易引起公安人员注意等原因，刘某某、陈某乙遂密谋由陈某乙负责出资和销售，刘某某负责购买原料、设备、生产和运输，采用利润共分的方式在 N 省 Y 市设立新的制毒工厂。之后，主要由刘某某从多地购买制毒的原材料、配料及其他制毒设备准备制造毒品。从 1998 年 10 月至次年 10 月期间，刘某某指挥郭某某、罗某某等人，利用甲胺、盐酸等通过化学合成的方法，制造出大量毒品冰毒，并运往多地销售。

1999 年 11 月，从 N 市运往 G 市 12 吨的冰毒被警方查获，刘某某东窗事发，逃离 G 市，化名"李某某"，以商人身份出现在 L 市。

（三）九年逃亡生涯

自 1996 年陈某甲、张某某被抓供出刘某某开始，警方就布下天罗地网，开始抓捕行动。曾经当过武警、法警的刘某某具有极强的反侦查能力。在 9 年的逃亡生涯中，有 4 次与警方的正面交锋，3 次都成功逃脱，最后 1 次被警方的"啄木鸟"行动抓捕归案。

第一次交锋，1996 年警方驱车达到刘某某位于 A 市 S 镇赛河边"H 塑胶有限公司"的制毒工厂时，刘某某已通过挖掘的通往赛河边的地道快速乘快艇逃走。

第二次交锋，1999 年警方得到线索，逮捕了 G 市总统大酒店 818 房间的刘某某的同伙后，通过消防通道到达房间的刘某某看到房间有陌生人转头就离开了。警方同时在各个交通要道设立关卡，检查过往车辆。刘某某则购买了一辆自行车逃离了警方的封锁范围。

第三次交锋，2004 年 11 月 24 日公安部向全国发出了刘某某等人的通缉令。刘某某当时正在一位 F 省老乡店铺内，很多人说照片里的人很像他。刘某某于是连其在 L 市的别墅也没有回，就直接驾车逃跑。当晚 10 时，刘某某逃到了 B 市，购买了大量的方便面、饼干和矿泉水，躲进了一个废弃的雷达站山洞内。刘某某靠这些食物整整度过了 16 天。16 天后，警方才赶到雷达站并再次扑空。

第四次交锋，2005 年 3 月 5 日这一天也是刘某某的生日。凌晨公安部门"啄木鸟行动"开始，警方只用了十几秒的时间在 F 省 A 市街尾某出租屋将其抓获归案。此时的刘某某正在筹备两天后逃往他国。

二、审讯过程及裁判结果

（一）一审过程及结果

2006 年 6 月 26 日，刘某某等特大制造、运输、贩卖毒品案，在 G 市中院一审开庭。人民法院决定在查明各被告人犯罪事实的基础上，将择日依法宣判。在庭上，人民检察院指控，1995 年至 1999 年，被告人刘某某先后伙同同案被告郭某某、陈某乙（已起诉）等人在 F 省 A 市、D 省 P 市、N 省 Y 市等地制造毒品冰毒 18 000 多千克，并将部分毒品运到 G 市等地贩卖，从中获利 3200 多万元。被告人郭某甲、郭某乙、阮某某在 2004 年 11 月 24 日公安部向全国发出通缉刘某某等人的通缉令后，仍为其提供财物和隐藏处所，帮助其逃匿。被告人李某某明知刘某某是公安机关的追捕对象，仍帮助其将赃款 532 万元转移，以逃避侦查。同时，李某某还将 120 万元交付刘某某，协助其外逃。

G 市中级人民法院对刘某某等人毒品犯罪大案进行公开宣判。刘某某因犯制造、贩卖、运输毒品罪被判处死刑，剥夺政治权利终身，并处没收个人全部财产；同案人郭某丁构成制造、运输毒品罪被判死缓；帮助刘某某逃匿、转移赃款的李某某、郭某甲、郭某乙、阮某某等人分别被判 5 年至 2 年 6 个月不等有期徒刑。

（二）二审过程及结果

2007 年 7 月 1 日，刘某某以一审判决事实不清、证据不足提起了上诉，2008 年 4 月 18 日，D 省高院依法组成合议庭对此案进行公开开庭审理，刘某某及其手下郭某丁、李某某等 6 名被告人依次受审。

刘某某及其代理律师在法庭上以公安机关查获、扣押的物资不是法律认定的冰毒为由进行辩护。刘某某及其代理人 F 省 K 律师事务所的陈某某律师在辩护中提出，刘某某生产的是盐酸左旋和右旋甲基苯丙胺，是冰毒的异构体，与冰毒不是同种物质，是香水香料、卷烟香料。虽然其中含有冰毒成分，但至多是化学中间成分。对刘某某的定罪量刑不能适用冰毒的认定标准，他们申请对公安机关查获、扣押的物品进行重新鉴定，其律师认为一审时未进行重新鉴定，程序违法。

在法庭上，刘某某竟突然抛出惊人之语，他称其在 N 省 Y 市等地设厂制造盐酸左旋和右旋甲基苯丙胺，是响应国家的号召支援"西部大开发"，这才"挥师"前往，自己"是有功人士"。刘某某还提出，其被抓获后有主动交代公安机关尚未掌握的事实，有自首情节和立功表现，请求二审依法从轻处罚。

2008 年 6 月 25 日，D 省高院二审裁定驳回上诉，维持原判，并报最高人民法院核准。2009 年 9 月 15 日刘某某被执行死刑。

第二节　案例分析

一、案情分析

（一）二审辩护点

"刘某某制毒案"中涉及几个毒品名词，"冰毒""安非他命"和"盐酸左旋和右旋甲基苯丙胺"。这四个名词之间的关系是，"安非他命"的化学名称是苯丙胺，"甲基苯丙胺"是"冰毒"的主要成分，"安非他命"（苯丙胺）是制造冰毒的一种原料。"盐酸左旋和右旋甲基苯丙胺"是"甲基苯丙胺"的盐酸盐（即冰毒）。

在二审时，刘某某及其代理律师打算偷梁换柱，把盐酸左旋和右旋甲基苯丙胺与冰毒区别为两种物质。虽然从物质的化学结构式和分子量等方面看，二者不同，盐酸甲基苯丙胺比冰毒的化学结构式多了一个盐酸分子。但是药物制成盐酸盐的目的是增加水溶性，因为很多原药水溶性都很差，如冰毒为液态，不溶于水，成盐酸盐后为白色结晶状粉末，易溶于水。这样的盐酸盐进入机体后，盐酸会被脱去变回原型，发挥药效。因此，在二审时人民法院裁定刘某某制造的为冰毒，驳回其上诉，维持原判。

（二）法律完善时间节点

"刘某某制毒案"的时间点与中国禁毒法律完善的时间相平行。在刘某某疯狂制造冰毒的 1995 年至 1999 年之间，中国对冰毒的管制从精神药品升级到了毒品。1990 年 12 月 28 日公布的《全国人民代表大会常务委员会关于禁毒的决定》（已失效）中第 1 条规定："本决定所称的毒品是指鸦片、海洛因、吗啡、大麻、可卡因以及国务院规定管制的其他能够使人形成瘾癖的麻醉药品和精神药品。"结合 1989 年 4 月 21 日公布的《关于转发"精神药品品种及分类"的通知》中的精神药品品种及分类，冰毒和苯丙胺（安非他命）均为第一类精神药品，首先它们的用途是药用，被作为毒品滥用时，才能认定为毒品。从当时的法律文件可以看出，冰毒被作为精神药品管制。1991 年中国首次发现冰毒，当年就缴获 351 公斤，到 1999 年缴获数量猛增到 16.059 吨，超过了以往十年缴获总和。2000 年全国缴获冰毒 20.9 吨，可见其滥用之严重，危害之大。因此后面的法律文件都把冰毒作为毒品进行了严格管控。例如，1997 年修订的《刑法》第 347 条第 2 款第 1 项规定："走私、贩卖、运输、制造毒品，有下列情形之一的，处十五年有期徒刑、无期徒刑或者死刑，并处没收财产：（一）走私、贩卖、运输、制造鸦片一千克以上、海洛因或者甲基苯丙胺五十克以上或者其他毒品数量大的；"2007 年 12 月 29 日公布 2008 年 6 月 1 日起施行的《禁毒法》中第 2 条第 1 款规定："本法所称毒品，是指鸦片、海洛因、甲基苯丙胺（冰毒）、吗啡、大麻、可卡因，以及国家规定管制的其他能够使人形成瘾癖的麻醉药品和精神药品。"

二、案例启示

刘某某是一个"天才级"的制毒犯罪分子。他在上学时成绩优异，在高中期间获得过全省化学竞赛二等奖。部队当兵时因为勤奋上进从一名普通士兵一步步晋升到武警 Z 市边防支队 T 县大队某派出所的正排职干事并代理司务长。当法警时荣立三等功，是人民法院的先进工作者。这样一个本来积极上进的人，最终走上了制毒贩毒的不归路，让本该美好的人生定格在了 44 岁，其中还包括 4 年的牢狱生活。由此可见聪明才智可以让我们生活工作的更好，但是最终决定我们人生高度和长度的是我们的良好品格和人生价值的追求。

刘某某是一个贪婪和急功近利的人，他寻求名利上的快速成功，无视和践踏法律。在 1996 年法庭审理陈某甲和张某某贩卖毒品案件时，刘某某居然出现在旁听席上。在 2004 年的逃亡路上，在躲藏山洞中留下挑衅公安机关的"刘某某到此一游"7 个大字。刘某某还是一个信口雌黄之人，他居然说出"外国人用鸦片打开中国的大门，我也应该用冰毒打开他们的大门！"，现实与刘某某所述不同，其制作的毒品有很多都流向了国内，破坏了无数的家庭，造就了无数的悲哀！他称其在 N 省 Y 市等地设厂制造盐酸左旋和右旋甲基苯丙胺，是响应国家的号召支援"西部大开发"，这才"挥师"前往，自己"是有功人士"。这样一个黑白颠倒之人，根本没有敬业和诚信可言，被金钱的诱惑所吞噬，无视法律的公平和正义。刘某某的人生经历值得我们反思，我们应该关注年轻人的心理健康和人生价值取向，帮助他们树立正确的人生观和价值观，把自己的前途命运和国家的未来联系起来，做一个对国家和社会有益的人。

从刘某某制毒和法律完善的时间点可以看出，法律具有滞后性。法律的滞后性是天生的，与法律的稳定性相辅相成。这是因为社会生产生活实践总是会产生法律管制之外的新问题，司法需要在法律框架内作出适当判断或解释，从此解决社会实践、法律法规和社会主义核心价值观之间的紧张状态。因此，司法只是公平和正义的最后一道防线，在道德的更高层面上普及社会主义核心价值观，树立大学生引领社会道德风高的责任感对建设现代文明是很好的示范。

第十九章

新精神活性物质典型案例

"新精神活性物质"，又称为"策划药"和"实验室药品"。根据 UNODC 的定义，新精神活性物质为模仿已被列管毒品效果的、未被国际禁毒公约（《经〈修正 1961 年麻醉品单一公约的议定书〉修正的 1961 年麻醉品单一公约》和《1971 年精神药物公约》）列管的纯品或混合物，其滥用问题可能威胁公共健康安全，如"笑气"就属于新精神活性物质。继传统毒品、合成毒品之后，新精神活性物质是全球流行的第三代毒品，其危害比传统毒品更大，主要危害在滥用成瘾、精神和心血管系统损害等方面。

第一节　案情介绍

案例 1："上头"电子烟

一、基本案情

卢某某（微信昵称"Aa. 铜鬼"）在 2021 年 6 月中旬向一个微信昵称为"Aa. 小辰"的微信好友（身份不明）以 1450 元的价格购买了 50 支电子烟空管和一大一小两瓶"大麻油"，随后卢某某将"大麻油"直接滴入或用一次性注射器注入电子烟空管，制成"上头"电子烟贩卖牟利。

2021 年 7 月 1 日凌晨 2 时 27 分，被告人卢某某通过支付宝收取白某某毒资 60 元人民币，向其贩卖"上头"电子烟一支，按照白某某提供的位置和电话将"上头"电子烟交给白某某。

2021 年 7 月 7 日 21 时许，卢某某通过微信向张某某（微信昵称"琪酱"，案发时系未成年人）收取毒资 60 元，向其贩卖"上头"电子烟一支，按照张某某提供的收货地址交给张某某。

7月8日凌晨2时许，卢某某再次通过微信收取张某某转账65元，由UU跑腿将一支"上头"电子烟按照张某某提供的收货地址送至X市L区某小区，张某某让白某某取毒品时被民警抓获，现场查获"上头"电子烟一支。

2021年7月8日，某人员在X市某小区某室内查获被告人卢某某存放在韩某某家中的"上头"电子烟6支；后又在X市B区华豪丽晶小区被告人卢某某家中，查获"上头"电子烟两支、疑似合成大麻素液体（电子烟油）半瓶。

二、审讯过程及裁判结果

被告人卢某某明知"大麻电子烟"是新型毒品，违反国家对毒品的管理制度，多次向他人贩卖合成大麻素，共计6.4469克（折算为海洛因1.2894克），情节严重；卢某某的行为已触犯《刑法》第347条第4款之规定，构成贩卖毒品罪。依照《刑法》判决如下：卢某某犯贩卖毒品罪，判处有期徒刑三年，并处罚金三千元。

案例2："上头"电子烟

一、基本案情

2021年7月8日凌晨2时许，张某某（微信昵称"A. 苏俞"）收取汪某某（又名"阿轩"，微信昵称"A. 霖阿萱"）微信转账98元毒资，欲向其贩卖"上头"电子烟两支，遂向朱某某（微信昵称"泷"，案发时系未成年人）微信转款70元联系购买。朱某某向卢某某微信转账65元购买"上头"电子烟，卢某某按照朱某某所提供的张某某的位置和电话，将"上头"电子烟交由UU跑腿送至X市P区某宾馆楼下，被告人张某某取货时被民警当场抓获，现场查获"上头"电子烟。

2021年7月6日，被告人张某某在西安市某酒店内以100元的价格向汪某某贩卖"上头"电子烟两支。

经司法鉴定中心司法鉴定，在卢某某处、张某某处、张某某处和韩某某处查获的电子烟烟油中均检出合成大麻素成分（英文简称：MDMB-4en-PINACA）。

二、审讯过程及裁判结果

被告人张某某明知"大麻电子烟"是新型毒品，违反国家对毒品的管理制度，被告人张某某向他人贩卖合成大麻素0.35克（折算为海洛因0.07克），张某某的行为已触犯《刑法》第347条第4款之规定，构成贩卖毒品罪。依照

《刑法》判决如下：张某某犯贩卖毒品罪，判处有期徒刑十个月，并处罚金一千元。

案例3：迷奸药案例

一、基本案情

张某某（微信昵称"上上签"）在网上学会制作含有 γ-羟丁酸成分的毒品原液"G水"后，明知该药水属于含有毒品成分的国家管制精神药品，仍在网上宣传该药水可以使人催情、失忆、昏迷，用于迷奸，并以"催情水"名义对外销售。卢某某（微信昵称"司马先生"）明知张某某所出售的原液"G水"等含有毒品成分，将从张某某处购买的原液兑水后以"G水""GHB""天使""眼药水"等不同名字对外出售，制作并转发产品作用和使用说明，向购买的下家和代理宣传可以使人产生催情、失忆、昏迷的效果，用于迷奸；史某（微信昵称"A@晓宁"）、刘某某（微信昵称"AO慧姐不墨迹"等）、梁某某（微信昵称"印娃"等）、国某某（微信昵称"洛熙"）、汤某某（微信昵称"緗芸""芗云姐"）、李某某（微信昵称"白城旧忆"）、么某（微信昵称"AA老铁"）等均明知该产品属于国家管制的精神药物以及可以用于迷奸等作用，仍然从上家购买并贩卖，将下家购买的订单转给自己的上家，由卢某某或他人发货，赚取中间的差价，谋取非法利益。经鉴定，张某某所生产并贩卖的原液药水中，检出毒品 γ-羟丁酸成分。上述人员的犯罪事实如下：

1. 自2018年3月至2019年8月，张某某将含有毒品 γ-羟丁酸成分的药水原液"G水"贩卖给被告人卢某某等人，共出售52次，收取毒资款人民币63 905元。

2. 2018年3月至2019年8月，卢某某从张某某处购买含有毒品 γ-羟丁酸成分的药水原液"G水"后，在自己家中兑水并分装成每瓶10 mL~20 mL，以"夜艳""魅惑""午夜""嗨神""紫烟""七福""G水""眼药水"等名，通过网络贩卖给下级代理。卢某某另从他处购买含有毒品冰毒成分的"眼药水"。卢某某共计贩卖毒品470次，收取毒资款人民币94 555元。

3. 史某是卢某某的下级代理商，其从卢某某处购买含有毒品成分的药水后，贩卖给下级代理商刘某某、梁某某、汤某某、李某某等人牟利。史某共贩卖毒品295次，收取毒资款人民币68 920元。

4. 刘某某是史某的下级代理商。2018年6月至7月，刘某某向国某某、余某等人贩卖"眼药水""GHB""紫烟""迷漫""新品睡"等含有毒品的药品共计 237 次，收取毒资款人民币 59 740 元。

5. 梁某某是史某的下级代理商。2019 年 3 月至 8 月，梁某某使用昵称"印娃""素材号""下单号""不发圈""安防设备""王者荣耀典藏"等微信号对外贩卖"眼药水""弥漫""三唑仑""乖乖水""千岛粉""猎艳"等含有毒品成分的药水及片剂，共计向他人贩卖 11 次，收取毒资款人民币 7410 元。

6. 国某某（微信昵称"洛熙"）是刘某某的下级代理商，他将含有毒品成分的药水"天使""魅惑""三唑仑"贩卖给自己联系的买家。2019 年 7 月至 8 月，国某某将买家等人收货信息发送给刘某某，汇款给刘某某共计 39 次，全额共计人民币 10 550 元。经鉴定，"天使""魅惑"内含有 γ-羟丁酸成分。

7. 汤某某（微信号昵称为"緗芸""芗云姐"）是史某的下级代理商，其将自己联系的需要购买含有毒品成分的药水的买家地址发给史某和"都市猎人"，由上家直接发货。其共计贩卖 35 次，收取毒资款人民币 8260 元。

8. 李某某是史某的下级代理商。2019 年 6 月至 2019 年 8 月 27 日，被告人李某某共计向 19 人贩卖"午夜""弥漫""新品睡""睡"等含有毒品成分的药水，收取毒资款人民币 9480 元。经鉴定，"午夜""弥漫""新品睡""睡"等药水含有 γ-羟丁酸成分。

9. 么某（微信昵称"AA 老铁"）是卢某某和"中国台湾保健"的下级代理商。2019 年 5 月至 2019 年 8 月底，么某 7 次向肖某（微信昵称"余生我只要你"）贩卖"催情水""夜欲"等含有毒品成分的药水，收取毒资款人民币 4270 元。经鉴定，在肖某处查获的"催情水"含有 γ-羟丁酸成分。

2019 年 8 月 27 日张某某、卢某某、史某、刘某某、汤某某、李某某被抓获归案，同年 8 月 29 日梁某某被抓获归案，同年 9 月 3 日，国某某主动投案；同年 9 月 5 日，么某主动投案。上述 9 人归案后，均如实供述了自己的犯罪事实。

二、审讯过程及裁判结果

法院认为，被告人张某某明知自己制造的药水含有毒品成分，仍然多次贩卖、制造，情节严重，其行为已构成贩卖、制造毒品罪；被告人卢某某、史某、刘某某、梁某某、国某某、汤某某、李某某、么某明知是国家管制的精神药物，可能是毒品，仍然多次向他人贩卖，情节严重，均已构成贩卖毒品罪。张某某、卢某某、史某、刘某某、梁某某、汤某某、李某某系坦白，依法可以从轻处罚；国某某、么某系自首，依法从轻处罚。依照《刑法》判决如下：

1. 张某某犯贩卖、制造毒品罪，判处有期徒刑六年六个月，罚金人民币七万元。

2. 卢某某犯贩卖毒品罪，判处有期徒刑六年六个月，罚金人民币六万五千元。

3. 史某犯贩卖毒品罪，判处有期徒刑五年六个月，罚金人民币五万元。

4. 刘某某犯贩卖毒品罪，判处有期徒刑五年六个月，罚金人民币五万元。

5. 梁某某犯贩卖毒品罪，判处有期徒刑三年六个月，罚金人民币三万五千元。

6. 国某某犯贩卖毒品罪，判处有期徒刑三年三个月，罚金人民币二万元。

7. 汤某某犯贩卖毒品罪，判处有期徒刑三年六个月，罚金人民币三万五千元。

8. 李某某犯贩卖毒品罪，判处有期徒刑三年六个月，罚金人民币三万五千元。

9. 么某犯贩卖毒品罪，判处有期徒刑三年，罚金人民币二万元。

10. 追缴张某某违法所得人民币六万三千九百零五元，追缴卢某某违法所得人民币九万四千五百五十五元，追缴史某违法所得人民币六万八千九百二十元，追缴刘某某违法所得人民币五万九千七百四十元，追缴梁某某违法所得人民币七千四百一十元，追缴国某某违法所得人民币一万零五百五十元，追缴汤某某违法所得人民币八千二百六十元，追缴李某某违法所得人民币九千四百八十元，没收么某退缴在案的违法所得人民币四千二百七十元，上缴国库。

案例 4："吹气球"案例

一、基本案情

2021 年 12 月至 2022 年 3 月末，韩某伙同陈某某、那某某、刘某某（均另案处理），在明知"笑气"（一氧化二氮）为危险化学品，未取得危险化学品经营许可证等手续，且在无任何安全防护措施的情况下将大罐"笑气"分装成小罐，通过微信支付等方式以每小罐 80 元至 100 元人民币不等的价格销售给他人吸食。

公安机关扣押 9 个大罐、1 个中罐、74 个小罐，经抽样鉴定，均检出一氧化二氮成分。被告人韩某伙同他人共非法获利人民币 58 541 元。经审计，被告人韩某经营数额为 260 773 元。

图 19-1　笑气钢瓶

二、审讯过程及裁判结果

韩某在未取得危险化学品经营许可证的情况下，伙同他人非法经营一氧化二氮，非法经营数额为 260 773 元人民币，扰乱市场秩序，情节严重，其行为已构成非法经营罪。本案为共同故意犯罪，结合韩某在共同犯罪中的地位、作用等予以处罚。韩某如实供述犯罪事实，自愿认罪认罚，依法予以从轻处罚。

综上，依照《刑法》判决如下：

1. 被告人韩某犯非法经营罪，判处有期徒刑二年，并处罚金人民币五万元。

2. 继续追缴被告人韩某与其他同案犯的共同非法所得人民币五万八千五百四十一元。

第二节　案例分析

一、案情分析

合成大麻素、γ-羟丁酸和一氧化二氮都在医疗上有着广泛的应用，但是因其与管制毒品相似或更强的兴奋、致幻、麻醉等效果，被不法分子用于谋取利益，或其他违法犯罪行为。添加合成大麻素的"上头"电子烟的介绍见第十九章的案情分析。γ-羟丁酸是我国规定管制的第一类精神药品。常被贩毒分子制成毒品"神仙水"，又叫做"fing 霸""迷奸药"，通常是一种无色、无味的液体。吸食后可导致心率缓慢、肝衰竭、呼吸抑制、低血压和吸入性肺炎、体温下降、抽搐、恶心、谵妄、昏迷或其他疾病发作。吸食者服用后可出现性欲增强的特点并产生快速睡意，苏醒后会出现短暂性记忆缺失，即对昏迷期间发生的任何事件都无记忆，常被犯罪分子利用实施强奸。一氧化二氮为无色不可燃的气体，气味微甜，有轻微麻醉作用，并能致人发笑，其具有重要的医疗用途，具备麻醉和减轻疼痛的效果，被作为麻醉剂广泛运用于外科和牙科。笑气对大脑神经细胞有一定麻醉作用，所以一部分人在吸食后会感觉到头脑兴奋、躯体放松，紧接着便面色酡红，不由自主地发声大笑；另外一部分人，则是会情绪兴奋、抱头痛哭，整体来看状若疯癫。

（一）案例1和案例2

本章"上头"电子烟案例是在烟油中添加大麻素成分，那么烟油中合成大麻素成分的纯度是否需要测定？合成大麻素为什么要折算为海洛因呢？

毒品犯罪案件中的鉴定意见包括定性鉴定与定量（纯度）鉴定，每个毒品犯罪案件当中必须有定性鉴定意见，但并非每一个案件都会有定量鉴定意见，这缘起于《刑法》第357条第2款的明确规定："毒品的数量以查证属实的走私、贩卖、运输、制造、非法持有毒品的数量计算，不以纯度折算。"也是由于这一规定，很多法院在遇到毒品犯罪案件时，不考虑毒品的纯度，即便纯度极低，也不将其纳入量刑考虑。但在司法实践中却出现了所贩卖的毒品纯度很低的现象，如果以总量计算违背了刑法的罪责刑相适应原则。为此，最高人民法院《关于执行〈全国人民代表大会常务委员会关于禁毒的决定〉的若干问题的解释》对毒品的纯度作了规定："海洛因的含量在25%以上的，可视为〈决定〉和本解释中所指的海洛因。含量不够25%的，应当折合成含量为25%的海洛因计算数量。"但是由于立法的滞后性，近年来刚刚兴起的新型毒品并没有得到广泛的关注，实务中应对新型毒品犯罪还没有完善的标准。

2021年将合成大麻素列入到《非药用类麻醉药品和精神药品管制品种增补目录》中后，合成大麻素就成为法律意义上的毒品了，但是在具体的量刑过程中，对于《刑法》、司法解释及其他规范性文件没有规定量刑数量标准。只能根据2004年国家食品药品监督管理局公布的《非法药物折算表》中麻醉药品和精神药品与海洛因的折算比例进行折算，例如，合成大麻素，按照《非法药物折算表》折算为海洛因后进行量刑。

（二）案例3和案例4

"吹气球"案例是按照非法经营罪裁判的，另外两个案例均为贩卖毒品罪，是什么造成这个裁判结果的？

"吹气球"案例中笑气作为一种医学用品，也没有被列入麻醉药品或精神药品的管制名录，目前笑气是新精神活性物质，虽然不是毒品，但是吸食笑气的行为依旧是违法的。笑气为危险化学品，根据《刑法》，司法机关对于没有经营许可，非法买卖笑气的行为可以非法经营罪追究刑事责任；根据《中华人民共和国治安管理处罚法》，对于非法持有、吸食笑气的，因"非法使用危险物质"给予行政处罚。因此吹气球案例不同于"上头"电子烟案例和迷奸药案例，只能按照非法经营罪裁判的，另外两个案例均为贩卖毒品罪裁判。

二、案例启示

在上述案件中，尤其迷奸药案例涉及人员众多、分布在 7 个省份。综上新精神活性物质涉案人员年轻化，被抓获时年龄最大的 35 周岁，最小的 18 周岁。文化层次以初中文化居多，但是也有硕士学历人员涉案。此外犯罪网络化明显，犯罪分子普遍使用互联网进行毒品交易，采用电子支付等非接触方式结算，交易流程"人、毒、财"分离，"网络+寄递"的形式成为贩运毒品的重要方式。在交付环节，犯罪分子多使用虚假寄件人、收件人身份和地址，利用"跑腿""同城直送"等方式寄递毒品；在联系交易环节，犯罪分子除使用大众化的即时通讯社交软件外，还使用阅后即焚等新型通讯软件，采用代号、暗语进行联系，犯罪手段隐蔽，证据收集、审查难度大。

针对新精神活性物质监管难等问题，需要大力发展计算机技术与大数据监管在禁毒工作中的应用。实时和准确监管新精神活性物质的生产和流通，防止其滥用和非法交易。收集新精神活性物质及其原料的产生和销售数据，形成一个"点—线—面"结合的数据采集模式。利用大数据分析技术，挖掘数据采集获得的新精神活性物质成品和合成原料的生产及销售数据之间的关联关系，可以实现异常状态检测。

对于非常见毒品，"国家规定管制的其他能够使人形成瘾癖的麻醉药品和精神药品"即毒品，具体是列入《国家麻醉药品品种目录》或《国家精神药品品种目录》的管制物品。笑气并不在其列，笑气不属于毒品。但是笑气对人体健康和社会的危害是巨大的，可以通过以下三个方面应对：首先通过预防教育来减少对笑气的非法需求，对青少年等重点人群开展有针对性的滥用笑气防范宣传和教育。其次引导他们科学认知滥用笑气的危害性、切实筑牢抵制滥用笑气的心理防线，通过打击犯罪减少笑气的非法供应。在现有法律制度框架下，继续按照"非法经营类案件"加大对非法贩卖笑气违法犯罪活动的打击力度。最后通过治疗康复降低笑气的社会危害，从身心两方面对滥用笑气成瘾的人进行康复治疗，帮助他们成功摆脱笑气的纠缠，顺利回归正常生活，有效遏制因滥用笑气引发的社会危害的扩散蔓延。

第二十章

吸毒戒毒典型案例

　　吸毒即吸食毒品，是一种与医疗目的无关的违法犯罪行为。毒品能使人上瘾，吸食以后可能会出现情绪失控、幻觉、妄想等精神症状，容易导致自杀和伤人等暴力行为。吸毒会严重影响人体健康，会导致社会秩序混乱和增加社会不稳定因素。戒毒是指吸毒人员戒除吸食、注射毒品的恶习及毒瘾。"一朝吸毒，终身戒毒"，可见戒毒是一条漫长而艰巨的路。对吸毒者进行戒毒治疗，单纯停止吸食并不是戒毒的成功，完整的医疗戒毒治疗包括四个环节：生理脱毒、心理脱瘾、康复治疗和回归社会。

第一节　案情介绍

案例1：吸毒致死

　　2021年，未成年人马某（17岁）跟随邹某等8人到胡某提供的场所吸毒。期间，马某等人先吸食前日剩余的毒品，后邹某等人因毒品不够，遂通过中间人熊某、李某联系冯某、全某购买毒品后继续吸食。众人在"蹦迪"过程中发现马某瘫坐在沙发上发抖，随后在进行短暂救治仍无法唤醒马某意识的情况下，选择继续娱乐，由张某、邹某留在外间照顾。至清晨时，张某要求将马某送医，众人决定由DJ芦某、服务员石某、朋友张某、同行人员邹某送医，但马某经抢救无效死亡。经法医学鉴定，马某符合吸食毒品后中毒死亡。后检察机关指控被告人冯某、全某犯贩卖毒品罪、被告人胡某犯容留他人吸毒罪向人民法院提起公诉。马某的母亲邵某将与该案有联系的15人起诉至人民法院，要求赔偿死亡赔偿金等费用。

　　人民法院经审理后认为，吸食毒品的违法性质是社会公认，马某已年满16

周岁，以自己的劳动收入为主要生活来源，视为完全民事行为能力人。她作为一个有社会工作经历的人，明知吸食毒品可能导致的危害，仍多次自愿参与吸毒，其自身对死亡结果的发生具有重大过错，应承担主要责任，但考虑到其未满18周岁，心智尚有不成熟的地方，可以减轻责任，因此马某自身对死亡结果承担50%的责任；邹某等8人进行吸毒活动，熊某等2人介绍场所、帮助购买毒品，胡某、芦某、李某等3人提供有偿服务，均应对马某死亡结果承担相应的民事赔偿责任。冯某、全某2人系贩卖毒品人员，但马某死亡前两日有吸食其他毒品的行为，其毒品来源并非只有冯某、全某，无法确定两人贩卖的毒品与马某的死亡有直接因果关系，故冯某2人不承担民事赔偿责任。最终，阳新法院判决邹某等8人承担30%的民事赔偿责任，熊某等2人承担15%的民事赔偿责任，胡某等3人承担5%的民事赔偿责任。

此外，在本次事件中，胡某、冯某、全某3人的行为已构成犯罪，应承担刑事责任。人民法院判决，胡某犯容留吸毒罪，判处有期徒刑一年，并处罚金人民币一万元；冯某犯贩卖毒品罪，判处有期徒刑四年，并处罚金人民币二万元；全某犯贩卖毒品罪，判处有期徒刑三年二个月，并处罚金人民币二万元。

案例2：吸毒致幻

王某，男，汉族，1978年6月10日出生于H省K市，小学文化，无业，户籍地K市。王某是吸毒人员，曾多次因吸毒被行政处罚和强制隔离戒毒。2018年1月22日晚至23日上午，王某在租住处吸毒，之后产生幻觉。23日13时许，王某因幻觉在租住处楼下向租住处楼上叫骂并用小石头砸向二楼。其间，被害人王某甲（殁年68岁）和被害人王某乙（女，殁年69岁）夫妇二人步行从王某租住处旁边小巷经过，王某跑过去，用随身携带的不锈钢折叠刀捅刺王某甲和王某乙，先将王某乙刺倒，在遭到王某甲阻拦后，王某又持刀追刺王某甲。王某持刀分别捅刺王某乙、王某甲头部十余次，在王某乙、王某甲倒地后，又捡起砖石猛砸王某乙、王某甲头部数次，致王某乙、王某甲均因严重颅脑损伤而死亡。公安民警接到群众报案后，赶至现场抓获王某。

案例3：强制戒毒

戒毒人员胡某某，1957年生，因吸食冰毒被Y市公安局决定强制隔离戒毒两年，系多次吸食冰毒被强戒人员，2022年3月再次执行强制隔离戒毒。

戒毒人员胡某某自入戒毒所以来思想不稳定，戒治态度不端正，对变更戒毒场所存有抵触情绪，对戒毒场所管理警察内心存在抗拒思想和抵触心理。戒治过程中常表现出多疑、敏感、猜忌、焦虑、孤僻、经常与他人发生摩擦等行为，身份意识和遵规守纪意识淡薄，行为养成比较散漫，与同戒关系紧张。胡某某在入所大队以年龄大、身体疾病为由，不服从警察管理，并且对伙食、生活条件等不断提出不合理要求。严重干扰了其他戒毒人员的戒治心态，影响了大队管理教育戒治秩序，给大队日常管理教育带来了巨大挑战。

经大队警察谈话了解，戒毒人员胡某某对公安机关强戒的决定不服，理由是毛发检测含量不足 50 毫克、检测结果决定书签字有异议，因此不服公安机关作出的强制隔离戒毒决定。在公安戒毒所强戒时委托律师向 Y 市人民法院起诉办案单位，法院判决驳回胡某某诉讼请求，维持原判决。胡某某收到判决书后仍然表示不服，随后又委托律师向 Y 市中级人民法院提起上诉。等待期间不断以身患疾病为由，索要止痛药物，入口后待警察离开后就将药物吐出丢弃，此行为严重违反戒毒人员服药规定。胡某某参加习艺劳动时，同样以患有疾病为由，能少干就少干，能溜就溜，以此抗拒习艺劳动，并且教唆其他戒毒人员躲避习艺劳动。2022 年 8 月份胡某某收到 Y 市中级人民法院败诉裁定后，思想仍然存有侥幸心理，经场所安全管控分析研判确定胡某某为重点矫治人员。

通过综合施策，胡某某表示接受人民法院判决和公安机关的强戒决定，服从戒毒场所管理，积极配合戒治，争取彻底戒断毒瘾，早日回归社会与家人团聚。

案例 4：成功戒毒

"人人都有做错的时候，但要认识错误，并且能知错能改。我也曾经吸过毒，我希望社会对那些曾经吸过毒的人能多点包容、给他们机会改过自新、重新做人。"

从年少好奇误入歧途到现在的集团董事长，从染上毒瘾到成功戒毒再到励志创业，他在尽自己所能帮助戒毒人员顺利就业、找回自我、重新回归社会，他就是来自 F 市 X 集团的董事长，F 市 N 区禁毒协会常务副会长梁某某先生。

"我小时候家境不是很好，小学还没毕业就休学出来和别人学做生意，赚了一些钱。"梁某某说。少年得志的梁某某，开始经常和朋友们混迹于娱乐场所。在一次朋友聚会上，有人递过来一支烟，这支烟改变了梁某某的人生。因为这支烟里含有海洛因，让梁某某一下就迷失了自我，从此，陷入毒品的深渊。他开始无心打理生意，每天睡醒第一件事情想的就是如何获得海洛因。

和绝大多数的吸毒者一样，为了能够维持日常所需的毒品量，没有经济来源的梁某某只能靠在亲戚朋友中坑蒙拐骗，或者做一些小偷小摸的事情来获取"毒资"。他不止一次地下决心戒毒，但毒瘾一发作，所有的决心又立刻消失得无影无踪。

梁某某在家尝试了几次戒毒，每次都感觉自己在希望和绝望之间苦苦挣扎，但每次家人以为他已摆脱毒瘾，对他稍稍放松监管的时候又开始复吸。他曾在毒瘾发作时冲入母亲开的小商店找钱，母亲不愿意拿钱给他，他便一怒之下把商店砸了个稀烂。清醒后，当梁某某看到商店被砸情况和母亲痛哭的身影，深深地刺痛了他的内心。为不辜负母亲的希望，也为了自己的未来，他鼓起勇气，在家人的带领下主动找到民警，最后被送到 F 市强制隔离戒毒所进行戒毒。

在 F 市强制隔离戒毒所，梁某某认真参加各项学习和训练，积极接受教育戒治，在民警悉心专业的指导下，戒除毒瘾的信心越来越强，性格也开始变得乐观开朗，经过两年的努力，梁某某的毒瘾基本戒除。走出戒毒所的那一刻，他暗下决心：坚决不复吸，重新工作融入社会。

"刚出来那段日子其实很痛苦，大家都知道我以前吸毒，没人请我干活，我只能每天在家里无所事事，复吸的念头经常在内心躁动。"每次到这个时候，梁某某就想起自己在戒毒所的管教民警蓝警官，他经常教诲我："你一定可以戒除毒瘾，你的精彩人生才刚刚开始，不然你这辈子就毁了。"想到这儿，梁某某就狠狠地掌掴自己，逼迫自己打消这样的邪念。

"衡量一个人成功的标志，不是看他登到顶峰的高度，而是看他跌到低谷的反弹力。"梁某某四处寻找工作机会，好不容易有个工地老板勉强同意给他一份工。他十分珍惜这份工作，干活时比谁都卖力，干活时间也最长。老板和周围的工友一开始对他都存有戒心，不愿过多接触，但看到他认真负责的工作表现，大家开始慢慢接纳，对他的态度也有了很大改观。在工地工作的三年多时间里，梁某某和周围的工友成为好友，也重新找回了对生活的自信。离开工地后，梁某某再次选择创业，从最初开设茶艺室到后来积累一定的资金开办 X 酒家，梁某某的事业道路越来越顺畅。现在，梁某某成立了 X 集团，集团旗下有农贸市场、汽车美容服务中心、两家酒家和一间茶艺室。从人见人憎的"白粉仔"到成功的商人，梁某某完成了人生的逆袭。

曾经的"毒友"祥某找到梁某某，希望帮忙找份工作。这是第一次有戒毒人员找上门来寻求帮助。曾经也在找工作时处处遭人白眼的梁某某看着祥某，仿佛看到了当年的自己。梁某某爽快地答应下来，并安排祥某在自己新开张的茶艺室当了一名保安。祥某尽职尽责，再也没有复吸。现在已回 G 省老家陪伴孩子的祥某，逢年过节时都会给梁某某发来祝福的短信。

梁某某所在的 X 集团挂牌成为戒毒人员就业安置基地。之后，越来越多的戒毒人员找到梁某某，希望能进入他公司工作。梁某某也开始竭尽所能地为他们安排工作岗位。吸毒人员一般身体比较差，做太复杂的工作有一定困难，梁某某就为他们安排保安、洗车工、厨房勤杂工等岗位，使他们能真正发挥作用。

"我的集团共接纳过 106 名戒毒人员就业，因为我深知'瘾君子'重返社会、重新做人的艰难。回忆起当年我从戒毒所出来，尽管我想改过自身，但没人愿意相信我，甚至给我机会，所以当我现在有能力的时候，我希望凭借自己的力量，给戒毒人员一个改过自身以及向家人朋友证明自己的机会。"梁某某说。

除了接纳戒毒人员到自己公司工作，梁某某还积极主动参与禁毒普法宣传公益活动。在每年的国际禁毒日，他几乎都会抽出时间到 F 市强制戒毒所现身说法，面对面向戒毒人员讲述自己的心路历程。

"吸过毒的人一般都觉得自己的身份很特殊，人生找不到意义，所以我每年都会组织他们走进孤儿院、老人院、残障儿童学堂等，希望通过志愿服务让他们找回生命的意义，唤醒他们的良知和善行，让他们更有信心地回归社会，同时也让社会改变对他们的刻板印象。"梁某某说。

在公益这条路上，梁某某总感觉个人能力非常渺小，能帮助的人也十分有限，在知道 N 区禁毒协会筹备成立的时候，他马上联系筹备组，申请加入协会，希望借助协会广阔的平台来帮助更多的戒毒人员，呼吁全社会接纳和支持戒毒人员的回归社会之旅。现在，梁某某经常活跃在禁毒普法宣传、帮教社区戒毒（康复）人员、慰问缉毒受伤民警的活动中。

第二节　案例分析

一、案情分析

毒品虽然给吸食者带来了瞬时的兴奋和快感，但是吸食毒品对身体有长期的毒副作用，吸毒者会出现嗜睡、感觉迟钝、运动失调等不良反应。尤其过量使用毒品还会出现高血压，心动过速，高热，横纹肌溶解，代谢性酸中毒，甚至休克、昏迷、死亡等。案例 1 中马某的生命就定格在了 17 岁的美好年纪上，让人惋惜。

此外毒品的致幻问题，不仅伤害了自己，而且给身边的亲人朋友和社会带来了痛苦和危害。案例 2 中王某吸毒致幻伤害无辜，两位老人因此丧命，自己也受到了法律的惩罚。吸毒人员王某给自己的家庭、孩子和死者的家庭亲人带来了无尽的伤痛。吸毒致幻会诱发各种违法犯罪活动，扰乱社会治安，给社会安定造成危害。

案例 3 和案例 4 均为戒毒案例，区别在于案例 3 中戒毒人员胡某某的戒毒态度不端正，属于强制戒毒。虽然未见后续的报道，但是我们也可以预估到戒毒的效果应该不会理想。因为在脱毒的四个环节（生理脱毒、心理脱瘾、康复治疗和回归社会）中，胡某某在人民法院、公安机关和戒毒场所的一致努力下才完成了前两个环节生理脱毒和心理脱毒。相反，在案例 4 中，梁某某不仅完成了脱毒的四个环节，还走上了帮助吸毒人员脱毒的公益道路，成为了禁毒普法宣传的一个标杆。梁某某戒毒的成功与他强大的戒毒决心是分不开的，当然也离不开社会的接纳和帮助。

二、案例启示

强化执法能力，严格管理。面对多次进入戒毒所的吸毒人员，要及时掌握其详细信息。由于戒毒人员存有隐瞒、不信任警察的心理特点，我们就要多观察、多思考、多手段的进行摸排，务必把戒毒人员的背景掌握清楚，确保发现问题及时对症下药。管理过程中警察要严格执法，提高执法水平、执法公信力、重要证据留存意识，做好工作协调和沟通，确保吸毒人员没有空子可钻。加强重点人群管控，落实重点人员包夹防范，做好教育转化。加强戒毒人员行为养成、遵规守纪、言行规范教育。

强化教育手段，探索矫治方法。切实发挥场所"四区五中心"职能，强化教育与管理相融合，加强各个环节统筹协调，做到严丝合缝不留空隙，认真做好教育矫治工作，确保工作取得实效。深入社会，挖掘资源，利用社会各界力量，探索有效的戒治手段，不断提高矫治能力和水平。禁毒工作向社会延伸，宣传毒品及吸毒危害，让毒品这种毒瘤从小孩到大人人人皆知，做到吸毒危害宣传无处不在，彻底从思想上识毒、拒毒、抵制毒品，强化社会监管责任，人人参与到禁毒人民战争中来，努力营造无毒社会。

附 录

1.《中华人民共和国禁毒法》
2.《麻醉药品和精神药品管理条例》
3.《非药用类麻醉药品和精神药品列管办法》
4.《非药用类麻醉药品和精神药品管制品种增补目录》

中华人民共和国禁毒法

目 录

第一章　总则

第一条　为了预防和惩治毒品违法犯罪行为，保护公民身心健康，维护社会秩序，制定本法。

第二条　本法所称毒品，是指鸦片、海洛因、甲基苯丙胺（冰毒）、吗啡、大麻、可卡因，以及国家规定管制的其他能够使人形成瘾癖的麻醉药品和精神药品。

根据医疗、教学、科研的需要，依法可以生产、经营、使用、储存、运输麻醉药品和精神药品。

第三条　禁毒是全社会的共同责任。国家机关、社会团体、企业事业单位以及其他组织和公民，应当依照本法和有关法律的规定，履行禁毒职责或者义务。

第四条　禁毒工作实行预防为主，综合治理，禁种、禁制、禁贩、禁吸并举的方针。

禁毒工作实行政府统一领导，有关部门各负其责，社会广泛参与的工作机制。

第五条　国务院设立国家禁毒委员会，负责组织、协调、指导全国的禁毒工作。

县级以上地方各级人民政府根据禁毒工作的需要，可以设立禁毒委员会，负责组织、协调、指导本行政区域内的禁毒工作。

第六条　县级以上各级人民政府应当将禁毒工作纳入国民经济和社会发展规划，并将禁毒经费列入本级财政预算。

第七条　国家鼓励对禁毒工作的社会捐赠，并依法给予税收优惠。

第八条　国家鼓励开展禁毒科学技术研究，推广先进的缉毒技术、装备和戒毒方法。

第九条　国家鼓励公民举报毒品违法犯罪行为。各级人民政府和有关部门应当对举报人予以保护，对举报有功人员以及在禁毒工作中有突出贡献的单位和个人，给予表彰和奖励。

第十条　国家鼓励志愿人员参与禁毒宣传教育和戒毒社会服务工作。地方各级人民政府应当对志愿人员进行指导、培训，并提供必要的工作条件。

第二章　禁毒宣传教育

第十一条　国家采取各种形式开展全民禁毒宣传教育，普及毒品预防知识，增强公民的禁毒意识，提高公民自觉抵制毒品的能力。

国家鼓励公民、组织开展公益性的禁毒宣传活动。

第十二条　各级人民政府应当经常组织开展多种形式的禁毒宣传教育。

工会、共产主义青年团、妇女联合会应当结合各自工作对象的特点，组织开展禁毒宣传教育。

第十三条 教育行政部门、学校应当将禁毒知识纳入教育、教学内容，对学生进行禁毒宣传教育。公安机关、司法行政部门和卫生行政部门应当予以协助。

第十四条 新闻、出版、文化、广播、电影、电视等有关单位，应当有针对性地面向社会进行禁毒宣传教育。

第十五条 飞机场、火车站、长途汽车站、码头以及旅店、娱乐场所等公共场所的经营者、管理者，负责本场所的禁毒宣传教育，落实禁毒防范措施，预防毒品违法犯罪行为在本场所内发生。

第十六条 国家机关、社会团体、企业事业单位以及其他组织，应当加强对本单位人员的禁毒宣传教育。

第十七条 居民委员会、村民委员会应当协助人民政府以及公安机关等部门，加强禁毒宣传教育，落实禁毒防范措施。

第十八条 未成年人的父母或者其他监护人应当对未成年人进行毒品危害的教育，防止其吸食、注射毒品或者进行其他毒品违法犯罪活动。

第三章 毒品管制

第十九条 国家对麻醉药品药用原植物种植实行管制。禁止非法种植罂粟、古柯植物、大麻植物以及国家规定管制的可以用于提炼加工毒品的其他原植物。禁止走私或者非法买卖、运输、携带、持有未经灭活的毒品原植物种子或者幼苗。

地方各级人民政府发现非法种植毒品原植物的，应当立即采取措施予以制止、铲除。村民委员会、居民委员会发现非法种植毒品原植物的，应当及时予以制止、铲除，并向当地公安机关报告。

第二十条 国家确定的麻醉药品药用原植物种植企业，必须按照国家有关规定种植麻醉药品药用原植物。

国家确定的麻醉药品药用原植物种植企业的提取加工场所，以及国家设立的麻醉药品储存仓库，列为国家重点警戒目标。

未经许可，擅自进入国家确定的麻醉药品药用原植物种植企业的提取加工场所或者国家设立的麻醉药品储存仓库等警戒区域的，由警戒人员责令其立即离开；拒不离开的，强行带离现场。

第二十一条 国家对麻醉药品和精神药品实行管制，对麻醉药品和精神药品的实验研究、生产、经营、使用、储存、运输实行许可和查验制度。

国家对易制毒化学品的生产、经营、购买、运输实行许可制度。

禁止非法生产、买卖、运输、储存、提供、持有、使用麻醉药品、精神药品和易制毒化学品。

第二十二条 国家对麻醉药品、精神药品和易制毒化学品的进口、出口实行许可制度。国务院有关部门应当按照规定的职责，对进口、出口麻醉药品、精神药品和易制毒化学品依法进行管理。禁止走私麻醉药品、精神药品和易制毒化学品。

第二十三条 发生麻醉药品、精神药品和易制毒化学品被盗、被抢、丢失或者其他流入非法渠道的情形，案发单位应当立即采取必要的控制措施，并立即向公安机关报告，同时依照规定向有关主管部门报告。

公安机关接到报告后，或者有证据证明麻醉药品、精神药品和易制毒化学品可能流入非法渠道的，应当及时开展调查，并可以对相关单位采取必要的控制措施。药品监督管理部门、卫生行政部门以及其他有关部门应当配合公安机关开展工作。

第二十四条 禁止非法传授麻醉药品、精神药品和易制毒化学品的制造方法。公安机关接到举报或者发现非法传授麻醉药品、精神药品和易制毒化学品制造方法的，应当及时依法查处。

第二十五条 麻醉药品、精神药品和易制毒化学品管理的具体办法，由国务院规定。

第二十六条 公安机关根据查缉毒品的需要，可以在边境地区、交通要道、口岸以及飞机场、火车站、长途汽车站、码头对来往人员、物品、货物以及交通工具进行毒品和易制毒化学品检查，民航、铁路、交通部门应当予以配合。

海关应当依法加强对进出口岸的人员、物品、货物和运输工具的检查，防止走私毒品和易制毒化学品。

邮政企业应当依法加强对邮件的检查，防止邮寄毒品和非法邮寄易制毒化学品。

第二十七条 娱乐场所应当建立巡查制度，发现娱乐场所内有毒品违法犯罪活动的，应当立即向公安机关报告。

第二十八条 对依法查获的毒品，吸食、注射毒品的用具，毒品违法犯罪的非法所得及其收益，以及直接用于实施毒品违法犯罪行为的本人所有的工具、设备、资金，应当收缴，依照规定处理。

第二十九条　反洗钱行政主管部门应当依法加强对可疑毒品犯罪资金的监测。反洗钱行政主管部门和其他依法负有反洗钱监督管理职责的部门、机构发现涉嫌毒品犯罪的资金流动情况，应当及时向侦查机关报告，并配合侦查机关做好侦查、调查工作。

第三十条　国家建立健全毒品监测和禁毒信息系统，开展毒品监测和禁毒信息的收集、分析、使用、交流工作。

第四章　戒毒措施

第三十一条　国家采取各种措施帮助吸毒人员戒除毒瘾，教育和挽救吸毒人员。

吸毒成瘾人员应当进行戒毒治疗。

吸毒成瘾的认定办法，由国务院卫生行政部门、药品监督管理部门、公安部门规定。

第三十二条　公安机关可以对涉嫌吸毒的人员进行必要的检测，被检测人员应当予以配合；对拒绝接受检测的，经县级以上人民政府公安机关或者其派出机构负责人批准，可以强制检测。

公安机关应当对吸毒人员进行登记。

第三十三条　对吸毒成瘾人员，公安机关可以责令其接受社区戒毒，同时通知吸毒人员户籍所在地或者现居住地的城市街道办事处、乡镇人民政府。社区戒毒的期限为三年。

戒毒人员应当在户籍所在地接受社区戒毒；在户籍所在地以外的现居住地有固定住所的，可以在现居住地接受社区戒毒。

第三十四条　城市街道办事处、乡镇人民政府负责社区戒毒工作。城市街道办事处、乡镇人民政府可以指定有关基层组织，根据戒毒人员本人和家庭情况，与戒毒人员签订社区戒毒协议，落实有针对性的社区戒毒措施。公安机关和司法行政、卫生行政、民政等部门应当对社区戒毒工作提供指导和协助。

城市街道办事处、乡镇人民政府，以及县级人民政府劳动行政部门对无职业且缺乏就业能力的戒毒人员，应当提供必要的职业技能培训、就业指导和就业援助。

第三十五条　接受社区戒毒的戒毒人员应当遵守法律、法规，自觉履行社区戒毒协议，并根据公安机关的要求，定期接受检测。

对违反社区戒毒协议的戒毒人员，参与社区戒毒的工作人员应当进行批评、教育；对严重违反社区戒毒协议或者在社区戒毒期间又吸食、注射毒品的，应当及时向公安机关报告。

第三十六条 吸毒人员可以自行到具有戒毒治疗资质的医疗机构接受戒毒治疗。

设置戒毒医疗机构或者医疗机构从事戒毒治疗业务的，应当符合国务院卫生行政部门规定的条件，报所在地的省、自治区、直辖市人民政府卫生行政部门批准，并报同级公安机关备案。戒毒治疗应当遵守国务院卫生行政部门制定的戒毒治疗规范，接受卫生行政部门的监督检查。

戒毒治疗不得以营利为目的。戒毒治疗的药品、医疗器械和治疗方法不得做广告。戒毒治疗收取费用的，应当按照省、自治区、直辖市人民政府价格主管部门会同卫生行政部门制定的收费标准执行。

第三十七条 医疗机构根据戒毒治疗的需要，可以对接受戒毒治疗的戒毒人员进行身体和所携带物品的检查；对在治疗期间有人身危险的，可以采取必要的临时保护性约束措施。

发现接受戒毒治疗的戒毒人员在治疗期间吸食、注射毒品的，医疗机构应当及时向公安机关报告。

第三十八条 吸毒成瘾人员有下列情形之一的，由县级以上人民政府公安机关作出强制隔离戒毒的决定：

（一）拒绝接受社区戒毒的；

（二）在社区戒毒期间吸食、注射毒品的；

（三）严重违反社区戒毒协议的；

（四）经社区戒毒、强制隔离戒毒后再次吸食、注射毒品的。

对于吸毒成瘾严重，通过社区戒毒难以戒除毒瘾的人员，公安机关可以直接作出强制隔离戒毒的决定。

吸毒成瘾人员自愿接受强制隔离戒毒的，经公安机关同意，可以进入强制隔离戒毒场所戒毒。

第三十九条 怀孕或者正在哺乳自己不满一周岁婴儿的妇女吸毒成瘾的，不适用强制隔离戒毒。不满十六周岁的未成年人吸毒成瘾的，可以不适用强制隔离戒毒。

对依照前款规定不适用强制隔离戒毒的吸毒成瘾人员，依照本法规定进行社区戒毒，由负责社区戒毒工作的城市街道办事处、乡镇人民政府加强帮助、教育和监督，督促落实社区戒毒措施。

第四十条 公安机关对吸毒成瘾人员决定予以强制隔离戒毒的，应当制作强制隔离戒毒决定书，在执行强制隔离戒毒前送达被决定人，并在送达后二十四小时以内通知被决定人的家属、所在单位和户籍所在地公安派出所；被决定人不讲真实姓名、住址，身份不明的，公安机关应当自查清其身份后通知。

被决定人对公安机关作出的强制隔离戒毒决定不服的，可以依法申请行政复议或者提起行政诉讼。

第四十一条 对被决定予以强制隔离戒毒的人员，由作出决定的公安机关送强制隔离戒毒场所执行。

强制隔离戒毒场所的设置、管理体制和经费保障，由国务院规定。

第四十二条 戒毒人员进入强制隔离戒毒场所戒毒时，应当接受对其身体和所携带物品的检查。

第四十三条 强制隔离戒毒场所应当根据戒毒人员吸食、注射毒品的种类及成瘾程度等，对戒毒人员进行有针对性的生理、心理治疗和身体康复训练。

根据戒毒的需要，强制隔离戒毒场所可以组织戒毒人员参加必要的生产劳动，对戒毒人员进行职业技能培训。组织戒毒人员参加生产劳动的，应当支付劳动报酬。

第四十四条 强制隔离戒毒场所应当根据戒毒人员的性别、年龄、患病等情况，对戒毒人员实行分别管理。

强制隔离戒毒场所对有严重残疾或者疾病的戒毒人员，应当给予必要的看护和治疗；对患有传染病的戒毒人员，应当依法采取必要的隔离、治疗措施；对可能发生自伤、自残等情形的戒毒人员，可以采取相应的保护性约束措施。

强制隔离戒毒场所管理人员不得体罚、虐待或者侮辱戒毒人员。

第四十五条 强制隔离戒毒场所应当根据戒毒治疗的需要配备执业医师。强制隔离戒毒场所的执业医师具有麻醉药品和精神药品处方权的，可以按照有关技术规范对戒毒人员使用麻醉药品、精神药品。

卫生行政部门应当加强对强制隔离戒毒场所执业医师的业务指导和监督管理。

第四十六条 戒毒人员的亲属和所在单位或者就读学校的工作人员，可以按照有关规定探访戒毒人员。戒毒人员经强制隔离戒毒场所批准，可以外出探视配偶、直系亲属。

强制隔离戒毒场所管理人员应当对强制隔离戒毒场所以外的人员交给戒毒人员的物品和邮件进行检查，防止夹带毒品。在检查邮件时，应当依法保护戒毒人员的通信自由和通信秘密。

第四十七条 强制隔离戒毒的期限为二年。

执行强制隔离戒毒一年后，经诊断评估，对于戒毒情况良好的戒毒人员，强制隔离戒毒场所可以提出提前解除强制隔离戒毒的意见，报强制隔离戒毒的决定机关批准。

强制隔离戒毒期满前，经诊断评估，对于需要延长戒毒期限的戒毒人员，由强制隔离戒毒场所提出延长戒毒期限的意见，报强制隔离戒毒的决定机关批准。强制隔离戒毒的期限最长可以延长一年。

第四十八条 对于被解除强制隔离戒毒的人员，强制隔离戒毒的决定机关可以责令其接受不超过三年的社区康复。

社区康复参照本法关于社区戒毒的规定实施。

第四十九条 县级以上地方各级人民政府根据戒毒工作的需要，可以开办戒毒康复场所；对社会力量依法开办的公益性戒毒康复场所应当给予扶持，提供必要的便利和帮助。

戒毒人员可以自愿在戒毒康复场所生活、劳动。戒毒康复场所组织戒毒人员参加生产劳动的，应当参照国家劳动用工制度的规定支付劳动报酬。

第五十条 公安机关、司法行政部门对被依法拘留、逮捕、收监执行刑罚以及被依法采取强制性教育措施的吸毒人员，应当给予必要的戒毒治疗。

第五十一条 省、自治区、直辖市人民政府卫生行政部门会同公安机关、药品监督管理部门依照国家有关规定，根据巩固戒毒成果的需要和本行政区域艾滋病流行情况，可以组织开展戒毒药物维持治疗工作。

第五十二条 戒毒人员在入学、就业、享受社会保障等方面不受歧视。有关部门、组织和人员应当在入学、就业、享受社会保障等方面对戒毒人员给予必要的指导和帮助。

第五章 禁毒国际合作

第五十三条 中华人民共和国根据缔结或者参加的国际条约或者按照对等原则，开展禁毒国际合作。

第五十四条 国家禁毒委员会根据国务院授权，负责组织开展禁毒国际合作，履行国际禁毒公约义务。

第五十五条 涉及追究毒品犯罪的司法协助，由司法机关依照有关法律的规定办理。

第五十六条 国务院有关部门应当按照各自职责，加强与有关国家或者地区执法机关以及国际组织的禁毒情报信息交流，依法开展禁毒执法合作。

经国务院公安部门批准，边境地区县级以上人民政府公安机关可以与有关国家或者地区的执法机关开展执法合作。

第五十七条 通过禁毒国际合作破获毒品犯罪案件的，中华人民共和国政府可以与有关国家分享查获的非法所得、由非法所得获得的收益以及供毒品犯罪使用的财物或者财物变卖所得的款项。

第五十八条 国务院有关部门根据国务院授权，可以通过对外援助等渠道，支持有关国家实施毒品原植物替代种植、发展替代产业。

第六章 法律责任

第五十九条 有下列行为之一，构成犯罪的，依法追究刑事责任；尚不构成犯罪的，依法给予治安管理处罚：

（一）走私、贩卖、运输、制造毒品的；

（二）非法持有毒品的；

（三）非法种植毒品原植物的；

（四）非法买卖、运输、携带、持有未经灭活的毒品原植物种子或者幼苗的；

（五）非法传授麻醉药品、精神药品或者易制毒化学品制造方法的；

（六）强迫、引诱、教唆、欺骗他人吸食、注射毒品的；

（七）向他人提供毒品的。

第六十条 有下列行为之一，构成犯罪的，依法追究刑事责任；尚不构成犯罪的，依法给予治安管理处罚：

（一）包庇走私、贩卖、运输、制造毒品的犯罪分子，以及为犯罪分子窝藏、转移、隐瞒毒品或者犯罪所得财物的；

（二）在公安机关查处毒品违法犯罪活动时为违法犯罪行为人通风报信的；

（三）阻碍依法进行毒品检查的；

（四）隐藏、转移、变卖或者损毁司法机关、行政执法机关依法扣押、查封、冻结的涉及毒品违法犯罪活动的财物的。

第六十一条 容留他人吸食、注射毒品或者介绍买卖毒品，构成犯罪的，依法追究刑事责任；尚不构成犯罪的，由公安机关处十日以上十五日以下拘留，可以并处三千元以下罚款；情节较轻的，处五日以下拘留或者五百元以下罚款。

第六十二条　吸食、注射毒品的，依法给予治安管理处罚。吸毒人员主动到公安机关登记或者到有资质的医疗机构接受戒毒治疗的，不予处罚。

第六十三条　在麻醉药品、精神药品的实验研究、生产、经营、使用、储存、运输、进口、出口以及麻醉药品药用原植物种植活动中，违反国家规定，致使麻醉药品、精神药品或者麻醉药品药用原植物流入非法渠道，构成犯罪的，依法追究刑事责任；尚不构成犯罪的，依照有关法律、行政法规的规定给予处罚。

第六十四条　在易制毒化学品的生产、经营、购买、运输或者进口、出口活动中，违反国家规定，致使易制毒化学品流入非法渠道，构成犯罪的，依法追究刑事责任；尚不构成犯罪的，依照有关法律、行政法规的规定给予处罚。

第六十五条　娱乐场所及其从业人员实施毒品违法犯罪行为，或者为进入娱乐场所的人员实施毒品违法犯罪行为提供条件，构成犯罪的，依法追究刑事责任；尚不构成犯罪的，依照有关法律、行政法规的规定给予处罚。

娱乐场所经营管理人员明知场所内发生聚众吸食、注射毒品或者贩毒活动，不向公安机关报告的，依照前款的规定给予处罚。

第六十六条　未经批准，擅自从事戒毒治疗业务的，由卫生行政部门责令停止违法业务活动，没收违法所得和使用的药品、医疗器械等物品；构成犯罪的，依法追究刑事责任。

第六十七条　戒毒医疗机构发现接受戒毒治疗的戒毒人员在治疗期间吸食、注射毒品，不向公安机关报告的，由卫生行政部门责令改正；情节严重的，责令停业整顿。

第六十八条　强制隔离戒毒场所、医疗机构、医师违反规定使用麻醉药品、精神药品，构成犯罪的，依法追究刑事责任；尚不构成犯罪的，依照有关法律、行政法规的规定给予处罚。

第六十九条　公安机关、司法行政部门或者其他有关主管部门的工作人员在禁毒工作中有下列行为之一，构成犯罪的，依法追究刑事责任；尚不构成犯罪的，依法给予处分：

（一）包庇、纵容毒品违法犯罪人员的；

（二）对戒毒人员有体罚、虐待、侮辱等行为的；

（三）挪用、截留、克扣禁毒经费的；

（四）擅自处分查获的毒品和扣押、查封、冻结的涉及毒品违法犯罪活动的财物的。

第七十条 有关单位及其工作人员在入学、就业、享受社会保障等方面歧视戒毒人员的,由教育行政部门、劳动行政部门责令改正;给当事人造成损失的,依法承担赔偿责任。

第七章 附则

第七十一条 本法自 2008 年 6 月 1 日起施行。《全国人民代表大会常务委员会关于禁毒的决定》同时废止。

麻醉药品和精神药品管理条例

（2005 年 8 月 3 日中华人民共和国国务院令第 442 号公布 根据 2013 年 12 月 7 日《国务院关于修改部分行政法规的决定》第一次修订 根据 2016 年 2 月 6 日《国务院关于修改部分行政法规的决定》第二次修订 根据 2024 年 11 月 22 日《国务院关于修改和废止部分行政法规的决定》修订第三次）

第一章 总则

第一条 为加强麻醉药品和精神药品的管理,保证麻醉药品和精神药品的合法、安全、合理使用,防止流入非法渠道,根据药品管理法和其他有关法律的规定,制定本条例。

第二条 麻醉药品药用原植物的种植,麻醉药品和精神药品的实验研究、生产、经营、使用、储存、运输等活动以及监督管理,适用本条例。

麻醉药品和精神药品的进出口依照有关法律的规定办理。

第三条 本条例所称麻醉药品和精神药品,是指列入本条第二款规定的目录（以下称目录）的药品和其他物质。

麻醉药品和精神药品按照药用类和非药用类分类列管。药用类麻醉药品和精神药品目录由国务院药品监督管理部门会同国务院公安部门、国务院卫生主管部门制定、调整并公布。其中,药用类精神药品分为第一类精神药品和第二类精神药品。非药用类麻醉药品和精神药品目录由国务院公安部门会同国务院药品监督管理部门、国务院卫生主管部门制定、调整并公布。非药用类麻醉药品和精神药品发现药用用途的,调整列入药用类麻醉药品和精神药品目录,不再列入非药用类麻醉药品和精神药品目录。

国家组织开展药品和其他物质滥用监测,对药品和其他物质滥用情况进行评估，建立健全目录动态调整机制。上市销售但尚未列入目录的药品和其他物质或者第二类精神药品发生滥用，已经造成或者可能造成严重社会危害的，国务院药品监督管理部门、国务院公安部门、国务院卫生主管部门应当依照前款的规定及时将该药品和该物质列入目录或者将该第二类精神药品调整为第一类精神药品。

第四条　国家对麻醉药品药用原植物以及麻醉药品和精神药品实行管制。除本条例另有规定的外，任何单位、个人不得进行麻醉药品药用原植物的种植以及麻醉药品和精神药品的实验研究、生产、经营、使用、储存、运输等活动。

对药用类麻醉药品和精神药品，可以依照本条例的规定进行实验研究、生产、经营、使用、储存、运输；对非药用类麻醉药品和精神药品，可以依照本条例的规定进行实验研究，不得生产、经营、使用、储存、运输。

国家建立麻醉药品和精神药品追溯管理体系。国务院药品监督管理部门应当制定统一的麻醉药品和精神药品追溯标准和规范，推进麻醉药品和精神药品追溯信息互通互享，实现麻醉药品和精神药品可追溯。

第五条　国务院药品监督管理部门负责全国麻醉药品和精神药品的监督管理工作，并会同国务院农业主管部门对麻醉药品药用原植物实施监督管理。国务院公安部门负责对造成麻醉药品药用原植物、麻醉药品和精神药品流入非法渠道的行为进行查处。国务院其他有关主管部门在各自的职责范围内负责与麻醉药品和精神药品有关的管理工作。

省、自治区、直辖市人民政府药品监督管理部门和设区的市级、县级人民政府承担药品监督管理职责的部门（以下称药品监督管理部门）负责本行政区域内麻醉药品和精神药品的监督管理工作。县级以上地方公安机关负责对本行政区域内造成麻醉药品和精神药品流入非法渠道的行为进行查处。县级以上地方人民政府其他有关主管部门在各自的职责范围内负责与麻醉药品和精神药品有关的管理工作。

第六条　麻醉药品和精神药品生产、经营企业和使用单位可以依法参加行业协会。行业协会应当加强行业自律管理。

第二章　种植、实验研究和生产

第七条　国家根据麻醉药品和精神药品的医疗、国家储备和企业生产所需原料的需要确定需求总量，对麻醉药品药用原植物的种植、麻醉药品和精神药品的生产实行总量控制。

国务院药品监督管理部门根据麻醉药品和精神药品的需求总量制定年度生产计划。

国务院药品监督管理部门和国务院农业主管部门根据麻醉药品年度生产计划，制定麻醉药品药用原植物年度种植计划。

第八条 麻醉药品药用原植物种植企业应当根据年度种植计划，种植麻醉药品药用原植物。

麻醉药品药用原植物种植企业应当向国务院药品监督管理部门和国务院农业主管部门定期报告种植情况。

第九条 麻醉药品药用原植物种植企业由国务院药品监督管理部门和国务院农业主管部门共同确定，其他单位和个人不得种植麻醉药品药用原植物。

第十条 开展麻醉药品和精神药品实验研究活动应当具备下列条件，并经国务院药品监督管理部门批准：

（一）以医疗、科学研究或者教学为目的；

（二）有保证实验所需麻醉药品和精神药品安全的措施和管理制度；

（三）单位及其工作人员 2 年内没有违反有关禁毒的法律、行政法规规定的行为。

第十一条 麻醉药品和精神药品的实验研究单位申请相关药品批准证明文件，应当依照药品管理法的规定办理；需要转让研究成果的，应当经国务院药品监督管理部门批准。

第十二条 药品研究单位在普通药品的实验研究过程中，产生本条例规定的管制品种的，应当立即停止实验研究活动，并向国务院药品监督管理部门报告。国务院药品监督管理部门应当根据情况，及时作出是否同意其继续实验研究的决定。

第十三条 麻醉药品和第一类精神药品的临床试验，不得以健康人为受试对象。

第十四条 国家对麻醉药品和精神药品实行定点生产制度。

国务院药品监督管理部门应当根据麻醉药品和精神药品的需求总量，确定麻醉药品和精神药品定点生产企业的数量和布局，并根据年度需求总量对数量和布局进行调整、公布。

第十五条 麻醉药品和精神药品的定点生产企业应当具备下列条件：

（一）有药品生产许可证；

（二）有麻醉药品和精神药品实验研究批准文件；

（三）有符合规定的麻醉药品和精神药品生产设施、储存条件和相应的安全管理设施；

（四）有通过网络实施企业安全生产管理和向药品监督管理部门报告生产信息的能力；

（五）有保证麻醉药品和精神药品安全生产的管理制度；

（六）有与麻醉药品和精神药品安全生产要求相适应的管理水平和经营规模；

（七）麻醉药品和精神药品生产管理、质量管理部门的人员应当熟悉麻醉药品和精神药品管理以及有关禁毒的法律、行政法规；

（八）没有生产、销售假药、劣药或者违反有关禁毒的法律、行政法规规定的行为；

（九）符合国务院药品监督管理部门公布的麻醉药品和精神药品定点生产企业数量和布局的要求。

第十六条　从事麻醉药品、精神药品生产的企业，应当经所在地省、自治区、直辖市人民政府药品监督管理部门批准。

第十七条　定点生产企业生产麻醉药品和精神药品，应当依照药品管理法的规定取得药品批准文号。

国务院药品监督管理部门应当组织医学、药学、社会学、伦理学和禁毒等方面的专家成立专家组，由专家组对申请首次上市的麻醉药品和精神药品的社会危害性和被滥用的可能性进行评价，并提出是否批准的建议。

未取得药品批准文号的，不得生产麻醉药品和精神药品。

第十八条　发生重大突发事件，定点生产企业无法正常生产或者不能保证供应麻醉药品和精神药品时，国务院药品监督管理部门可以决定其他药品生产企业生产麻醉药品和精神药品。

重大突发事件结束后，国务院药品监督管理部门应当及时决定前款规定的企业停止麻醉药品和精神药品的生产。

第十九条　定点生产企业应当严格按照麻醉药品和精神药品年度生产计划安排生产，并依照规定向所在地省、自治区、直辖市人民政府药品监督管理部门报告生产情况。

第二十条　定点生产企业应当依照本条例的规定，将麻醉药品和精神药品销售给具有麻醉药品和精神药品经营资格的企业或者依照本条例规定批准的其他单位。

第二十一条　麻醉药品和精神药品的标签应当印有国务院药品监督管理部门规定的标志。

第三章　经营

第二十二条　国家对麻醉药品和精神药品实行定点经营制度。

国务院药品监督管理部门应当根据麻醉药品和第一类精神药品的需求总量，确定麻醉药品和第一类精神药品的定点批发企业布局，并应当根据年度需求总量对布局进行调整、公布。

药品经营企业不得经营麻醉药品原料药和第一类精神药品原料药。但是，供医疗、科学研究、教学使用的小包装的上述药品可以由国务院药品监督管理部门规定的药品批发企业经营。

第二十三条　麻醉药品和精神药品定点批发企业除应当具备药品管理法规定的药品经营企业的开办条件外，还应当具备下列条件：

（一）有符合本条例规定的麻醉药品和精神药品储存条件；

（二）有通过网络实施企业安全管理和向药品监督管理部门报告经营信息的能力；

（三）单位及其工作人员 2 年内没有违反有关禁毒的法律、行政法规规定的行为；

（四）符合国务院药品监督管理部门公布的定点批发企业布局。

麻醉药品和第一类精神药品的定点批发企业，还应当具有保证供应责任区域内医疗机构所需麻醉药品和第一类精神药品的能力，并具有保证麻醉药品和第一类精神药品安全经营的管理制度。

第二十四条　跨省、自治区、直辖市从事麻醉药品和第一类精神药品批发业务的企业（以下称全国性批发企业），应当经国务院药品监督管理部门批准；在本省、自治区、直辖市行政区域内从事麻醉药品和第一类精神药品批发业务的企业（以下称区域性批发企业），应当经所在地省、自治区、直辖市人民政府药品监督管理部门批准。

专门从事第二类精神药品批发业务的企业，应当经所在地省、自治区、直辖市人民政府药品监督管理部门批准。

全国性批发企业和区域性批发企业可以从事第二类精神药品批发业务。

第二十五条　全国性批发企业可以向区域性批发企业，或者经批准可以向取得麻醉药品和第一类精神药品使用资格的医疗机构以及依照本条例规定批的其他单位销售麻醉药品和第一类精神药品。

全国性批发企业向取得麻醉药品和第一类精神药品使用资格的医疗机构销售麻醉药品和第一类精神药品，应当经医疗机构所在地省、自治区、直辖市人民政府药品监督管理部门批准。

国务院药品监督管理部门在批准全国性批发企业时，应当明确其所承担供药责任的区域。

第二十六条　区域性批发企业可以向本省、自治区、直辖市行政区域内取得麻醉药品和第一类精神药品使用资格的医疗机构销售麻醉药品和第一类精神药品；由于特殊地理位置的原因，需要就近向其他省、自治区、直辖市行政区域内取得麻醉药品和第一类精神药品使用资格的医疗机构销售的，应当经企业所在地省、自治区、直辖市人民政府药品监督管理部门批准。审批情况由负责审批的药品监督管理部门在批准后5日内通报医疗机构所在地省、自治区、直辖市人民政府药品监督管理部门。

省、自治区、直辖市人民政府药品监督管理部门在批准区域性批发企业时，应当明确其所承担供药责任的区域。

区域性批发企业之间因医疗急需、运输困难等特殊情况需要调剂麻醉药品和第一类精神药品的，应当在调剂后2日内将调剂情况分别报所在地省、自治区、直辖市人民政府药品监督管理部门备案。

第二十七条　全国性批发企业应当从定点生产企业购进麻醉药品和第一类精神药品。

区域性批发企业可以从全国性批发企业购进麻醉药品和第一类精神药品；经所在地省、自治区、直辖市人民政府药品监督管理部门批准，也可以从定点生产企业购进麻醉药品和第一类精神药品。

第二十八条　全国性批发企业和区域性批发企业向医疗机构销售麻醉药品和第一类精神药品，应当将药品送至医疗机构。医疗机构不得自行提货。

第二十九条　第二类精神药品定点批发企业可以向医疗机构、定点批发企业和符合本条例第三十一条规定的药品零售企业以及依照本条例规定批准的其他单位销售第二类精神药品。

第三十条　麻醉药品和第一类精神药品不得零售。

禁止使用现金进行麻醉药品和精神药品交易，但是个人合法购买麻醉药品和精神药品的除外。

第三十一条　经所在地设区的市级药品监督管理部门批准，实行统一进货、统一配送、统一管理的药品零售连锁企业可以从事第二类精神药品零售业务。

第三十二条 第二类精神药品零售企业应当凭执业医师出具的处方，按规定剂量销售第二类精神药品，并将处方保存2年备查；禁止超剂量或者无处方销售第二类精神药品；不得向未成年人销售第二类精神药品。

第三十三条 麻醉药品和第一类精神药品实行政府指导价。具体办法由国务院医疗保障主管部门制定。

第四章　使用

第三十四条 药品生产企业需要以麻醉药品和第一类精神药品为原料生产普通药品的，应当向所在地省、自治区、直辖市人民政府药品监督管理部门报送年度需求计划，由省、自治区、直辖市人民政府药品监督管理部门汇总报国务院药品监督管理部门批准后，向定点生产企业购买。

药品生产企业需要以第二类精神药品为原料生产普通药品的，应当将年度需求计划报所在地省、自治区、直辖市人民政府药品监督管理部门，并向定点批发企业或者定点生产企业购买。

第三十五条 食品、食品添加剂、化妆品、油漆等非药品生产企业需要使用咖啡因作为原料的，应当经所在地省、自治区、直辖市人民政府药品监督管理部门批准，向定点批发企业或者定点生产企业购买。

科学研究、教学单位需要使用麻醉药品和精神药品开展实验、教学活动的，应当经所在地省、自治区、直辖市人民政府药品监督管理部门批准，向定点批发企业或者定点生产企业购买。

需要使用麻醉药品和精神药品的标准品、对照品的，应当经所在地省、自治区、直辖市人民政府药品监督管理部门批准，向国务院药品监督管理部门批准的单位购买。

第三十六条 医疗机构需要使用麻醉药品和第一类精神药品的，应当经所在地设区的市级人民政府卫生主管部门批准，取得麻醉药品、第一类精神药品购用印鉴卡（以下称印鉴卡）。医疗机构应当凭印鉴卡向本省、自治区、直辖市行政区域内的定点批发企业购买麻醉药品和第一类精神药品。

设区的市级人民政府卫生主管部门发给医疗机构印鉴卡时，应当将取得印鉴卡的医疗机构情况抄送所在地设区的市级药品监督管理部门，并报省、自治区、直辖市人民政府卫生主管部门备案。省、自治区、直辖市人民政府卫生主管部门应当将取得印鉴卡的医疗机构名单向本行政区域内的定点批发企业通报。

　　第三十七条　医疗机构取得印鉴卡应当具备下列条件：

　　（一）有专职的麻醉药品和第一类精神药品管理人员；

　　（二）有获得麻醉药品和第一类精神药品处方资格的执业医师；

　　（三）有保证麻醉药品和第一类精神药品安全储存的设施和管理制度。

　　第三十八条　医疗机构应当按照国务院卫生主管部门的规定，对本单位执业医师进行有关麻醉药品和精神药品使用知识的培训、考核，经考核合格的，授予麻醉药品和第一类精神药品处方资格。执业医师取得麻醉药品和第一类精神药品的处方资格后，方可在本医疗机构开具麻醉药品和第一类精神药品处方，但不得为自己开具该种处方。

　　医疗机构应当将具有麻醉药品和第一类精神药品处方资格的执业医师名单及其变更情况，定期报送所在地设区的市级人民政府卫生主管部门，并抄送同级药品监督管理部门。

　　医务人员应当根据国务院卫生主管部门制定的临床应用指导原则，使用麻醉药品和精神药品。

　　第三十九条　具有麻醉药品和第一类精神药品处方资格的执业医师，根据临床应用指导原则，对确需使用麻醉药品或者第一类精神药品的患者，应当满足其合理用药需求。在医疗机构就诊的癌症疼痛患者和其他危重患者得不到麻醉药品或者第一类精神药品时，患者或者其亲属可以向执业医师提出申请。具有麻醉药品和第一类精神药品处方资格的执业医师认为要求合理的，应当及时为患者提供所需麻醉药品或者第一类精神药品。

　　第四十条　执业医师应当使用专用处方开具麻醉药品和精神药品，单张处方的最大用量应当符合国务院卫生主管部门的规定。

　　对麻醉药品和第一类精神药品处方，处方的调配人、核对人应当仔细核对，签署姓名，并予以登记；对不符合本条例规定的，处方的调配人、核对人应当拒绝发药。

　　麻醉药品和精神药品专用处方的格式由国务院卫生主管部门规定。

　　第四十一条　医疗机构应当对麻醉药品和精神药品处方进行专册登记，加强管理。麻醉药品处方至少保存 3 年，精神药品处方至少保存 2 年。医疗机构应当按照国务院卫生主管部门的规定及时报送麻醉药品和精神药品处方信息。

　　第四十二条　医疗机构抢救病人急需麻醉药品和第一类精神药品而本医疗机构无法提供时，可以从其他医疗机构或者定点批发企业紧急借用；抢救工作结束后，应当及时将借用情况报所在地设区的市级药品监督管理部门和卫生主管部门备案。

第四十三条 对临床需要而市场无供应的麻醉药品和精神药品，持有医疗机构制剂许可证和印鉴卡的医疗机构需要配制制剂的，应当经所在地省、自治区、直辖市人民政府药品监督管理部门批准。医疗机构配制的麻醉药品和精神药品制剂只能在本医疗机构使用，不得对外销售。

第四十四条 因治疗疾病需要，个人凭医疗机构出具的医疗诊断书、本人身份证明，可以携带单张处方最大用量以内的麻醉药品和第一类精神药品；携带麻醉药品和第一类精神药品出入境的，由海关根据自用、合理的原则放行。

医务人员为了医疗需要携带少量麻醉药品和精神药品出入境的，应当持有省级以上人民政府药品监督管理部门发放的携带麻醉药品和精神药品证明。海关凭携带麻醉药品和精神药品证明放行。

第四十五条 医疗机构、戒毒机构以开展戒毒治疗为目的，可以使用美沙酮或者国家确定的其他用于戒毒治疗的麻醉药品和精神药品。具体管理办法由国务院药品监督管理部门、国务院公安部门和国务院卫生主管部门制定。

第五章 储存

第四十六条 麻醉药品药用原植物种植企业、定点生产企业、全国性批发企业和区域性批发企业以及国家设立的麻醉药品储存单位，应当设置储存麻醉药品和第一类精神药品的专库。该专库应当符合下列要求：

（一）安装专用防盗门，实行双人双锁管理；

（二）具有相应的防火设施；

（三）具有监控设施和报警装置，报警装置应当与公安机关报警系统联网。

全国性批发企业经国务院药品监督管理部门批准设立的药品储存点应当符合前款的规定。

麻醉药品定点生产企业应当将麻醉药品原料药和制剂分别存放。

第四十七条 麻醉药品和第一类精神药品的使用单位应当设立专库或者专柜储存麻醉药品和第一类精神药品。专库应当设有防盗设施并安装报警装置；专柜应当使用保险柜。专库和专柜应当实行双人双锁管理。

第四十八条 麻醉药品药用原植物种植企业、定点生产企业、全国性批发企业和区域性批发企业、国家设立的麻醉药品储存单位以及麻醉药品和第一类精神药品的使用单位，应当配备专人负责管理工作，并建立储存麻醉药品和第一类精神药品的专用账册。药品入库双人验收，出库双人复核，做到账物相符。

专用账册的保存期限应当自药品有效期期满之日起不少于5年。

第四十九条 第二类精神药品经营企业应当在药品库房中设立独立的专库或者专柜储存第二类精神药品，并建立专用账册，实行专人管理。专用账册的保存期限应当自药品有效期期满之日起不少于5年。

第六章 运输

第五十条 托运、承运和自行运输麻醉药品和精神药品的，应当采取安全保障措施，防止麻醉药品和精神药品在运输过程中被盗、被抢、丢失。

第五十一条 通过铁路运输麻醉药品和第一类精神药品的，应当使用集装箱或者铁路行李车运输，具体办法由国务院药品监督管理部门会同国务院铁路主管部门制定。

没有铁路需要通过公路或者水路运输麻醉药品和第一类精神药品的，应当由专人负责押运。

第五十二条 托运或者自行运输麻醉药品和第一类精神药品的单位，应当向所在地设区的市级药品监督管理部门申请领取运输证明。运输证明有效期为1年。

运输证明应当由专人保管，不得涂改、转让、转借。

第五十三条 托运人办理麻醉药品和第一类精神药品运输手续，应当将运输证明副本交付承运人。承运人应当查验、收存运输证明副本，并检查货物包装。没有运输证明或者货物包装不符合规定的，承运人不得承运。

承运人在运输过程中应当携带运输证明副本，以备查验。

第五十四条 邮寄麻醉药品和精神药品，寄件人应当提交所在地设区的市级药品监督管理部门出具的准予邮寄证明。邮政营业机构应当查验、收存准予邮寄证明；没有准予邮寄证明的，邮政营业机构不得收寄。

省、自治区、直辖市邮政主管部门指定符合安全保障条件的邮政营业机构负责收寄麻醉药品和精神药品。邮政营业机构收寄麻醉药品和精神药品，应当依法对收寄的麻醉药品和精神药品予以查验。

邮寄麻醉药品和精神药品的具体管理办法，由国务院药品监督管理部门会同国务院邮政主管部门制定。

第五十五条 定点生产企业、全国性批发企业和区域性批发企业之间运输麻醉药品、第一类精神药品，发货人在发货前应当向所在地省、自治区、直辖市人民政府药品监督管理部门报送本次运输的相关信息。属于跨省、自治区、直辖市运输的，收到信息的药品监督管理部门应当向收货人所在地的同级药品监督管理部门通报；属于在本省、自治区、直辖市行政区域内运输的，收到信息的药品监督管理部门应当向收货人所在地设区的市级药品监督管理部门通报。

第七章 审批程序和监督管理

第五十六条 申请人提出本条例规定的审批事项申请，应当提交能够证明其符合本条例规定条件的相关资料。审批部门应当自收到申请之日起40日内作出是否批准的决定；作出批准决定的，发给许可证明文件或者在相关许可证明文件上加注许可事项；作出不予批准决定的，应当书面说明理由。

确定定点生产企业和定点批发企业，审批部门应当在经审查符合条件的企业中，根据布局的要求，通过公平竞争的方式初步确定定点生产企业和定点批发企业，并予公布。其他符合条件的企业可以自公布之日起10日内向审批部门提出异议。审批部门应当自收到异议之日起20日内对异议进行审查，并作出是否调整的决定。

第五十七条 药品监督管理部门应当根据规定的职责权限，对麻醉药品药用原植物的种植以及麻醉药品和精神药品的实验研究、生产、经营、使用、储存、运输活动进行监督检查。

第五十八条 省级以上人民政府药品监督管理部门根据实际情况建立监控信息网络，对定点生产企业、定点批发企业和使用单位的麻醉药品和精神药品生产、进货、销售、库存、使用的数量以及流向实行实时监控，并与同级公安机关做到信息共享。

第五十九条 尚未连接监控信息网络的麻醉药品和精神药品定点生产企业、定点批发企业和使用单位，应当每月通过电子信息、传真、书面等方式，将本单位麻醉药品和精神药品生产、进货、销售、库存、使用的数量以及流向，报所在地设区的市级药品监督管理部门和公安机关；医疗机构还应当报所在地设区的市级人民政府卫生主管部门。

设区的市级药品监督管理部门应当每3个月向上一级药品监督管理部门报告本地区麻醉药品和精神药品的相关情况。

第六十条 对已经发生滥用，造成严重社会危害的麻醉药品和精神药品品种，国务院药品监督管理部门应当采取在一定期限内中止生产、经营、使用或者限定其使用范围和用途等措施。对不再作为药品使用的麻醉药品和精神药品，国务院药品监督管理部门应当撤销其药品批准文号和药品标准，并予以公布。

药品监督管理部门、卫生主管部门发现生产、经营企业和使用单位的麻醉药品和精神药品管理存在安全隐患时，应当责令其立即排除或者限期排除；对有证据证明可能流入非法渠道的，应当及时采取查封、扣押的行政强制措施，在 7 日内作出行政处理决定，并通报同级公安机关。

药品监督管理部门发现取得印鉴卡的医疗机构未依照规定购买麻醉药品和第一类精神药品时，应当及时通报同级卫生主管部门。接到通报的卫生主管部门应当立即调查处理。必要时，药品监督管理部门可以责令定点批发企业中止向该医疗机构销售麻醉药品和第一类精神药品。

第六十一条　麻醉药品和精神药品的生产、经营企业和使用单位对过期、损坏的麻醉药品和精神药品应当登记造册，并向所在地县级药品监督管理部门申请销毁。药品监督管理部门应当自接到申请之日起 5 日内到场监督销毁。医疗机构对存放在本单位的过期、损坏麻醉药品和精神药品，应当按照本条规定的程序向卫生主管部门提出申请，由卫生主管部门负责监督销毁。

对依法收缴的麻醉药品和精神药品，除经国务院药品监督管理部门或者国务院公安部门批准用于科学研究外，应当依照国家有关规定予以销毁。

第六十二条　县级以上人民政府卫生主管部门应当对执业医师开具麻醉药品和精神药品处方的情况进行监督检查。

第六十三条　药品监督管理部门、卫生主管部门和公安机关应当互相通报麻醉药品和精神药品生产、经营企业和使用单位的名单以及其他管理信息。

各级药品监督管理部门应当将在麻醉药品药用原植物的种植以及麻醉药品和精神药品的实验研究、生产、经营、使用、储存、运输等各环节的管理中的审批、撤销等事项通报同级公安机关。

麻醉药品和精神药品的经营企业、使用单位报送各级药品监督管理部门的备案事项，应当同时报送同级公安机关。

第六十四条　发生麻醉药品和精神药品被盗、被抢、丢失或者其他流入非法渠道的情形的，案发单位应当立即采取必要的控制措施，同时报告所在地县级公安机关和药品监督管理部门。医疗机构发生上述情形的，还应当报告其主管部门。

公安机关接到报告、举报，或者有证据证明麻醉药品和精神药品可能流入非法渠道时，应当及时开展调查，并可以对相关单位采取必要的控制措施。

药品监督管理部门、卫生主管部门以及其他有关部门应当配合公安机关开展工作。

第八章 法律责任

第六十五条 药品监督管理部门、卫生主管部门违反本条例的规定，有下列情形之一的，由其上级行政机关或者监察机关责令改正；情节严重的，对直接负责的主管人员和其他直接责任人员依法给予行政处分；构成犯罪的，依法追究刑事责任：

（一）对不符合条件的申请人准予行政许可或者超越法定职权作出准予行政许可决定的；

（二）未到场监督销毁过期、损坏的麻醉药品和精神药品的；

（三）未依法履行监督检查职责，应当发现而未发现违法行为、发现违法行为不及时查处，或者未依照本条例规定的程序实施监督检查的；

（四）违反本条例规定的其他失职、渎职行为。

第六十六条 麻醉药品药用原植物种植企业违反本条例的规定，有下列情形之一的，由药品监督管理部门责令限期改正，给予警告；逾期不改正的，处5万元以上10万元以下的罚款；情节严重的，取消其种植资格：

（一）未依照麻醉药品药用原植物年度种植计划进行种植的；

（二）未依照规定报告种植情况的；

（三）未依照规定储存麻醉药品的。

第六十七条 定点生产企业违反本条例的规定，有下列情形之一的，由药品监督管理部门责令限期改正，给予警告，并没收违法所得和违法销售的药品；逾期不改正的，责令停产，并处5万元以上10万元以下的罚款；情节严重的，取消其定点生产资格：

（一）未按照麻醉药品和精神药品年度生产计划安排生产的；

（二）未依照规定向药品监督管理部门报告生产情况的；

（三）未依照规定储存麻醉药品和精神药品，或者未依照规定建立、保存专用账册的；

（四）未依照规定销售麻醉药品和精神药品的；

（五）未依照规定销毁麻醉药品和精神药品的。

第六十八条 定点批发企业违反本条例的规定销售麻醉药品和精神药品，或者违反本条例的规定经营麻醉药品原料药和第一类精神药品原料药的，由药品监督管理部门责令限期改正，给予警告，并没收违法所得和违法销售的药品；逾期不改正的，责令停业，并处违法销售药品货值金额2倍以上5倍以下的罚款；情节严重的，取消其定点批发资格。

第六十九条 定点批发企业违反本条例的规定，有下列情形之一的，由药品监督管理部门责令限期改正，给予警告；逾期不改正的，责令停业，并处2万元以上5万元以下的罚款；情节严重的，取消其定点批发资格：

（一）未依照规定购进麻醉药品和第一类精神药品的；

（二）未保证供药责任区域内的麻醉药品和第一类精神药品的供应的；

（三）未对医疗机构履行送货义务的；

（四）未依照规定报告麻醉药品和精神药品的进货、销售、库存数量以及流向的；

（五）未依照规定储存麻醉药品和精神药品，或者未依照规定建立、保存专用账册的；

（六）未依照规定销毁麻醉药品和精神药品的；

（七）区域性批发企业之间违反本条例的规定调剂麻醉药品和第一类精神药品，或者因特殊情况调剂麻醉药品和第一类精神药品后未依照规定备案的。

第七十条 第二类精神药品零售企业违反本条例的规定储存、销售或者销毁第二类精神药品的，由药品监督管理部门责令限期改正，给予警告，并没收违法所得和违法销售的药品；逾期不改正的，责令停业，并处5 000元以上2万元以下的罚款；情节严重的，取消其第二类精神药品零售资格。

第七十一条 本条例第三十四条、第三十五条规定的单位违反本条例的规定，购买麻醉药品和精神药品的，由药品监督管理部门没收违法购买的麻醉药品和精神药品，责令限期改正，给予警告；逾期不改正的，责令停产或者停止相关活动，并处2万元以上5万元以下的罚款。

第七十二条 取得印鉴卡的医疗机构违反本条例的规定，有下列情形之一的，由设区的市级人民政府卫生主管部门责令限期改正，给予警告；逾期不改正的，处5000元以上1万元以下的罚款；情节严重的，吊销其印鉴卡；对直接负责的主管人员和其他直接责任人员，依法给予降级、撤职、开除的处分：

（一）未依照规定购买、储存麻醉药品和第一类精神药品的；

（二）未依照规定保存麻醉药品和精神药品专用处方，或者未依照规定进行处方专册登记的；

（三）未依照规定报告麻醉药品和精神药品的进货、库存、使用数量的；

（四）紧急借用麻醉药品和第一类精神药品后未备案的；

（五）未依照规定销毁麻醉药品和精神药品的。

第七十三条 具有麻醉药品和第一类精神药品处方资格的执业医师，违反本条例的规定开具麻醉药品和第一类精神药品处方，或者未按照临床应用指导原则的要求使用麻醉药品和第一类精神药品的，由其所在医疗机构取消其麻醉药品和第一类精神药品处方资格；造成严重后果的，由原发证部门吊销其执业证书。执业医师未按照临床应用指导原则的要求使用第二类精神药品或者未使用专用处方开具第二类精神药品，造成严重后果的，由原发证部门吊销其执业证书。

未取得麻醉药品和第一类精神药品处方资格的执业医师擅自开具麻醉药品和第一类精神药品处方，由县级以上人民政府卫生主管部门给予警告，暂停其执业活动；造成严重后果的，吊销其执业证书；构成犯罪的，依法追究刑事责任。

处方的调配人、核对人违反本条例的规定未对麻醉药品和第一类精神药品处方进行核对，造成严重后果的，由原发证部门吊销其执业证书。

第七十四条 违反本条例的规定运输麻醉药品和精神药品的，由药品监督管理部门和运输管理部门依照各自职责，责令改正，给予警告，处2万元以上5万元以下的罚款。

收寄麻醉药品、精神药品的邮政营业机构未依照本条例的规定办理邮寄手续的，由邮政主管部门责令改正，给予警告；造成麻醉药品、精神药品邮件丢失的，依照邮政法律、行政法规的规定处理。

第七十五条 提供虚假材料、隐瞒有关情况，或者采取其他欺骗手段取得麻醉药品和精神药品的实验研究、生产、经营、使用资格的，由原审批部门撤销其已取得的资格，5年内不得提出有关麻醉药品和精神药品的申请；情节严重的，处1万元以上3万元以下的罚款，有药品生产许可证、药品经营许可证、医疗机构执业许可证的，依法吊销其许可证明文件。

第七十六条 药品研究单位在普通药品的实验研究和研制过程中，产生本条例规定管制的麻醉药品和精神药品，未依照本条例的规定报告的，由药品监督管理部门责令改正，给予警告，没收违法药品；拒不改正的，责令停止实验研究和研制活动。

第七十七条 药物临床试验机构以健康人为麻醉药品和第一类精神药品临床试验的受试对象的，由药品监督管理部门责令停止违法行为，给予警告；情节严重的，取消其药物临床试验机构的资格；构成犯罪的，依法追究刑事责任。对受试对象造成损害的，药物临床试验机构依法承担治疗和赔偿责任。

第七十八条　定点生产企业、定点批发企业和第二类精神药品零售企业生产、销售假劣麻醉药品和精神药品的，由药品监督管理部门取消其定点生产资格、定点批发资格或者第二类精神药品零售资格，并依照药品管理法的有关规定予以处罚。

第七十九条　定点生产企业、定点批发企业和其他单位使用现金进行麻醉药品和精神药品交易的，由药品监督管理部门责令改正，给予警告，没收违法交易的药品，并处 5 万元以上 10 万元以下的罚款。

第八十条　发生麻醉药品和精神药品被盗、被抢、丢失案件的单位，违反本条例的规定未采取必要的控制措施或者未依照本条例的规定报告的，由药品监督管理部门和卫生主管部门依照各自职责，责令改正，给予警告；情节严重的，处 5000 元以上 1 万元以下的罚款；有上级主管部门的，由其上级主管部门对直接负责的主管人员和其他直接责任人员，依法给予降级、撤职的处分。

第八十一条　依法取得麻醉药品药用原植物种植或者麻醉药品和精神药品实验研究、生产、经营、使用、运输等资格的单位，倒卖、转让、出租、出借、涂改其麻醉药品和精神药品许可证明文件的，由原审批部门吊销相应许可证明文件，没收违法所得；情节严重的，处违法所得 2 倍以上 5 倍以下的罚款；没有违法所得的，处 2 万元以上 5 万元以下的罚款；构成犯罪的，依法追究刑事责任。

第八十二条　违反本条例的规定，致使麻醉药品和精神药品流入非法渠道造成危害，构成犯罪的，依法追究刑事责任；尚不构成犯罪的，由县级以上公安机关处 5 万元以上 10 万元以下的罚款；有违法所得的，没收违法所得；情节严重的，处违法所得 2 倍以上 5 倍以下的罚款；由原发证部门吊销其药品生产、经营和使用许可证明文件。

药品监督管理部门、卫生主管部门在监督管理工作中发现前款规定情形的，应当立即通报所在地同级公安机关，并依照国家有关规定，将案件以及相关材料移送公安机关。

第八十三条　本章规定由药品监督管理部门作出的行政处罚，由县级以上药品监督管理部门按照国务院药品监督管理部门规定的职责分工决定。

第九章　附则

第八十四条　本条例所称实验研究是指以医疗、科学研究或者教学为目的的临床前药物研究。

第八十五条　药用类麻醉药品中的罂粟壳只能用于中药饮片和中成药的生产以及医疗配方使用。具体管理办法由国务院药品监督管理部门另行制定。

第八十六条　生产含麻醉药品的复方制剂，需要购进、储存、使用麻醉药品原料药的，应当遵守本条例有关麻醉药品管理的规定。

第八十七条　非药用类麻醉药品和精神药品管理的具体办法，由国务院公安部门会同国务院药品监督管理部门、国务院卫生主管部门依据本条例制定。

第八十八条　军队医疗机构麻醉药品和精神药品的供应、使用，由国务院药品监督管理部门会同中央军事委员会后勤保障部依据本条例制定具体管理办法。

第八十九条　对动物用麻醉药品和精神药品的管理，由国务院兽医主管部门会同国务院药品监督管理部门依据本条例制定具体管理办法。

第八十九条　本条例自 2005 年 11 月 1 日起施行。1987 年 11 月 28 日国务院发布的《麻醉药品管理办法》和 1988 年 12 月 27 日国务院发布的《精神药品管理办法》同时废止。

公安部、国家食品药品监督管理总局、国家卫生和计划生育委员会、国家禁毒委员会办公室关于印发《非药用类麻醉药品和精神药品列管办法》的通知

公通字〔2015〕27 号

各省、自治区、直辖市公安厅（局）、食品药品监督管理局、卫生计生委、禁毒委员会办公室，新疆生产建设兵团公安局、食品药品监督管理局、卫生局、禁毒委员会办公室：

近年来，非药用类麻醉药品和精神药品制贩、走私和滥用问题日益突出，为加强对非药用类麻醉药品和精神药品的列管工作，防止非法生产、经营、运输、使用和进出口，遏制有关违法犯罪活动的发展蔓延，公安部、国家食品药品监督管理总局、国家卫生计生委和国家禁毒委员会办公室联合制定了《非药用类麻醉药品和精神药品列管办法》。现印发给你们，请认真贯彻执行。执行中遇到的问题，请及时上报。

2015 年 9 月 24 日

非药用类麻醉药品和精神药品列管办法

第一条　为加强对非药用类麻醉药品和精神药品的管理，防止非法生产、经营、运输、使用和进出口，根据《中华人民共和国禁毒法》和《麻醉药品和精神药品管理条例》等法律、法规的规定，制定本办法。

第二条　本办法所称的非药用类麻醉药品和精神药品，是指未作为药品生产和使用，具有成瘾性或者成瘾潜力且易被滥用的物质。

第三条　麻醉药品和精神药品按照药用类和非药用类分类列管。除麻醉药品和精神药品管理品种目录已有列管品种外，新增非药用类麻醉药品和精神药品管制品种由本办法附表列示。非药用类麻醉药品和精神药品管制品种目录的调整由国务院公安部门会同国务院食品药品监督管理部门和国务院卫生计生行政部门负责。

非药用类麻醉药品和精神药品发现医药用途，调整列入药品目录的，不再列入非药用类麻醉药品和精神药品管制品种目录。

第四条　对列管的非药用类麻醉药品和精神药品，禁止任何单位和个人生产、买卖、运输、使用、储存和进出口。因科研、实验需要使用非药用类麻醉药品和精神药品，在药品、医疗器械生产、检测中需要使用非药用类麻醉药品和精神药品标准品、对照品，以及药品生产过程中非药用类麻醉药品和精神药品中间体的管理，按照有关规定执行。

各级公安机关和有关部门依法加强对非药用类麻醉药品和精神药品违法犯罪行为的打击处理。

第五条　各地禁毒委员会办公室（以下简称禁毒办）应当组织公安机关和有关部门加强对非药用类麻醉药品和精神药品的监测，并将监测情况及时上报国家禁毒办。国家禁毒办经汇总、分析后，应当及时发布预警信息。对国家禁毒办发布预警的未列管非药用类麻醉药品和精神药品，各地禁毒办应当进行重点监测。

第六条　国家禁毒办认为需要对特定非药用类麻醉药品和精神药品进行列管的，应当交由非药用类麻醉药品和精神药品专家委员会（以下简称专家委员会）进行风险评估和列管论证。

第七条　专家委员会由国务院公安部门、食品药品监督管理部门、卫生计生行政部门、工业和信息化管理部门、海关等部门的专业人员以及医学、药学、法学、司法鉴定、化工等领域的专家学者组成。

专家委员会应当对拟列管的非药用类麻醉药品和精神药品进行下列风险评估和列管论证，并提出是否予以列管的建议：

（一）成瘾性或者成瘾潜力；

（二）对人身心健康的危害性；

（三）非法制造、贩运或者走私活动情况；

（四）滥用或者扩散情况；

（五）造成国内、国际危害或者其他社会危害情况。

专家委员会启动对拟列管的非药用类麻醉药品和精神药品的风险评估和列管论证工作后，应当在 3 个月内完成。

第八条 对专家委员会评估后提出列管建议的，国家禁毒办应当建议国务院公安部门会同食品药品监督管理部门和卫生计生行政部门予以列管。

第九条 国务院公安部门会同食品药品监督管理部门和卫生计生行政部门应当在接到国家禁毒办列管建议后 6 个月内，完成对非药用类麻醉药品和精神药品的列管工作。

对于情况紧急、不及时列管不利于遏制危害发展蔓延的，风险评估和列管工作应当加快进程。

第十条 本办法自 2015 年 10 月 1 日起施行。

非药用类麻醉药品和精神药品管制品种增补目录

序号	中文名	英文名	CAS 号	备注
1	N-（2-甲氧基苄基）-2-（2，5-二甲氧基-4-溴苯基）乙胺	2-（4-Bromo-2，5-dimethoxyphenyl）-N-（2-methoxybenzyl）ethanamine	1026511-90-9	2C-B-NBOMe
2	2，5-二甲氧基-4-氯苯乙胺	4-Chloro-2，5-dimethoxyphenethylamine	88441-14-9	2C-C
3	N-（2-甲氧基苄基）-2-（2，5-二甲氧基-4-氯苯基）乙胺	2-（4-Chloro-2，5-dimethoxyphenyl）-N-（2-methoxybenzyl）ethanamine	1227608-02-7	2C-C-NBOMe
4	2，5-二甲氧基-4-甲基苯乙胺	4-Methyl-2，5-dimethoxyphenethylamine	24333-19-5	2C-D

序号	中文名	英文名	CAS 号	备注
5	N-（2-甲氧基苄基）-2-（2，5-二甲氧基-4-甲基苯基）乙胺	2-（4-Methyl-2，5-dimethoxyphenyl）-N-（2-methoxybenzyl）ethanamine	1354632-02-2	2C-D-NBOMe
6	2，5-二甲氧基-4-乙基苯乙胺	4-Ethyl-2，5-dimethoxyphenethylamine	71539-34-9	2C-E
7	N-（2-甲氧基苄基）-2-（2，5-二甲氧基-4-碘苯基）乙胺	2-（4-Iodo-2，5-dimethoxyphenyl）-N-（2-methoxybenzyl）ethanamine	919797-19-6	2C-I-NBOMe
8	2，5-二甲氧基-4-丙基苯乙胺	4-Propyl-2，5-dimethoxyphenethylamine	207740-22-5	2C-P
9	2，5-二甲氧基-4-乙硫基苯乙胺	4-Ethylthio-2，5-dimethoxyphenethylamine	207740-24-7	2C-T-2
10	2，5-二甲氧基-4-异丙基硫基苯乙胺	4-Isopropylthio-2，5-dimethoxyphenethy lamine	207740-25-8	2C-T-4
11	2，5-二甲氧基-4-丙硫基苯乙胺	4-Propylthio-2，5-dimethox-phenethylamine	207740-26-9	2C-T-7
12	2-氟苯丙胺	1-（2-Fluorophenyl）propan-2-amine	1716-60-5	2-FA
13	2-氟甲基苯丙胺	N-Methyl-1-（2-fluorophenyl）propan-2-amine	1017176-48-5	2-FMA
14	1-（2-苯并呋喃基）-N-甲基-2-丙胺	N-Methyl-1-（benzofuran-2-yl）propan-2-amine	806596-15-6	2-MAPB
15	3-氟苯丙胺	1-（3-Fluorophenyl）propan-2-amine	1626-71-7	3-FA
16	3-氟甲基苯丙胺	N-Methyl-1-（3-fluorophenyl）propan-2-amine	1182818-14-9	3-FMA
17	4-氯苯丙胺	1-（4-Chlorophenyl）propan-2-amine	64-12-0	4-CA

序号	中文名	英文名	CAS 号	备注
18	4-氟苯丙胺	1-（4-Fluorophenyl）pro-pan-2-amine	459-02-9	4-FA
19	4-氟甲基苯丙胺	N-Methyl-1-（4-fluorophe-nyl）propan-2-amine	351-03-1	4-FMA
20	1-［5-（2，3-二氢苯并呋喃基）]-2-丙胺	1-（2，3-Dihydro-1-benzo-furan-5-yl）propan-2-amine	152624-03-8	5-APDB
21	1-（5-苯并呋喃基）-N-甲基-2-丙胺	N-Methyl-1-（benzofuran-5-yl）propan-2-amine	1354631-77-8	5-MAPB
22	6-溴-3，4-亚甲二氧基甲基苯丙胺	N-Methyl-（6-bromo-3，4-methylenedioxyphenyl）propan-2-amine		6-Br-MDMA
23	6-氯-3，4-亚甲二氧基甲基苯丙胺	N-Methyl-（6-chloro-3，4-methylenedioxyphenyl）propan-2-amine	319920-71-3	6-Cl-MDMA
24	1-（2，5-二甲氧基-4-氯苯基）-2-丙胺	1-（4-Chloro-2，5-dime-thoxyphenyl）propan-2-amine	123431-31-2	DOC
25	1-（2-噻吩基）-N-甲基-2-丙胺	N-Methyl-1-（thiophen-2-yl）propan-2-amine	801156-47-8	MPA
26	N-（1-氨甲酰基-2-甲基丙基）-1-（5-氟戊基）吲哚-3-甲酰胺	N-（1-Amino-3-methyl-1-oxobutan-2-yl）-1-（5-fluoropentyl）-1H-indole-3-carboxamide	1801338-26-0	5F-ABICA
27	N-（1-氨甲酰基-2-甲基丙基）-1-（5-氟戊基）吲唑-3-甲酰胺	N-（1-Amino-3-methyl-1-oxobutan-2-yl）-1-（5-fluoropentyl）-1H-indazole-3-carboxamide	1800101-60-3	5F-AB-PINACA

序号	中文名	英文名	CAS 号	备注
28	N-（1-氨甲酰基-2，2-二甲基丙基）-1-（5-氟戊基）吲哚-3-甲酰胺	N-（1-Amino-3,3-dimethyl-1-oxobutan-2-yl）-1-（5-fluoropentyl）-1H-indole-3-carboxamide	1801338-27-1	5F-ADBICA
29	N-（1-甲氧基羰基-2-甲基丙基）-1-（5-氟戊基）吲唑-3-甲酰胺	1-Methoxy-3-methyl-1-oxobutan-2-yl-1-（5-fluoropentyl）-1H-indazole-3-carboxamide	1715016-74-2	5F-AMB
30	N-（1-金刚烷基）-1-（5-氟戊基）吲唑-3-甲酰胺	N-（1-Adamantyl）-1-（5-fluoropentyl）-1H-indazole-3-carboxamide	1400742-13-3	5F-APINACA
31	1-（5-氟戊基）吲哚-3-甲酸-8-喹啉酯	Quinolin-8-yl 1-（5-fluoropentyl）-1H-indole-3-carboxylate	1400742-41-7	5F-PB-22
32	1-（5-氟戊基）-3-（2，2，3，3-四甲基环丙甲酰基）吲哚	（1-（5-Fluoropentyl）-1H-indol-3-yl）（2,2,3,3-tetramethylcyclopropyl）methanone	1364933-54-9	5F-UR-144
33	1-［2-（N-吗啉基）乙基］-3-（2，2，3，3-四甲基环丙甲酰基）吲哚	（1-（2-Morpholin-4-ylethyl）-1H-indol-3-yl）（2,2,3,3-tetramethylcyclopropyl）methanone	895155-26-7	A-796,260
34	1-（4-四氢吡喃基甲基）-3-（2，2，3，3-四甲基环丙甲酰基）吲哚	（1-（Tetrahydropyran-4-ylmethyl）-1H-indol-3-yl）（2,2,3,3-tetramethylcyclopropyl）methanone	895155-57-4	A-834,735
35	N-（1-氨甲酰基-2-甲基丙基）-1-（环己基甲基）吲唑-3-甲酰胺	N-（1-Amino-3-methyl-1-oxobutan-2-yl）-1-（cyclohexylmethyl）-1H-indazole-3-carboxamide	1185887-21-1	AB-CHMINACA

序号	中文名	英文名	CAS 号	备注
36	N-（1-氨甲酰基-2-甲基丙基）-1-（4-氟苄基）吲唑-3-甲酰胺	N-（1-Amino-3-methyl-1-oxobutan-2-yl）-1-（4-fluorobenzyl）-1H-indazole-3-carboxamide	1629062-56-1	AB-FUBINACA
37	N-（1-氨甲酰基-2-甲基丙基）-1-戊基吲唑-3-甲酰胺	N-（1-Amino-3-methyl-1-oxobutan-2-yl）-1-pe-ntyl-1H-indazole-3-carboxamide	1445583-20-9	AB-PINACA
38	N-（1-氨甲酰基-2,2-二甲基丙基）-1-戊基吲哚-3-甲酰胺	N-（1-Amino-3,3-dimeth-yl-1-oxobutan-2-yl）-1-pentyl-1H-indole-3-carbox-amide	1445583-48-1	ADBICA
39	N-（1-氨甲酰基-2,2-二甲基丙基）-1-戊基吲唑-3-甲酰胺	N-（1-Amino-3,3-dimeth-yl-1-oxobutan-2-yl）-1-pentyl-1H-indole-3-car-boxamide	1633766-73-0	ADB-PINACA
40	1-［（N-甲基-2-哌啶基）甲基］-3-（1-萘甲酰基）吲哚	(1-（（1-Methylpiperidin-2-yl）methyl）-1H-indol-3-yl)（naphthalen-1-yl）meth-anone	137642-54-7	AM-1220
41	1-［（N-甲基-2-哌啶基）甲基］-3-（1-金刚烷基甲酰基）吲哚	(1-（（1-Methylpiperidin-2-yl）methyl）-1H-indol-3-yl)（adamantan-1-yl）meth-anone	335160-66-2	AM-1248
42	1-［（N-甲基-2-哌啶基）甲基］-3-（2-碘苯甲酰基）吲哚	(1-（（1-Methylpiperidin-2-yl）methyl）-1H-indol-3-yl)（2-iodophenyl）metha-none	444912-75-8	AM-2233
43	N-（1-金刚烷基）-1-戊基吲哚-3-甲酰胺	N-（1-Adamantyl）-1-pen-tyl-1H-indole-3-carboxam-ide	1345973-50-3	APICA

序号	中文名	英文名	CAS 号	备注
44	N-（1-金刚烷基）-1-戊基吲唑-3-甲酰胺	N-（1-Adamantyl）-1-pentyl-1H-indazole-3-carboxamide	1345973-53-6	APINACA
45	1-（1-萘甲酰基）-4-戊氧基萘	（4-Pentyloxynaphthalen-1-yl）（naphthalen-1-yl）methanone	432047-72-8	CB-13
46	N-（1-甲基-1-苯基乙基）-1-（4-四氢吡喃基甲基）吲唑-3-甲酰胺	N-（2-Phenylpropan-2-yl）-1-（tetrahydropyran-4-ylmethyl）-1H-indazole-3-carboxamide	1400742-50-8	CUMYL-THPINACA
47	1-（5-氟戊基）-3-（4-乙基-1-萘甲酰基）吲哚	（1-（5-Fluoropentyl）-1H-indol-3-yl）（4-ethylnaphthalen-1-yl）methanone	1364933-60-7	EAM-2201
48	1-（4-氟苄基）-3-（1-萘甲酰基）吲哚	（1-（4-Fluorobenzyl）-1H-indol-3-yl）（naphthalen-1-yl）methanone		FUB-JWH-018
49	1-（4-氟苄基）吲哚-3-甲酸-8-喹啉酯	Quinolin-8-yl 1-（4-fluorobenzyl）-1H-indole-3-carboxylate	1800098-36-5	FUB-PB-22
50	2-甲基-1-戊基-3-（1-萘甲酰基）吲哚	（2-Methyl-1-pentyl-1H-indol-3-yl）（naphthalen-1-yl）methanone	155471-10-6	JWH-007
51	2-甲基-1-丙基-3-（1-萘甲酰基）吲哚	（2-Methyl-1-propyl-1H-indol-3-yl）（naphthalen-1-yl）methanone	155471-08-2	JWH-015
52	1-己基-3-（1-萘甲酰基）吲哚	（1-Hexyl-1H-indol-3-yl）（naphthalen-1-yl）methanone	209414-08-4	JWH-019

序号	中文名	英文名	CAS 号	备注
53	1-戊基-3-（4-甲氧基-1-萘甲酰基）吲哚	（1-Pentyl-1*H*-indol-3-yl）（4-methoxynaphthalen-1-yl）methanone	210179-46-7	JWH-081
54	1-戊基-3-（4-甲基-1-萘甲酰基）吲哚	（1-Pentyl-1*H*-indol-3-yl）（4-methylnaphthalen-1-yl）methanone	619294-47-2	JWH-122
55	1-戊基-3-（2-氯苯乙酰基）吲哚	2-（2-Chlorophenyl）-1-（1-pentyl-1*H*-indol-3-yl）ethanone	864445-54-5	JWH-203
56	1-戊基-3-（4-乙基-1-萘甲酰基）吲哚	（1-Pentyl-1*H*-indol-3-yl）（4-ethylnaphthalen-1-yl）methanone	824959-81-1	JWH-210
57	1-戊基-2-（2-甲基苯基）-4-（1-萘甲酰基）吡咯	（5-（2-Methylphenyl）-1-pentyl-1*H*-pyrrol-3-yl）（naphthalen-1-yl）methanone	914458-22-3	JWH-370
58	1-（5-氟戊基）-3-（4-甲基-1-萘甲酰基）吲哚	（1-（5-Fluoropentyl）-1*H*-indol-3-yl）（4-methylnaphthalen-1-yl）methanone	1354631-24-5	MAM-2201
59	N-（1-甲氧基羰基-2,2-二甲基丙基）-1-（环己基甲基）吲哚-3-甲酰胺	N-（1-Methoxy-3,3-dimethyl-1-oxobutan-2-yl）-1-（cyclohexylmethyl）-1*H*-indole-3-carboxamide	1715016-78-6	MDMB-CHMICA
60	N-（1-甲氧基羰基-2,2-二甲基丙基）-1-（4-氟苄基）吲唑-3-甲酰胺	N-（1-Methoxy-3,3-dimethyl-1-oxobutan-2-yl）-1-（4-fluorobenzyl）-1*H*-indazole-3-carboxamide	1715016-77-5	MDMB-FUBINACA
61	1-戊基吲哚-3-甲酸-8-喹啉酯	Quinolin-8-yl 1-pentyl-1*H*-indole-3-carboxylate	1400742-17-7	PB-22

序号	中文名	英文名	CAS 号	备注
62	N-（1-氨甲酰基-2-苯基乙基）-1-（5-氟戊基）吲唑-3-甲酰胺	N-（1-Amino-1-oxo-3-phenylpropan-2-yl）-1-（5-fluoropentyl）-1H-indazole-3-carboxamide		PX-2
63	1-戊基-3-（4-甲氧基苯甲酰基）吲哚	（1-Pentyl-1H-indol-3-yl）（4-methoxyphenyl）methanone	1345966-78-0	RCS-4
64	N-（1-金刚烷基）-1-（5-氟戊基）吲哚-3-甲酰胺	N-（1-Adamantyl）-1-（5-fluoropentyl）-1H-indole-3-carboxamide	1354631-26-7	STS-135
65	1-戊基-3-（2,2,3,3-四甲基环丙甲酰基）吲哚	（1-Pentyl-1H-indol-3-yl）（2,2,3,3-tetramethylcyclopropyl）methanone	1199943-44-6	UR-144
66	2-氟甲卡西酮	1-（2-Fluorophenyl）-2-methylaminopropan-1-one	1186137-35-8	2-FMC
67	2-甲基甲卡西酮	1-（2-Methylphenyl）-2-methylaminopropan-1-one	1246911-71-6	2-MMC
68	3,4-二甲基甲卡西酮	1-（3,4-Dimethylphenyl）-2-methylaminopropan-1-one	1082110-00-6	3,4-DMMC
69	3-氯甲卡西酮	1-（3-Chlorophenyl）-2-methylaminopropan-1-one	1049677-59-9	3-CMC
70	3-甲氧基甲卡西酮	1-（3-Methoxyphenyl）-2-methylaminopropan-1-one	882302-56-9	3-MeOMC
71	3-甲基甲卡西酮	1-（3-Methylphenyl）-2-methylaminopropan-1-one	1246911-86-3	3-MMC
72	4-溴甲卡西酮	1-（4-Bromophenyl）-2-methylaminopropan-1-one	486459-03-4	4-BMC
73	4-氯甲卡西酮	1-（4-Chlorophenyl）-2-methylaminopropan-1-one	1225843-86-6	4-CMC

序号	中文名	英文名	CAS 号	备注
74	4-氟甲卡西酮	1-（4-Fluorophenyl）-2-methylaminopropan-1-one	447-40-5	4-FMC
75	1-（4-氟苯基）-2-（N-吡咯烷基）-1-戊酮	1-（4-Fluorophenyl）-2-（1-pyrrolidinyl）pentan-1-one	850352-62-4	4-F-α-PVP
76	1-（4-甲基苯基）-2-甲氨基-1-丁酮	1-（4-Methylphenyl）-2-methylaminobutan-1-one	1337016-51-9	4-MeBP
77	1-（4-甲氧基苯基）-2-（N-吡咯烷基）-1-戊酮	1-（4-Methoxyphenyl）-2-（1-pyrrolidinyl）pentan-1-one	14979-97-6	4-MeO-α-PVP
78	1-苯基-2-甲氨基-1-丁酮	1-Phenyl-2-methylaminobutan-1-one	408332-79-6	Buphedrone
79	2-甲氨基-1-［3, 4-（亚甲二氧基）苯基］-1-丁酮	1-（3, 4-Methylenedioxyphenyl）-2-methylaminobutan-1-one	802575-11-7	Butylone
80	2-二甲氨基-1-［3, 4-（亚甲二氧基）苯基］-1-丙酮	1-（3, 4-Methylenedioxyphenyl）-2-dimethylaminopropan-1-one	765231-58-1	Dimethylone
81	乙卡西酮	1-Phenyl-2-ethylaminopropan-1-one	18259-37-5	Ethcathinone
82	3, 4-亚甲二氧基乙卡西酮	1-（3, 4-Methylenedioxyphenyl）-2-ethylaminopropan-1-one	1112937-64-0	Ethylone
83	1-［3, 4-（亚甲二氧基）苯基］-2-（N-吡咯烷基）-1-丁酮	1-（3, 4-Methylenedioxyphenyl）-2-（1-pyrrolidinyl）butan-1-one	784985-33-7	MDPBP
84	1-［3, 4-（亚甲二氧基）苯基］-2-（N-吡咯烷基）-1-丙酮	1-（3, 4-Methylenedioxyphenyl）-2-（1-pyrrolidinyl）propan-1-one	783241-66-7	MDPPP

续表

序号	中文名	英文名	CAS 号	备注
85	4-甲氧基甲卡西酮	1-（4-Methoxyphenyl）-2-methylaminopropan-1-one	530-54-1	Methedrone
86	1-苯基-2-乙氨基-1-丁酮	1-Phenyl-2-ethylaminobutan-1-one	1354631-28-9	NEB
87	1-苯基-2-甲氨基-1-戊酮	1-Phenyl-2-methylaminopentan-1-one	879722-57-3	Pentedrone
88	1-苯基-2-（N-吡咯烷基）-1-丁酮	1-Phenyl-2-（1-pyrrolidinyl）butan-1-one	13415-82-2	α-PBP
89	1-苯基-2-（N-吡咯烷基）-1-己酮	1-Phenyl-2-（1-pyrrolidinyl）hexan-1-one	13415-86-6	α-PHP
90	1-苯基-2-（N-吡咯烷基）-1-庚酮	1-Phenyl-2-（1-pyrrolidinyl）heptan-1-one	13415-83-3	α-PHPP
91	1-苯基-2-（N-吡咯烷基）-1-戊酮	1-Phenyl-2-（1-pyrrolidinyl）pentan-1-one	14530-33-7	α-PVP
92	1-（2-噻吩基）-2-（N-吡咯烷基）-1-戊酮	1-（Thiophen-2-yl）-2-（1-pyrrolidinyl）pentan-1-one	1400742-66-6	α-PVT
93	2-（3-甲氧基苯基）-2-乙氨基环己酮	2-（3-Methoxyphenyl）-2-（ethylamino）cyclohexanone	1239943-76-0	MXE
94	乙基去甲氯胺酮	2-（2-Chlorophenyl）-2-（ethylamino）cyclohexanone	1354634-10-8	NENK
95	N，N-二烯丙基-5-甲氧基色胺	5-Methoxy-N，N-diallyltryptamine	928822-98-4	5-MeO-DALT
96	N，N-二异丙基-5-甲氧基色胺	5-Methoxy-N，N-diisopropyltryptamine	4021-34-5	5-MeO-DiPT
97	N，N-二甲基-5-甲氧基色胺	5-Methoxy-N，N-dimethyltryptamine	1019-45-0	5-MeO-DMT
98	N-甲基-N-异丙基-5-甲氧基色胺	5-Methoxy-N-isopropyl-N-methyltryptamine	96096-55-8	5-MeO-MiPT

序号	中文名	英文名	CAS 号	备注
99	α-甲基色胺	alpha-Methyltryptamine	299-26-3	AMT
100	1，4-二苄基哌嗪	1，4-Dibenzylpiperazine	1034-11-3	DBZP
101	1-（3-氯苯基）哌嗪	1-（3-Chlorophenyl）piperazine	6640-24-0	mCPP
102	1-（3-三氟甲苯基）哌嗪	1-（3-Trifluoromethylphenyl）piperazine	15532-75-9	TFMPP
103	2-氨基茚满	2-Aminoindane	2975-41-9	2-AI
104	5，6-亚甲二氧基-2-氨基茚满	5，6-Methylenedioxy-2-aminoindane	132741-81-2	MDAI
105	2-二苯甲基哌啶	2-Diphenylmethylpiperidine	519-74-4	2-DPMP
106	3，4-二氯哌甲酯	Methyl 2-（3，4-dichlorophenyl）-2-（piperidin-2-yl）acetate	1400742-68-8	3，4-CTMP
107	乙酰芬太尼	N-（1-Phenethylpiperidin-4-yl）-N-phenylacetamide	3258-84-2	Acetylfentanyl
108	3，4-二氯-N-［（1-二甲氨基环己基）甲基］苯甲酰胺	3，4-Dichloro-N-（（1-（dimethylamino）cyclohexyl）methyl）benzamide	55154-30-8	AH-7921
109	丁酰芬太尼	N-（1-Phenethylpiperidin-4-yl）-N-phenylbutyramide	1169-70-6	Butyrylfentanyl
110	哌乙酯	Ethyl 2-phenyl-2-（piperidin-2-yl）acetate	57413-43-1	Ethylphenidate
111	1-［1-（2-甲氧基苯基）-2-苯基乙基］哌啶	1-（1-（2-Methoxyphenyl）-2-phenylethyl）piperidine	127529-46-8	Methoxphenidine
112	芬纳西泮	7-Bromo-5-（2-chlorophenyl）-1，3-dihydro-2H-1，4-benzodiazepin-2-one	51753-57-2	Phenazepam

序号	中文名	英文名	CAS 号	备注
113	β-羟基硫代芬太尼	N-（1-（2-Hydroxy-2-（thiophen-2-yl）ethyl）piperidin-4-yl）-N-phenyl-propanamide	1474-34-6	β-Hydroxy-thiofentanyl
114	4-氟丁酰芬太尼	N-（4-Fluorophenyl）-N-（1-phenethylpiperidin-4-yl）butyramide	244195-31-1	4-Fluorobuty-rfentanyl
115	异丁酰芬太尼	N-（1-Phenethylpiperidin-4-yl）-N-phenylisobutyra-mide	119618-70-1	Isobutyrfentanyl
116	奥芬太尼	N-（2-Fluorophenyl）-2-methoxy-N-（1-phenethylpiperidin-4-yl）acetamide	101343-69-5	Ocfentanyl

注：上述品种包括其可能存在的盐类、旋光异构体及其盐类（另有规定的除外）。

主要参考文献

1. 齐磊、胡金野主编:《中国共产党禁烟禁毒史资料》,上海社会科学院出版社 2020 年版。

2. 方文军:《毒品犯罪司法实务精解》,法律出版社 2024 年版。

3. 任惠华主编:《侦查学原理》,法律出版社 2023 年版。

4. 蔡智玉编著:《毒品犯罪案件审判实务问答》,法律出版社 2023 年版。

5. 贾东明主编:《毒品:成瘾及康复》,浙江大学出版社 2019 年版。

6. 岳佳:《毒品犯罪案件侦查方法研究》,知识产权出版社 2023 年版。

7. 廖斌等:《毒品犯罪的新发展及其防治研究》,中国政法大学出版社 2022 年版。

8. 张玉镶主编:《刑事侦查学》,北京大学出版社 2022 年版。

9. 曾德梅主编:《侦查学基础理论》,中国政法大学出版社 2020 年版。

10. 褚红云主编:《侦查学实训教程》,厦门大学出版社 2022 年版。

11. 马忠红、杨郁娟主编:《刑事侦查学》,中国人民大学出版社 2015 年版。

12. 王传道主编:《刑事侦查学》,中国政法大学出版社 2017 年版。

13. 刘瑞榕:《犯罪侦查学》,厦门大学出版社 2007 年版。

14. 莫关耀:《毒品滥用与治理实证研究——以云南省为视角》,中国人民公安大学出版社 2018 年版。

15. 苏智良:《中国毒品史》,上海社会科学院出版社 2017 年版。

16. 张汝铮:《毒品犯罪认定研究》,辽宁人民出版社 2021 年版。

17. 刘柳:《毒品问题治理策略:理论与实务》,南京大学出版社 2023 年版。

18. 石经海主编：《毒品犯罪司法适用要点评注》，法律出版社 2024 年版。

19. 人民法院出版社编：《毒品案件办理小全书》，人民法院出版社 2024 年版。

20. 廖斌主编：《毒品违法犯罪防治研究》，中国政法大学出版社 2016 年版。

21. 董国权、吕俊主编：《毒品犯罪案件法律适用与案例指导》，人民法院出版社 2023 年版。

22. 张婷、向鹏：《毒品犯罪治理若干问题探析》，中国政法大学出版社 2022 年版。

23. 唐浩：《毒品成瘾心理学》，群众出版社 2021 年版。

24. 胡明编著：《讯问学》，中国政法大学出版社 2019 年版。

25. 肖先华主编：《毒品犯罪办案指引》，中国检察出版社 2022 年版。

26. 赵翔：《毒品问题治理的探索与实践——以贵州省为例》，群众出版社 2016 年版。

27. 李光旭主编：《毒品犯罪案件证据分析与指引》，人民出版社 2019 年版。

28. 马前进：《侦查思维中的推理方法》，中国法制出版社 2020 年版。

29. ［阿根廷］胡安·何塞·赛尔：《侦查》，陈超慧译，作家出版社 2023 年版。

30. 张中：《技术侦查措施研究——以侦查取证法治化为主线》，中国政法大学出版社 2023 年版。

31. 郑晓均、蔡艺生主编：《侦查策略与措施》，知识产权出版社 2021 年版。

32. 张晓春主编：《毒品预防教育教学指南》，广西教育出版社 2020 年版。

33. 周小凤、刘洪主编：《侦查策略与措施》，中国政法大学出版社 2020 年版。

34. 范晓青主编：《毒品的危害与戒毒治疗》，人民军医出版社 2006 年版。

35. 王红星、蔡薇主编：《侦查心理学》，华中科技大学出版社 2023 年版。

36. 林金文主编：《毒品犯罪案件证据认定的理论与实务》，人民法院出版社 2017 年版。

37. 胡江等：《毒品问题治理的刑事法治保障》，中国检察出版社 2024 年版。

38. 祁亚平：《毒品案件中的证据理论与证据实践》，中国政法大学出版社 2019 年版。

39. 史宏灿、鞠永熙主编：《毒品成瘾的基本理论与中西医结合防治实践》，高等教育出版社 2014 年版。

40. ［美］亨利·布朗斯坦主编：《毒品与社会手册》，时杰等译，法律出版社 2019 年版。

41. 张天培：《"污水验毒"助力智慧禁毒》，载《人民日报》2022 年 7 月 13 日，第 5 版。

42. 包涵：《毒品分级管制的理论意义与制度建构》，载《公安学研究》2022 年第 1 期。

43. 胡江、崔建国：《国际大麻管制等级降低对我国毒品管控的冲击与应对》，载《中国刑警学院学报》2021 年第 6 期。

44. 于浩洋：《我国毒品列管模式的检视与完善》，载《中国刑警学院学报》2022 年第 6 期。

45. 赵戈：《物流寄递型毒品犯罪既未遂形态的认定》，载《中国刑警学院学报》2023 年第 4 期。

46. 赵天红、施杰阳：《非法持有毒品罪未遂认定的实践检视与标准探析——基于 60 份刑事裁判文书的实证研究》，载《中国刑警学院学报》2024 年第 5 期。

47. 乔子愚：《泰国禁毒战略视野下的毒品犯罪及应对策略》，载《中国人民公安大学学报》（社会科学版）2023 年第 6 期。

48. 刘卓、姚伟宣、贾振军：《神经科学视角下新精神活性物质滥用的安全风险和防控对策》，载《中国人民公安大学学报》（社会科学版）2022 年第 1 期。

49. 林晓萍：《困境与突破：新时代禁毒国际合作新思考》，载《中国人民公安大学学报》（社会科学版）2023 年第 4 期。

50. 朱新光、徐鸿飞：《中亚禁毒合作机制评析》，载《新疆大学学报》（哲学社会科学版）2023 年第 5 期。

51. 高乔：《"甩锅"治不了美国芬太尼之'病'》，载《人民日报海外版》2023 年 7 月 4 日，第 10 版。

52. 靳昊、童文琦：《最高法：全国法院一审审结毒品案件数量持续下降》，载《光明日报》2023 年 6 月 27 日，第 10 版。

图书在版编目（CIP）数据

禁毒学教程 / 李莉主编. -- 北京 ：中国政法大学
出版社, 2025. 11. -- ISBN 978-7-5764-2332-7

　Ⅰ. C913.8

中国国家版本馆 CIP 数据核字第 20251MY970 号

出 版 者　　中国政法大学出版社

地　　址　　北京市海淀区西土城路 25 号

邮　　箱　　fadapress@163.com

网　　址　　http://www.cuplpress.com (网络实名：中国政法大学出版社)

电　　话　　010-58908435(第一编辑部) 58908334(邮购部)

承　　印　　北京鑫海金澳胶印有限公司

开　　本　　720mm×960mm　1/16

印　　张　　23.25

字　　数　　405 千字

版　　次　　2025 年 11 月第 1 版

印　　次　　2025 年 11 月第 1 次印刷

定　　价　　69.00 元